Een goede moeder

Van dezelfde auteur:

Het tere kind
De andere zoon
De tweede dochter
Het verdwenen meisje
De tiende cirkel
De kleine getuige
Negentien minuten
De bekering

Jodi Picoult

Een goede moeder

the house of books

Oorspronkelijke titel
Sing You Home
Uitgave
Atria Books
© 2011 by Jodi Picoult. All rights reserved.
This edition published by arrangement with the original publisher, Atria Books,
a Division of Simon & Schuster, Inc., New York.
Copyright voor het Nederlandse taalgebied © 2012 by The House of Books,
Vianen/Antwerpen

Vertaling
Davida van Dijke
Omslagontwerp
marliesvisser.nl
Omslagbeeld
Hollandse Hoogte
Foto auteur
Adam Bouska
Opmaak binnenwerk
ZetSpiegel, Best

ISBN 978 90 443 3374 9
D/2012/8899/113
NUR 302

www.thehouseofbooks.com

Woord van dank

Een intelligent mens is in staat zich te omringen met mensen die meer weten dan hij- of zijzelf. Ik ben dan ook dank verschuldigd aan een groot aantal mensen, die mij hebben geholpen deze roman tot stand te brengen. Ik ben veel verplicht aan mijn briljante medische en juridische steunpilaren: doctor Judy Stern, de artsen Karen George Paul Manganiello en Michele Lauria; korporaal Claire Demarais, rechter Jennifer Sargent en de advocaten Susan Apel, Lise Iwon, Janet Gilligan en Maureen McBrien. Dank aan de muziektherapeuten Suzanne Hanser, Annette Whitehead Pleau, Karen Wacks, Kathleen Howland, Julie Buras Zigo, Emily Pellegrino, Samantha Hale, Bronwyn Bird, Brenda Ross en Emily Hoffman. Ik mocht jullie de oren van het hoofd vragen over jullie werk, én jullie vergezellen tijdens enkele therapiesessies. Dat was voor mij enorm leerzaam en boeiend. Ik heb veel opgestoken van Sarah Croitoru, Rebecca Linder, Lisa Bodager, Jon Picoult en Sindy Buzzell. Hetzelfde geldt voor Melissa Fryrear van de organisatie Focus on the Family en Jim Burroway, auteur en onderzoeker voor *Box Turtle Bulletin*.

Zoals altijd dank aan mijn moeder, Jane Picoult, omdat ze mijn boeken al in een heel vroeg stadium leest. Maar deze keer wil ik ook mijn grootmoeder Bess Friend bedanken. Ze is in de negentig, maar ik zou iedereen háár hoge mate van tolerantie en ruimdenkendheid toewensen. Dank aan Atria Books, met name Carolyn Reidy, Judith Curr, Mellony Torres, Jessica Purcell, Sarah Branham, Kate Cetrulo, Chris Lloreda, Jeanne Lee, Gary Urda, Lisa Keim, Rachel Zugschwert, Michael Selleck, en de tientallen anderen zonder wie mijn carrière nooit zo'n hoge vlucht had genomen. David Brown, het is echt leuk om je weer terug te zien bij Team Jodi. [Ik ben blij dat je zo positief reageerde toen ik vertelde dat dit boek samengaat met een aantal muzieknummers, in plaats van dat je meteen in paniek raakte.]

Speciaal voor Laura Gross: weet je nog dat je me dat verhaal vertelde over de dode man in de trein? En weet je nog dat ik zei: 'Dat ga ik ooit in een boek gebruiken?' Zo gezegd, zo gedaan, zoals je zult lezen in deze roman. Ik heb altijd geweten dat je een uitstekend literair agent was, maar dat je zo'n goede vriendin zou worden, had ik niet durven dromen.

Dank je wel Emily Bestler – er zullen weinig redacteurs zijn met wie ik zoveel kan bespreken. Van de marteling die het voor jongeren betekent om toelatingsexamen voor een universitaire studie te moeten doen, tot wat nu eigenlijk een bevredigend slot is van een roman. Kortom, ik denk dat ik met jou echt de jackpot heb binnengehaald. We hebben nu al zo lang samengewerkt dat we op een Siamese tweeling zijn gaan lijken.

Mijn publiciteitsagenten Camille McDuffie en Kathleen Carter zijn de beste cheerleaders die een auteur zich kan wensen. In de afgelopen dertien jaar ben ik dankzij jullie van 'Jodie, hoe?' beland op het punt dat fans me in de supermarkt herkennen en vragen of ik hun boodschappenlijstje wil signeren.

Dit boek is ook bijzonder omdat er letterlijk muziek in zit. Ik was me ervan bewust dat ik gedeeltelijk schreef over homorechten, een politiek onderwerp. Maar juist daarom wilde ik dat mijn lezers daadwerkelijk de stem van mijn hoofdpersoon zouden horen. Ik wilde dit onderwerp beslist niet alleen politiek, maar ook persoonlijk inkleuren. Dus kun je zowel lezen als horen hoe Zoë haar hart uitstort, namelijk in haar songs. De liedjes zijn te beluisteren via www.Simon andSchuster.com/SingYouHome. Daarom wil ik ook Bob Merrill van Sweet Spot Digital hartelijk bedanken voor de muziekopnames, Ed Dauphinais (mandoline) en Tim Gilmore (slagwerk) en Toby Mountain van Northeastern Digital die de mastertape van de cd heeft gemaakt. Maar bovenal gaat mijn dank uit naar Ellen Wilber, die bereid was om Zoë haar eigen, kristalzuivere zangstem te 'lenen'. Zij componeerde ook de muziek, waarvoor ik de teksten heb geschreven. Ellen is een dierbare vriendin van me. Samen met haar heb ik ruim honderd liedjes geschreven voor kindermusicals, waarvan de opbrengst bestemd is voor goede doelen. Ellen heeft een groot muzikaal talent en een nog groter hart. Ellen, ik kan je niet genoeg bedanken voor je enthousiasme voor dit project... en belangrijker nog, voor onze vriendschap.

Tot slot wil ik zoals altijd Tim, Kyle, Jake en Sammy bedanken. Jullie vormen de prachtige soundtrack van míjn leven.

Voor Ellen Wilber – jouw muziek heeft mijn leven verrijkt, en je vriendschap betekent heel veel voor mij en mijn gezin. Ik weet niet wie van ons tweeën het best Thelma zou kunnen spelen en wie Louise. Waarschijnlijk is dat niet belangrijk, zolang we maar samen onderweg zijn.

En voor Kyle van Leer – vanaf het moment dat je geboren werd tijdens een orkaan wist ik dat jij speciaal was. Ik ben oneindig trots op je. Niet alleen om wie je geworden bent, maar ook om de sterke persoonlijkheid die je altijd al geweest bent.

Ellen en Kyle, dit boek is aan jullie opgedragen. Op de een of andere manier weet ik dat jullie het prima vinden om deze pagina te delen en praktisch in één adem genoemd te worden.

Opmerking van de auteur

De liedjes bij dit boek zijn geschreven om het personage van Zoë tot leven te brengen voor de lezer en haar een echte stem te geven. Er is geen 'goede' of 'foute' volgorde waarin je de bijbehorende muziek kunt beluisteren tijdens het lezen van deze roman. Maar toen Ellen Wilber en ik samen de teksten en de muziek schreven hadden we bij ieder nummer een bepaald hoofdstuk op het oog. Zo staat het ook aangegeven in het boek, voor het geval dat je de liedjes wilt afspelen waar ze het meest betrekking hebben op wat Zoë op dat moment denkt en voelt. Veel lees- en luisterplezier!

Geen mens mag de rechten van een ander aantasten, op welke manier dan ook. Dat is het enige waarvan de wet hem dient te weerhouden.

– Thomas Jefferson

1

Lied in de diepte

ZOË

Op een heldere, zonnige dag in september zag ik mijn vader dood neervallen. Ik was zeven jaar. Ik zat op het stenen muurtje langs onze oprit met mijn lievelingspop te spelen, terwijl hij het gazon maaide. Het ene moment duwde hij nog de grasmaaier, en het volgende lag hij met zijn gezicht voorover in het gras. De grasmaaier reed in slow motion de flauwe helling van onze achtertuin af.

Eerst dacht ik dat hij in slaap gevallen was of dat hij een spelletje deed. Maar toen ik naast hem neerhurkte op het grasveld, waren zijn ogen nog open. Er zaten plukjes vochtig, vers gemaaid gras tegen zijn voorhoofd geplakt.

Ik herinner me niet meer dat ik mijn moeder ging roepen, maar dat moet ik wel gedaan hebben.

Als ik terugdenk aan die dag, is het in slow motion. De grasmaaier, die uit eigen beweging voorthobbelt. Het pak melk dat mijn moeder vasthield toen ze naar buiten kwam rennen, en dat op de geasfalteerde oprit viel. De klank van haar stem toen ze ons adres in de telefoonhoorn schreeuwde, zodat de ambulance kon komen.

Mijn moeder reed met de ambulance mee naar het ziekenhuis en liet mij achter bij onze bejaarde buurvrouw. Die was best aardig, al rook haar zitbank naar pis. De buurvrouw bood me chocoladepepermuntjes aan die zo oud waren dat de chocolade bij de randjes wit uitgeslagen was. Toen haar telefoon rinkelde, drentelde ik de achtertuin in. Ik kroop onder een rij heggenstruiken en woelde in de zachte laag rottende bladeren. Ik begroef mijn pop erin en liep weg.

Mijn moeder heeft de verdwijning van mijn pop nooit opgemerkt. Maar eigenlijk leek het ook nauwelijks tot haar door te dringen dat mijn vader er niet meer was. Ze liet geen traan. Tijdens de begrafenis

van mijn vader stond ze kaarsrecht en roerloos bij zijn graf. Wekenlang zaten we 's avonds stilletjes samen aan de keukentafel. Af en toe
zette ik nog steeds een bord neer voor mijn vader. Langzaam aten we
ons door de enorme voorraad gehaktschotels en ovengerechten van
macaroni met kaas en worstjes heen, die collega's van mijn vader en
mensen uit onze straat ons waren komen brengen. Ze hoopten vast
dat ze met voedsel hun gebrek aan troostende woorden konden goedmaken. Want als een sterke, gezonde man van tweeënveertig sterft
aan een acuut hartinfarct, lijkt het verdriet van de rouwende familie
opeens besmettelijk. Je kunt er maar beter niet te dichtbij komen, anders word je misschien aangestoken door hun vreselijke, botte pech.

Zes maanden na de dood van mijn vader was mijn moeder nog altijd even stoïcijns. Ze haalde zijn kostuums en overhemden uit hun
gezamenlijke kledingkast en bracht ze naar een kringloopwinkel. Ze
haalde bij de slijterij op de hoek lege dozen, waar ze mijn vaders pijp
in deed, zijn muntenverzameling en de biografie die hij aan het lezen
was, tot op de avond voor hij stierf. Het boek had al die tijd nog op
zijn nachtkastje gelegen. Alleen de collectie videobanden van Abbott
en Costello liet ze staan, een beetje vreemd, omdat ze altijd tegen mijn
vader had gezegd dat ze niet begreep wat er zo komisch was aan dat
duo.

Mijn moeder sjouwde alle dozen naar zolder, een warme, benauw-
de plek, waar kleine vliegjes huisden. Nadat ze een derde keer de zol-
dertrap op was geklommen, bleef ze een hele tijd weg. Ik hoorde alleen een beverige, snerpende melodie, die door de speakers van een
oude platenspeler van de zolderverdieping naar beneden zweefde. Ik
kon niet de hele tekst verstaan, maar het ging over een jongen die verliefd was. Hij vroeg raad aan een oude tovenaar, die hem een tover-
spreuk gaf waarmee hij het meisje van zijn dromen voor zich kon
winnen.

Ik hoorde: *Oeeeee ieeee oeeee ai-ai, ting tang, walla walla, bing-
bang...* Ik voelde een lachkriebel opkomen. Nou, zoveel viel er de
laatste tijd bij ons thuis niet te lachen, dus klauterde ik vliegensvlug
de trap op. Waar kwam die gekke brabbelmuziek ineens vandaan?

Toen ik op zolder kwam, zat mijn moeder huilend naast de gram-
mofoon. 'Dit liedje,' zei ze, terwijl ze de naald weer aan het begin van
de plaat zette, 'dat vond hij altijd zó grappig.'

Ik was wel zo wijs haar niet te vragen waarom zij dan zat te huilen in plaats van te lachen. Ik zei helemaal niets en liet me naast haar op de plankenvloer zakken. Samen luisterden we naar het liedje dat had gezorgd dat mijn moeder eindelijk haar tranen de vrije loop kon laten.

Ieder leven heeft zijn soundtrack. De achtergrondmuziek van jouw eigen, hoogstpersoonlijke film.

Zo is er een deuntje dat mij doet terugdenken aan die ene zomer dat ik voornamelijk bezig was mijn buik in te wrijven met babyolie voor de perfecte, egale bruintint. Een ander liedje herinnert me aan de zondagochtenden waarop ik samen met mijn vader *The New York Times* ging halen. Dan heb je dat nummer dat ik hoorde op het moment dat ik met een valse identiteitskaart een discotheek probeerde binnen te komen. En de muziek op het verjaardagsfeest van mijn nichtje dat zestien werd, toen we 'draai de fles' deden, een zoenspelletje. Ik kwam in een muurkast terecht met een jongen die vreselijk sterk naar tomatensoep rook, en die mij héél lang wilde zoenen.

Volgens mij is muziek de taal van het geheugen.

Wanda, de dienstdoende verpleegkundige in verpleeghuis Dennenrust, overhandigt me een bezoekerspas, hoewel ik hier al ruim een jaar wekelijks kom. Ik werk in Dennenrust met diverse bewoners. 'Hoe gaat het vandaag met hem?' vraag ik.

'Z'n gangetje,' zegt Wanda luchtig. 'Dolenthousiast heen en weer zwaaien aan de kroonluchter, met als toegift een combinatie van tapdansen en schimmenspel.'

Ik glimlach naar haar. Meneer Docker, voor wie ik vandaag kom, is in het eindstadium van dementie. In de twaalf maanden dat ik zijn muziektherapeut ben, heeft hij twee keer op me gereageerd. Het overgrote deel van de tijd zit hij op bed of in zijn rolstoel en negeert mij volledig.

Wanneer ik mensen vertel dat ik muziektherapeut ben, denken ze dat ik met mijn gitaar optredens doe voor ziekenhuispatiënten en gehandicapten. Kortom, een podiumkunstenaar voor een speciale doelgroep. Maar eigenlijk ben ik eerder een soort fysiotherapeut die gebruikmaakt van muziek in plaats van loopbanden en massagebanken. Als ik dát probeer uit te leggen doen mensen mijn werk meestal af als vage new-age-onzin.

Toch klopt dat niet. Wat ik doe is compleet wetenschappelijk on-
derbouwd. Bij hersenscans doet muziek de mediale prefrontale cortex
oplichten. Dat betekent dat herinneringen loskomen die begraven
waren in je geheugen. En dan, zomaar opeens, zie je een plaats, persoon of gebeurtenis voor je. Dat is een regelrechte respons op bepaalde muziek. De sterkste reacties op muziek veroorzaken de grootste
activiteit op hersenscans. Dan praat je over de prikkels die de leven-
digste herinneringen oproepen. Vandaar dat patiënten zich na een beroerte als eerste muziek herinneren en pas daarna taal... én dat
alzheimerpatiënten nog steeds liedjes uit hun jeugd kennen.

Vandaar ook dat ik meneer Docker nog niet heb opgegeven.

'Bedankt, dan weet ik wat me te wachten staat,' zeg ik tegen Wanda.
Ik til mijn grote tas, mijn gitaarkoffer en mijn djembé van de grond.

'Ho eens even,' zegt Wanda streng. 'Jij mag helemaal geen zware
dingen sjouwen in jouw toestand.'

'In dat geval kan ik beter dit vrachtje zien kwijt te raken,' zeg ik en
tik met mijn vinger op mijn buik. Ik ben achtentwintig weken zwanger,
tonrond en zwaar. Maar wat ik zojuist tegen Wanda zei, is absoluut
niet waar. Ik heb zo mijn best gedaan om in verwachting te raken dat
niets van mijn zwangerschap aanvoelt als een last. Ik wuif naar Wanda
en loop de gang in, op naar de eerste therapiesessie van vandaag.

Normaal gesproken doe ik in verpleeg- en verzorgingshuizen
groepstherapie, maar meneer Docker is een speciaal geval. Hij was
ooit directeur van een Fortune 500-bedrijf en woont nu in dit luxe
zorgcentrum voor ouderen. Hij is nog steeds steenrijk. Zijn dochter
Mim heeft mij ingehuurd voor wekelijkse, individuele muziekthera-
piesessies. Meneer Docker is bijna tachtig, heeft een grote bos wit
haar en vergroeide, knoestige handen. Maar naar ik begrepen heb,
was hij in zijn jonge jaren een uitstekend jazzpianist.

De laatste keer dat meneer Docker aangaf dat hij zich bewust was
van mijn aanwezigheid was twee maanden geleden. Ik zat gitaar te
spelen, toen hij plotseling twee keer op het handvat van zijn rolstoel
sloeg. Ik weet niet of hij wilde meetikken of probeerde mij te laten op-
houden met spelen. Hoe dan ook, hij had het ritme goed te pakken.

Ik klop aan en duw de deur open. 'Meneer Docker?' zeg ik. 'Ik ben
het, Zoë. Zoë Baxter. Hebt u zin om een beetje muziek te maken?'

Iemand van het personeel heeft hem in een leunstoel geholpen, en hij zit naar buiten te kijken. Of misschien staart hij gewoon in de richting van het raam; hij heeft nergens speciaal zijn aandacht op gevestigd. Zijn handen liggen opgekruld in zijn schoot, als kreeftenpoten.

'Oké!' zeg ik monter terwijl ik mijn buik langs het bed, de televisie en de tafel met een onaangeroerd ontbijt manoeuvreer. 'Wat zullen we vandaag eens zingen?' Ik laat een stilte vallen, maar verwacht niet echt antwoord. '"Jij bent mijn zonnestraaltje?"' vraag ik. 'Of "Dans met mij?"' Ik probeer mijn gitaar uit de koffer te trekken in de kleine ruimte tussen het bed en zijn stoel. Ik pas er eigenlijk niet in, met mijn zwangere buik en ook nog mijn instrument. Ik laat de gitaar zo goed en zo kwaad als het gaat boven op mijn buik balanceren en begin een paar akkoorden te tokkelen. Dan bedenk ik me en zet ik de gitaar weer even op de grond.

Ik rommel in mijn grote tas, op zoek naar een maraca. Ik heb allerlei kleine instrumenten bij me, precies voor dit soort momenten. Ik duw de steel zachtjes in zijn kromgetrokken hand. 'Voor het geval dat u mee wilt doen.' Dan begin ik zachtjes te zingen: 'Ik wil naar de wedstrijd toe. Naar de wedstrijd toe, met z'n...'

Het einde laat ik doelbewust in de lucht hangen. We hebben allemaal de diepgewortelde behoefte om een zin of uitdrukking die we kennen af te maken. Dus hoop ik hem het laatste woord allen te horen mompelen. Ik kijk zijdelings naar meneer Docker, maar hij houdt de maraca stil in zijn gebalde vuist geklemd.

'Doe mij maar popcorn, een grote beker vol. Het kan me echt niet schelen want ik ben hier voor de lol.'

Ik blijf zingen, zachtjes tokkelend, en ga voor hem staan. 'Maar ik gááá voor onze club. Van je hela, hola, hup hup hup. Maar ik gááá voor onze club; van je een, van je twee, van je...'

Plotseling schiet meneer Dockers hand omhoog en de macara slaat tegen mijn mond. Ik proef bloed. Ik ben zo verbaasd dat ik wankelend achteruitwijk. De tranen springen in mijn ogen. Ik druk mijn mouw tegen de snee in mijn lip om hem niet te laten zien dat hij me pijn heeft gedaan. 'Wat heeft u zo van streek gemaakt?'

Geen reactie.

De maraca is op het hoofdkussen van zijn bed beland. 'Ik moet even mijn instrument pakken. Dat ligt achter u,' zeg ik behoedzaam. Maar zodra ik een poging doe, haalt hij opnieuw naar me uit. Nu struikel ik en val tegen de tafel. Zijn volle ontbijtblad klettert op de grond.

'Wat gebeurt hier nou?' roept Wanda, die binnen komt hollen. Ze kijkt naar mij, naar de rommel op de vloer en vervolgens naar meneer Docker.

'Niets bijzonders,' zeg ik tegen haar. 'Alles is onder controle.'

Wanda werpt een lange, nadrukkelijke blik op mijn buik. 'Zeker weten?'

Ik knik naar haar en ze gaat de kamer uit. Vanaf nu ben ik echt op mijn hoede. Ik ga op de verwarmingsradiator bij het raam zitten.

'Meneer Docker,' zeg ik zacht. 'Wat is er mis?'

Eindelijk kijkt hij me aan. Zijn ogen glanzen van de tranen en staan helder. Zijn blik dwaalt door de kamer. Van de standaardverpleeg-huisgordijnen naar de medische apparatuur voor noodgevallen in de kast achter het bed en de plastic waterkan op het nachtkastje. 'Alles,' zegt hij gespannen.

Ik probeer me in te leven in deze man, over wie ooit artikelen ver-schenen in het economiekatern van landelijke kranten. Iemand die de scepter zwaaide over duizenden werknemers. Die zijn dagen door-bracht in een weelderig gelambriseerd kantoor, met hoogpolig tapijt en een met leer beklede draaistoel. Ik voel een opwelling om sorry te zeggen. Ik heb zomaar ongevraagd mijn gitaar gepakt en zijn geblok-keerde geest ontsloten met mijn muziek.

Eigenlijk logisch, toch, dat er dingen zijn die we liever vergeten?

De pop die ik achter het huis van onze buurvrouw begroef die dag dat mijn vader stierf, heette Sweet Cindy. De voorafgaande kerst had ik min of meer op mijn knieën om haar gesmeekt. Ik was helemaal dolgedraaid door de tv-reclames die op zaterdagochtend tussen de tekenfilms door werden vertoond. Ik móést Sweet Cindy hebben. Ze kon eten, drinken, plassen en 'ik vind je lief' zeggen. 'Kan ze een car-burateur repareren?' grapte mijn vader toen ik hem mijn verlanglijstje voor Kerstmis liet zien. 'Kan ze de badkamer schoonmaken?'

In het verleden was ik niet bepaald een zorgzaam poppenmoedertje geweest. Ik knipte mijn barbiepoppen nagenoeg kaal met een nagel-schaartje. Ik had Ken onthoofd, maar dat was een ongelukje. Hij was uit mijn fietsmandje gevallen en ik had hem onbedoeld overreden.

Maar Sweet Cindy behandelde ik alsof het mijn eigen kindje was. Ik stopte haar iedere avond in een poppenwiegje, dat vlak naast mijn bed stond. Ik deed haar elke dag in bad. Ik reed met haar over onze oprit en tuinpaadjes, in een poppenwagen die we op een vlooienmarkt hadden gekocht.

De dag dat mijn vader overleed, wilde hij met me gaan fietsen. Het was prachtig weer en ik kon sinds kort fietsen zonder zijwieltjes. Ik had tegen mijn vader gezegd dat ik eerst met Cindy wilde spelen, en dat we misschien later konden gaan. 'Goed plan, meisje,' had hij gezegd, en haalde vervolgens de grasmaaier uit het schuurtje. Maar natuurlijk was er geen later.

Stel dat ik Sweet Cindy niet had gekregen voor kerst.

Stel dat ik meteen ja had gezegd toen mijn vader me meevroeg.

Stel dat ik een oogje op hem had gehouden, in plaats van met mijn pop te spelen.

Er waren duizenden manieren waarop ik het anders had kunnen doen. *Als ik zus of zo had gedaan*, dacht ik, *dan had ik mijn vaders leven kunnen redden.* En nu was het te laat, maar desondanks maakte ik mezelf wijs dat ik die stomme pop helemaal nooit had willen hebben. Dat het haar schuld was dat mijn vader er niet meer was.

De eerste keer dat het sneeuwde nadat mijn vader was gestorven, droomde ik dat Sweet Cindy op mijn bed zat. De kraaien hadden haar blauwe, glanzende ogen uitgepikt. Ze rilde van de kou.

De volgende dag pakte ik de schop uit de schuur. Ik liep ermee naar de achtertuin van de buurvrouw, waar ik Sweet Cindy onder de heg had begraven. Ik stak de schop in de sneeuw en groef een heel stuk langs de heg in de laag rotte bladeren en aarde. Maar mijn pop was verdwenen. Misschien had een hond haar meegenomen. Of een meisje, dat vast veel beter voor Cindy zou zorgen dan ik had gedaan.

Ik weet dat het dwaas is om als veertigjarige vrouw een link te leggen tussen een onberedeneerde, kinderlijke uiting van verdriet en vier mislukte ivf-pogingen plus twee miskramen. Om maar niet te spreken van de eindeloze rij vruchtbaarheidsproblemen waaraan een complete beschaving ten onder zou kunnen gaan. Maar toch. Ik kan je niet zeggen hoe vaak ik me heb afgevraagd of dit nu mijn straf is. Of ik een soort slecht karma over mezelf heb afgeroepen.

Stel dat ik Sweet Cindy, de eerste baby aan wie ik mijn hart had verpand, niet zo roekeloos aan haar lot had overgelaten? Zou ik dan inmiddels wél een echt kind hebben gekregen?

Wanda heeft meneer Dockers dochter Mim gebeld. Die is met haastige spoed vertrokken van een vergadering van haar liefdadigheidsclub. Als mijn therapie-uurtje met meneer Docker erop zit, is Mim al in Dennenrust gearriveerd.

'Weet je zeker dat je helemaal in orde bent?' vraagt Mim voor de honderdste keer, terwijl ze me van top tot teen opneemt.

'Ja, echt,' zeg ik geruststellend. Hoewel ik vermoed dat haar bezorgdheid vooral voortkomt uit de angst om een rechtszaak aan haar broek te krijgen. Ik denk niet dat ze zich heel erg druk maakt over mijn persoonlijk welzijn.

Mim graaft in haar handtasje en trekt een stapel papiergeld tevoorschijn. 'Alsjeblieft,' zegt ze.

'Maar je hebt me al betaald voor deze maand...'

'Dit is een bonus,' zegt ze. 'Ik weet zeker dat je heel wat extra uitgaven hebt op dit moment, voor de baby en zo.'

Dit is zwijggeld, realiseer ik me. Maar ze heeft wel gelijk: de bijkomende kosten van mijn zwangerschap zijn torenhoog. Dat heeft weinig te maken met de aanschaf van een babyzitje of een kinderwagen, maar alles met de peperdure Puregon- en Orgalutran-injecties die ik heb gekregen om alleen maar zwanger te kúnnen worden. Na vijf ivf-behandelingen, met embryotransfers van zowel nieuwe als ingevroren en weer ontdooide embryo's, zijn we compleet berooid. Onze spaarrekeningen zijn tot de bodem geplunderd en onze uiterste creditcardlimiet is bereikt. Ik pak het geld aan en stop het in de zak van mijn spijkerbroek. 'Dank je,' zeg ik. Dan kijk ik haar aan. 'Weet je wat je vader eigenlijk deed? Jij ziet het vast anders, maar voor hem is dit een grote stap vooruit. Hij heeft contact met me gemaakt.'

'Ja hoor, recht op je kaak,' mompelt Wanda.

'Er was interáctie,' houd ik vol. 'Oké, de manier waarop was niet zo sociaal aangepast... maar toch. De muziek heeft hem heel even bereikt. Hij was even aanwézig.'

Ik zie aan Mims gezicht dat ze er geen bal van gelooft, maar dat maakt mij niet uit. Ik ben ooit gebeten door een autistisch kind. Ik heb zitten huilen naast een klein meisje dat stervende was aan een hersentumor. Ik heb synchroon gespeeld met de pijnkreten van een kind dat over meer dan tachtig procent van zijn lichaam verbrand was. Bij mijn werk geldt: als het me hoe dan ook raakt, weet ik dat ik het goed doe.

'Ik moet gaan,' zeg ik, terwijl ik mijn gitaarkoffer pak.

Wanda kijkt niet op van de patiëntenkaart die ze zit in te vullen. 'Oké, tot volgende week.'

'Nee hoor. Ik zie jou vast over ongeveer twee uur verschijnen op de babyshower.'

'Welke babyshower? Wat bedoel je?'

Ik grinnik naar haar. 'De babyshower waar ik zogenaamd niets vanaf weet. Dát bedoel ik.'

Wanda slaakt een zucht. 'Mocht je moeder ernaar vragen, ík heb niets aan jou verklapt, hoor.'

'Maak je niet ongerust. Ik zal doen alsof ik niet weet wat me overkomt, straks. Alsof het de verrassing van mijn leven is.'

Mim strekt haar hand uit naar mijn uitpuilende buik. 'Mag ik?' Ik knik haar toe. Ik weet dat sommige zwangere vrouwen het een inbreuk op hun privacy vinden als vreemden hun buik willen aanraken of ongevraagd aankomen met ouderlijk advies. Maar ik heb er totaal geen problemen mee. Ik kan mezelf al nauwelijks weerhouden om voortdurend met mijn handen over mijn buik te strijken. Mijn dikke buik met mijn baby erin werkt op me als een magneet, want het is hét bewijs dat het nu eindelijk gelukt is.

'Het is een jongen,' kondigt Mim aan.

Zelf ben ik ervan overtuigd dat mijn baby een meisje is. Al mijn dromen zijn roze. Ik word wakker met sprookjes over elfjes en prinsessen op het puntje van mijn tong. 'We zullen zien,' zeg ik.

Ik heb het altijd ironisch gevonden dat iemand die moeite heeft zwanger te worden een ivf-behandeling moet starten door de pil te slikken. Het doel is je onregelmatige cyclus te reguleren, en dat is het begin van een eindeloze alfabetsoep van medicatie. Drie doseringen FSH en drie HMG – Puregon en Menopur. Max injecteerde me tweemaal per dag, hoewel hij vroeger al flauwviel bij het zien van een naald. Nu, na vijf jaar, kan hij me een shot geven met de ene hand terwijl hij koffie inschenkt met de andere. Zes dagen nadat we met de injecties waren

begonnen werd met een transvaginale echo de grootte van mijn eier-
stokfollikels gemeten, en door een bloedonderzoek mijn oestradiol-
waarde. De volgende stap was Orgalutran, een nieuw medicijn, bedoeld om de eitjes in de follikels te houden tot deze gereed zijn. Drie
dagen later: opnieuw een echo plus bloedonderzoek. De doses Puregon en Menopur werden verlaagd, elke ochtend en avond één dosis
Puregon en één Menopur. Dan, na twee dagen, een derde echo en
bloedonderzoek.

Een van mijn follikels bleek bij meting eenentwintig millimeter. Een
andere twintig en een derde negentien millimeter.

Precies om halfnegen 's avonds injecteerde Max vijfduizend een-
heden Pregnyl in mijn lichaam, dat de eisprong stimuleert. Op de kop
af zesendertig uur later werden de eitjes door follikelpunctie geplukt.

Vervolgens de ICSI, een afkorting van intracytoplasmatische sperma-
injectie. Een zaadcel van Max werd in een eitje geïnjecteerd om dit te
bevruchten. Nog eens drie dagen later werd een vaginale katheter bij
me ingebracht en volgden Max en ik, hand in hand, de embryotransfer op de knipperende computermonitor. Het slijmvlies aan de binnenkant van mijn baarmoeder zag eruit als zeegras, wuivend in de stro-
ming. Een klein wit vonkje, een sterretje, schoot uit de injectienaald
en viel tussen twee grassprietjes. Tot slot vierden we mijn potentiële
zwangerschap met een shot progesteron in mijn achterwerk.

En dan te bedenken dat sommige mensen die een kind willen alleen
maar hoeven te vrijen.

Als ik bij mijn moeder arriveer, zit ze achter haar computer. Ze voegt
informatie toe aan haar recentelijk gemaakte Facebook-profiel. DARA
WEEKS, aldus haar status, WIL GRAAG VRIENDINNEN WORDEN MET HAAR
DOCHTER. 'Ik heb géén zin om met je te praten,' zegt ze pinnig, 'maar
je man heeft gebeld.'

'Max?'

'Heb je nog een andere man, dan?'

'Was er iets bijzonders?'

Ze haalt haar schouders op. Ik loop langs haar heen, pak de telefoon in de keuken en bel Max op zijn mobiel.

'Waarom staat je telefoon uit?' vraagt Max, zodra hij opneemt.

'Ja, schat,' antwoord ik. 'Ik hou ook van jou.'

Op de achtergrond hoor ik de elektrische grasmaaier ronken. Max heeft een hoveniersbedrijf. In de zomer maait hij veel gras, in de herfst harkt hij bladeren en 's winters ruimt hij sneeuw. 'Wat doe je tijdens de dooi?' had ik hem gevraagd, de eerste keer dat we elkaar ontmoetten.

'Dan wentel ik me in de modder,' had hij glimlachend gezegd.

'Ik hoorde dat je gevallen bent.'

'Gênant nieuws verspreidt zich als een lopend vuurtje. Wie heeft jou daarover ingelicht, trouwens?'

'Ik denk gewoon... Ik bedoel, we hebben zo hard gewerkt om dit punt te bereiken.' Max struikelt over zijn woorden, maar ik weet wat hij bedoelt.

'Je weet wat dokter Gelman heeft gezegd,' antwoord ik. 'Dit zijn de laatste loodjes.'

Gek is dat. Na al die jaren vruchteloos proberen en voortijdig stranden ben ik meer ontspannen over deze zwangerschap dan Max. Terwijl ik vroeger periodes had waarin ik zo bijgelovig was dat ik achteruit telde van twintig tot nul voor ik uit bed stapte. Of dat ik een week lang hetzelfde gelukshemdje aanhield, om te zorgen dat een bepaald embryootje zich daadwerkelijk zou innestelen. Maar alle magische trucs ten spijt ben ik nog nooit zover gekomen als nu. Tot het punt dat mijn enkels fantastisch opgezwollen zijn, mijn gewrichten pijn doen en ik onder de douche mijn eigen voeten niet meer kan zien. Ik ben nog nooit zó zwanger geweest dat iemand op het idee kwam een babyshower voor mij te organiseren.

'Ik weet dat we het geld nodig hebben, Zoë. Maar als je cliënten gewelddadig zijn...'

'Max, kom nou. Meneer Docker is negenennegentig procent van de tijd volslagen apathisch, en mijn brandwondenslachtoffers zijn meestal niet eens bij bewustzijn. Echt waar, dit was gewoon een stom ongelukje. Er kan me evengoed iets overkomen als ik de straat oversteek.'

'Dan steek je de straat maar niet over,' zegt Max. 'Wanneer kom je naar huis?'

Hij weet natuurlijk af van de babyshower, maar ik speel het spelletje mee. 'Ik heb nog een intakegesprek met een nieuwe cliënt,' zeg ik voor de grap. 'Mike Tyson. Die is weer eens finaal door het lint gegaan.'

'Leuk hoor. Luister eens, ik kan nu niet zo lang praten...'

'Maar jíj belde míj!'

'Alleen omdat ik dacht dat je dom bezig was...'

'Max,' kap ik hem af. 'Niet doen. Gewoon niet doen.' Jarenlang kregen Max en ik van bevriende stellen te horen dat we geluksvogels waren. Wij hadden de luxe dat het in onze relatie alléén maar om ons tweeën ging, toch? Wij hoefden niet te bakkeleien over wie er moest koken en wie de kinderen naar honkbal moest brengen. Maar echt, het romantisch vuurtje kan net zo effectief gedoofd worden door tafelgesprekken over oestradiolwaarden en afspraken in de fertiliteitskliniek.

En nu... Max doet alles helemaal goed. Hij masseert trouw mijn voeten en zegt tegen me dat ik er mooi uitzie, in plaats van opgeblazen en dik. Maar toch is er iets de laatste tijd. Zelfs als ik me dicht tegen hem aandruk, lijkt het alsof ik hem niet echt voel; alsof hij heel ergens anders is. Ik heb mezelf streng toegesproken, dat ik me dingen verbeeld. Dat hij van zijn kant alleen maar nerveus is, terwijl het bij mij aan de hormonen ligt die door mijn lichaam gieren. Ik wilde alleen dat ik niet de hele tijd smoesjes hoefde te verzinnen.

Had ik maar een vriendin die ik in vertrouwen kon nemen. Iemand die begrijpend knikt en precies de goede dingen zegt als ik me beklaag over mijn man. Maar ik heb amper vriendinnen meer sinds Max en ik ons volop in de strijd tegen onze kinderloosheid hebben gestort. Sommige vriendschappen heb ik zelf afgekapt. Ik trok het gewoon niet om een vriendin te horen jubelen over de eerste woordjes van haar peuter of te gaan eten bij een bevriend stel en geconfronteerd te worden met tuitbekers, speelgoedautootjes en knuffelberen. Al die zogenaamde kleinigheden die bij een leven hoorden dat er voor mij blijkbaar niet in zat. Andere vriendinnen hadden het van hun kant laten afweten omdat ze mij niet meer konden volgen. Het was nogal duidelijk dat Max als enige de wervelstorm van emoties kon begrijpen die gepaard gaat met ivf. We hadden onszelf geïsoleerd, omdat wij het enige stel waren onder onze getrouwde vrienden dat nog geen kinderen had. We hadden onszelf geïsoleerd omdat dat minder pijn deed.

Ik hoor Max de verbinding verbreken, en zie tegelijkertijd mijn moeder in de deuropening staan. Kennelijk heeft ze ieder woord gevolgd.

'Het zit toch wel goed tussen jullie tweeën?'

'Ik dacht dat je boos op me was.'

'Ben ik ook.'

'Waarom sta je mij dan af te luisteren?'

'Ik luister jou niet af! Dit is mijn keuken, hoor. Ik sta hier gewoon. Wat is er met Max aan de hand?'

'Niets.' Ik schud mijn hoofd. 'Ik weet het niet.'

Ze gaat meteen op de toer van openlijke bezorgdheid en medeleven. 'Kom, we gaan ervoor zitten en nemen je gevoel samen onder de loep.'

Ik trek een gezicht. 'Werkt dat echt bij jouw cliënten?'

'Jazeker, daar zou je van opkijken. De meeste mensen weten zelf eigenlijk al de oplossing voor hun problemen.'

Vier maanden geleden heeft mijn moeder zichzelf benoemd tot directeur en enige werknemer van Mama Weet Raad Levenscoaching. Deze baan werd voorafgegaan door haar vroegere incarnaties als reikitherapeut en stand-upcomedian. Gedurende mijn puberteit is ze ook één vreselijke, pijnlijke zomer lang van-deur-tot-deurverkoopster geweest van haar magnifieke uitvinding 'de banaanzak'. (Een op maat gemaakt neopreen roze hoesje dat je over een banaan kon schuiven om hem langer vers te houden. Helaas werd het ding herhaaldelijk aangezien voor seksspeeltje.) Vergeleken daarmee lijkt levenscoaching een vrij tamme bezigheid.

'Toen ik zwanger was van jou hadden je vader en ik constant ruzie. Het was zo erg dat ik op een dag bij hem ben weggelopen.'

Stomverbaasd staar ik haar aan. Waarom heb ik daar in al die veertig jaar van mijn leven nooit iets over gehoord? 'Meen je dat nou?' vraag ik.

Ze knikt. 'Ik pakte mijn koffer, zei hem dat ik bij hem wegging en zo gezegd, zo gedaan.'

'Waar ging je heen?'

'Ik kwam niet verder dan het einde van de oprit,' zegt mijn moeder. 'Ik was negen maanden zwanger, zie je. Dat was de maximale afstand die ik zelfstandig kon voortwaggelen zonder het gevoel te krijgen dat mijn baarmoeder regelrecht uit mijn lijf zou vallen.'

Ik huiver. 'Wat druk je dat weer subtiel uit.'

'Hoe moet ik het dan zeggen, Zoë? Dat het privéverblijf van de foetus op het punt stond een paar verdiepingen omlaag te storten?'

'Wat gebeurde er toen?'

'Het werd avond en je vader kwam me een jas brengen. We hebben daar even samen gezeten en zijn toen weer naar binnen gegaan.' Ze haalt haar schouders op. 'Kort daarop werd jij geboren. En waar we ook al die tijd mot over hadden gehad, het leek ineens totaal onbelangrijk. Wat ik eigenlijk wil zeggen is dat het verleden niets anders is dan een springplank naar de toekomst.'

Ik sla mijn armen over elkaar. 'Heb je weer ruitenreiniger gesnoven?'

'Nee, het is mijn nieuwe slogan. Kijk maar.' Mijn moeders vingers vliegen over het toetsenbord. Het beste advies dat ze mij ooit heeft gegeven was om een typecursus te volgen. Ik had aanvankelijk woedend gereageerd. De cursus werd gegeven op de vmbo-afdeling van de scholengemeenschap waar ik op het gymnasium zat. Het stikte er van de jongens en meiden met wie ik helemaal niets had. Ze stonden als het even kon buiten voor de school te roken, de meisjes waren zwaar opgemaakt en het hele stel was gek op heavy metal. 'Zit je daar om je medeleerlingen te veroordelen of om te leren typen?' vroeg mijn moeder toen. Dus ging ik door tot het einde van de cursus. Ik was een van de drie meisjes die een blauw lint kregen uitgereikt, omdat we vijfenzeventig woorden per minuut haalden. Tegenwoordig werk ik natuurlijk niet meer met een typemachine, maar met een computer. Dat neemt niet weg dat ik elke keer als ik een voortgangsrapportage moet typen over een cliënt, mijn moeder dankbaar ben voor haar nuchtere advies.

Ze opent de Facebook-pagina van haar bedrijfje. Er verschijnt een foto van haar, met daaronder haar flut-slogan. 'Je had kunnen wéten dat dit mijn nieuwe motto is, als je mijn vriendschapsuitnodiging niet links had laten liggen.'

'Ga je me nou echt afrekenen op de etiquette van sociaal netwerken?' vraag ik.

'Tja. Wat ík weet is dat ik jou negen maanden onder mijn hart gedragen heb. Dat ik vervolgens heb gezorgd dat je niets tekortkwam wat eten, drinken, kleren en noem maar op betreft, én dat ik je complete opleiding heb betaald. Dus waarom wil je geen vriendinnen met me worden via Facebook? Is dat nou zoveel gevraagd?'

'Je bent mijn móéder. Je hoeft geen vriendschap met mij te sluiten alsof we elkaar amper zouden kennen.'

Ze gebaart naar mijn buik. 'Weet je, ik hoop dat zij net zo'n last-post wordt voor jou als jij nu voor mij.'

'Waarom doe je sowieso mee met die Facebook-gekte?'

'Omdat het goed is voor mijn bedrijf.'

Voor zover ik weet heeft ze nu drie cliënten. Geen van drieën schijnen ze zich eraan te storen dat mijn moeder geen enkel diploma heeft in counseling, psychologie, maatschappelijk werk of wat je dan ook zou verwachten van een levenscoach. Eén cliënt is een voormalige thuisblijfmoeder die de arbeidsmarkt weer op wil maar geen andere vaardigheden heeft dan boterhammen smeren en de was sorteren op wit en gekleurd. De tweede is een man van zessentwintig die er onlangs achter kwam wie zijn biologische moeder is, en ertegen aan loopt te hikken om contact met haar op te nemen. En dan zit er nog een alcoholist in mijn moeders bestand die onder professionele behandeling is. Die man is gewoon blij met een wekelijkse, vaste afspraak.

'Een levenscoach moet vooroplopen bij nieuwe ontwikkelingen. Ze moet hip zijn,' zegt mijn moeder.

'Als jij hip was, zou je het woord "hip" niet gebruiken. Weet je waar dit volgens mij mee te maken heeft? De film die we afgelopen zondag samen hebben gezien.'

'Ik vond het boek beter. Vooral het einde...'

'Nee, dat bedoel ik niet. Het meisje achter de kassa van de bioscoop vroeg je of je een seniorenpas had, en de rest van de avond heb je geen woord meer gezegd.'

Ze staat op. 'Verdorie, zie ik er soms uit als een oude dame? Ik doe op gezette tijden een kleurspoeling door mijn haar. Ik heb een hometrainer met alles erop en eraan. Ik kijk alleen nog naar trendy nieuwsprogramma's, in plaats van het achtuurjournaal.'

Dat moet ik haar nageven: ze ziet er beter uit dan de moeders van mijn meeste leeftijdgenoten. Ze heeft net als ik steil bruine haar en groene ogen. Ze kleedt zich ietwat excentriek. Mensen draaien zich altijd naar haar om, zich afvragend of ze haar outfit zorgvuldig heeft gepland of gewoon zomaar iets achter uit haar kast heeft getrokken. 'Mama,' zeg ik, 'jij bent de jongste vijfenzestigjarige die ik ken. Dat hoef je niet te bewijzen via Facebook.'

Het verbaast me dat iemand – wie dan ook – mijn moeder wil betalen voor levenscoaching. Ik bedoel, ik ben haar dóchter, en ik heb juist geprobeerd haar adviezen zoveel mogelijk aan mijn laars te lappen. Maar mijn moeder houdt vol dat haar cliënten het waarderen dat zijzelf, als hun coach, een groot verlies heeft moeten verwerken. Dat geeft haar geloofwaardigheid. Ze zegt dat de meeste levenscoaches gewoon mensen zijn die goed kunnen luisteren. Plus dat ze op het juiste moment een eeuwige twijfelaar een schop onder zijn kont weten te geven, zodat hij in actie komt. En nu ik erover nadenk, hoe leer je die dingen beter dan door het moederschap?

Ik gluur over haar schouder. 'Moet je mij niet noemen op je site?' vraag ik. 'Tenslotte ben je gekwalificeerd geraakt voor deze baan door míj op te voeden.'

'Het zou toch te gek voor woorden zijn als ik jouw naam op mijn site vermeld zonder dat er een link bestaat naar jouw eigen profiel? Maar...' zucht ze, 'dat kan alleen bij mensen die mijn vriendschapsuitnodiging hebben geaccepteerd.'

'Oké, oké. Goed dan.' Ik leun voorover en begin te typen, met mijn handen tussen de hare en mijn baby tegen haar rug gedrukt. Ik log in op mijn profiel. De *live feed* die op het scherm verschijnt staat vol ideeën, tips en wederwaardigheden van klasgenoten van de middelbare school, collega-muziektherapeuten en voormalige docenten. Er is een bericht van mijn vroegere studiegenoot Darci, die ik al maanden niet heb gesproken. *Ik zou haar moeten bellen*, denk ik, terwijl ik al weet dat het er niet van zal komen. Ze heeft een tweeling van vier jaar. Hun lachende gezichtjes vormen haar profielfoto.

Ik accepteer mijn moeders vriendschapsverzoek, ook al voelt het als een nieuw dieptepunt in mijn sociale leven. 'Zo,' zeg ik. 'Ben je nu tevreden?'

'Nou en of. Nu weet ik tenminste dat ik straks alle nieuwe foto's van mijn kleinkind kan zien zodra ik ingelogd ben.'

'Vind je dat leuker dan anderhalve kilometer rijden naar mijn appartement om haar in levenden lijve te zien?'

'Het gaat om het principe, Zoë,' zegt mijn moeder. 'Ik ben gewoon blij dat jij je eindelijk niet meer zo snobistisch gedraagt.'

'Snobistisch of niet,' zeg ik, 'ik heb geen zin om te blijven bekvechten tot we vertrekken naar mijn babyshower.'

Mijn moeder opent haar mond en klapt hem dan weer dicht. Een halve seconde overweegt ze kennelijk vol te houden dat ze van niets weet, maar dan geeft ze het op. 'Wie heeft zijn mond voorbijgepraat?'

'Volgens mij ben ik door de zwangerschap tijdelijk helderziend,' beken ik haar.

Ze is zichtbaar onder de indruk. 'Echt waar?'

Ik loop terug naar de keuken om iets lekkers uit haar koelkast te snaaien. Er staan drie kuipjes kikkererwtenpaté, een zak rauwe wortelen, plus diverse ondefinieerbare substanties in tupperwaredozen. 'Er zijn dagen dat ik wakker word en gewoon wéét dat Max cruesli als ontbijt wil. Of ik hoor de telefoon en ik weet al dat jij het bent, voordat ik opneem.'

'Toen ik in verwachting was van jou kon ik regen voorspellen,' zegt mijn moeder. 'Ik was betrouwbaarder dan de weerberichten op televisie.'

Ik duw mijn vinger in de kikkererwtenpaté. 'Toen ik vanochtend wakker werd, rook de hele slaapkamer naar aubergine met Parmezaanse kaas. Je weet wel, dat gerecht dat ze zo verrukkelijk klaarmaken bij restaurant Bolonisi.'

'Daar houden we de babyshower!' zegt ze, ademloos. 'Wanneer is dit bij jou begonnen?'

'Rond de tijd dat ik het bonnetje van de Printexpress voor de uitnodigingen vond in Max' jaszak.'

Het duurt even, maar dan schiet mijn moeder in de lach. 'En ik sta hier een beetje te dromen van een cruise die ik zou kunnen maken zodra ik de lotto win, als jij de getallen voor mij zou kiezen.'

'Sorry dat ik je teleurstel.'

Ze streelt met haar hand over mijn buik. 'Zoë,' zegt ze, 'jij kunt mij met geen mogelijkheid teleurstellen.'

Sommige neuropsychologen denken dat de menselijke reactie op muziek het bewijs levert dat wij niet alleen van vlees en bloed zijn, maar ook een ziel hebben. Ze redeneren als volgt:

Alle reacties op externe prikkels zijn terug te voeren op een evolutionair principe, namelijk de drang om te overleven. Je trekt je hand weg van een hittebron om niet gewond te raken. Je krijgt zenuwkriebels voor je een belangrijke toespraak moet houden vanwege de adrenaline in je aderen, die leidt tot een lichamelijke vecht- of vluchtreac-

tie. Maar de menselijke respons op muziek is niet volgens dit evolu-
tionaire uitgangspunt te verklaren. Een ritme tikken met je voet, de
neiging om mee te zingen of overeind komen om te dansen... Dat
soort handelingen is niet direct op overleven gericht. Dus geloven
sommigen dat onze reactie op muziek erop wijst dat wij meer zijn dan
alleen een biologisch mechanisme. Mensen kunnen ergens door be-
zield raken omdat ze een ziel hébben, dat is hun stelling.

Wat is een babyshower zonder spelletjes? Dus moet iedereen een
schatting maken van mijn buikomtrek en doen we vervolgens een
ronde schatgraven in elkaars handtassen. (Wie had kunnen raden dat
mijn moeder een achterstallige energierekening in haar tas had?) Dan
een estafette babysokjes sorteren. En nu – walgelijk maar waar – een
wedstrijdje luiers snuiven. Diverse luiers gevuld met gesmolten chocolade gaan de kring rond. Iedereen moet proberen te raden welk
merk chocolade in een bepaalde luier zit.

Dit gedoe is eigenlijk niets voor mij, maar ik wil geen spelbreker
zijn. Alexa, mijn parttime boekhoudster, heeft het hele gebeuren georganiseerd. Ze heeft ook moeite gedaan om al deze gasten bij elkaar
te krijgen: mijn moeder, mijn nicht Isobel en Wanda van Dennenrust.
Dan nog een andere verpleegkundige van de brandwondenunit in het
ziekenhuis waar ik werk, en een schooldecaan die Vanessa heet. Zij
heeft me een tijdje geleden gecontracteerd om muziektherapie te doen
met een veertienjarige, diep autistische leerling.

Het is nogal deprimerend dat deze vrouwen, die op z'n best kennissen van me zijn, moeten doorgaan voor echte vriendinnen. Maar
wanneer ik niet werk, ben ik samen met Max. En Max zou liever
overreden worden door een van zijn eigen reusachtige grasmaaiers
dan chocoladepoep in een luier te benoemen. Alleen al daarom is hij
eigenlijk het enige maatje aan wie ik écht behoefte heb.

Ik zie Wanda in de pampers turen. 'Snickers?' zegt ze, zonder overtuiging.

Dan is Vanessa aan de beurt. Ze is lang, met kort, platinablond
haar en felblauwe ogen. De eerste keer dat ik haar in haar kantoortje
ontmoette, trakteerde ze me op een vernietigende preek. Ze beweerde
dat sommige toelatingsexamens voor universiteiten een samenzwering
zouden zijn van universiteitsbestuurders, die de wereldmacht willen

overnemen én tachtig dollar per student opstrijken. 'Nou?' zei ze, toen ze zichzelf even onderbrak om adem te halen. 'Wat heb je daarop te zeggen?'

'Ik ben de nieuwe muziektherapeut,' antwoordde ik.

Ze knipperde met haar ogen, wierp toen een blik in haar agenda en bladerde een pagina terug. 'Aha,' zei ze. 'Zo te zien komt die dame van de Kaplan-universiteit pas morgen haar verhaal doen.'

Vanessa keurt de luier geen blik waardig. 'Verrukkelijk,' zegt ze droog. 'Dit is vast een topmerk. En een dubbeldikke reep, zo te zien.'

Ik barst in lachen uit, maar ik ben de enige die hier de humor van inziet. Alexa kijkt diep teleurgesteld omdat we haar spelletjes niet serieus nemen. Mijn moeder neemt het heft in handen en pakt de luier van Vanessa's placemat. 'Zullen we "Wie weet hoe deze baby heet" doen?' oppert ze.

Ik voel een steek in mijn zij en wrijf afwezig met mijn hand over de zere plek.

Mijn moeder leest de tekst van een A4'tje voor, dat Alexa heeft uitgeprint van internet. 'Een jonge leeuw heet...'

De hand van mijn nichtje schiet als een speer omhoog. 'Welp!' roept ze.

'Dat is goed! En een jonge vis is...'

'Kaviaar?' voert Vanessa aan.

'Een eenjarige?' probeert Wanda.

'Dat is toch alleen bij planten?' aarzelt Isobel.

'Nee, ik zag laatst bij *Lotto Weekend Miljonairs*...'

Plotseling krijg ik zo'n heftige krampaanval dat ik geen adem meer kan halen.

'Zoë?' Mijn moeders stem lijkt ver weg. Ik probeer overeind te komen.

Achtentwintig weken, denk ik. *Dat is te vroeg.*

Een nieuwe pijnscheut snijdt door me heen. Ik val tegen mijn moeder aan, en voel tegelijkertijd iets warms tussen mijn benen stromen. 'Mijn vliezen,' fluister ik. 'Ik denk dat ze zojuist gebroken zijn.'

Maar als ik naar beneden kijk, sta ik in een bloedplas.

Gisteravond was de eerste keer dat Max en ik het ooit over babynamen hebben gehad.

'Joanne,' fluisterde ik, toen hij het licht had uitgedaan.

'Sorry, lief,' zei Max. 'Ik ben het maar gewoon.'

Ik zag zijn glimlach, al was het donker. Max is het soort man van wie ik nooit had gedacht dat hij op mij zou vallen. Hij is groot, goedgebouwd en gespierd, een surfer met dik, blond haar. Zijn glimlach is zo oogverblindend dat caissières in de supermarkt hun wisselgeld laten vallen en moeders met kinderen in de auto vaart minderen bij onze oprit. Ikzelf werd altijd als een intelligent meisje beschouwd, maar niemand kan beweren dat ik een schoonheid ben. Ik ben het buurmeisje, de muurbloem, zo'n vrouw met een gezicht dat je je niet echt kunt herinneren. De eerste keer dat Max me aansprak, keek ik over mijn schouder omdat ik dacht dat hij het tegen iemand anders had. Het was op de bruiloft van zijn broer. Die kende ik helemaal niet, maar ik verving de zangeres van de band, die nierontsteking had. Jaren later vertelde Max me dat hij nooit wist wat hij tegen meisjes moest zeggen, maar dat mijn stem op hem werkte als een drug. Een roesmiddel dat zijn aderen insijpelde en hem de moed gaf op mij af te stappen, zodra de band een kwartier pauze had.

Hij had niet gedacht dat een vrouw met een universitaire master in muziekwetenschappen iets met hem te maken zou willen hebben. Hij was een twintiger die zijn studie niet had afgemaakt en een surffanaat bovendien. Daarnaast was hij druk bezig een hoveniersbedrijf op poten te zetten.

Ík had niet gedacht dat een man die aan iedere vinger een vrouw kon krijgen ook maar een zweempje interesse voor mij zou hebben.

Gisteravond spreidde hij zijn vingers als een paraplu en legde zijn hand op onze baby. 'Ik dacht dat praten over ons kindje ongeluk bracht.'

Daar had hij gelijk in. Of tenminste, in ons geval leek het daarop. Maar we waren nu zo dicht bij de finish. Dit was allemaal zo echt. Wat zou er nu nog mis kunnen gaan? 'Tja,' zei ik, 'ik ben van gedachten veranderd.'

'Oké, dan. Elspeth,' zei Max. 'Naar mijn lievelingstante.'

'Kom nou! Dat verzin je ter plekke...'

Hij lachte. 'Ik heb ook nog een tante Ermintrude...'

'Hannah,' stelde ik voor. 'Sophie. Sage.'

'Dat is Engels voor salie, volgens mij. Je wilt haar toch niet naar een tuinkruid vernoemen?' protesteerde Max.

'Jawel. Het klinkt prachtig. Het is niet alsof ik haar Gemalen Kruidnageltje wil noemen, toch? Plus dat Sage ook "wijze vrouw" kan betekenen.'

Hij boog zich over mijn buik en drukte er zijn oor tegen aan. 'Weet je wat, we vragen haar zelf hoe ze het liefst wil heten,' had hij voorgesteld. 'Ehm, ik denk... nee, wacht even... Ik kan haar nu duidelijk horen.' Hij keek me aan, met zijn wang nog steeds op mijn buik. 'Bertha,' zei hij langzaam.

Ons kindje gaf hem bij wijze van commentaar een snelle schop tegen zijn kaak. Die beweging, dat was toch zeker het ultieme bewijs dat alles goed ging met haar? *Ja, natuurlijk*, dacht ik op dat moment. *Ons gestoei met namen heeft helemaal geen ongeluk gebracht.*

Ik word binnenstebuiten gekeerd. Ik val in honderd messen tegelijk. Ik heb nog nooit zoveel pijn gevoeld. Alsof de pijn gevangenzit onder mijn huid en zichzelf een uitweg wil scheuren, mijn buik uit.

'Het komt wel goed,' zegt Max. Hij klemt mijn hand zo stevig in de zijne alsof we gaan armpje drukken. Wanneer is hij hier aangekomen? vraag ik me af. En waarom ligt hij tegen me?

Zijn gezicht is krijtwit, en hoewel hij maar een tiental centimeters van me af staat, kan ik hem nauwelijks zien. Ik zie alleen in een waas allerlei artsen en verpleegkundigen rondlopen door de kleine verloskamer. Ik krijg een infuusnaald in mijn arm. Rond mijn buik zit een brede band, die is aangesloten op een monitor. 'Ik ben pas in week achtentwintig,' hijg ik.

'We weten het, liefje,' zegt een verpleegster, en ze wendt zich tot het medisch personeel. 'Ik krijg niets op de monitor...'

'Probeer het nog eens...'

Ik grijp de verpleegkundige bij haar mouw. 'Is ze... is ze te klein?'

'Zoë,' antwoordt ze, 'we doen wat we kunnen, echt.' Ze draait aan een knop op de monitor en herschikt de band rond mijn buik. 'Ik krijg nog steeds geen hartslag.'

'Wat?' Ik worstel om overeind te komen, terwijl Max me juist probeert tegen te houden. 'Waarom niet?'

'Haal het echoapparaat,' snauwt dokter Gelman en even later wordt er een naar binnen gereden. Ik voel koude gel op mijn buik. Er gaat weer een kramp door me heen en ik lig te kronkelen van de pijn.

Dokter Gelman houdt haar blik op de echomonitor gericht. 'Daar is het hoofdje,' zegt ze kalm. 'En daar het hartje.'

Uitzinnig van angst en pijn staar ik naar het beeldscherm, maar ik zie alleen een soort zandverstuiving in grijs en zwart. 'Wat ziet u nog meer?'

'Zoë, probeer te ontspannen. Je moet nu even heel stil liggen, alsjeblieft,' zegt dokter Gelman.

Dus bijt ik mijn lip kapot. Ik hoor het bloed in mijn oren suizen. Er gaat een minuut voorbij, en nog een. Het is stil in de kamer, op de zachte piepjes van de apparaten na.

En dan zegt dokter Gelman wat ik al de hele tijd verwacht dat ze gaat zeggen. 'Ik zie geen hartslag, Zoë.' Ze kijkt me recht in de ogen. 'Ik denk dat je baby niet meer in leven is.'

De stilte wordt verscheurd door een afgrijselijk geluid. Ik laat Max' hand los, zodat ik mijn handen tegen mijn oren kan drukken. Het lijkt op het fluiten van een kogel, nagels die over een schoolbord gaan, een belofte die verbroken wordt. Het is een klank die ik nooit eerder heb gehoord – een akkoord van louter pijn. Het duurt even voor ik besef dat het geluid uit mijn mond komt.

Mijn tas voor de bevalling stond al klaar. Dit heb ik ingepakt om mee te nemen naar de kraamafdeling:

Een nachtjapon met een blauwe bloemetjesprint, hoewel ik sinds mijn twaalfde geen nachtjapon meer heb gedragen.

Drie voedingsbeha's.

Een stel schone kleren.

Een kleine cadeauverpakking met cacaoboterzeep en -lotion, speciale huidverzorgingsproducten voor een pas bevallen moeder. Een aardigheidje van de moeder van een van de brandwondenslachtoffertjes met wie ik werk.

Een ongelooflijk zacht knuffelvarken dat Max en ik jaren geleden hebben gekocht. Dat was tijdens mijn eerste zwangerschap, voor de miskraam. Toen we nog in staat waren te hopen.

En mijn iPod vol muziek. Heel veel muziek. Naast mijn studie muziekwetenschappen volgde ik vakken muziektherapie aan de hogeschool van Berklee. Daar kreeg ik college van een docent die als eerste de effecten van muziektherapie gedurende een bevalling systematisch in kaart had gebracht. Er waren wel studies over muziek in relatie tot ademhaling, en over ademhaling in relatie tot het autonome zenuwstelsel. Maar tot dan toe was er nog geen formeel onderzoek gedaan naar de pluspunten van Lamaze-ademhalingstechnieken tijdens een bevalling, in combinatie met zelfgekozen muziek. Het uitgangspunt was dat vrouwen in de verschillende stadia van hun bevalling verschillende soorten muziek nodig hadden. Zo konden ze het best hun ademhaling synchroniseren met de samentrekkingen van de baarmoeder, zich ontspannen en de pijn van de weeën beheersen.

Wat had ik dat geweldig gevonden, op mijn negentiende. Om college te krijgen van iemand wiens onderzoeksresultaten zo wijdverbreid werden toegepast, in verloskamers over de hele westerse wereld. Ik kon niet weten dat het eenentwintig jaar zou duren voor ik de kans kreeg dit allemaal zelf in praktijk te brengen.

Muziek is enorm belangrijk voor me. Dus had ik de fragmenten die ik wilde afspelen tijdens mijn bevalling met zorg gekozen. In het beginstadium leek Brahms mij het beste om te ontspannen. Als de weeën steeds korter na elkaar kwamen en pijnlijker werden, moest ik muziek hebben met en pittig tempo en ritme. Dat werd de *Mondscheinsonate* van Beethoven, voor optimale concentratie. Voor de persweeën, met andere woorden de ware helse pijn, had ik een complete medley gemaakt. Het waren nummers uit mijn jeugd die het sterkste bij me waren blijven hangen: REO Speedwagon, Madonna en Elvis Costello. Maar ook de 'Walkürenrit' van Wagner, want die intense op-en-neerbeweging zou het onstuimige proces in mijn lichaam perfect weergeven.

Ik geloof oprecht dat muziek de lichamelijke pijn van een bevalling kan verlichten.

Wat ik niet weet, is of het ook je verdriet zou kunnen stelpen als het grote moment een treurige gebeurtenis blijkt te worden.

Terwijl ik nog lig te bevallen, denk ik al aan later. Later, dat is de tijd dat ik me hier niets meer van zal herinneren. De tijd dat ik me niet meer zal herinneren wat dokter Gelman zegt over de vleesbomen in mijn baarmoeder, die tijdens de zwangerschap enorm zijn gegroeid. Zij had ze willen verwijderen vóór deze laatste ivf-behandeling, wat ik weigerde omdat ik veel te veel haast had om zwanger te worden.

Ik zal me niet herinneren dat ze me uitlegt dat de placenta losgeko-
men is van de baarmoederwand. Ik zal niet meer voelen hoe ze mijn
cervix controleert bij zes centimeter ontsluiting. Ik zal niet merken
dat Max de iPod aansluit, zodat Beethoven door de verloskamer
klinkt. Ik zal de verpleegkundigen niet meer zien rond schuifelen in
stille, droevige slow motion, zó in tegenstelling tot de hectische, luid-
ruchtige bevallingen die ik gezien heb op *Bevallingsverhalen.*

Ik zal me niet herinneren dat mijn vliezen kunstmatig worden gebroken, en dat de lakens onder me doorweekt raken van het vele
bloed. Ik zal me de medelijdende blik van de anesthesist niet herinneren, die me condoleert met mijn verlies. Of hoe hij me daarna op
mijn zij rolt om me een ruggenprik te geven.

Ik zal me niet herinneren dat alle gevoel uit mijn benen wegtrekt.
En dat ik denk: *dit is alvast een begin... Kunnen ze het niet zo regelen dat ik helemaal niets meer voel?*

Ik zal me niet herinneren dat ik mijn ogen opendoe na een splijtend
pijnlijke wee en Max' gezicht zie, dat net zo verwrongen is als het
mijne. De tranen stromen over zijn wangen.

Ik zal me niet herinneren dat ik Max vraag Beethoven uit te zetten.
En dat, als hij het niet snel genoeg doet, ik met mijn vuist uithaal naar
het apparaatje dat mijn iPod verbindt met de geluidsboxen. Het klettert tegen de grond, kapot.

Ik zal me niet herinneren hoe stil het daarna wordt.

Iemand anders zal me moeten vertellen hoe de baby als een zilver-
visje tussen mijn benen door gleed. Dat dokter Gelman zei: *Het is een
jongen.*

Maar dat klopt niet, zal ik dan denken, hoewel de herinnering is
uitgewist. *Bertha moet toch een meisje zijn?* En dat ik me meteen
daarop afvraag wat de dokter nog meer fout gezien heeft.

Ik zal me niet herinneren dat de verpleegkundigen hem in een
dekentje wikkelen en hem een gebreid mutsje opzetten.

Ik zal me niet herinneren dat ik hem in mijn armen houd. Zijn
hoofdje is zo groot als een perzik, zijn gezicht blauw dooraderd. Het
perfecte neusje, het pruilmondje, en de gladde huid waar de wenkbrauwen nog maar nauwelijks in afgetekend staan. Zijn borstkas, zo
fragiel als van een vogeltje, en zo roerloos. Hij past nog bijna in het
kommetje van mijn twee handen. Hij weegt nog praktisch niets.

Ik zal me niet herinneren dat ik tot op dat moment eigenlijk niet
geloofde dat hij dood was.

In mijn verwarde dromen ga ik een maand terug in de tijd. Max en ik
liggen in bed, het is na middernacht. 'Ben je nog wakker?' vraag ik.

'Ja. Ik lig zomaar wat te denken.'

'Waarover?'

Hij schudt zijn hoofd. 'Niets.'

'Lag je te piekeren?'

'Nee, ik lag me iets af te vragen over olijfolie,' zei hij.

'Olijfolie?'

'Ja, precies. Waar wordt olijfolie van gemaakt?'

'Is dat een strikvraag?' zeg ik. 'Van olijven, natuurlijk.'

'En maïsolie? Waar wordt dat van gemaakt?'

'Maïs?'

'Dus,' zegt Max, 'hoe zit het dan met babyolie?'

Even zijn we allebei stil. Dan barsten we in lachen uit. We lachen
zo hard dat de tranen in mijn ogen springen. In het donker tast ik
naar Max' hand, maar ik grijp mis.

Als ik wakker word zijn de rolgordijnen in de kamer omlaag getrokken, maar de deur staat op een brede kier. Eerst weet ik helemaal niet
waar ik ben. Ik hoor geluiden op de gang. Ik zie een hele kluit familie
– grootouders, kleine kinderen en pubers, die meedrijven in het spoor
van hun eigen vrolijke gelach. Ze hebben een enorme bos ballonnen
bij zich, in alle kleuren van de regenboog.

Ik begin te huilen.

Max komt naast me zitten op mijn bed. Houterig slaat hij een arm
om me heen. Florence Nightingale spelen is niet zijn sterkste kant.
Ooit hadden we tijdens de kerstdagen allebei griep. Als ik even geen
braakaanval had, wankelde ik desondanks naar de badkamer om een
paar koude kompressen te halen voor Max.

'Zoë,' fluistert hij. 'Hoe gaat het nu?'

'Wat denk je zelf?' vraag ik bits. De woede brandt in mijn hele lichaam, tot achter in mijn keel. Dat gevoel vult de ruimte op waar
voorheen mijn kindje zat.

'Ik wil hem zien.'

Max verstijft. 'Ik, ehm...'

'Roep de verpleegster.' Dat is de stem van mijn moeder, die in een hoek van de kamer zit. Haar ogen zijn dik en rood. 'Je hebt gehoord wat ze wil, toch?'

Max knikt en loopt de kamer uit. Mijn moeder slaat haar armen om me heen.

'Het is niet eerlijk,' zeg ik, met bevende lippen.

'Ik weet het, lieverd.' Ze streelt mijn haar en ik leun tegen haar aan, zoals toen ik vier was en iemand me had gepest vanwege mijn sproeten. Of toen ik vijftien was, en hopeloos verliefd op een jongen die mij niet zag staan. Ik realiseer me dat ik niet de kans zal krijgen om mijn eigen kindje op deze manier te troosten, waardoor ik nog harder ga huilen.

Een verpleegkundige komt de kamer binnen, gevolgd door Max. 'Kijk,' zegt hij en geeft me een foto van onze zoon. Het lijkt alsof hij ligt te slapen in een wiegje. Zijn handen zijn tot vuistjes gebald en liggen aan weerszijden van zijn hoofd. Er zit een piepklein kuiltje in zijn kin.

Onder de foto zie ik een handafdruk en een voetafdruk. Ze zijn te klein om echt te lijken.

'Mevrouw Baxter,' murmelt de verpleegster, 'ik vind het zo erg voor u.'

'Waarom praat u zo zacht?' vraag ik. 'Waarom fluisteren jullie allemáál, eigenlijk? Waar is mijn baby, verdomme?'

Als op afroep komt een tweede verpleegkundige binnen, die mijn zoon draagt. Mijn kleintje is nu aangekleed, in veel te grote kleertjes. Ik strek mijn armen naar hem uit.

Ik heb een blauwe maandag op een intensive care voor pasgeborenen gewerkt. Ik zong en speelde gitaar voor te vroeg geboren baby's om hun ontwikkeling te stimuleren. Baby's die aanvullend behandeld worden met muziektherapie vertonen een toegenomen zuurstofverzadiging in hun bloed, en een rustiger hartslag. Sommige studies laten zien dat stelselmatige muziektherapie de dagelijkse gewichtstoename van premature zuigelingen helpt verdubbelen.

Op een van mijn eerste werkdagen daar had ik een Spaans wiegeliedje gezongen voor een couveusebaby, samen met de moeder van het kind. Toen kwam een maatschappelijk werkster het zaaltje binnen.

'Kun jij misschien bijspringen?' vroeg ze me. 'Het kindje van Rodriguez is vanmorgen overleden. De familie zit te wachten op hun favoriete verpleegster om de baby voor het laatst in bad te doen.

'In bad?'

'Soms helpt dat,' zei de maatschappelijk werkster. 'Maar het punt is, dit is een grote familie. Ik klop bij jou aan omdat ze volgens mij wel wat extra steun kunnen gebruiken.'

Toen ik de kamer inliep waar de familie zat te wachten, begreep ik meteen wat ze bedoelde. De moeder zat in een schommelstoel met de dode baby in haar armen. Haar gezicht leek versteend. De vader stond voorovergebogen achter haar stoel. Grootouders, ooms en tantes ijsbeerden in stilte door de kamer, in tegenstelling tot de nichtjes en neefjes, die een gigantisch kabaal maakten. Gillend en schreeuwend achtervolgden ze elkaar rond het ziekenhuisbed.

'Hallo,' zei ik. 'Ik ben Zoë. Vinden jullie het goed dat ik iets voor jullie speel?' Ik gebaarde naar mijn gitaar die aan een draagriem op mijn rug hing. Toen de moeder geen antwoord gaf, knielde ik voor haar neer en zei: 'Uw dochter was een beeldschoon kindje.'

Ze reageerde niet, net zomin als de rest van de familie. Dus trok ik mijn gitaar voor mijn buik en begon te zingen, hetzelfde Spaanse wiegelied als daarnet bij de couveuse:

Duérmete, mi niña
Duérmete, mi sol
Duérmete, pedazo
De mi corazón.

Heel even waren de kinderen gestopt met rondrennen. De volwassenen in de kamer staarden me aan. Korte tijd was al hun energie op mij gericht, in plaats van op dat arme kleintje. Zodra de verpleegkundige binnenkwam en de baby begon uit te kleden voor haar laatste badje, glipte ik de kamer uit. Ik liep direct door naar de personeelsadministratie van het ziekenhuis en nam ontslag.

Ik had tientallen keren naast het ziekbed van stervende kinderen zitten spelen en zingen. Ik had het altijd als een voorrecht beschouwd dat ik degene mocht zijn die hen bij hun afscheid van dit leven begeleidde, door een reeks akkoorden of een zacht refrein. Maar dit was anders geweest. Ik kon het niet aan om voor Orpheus te spelen voor een dode baby. Juist niet omdat Max en ik zo ons best deden om zelf een kind te krijgen.

Mijn eigen zoon voelt koud aan. Ik leg hem tussen mijn benen op het ziekenhuismatras en maak de knoopjes van het blauwe pyjamaatje los, dat een vriendelijke verpleegster hem heeft aangetrokken. Ik bedek zijn lijfje met mijn hand, maar er is geen hartslag.

'*Duérmete, mi niño,*' fluister ik. *Slaap zacht, mijn jongen.*

'Wilt u hem nog even bij u houden?' vraagt de verpleegkundige die hem binnengebracht heeft.

Ik kijk naar haar op. 'Mag dat?'

'Zo lang als u wilt,' antwoordt ze. 'Tenminste...' Ze maakt haar zin niet af.

'Waar is hij, als hij niet bij mij is?' vraag ik.

'Wat bedoelt u?'

'Wanneer hij niet hier bij mij is. Waar ligt hij dan?' Ik kijk de verpleegster afwachtend aan. 'In het mortuarium?'

'Nee. Bij ons, op de kraamafdeling.'

Dat liegt ze. Ik weet gewoon dat ze liegt. Als hij in een ziekenhuisbedje zou liggen bij de andere baby's zou zijn huid niet zo kil aanvoelen. Kil als een herfstochtend. 'Ik wil het zien.'

'Dat kunnen we niet doen...'

'O, jawel.' Mijn moeders stem klinkt gebiedend. 'Als zij het nodig heeft om dat te zien, laat haar dan.'

De twee verpleegsters kijken elkaar aan. Dan loopt een van hen de kamer uit en komt terug met een rolstoel. Ze helpen me uit bed en in de rolstoel. Al die tijd houd ik mijn baby vast.

Max duwt me door de gang. Achter één deur hoor ik het gekreun van een barende vrouw. Max duwt me iets sneller vooruit.

'Mevrouw Baxter wil graag zien waar haar zoontje de afgelopen uren is geweest.' De verpleegkundige praat met haar collega achter de balie alsof dit een alledaags verzoek betreft.

Ze manoeuvreert mijn rolstoel langs het personeelsvertrek naar een rij open rekken, vol met in plastic verpakte, doorzichtige buisjes, stapels babydekentjes en luiers. Naast het laatste rek staat een kleine, roestvrijstalen koelkast, zo eentje als ik op mijn kamer had staan toen ik nog studeerde.

De verpleegster opent het koelkastje. In eerste instantie begrijp ik er niets van. Maar dan, als ik een blik werp in de lege koelkast met de smetteloze witte wanden en de enkele glasplaat, dringt het tot me door.

Ik druk de baby steviger tegen me aan. Hij is zo klein dat ik moeite heb om hem goed vast te houden. Ik zou net zo goed een zakje veren tegen me aan kunnen klemmen, of een ademteug of een wens. Ik sta op zonder doel of plan. Ik weet alleen dat ik geen halve seconde langer naar die lege koelkast kan kijken. En dan, plotseling, krijg ik geen adem meer. Alles draait om me heen en mijn borst voelt alsof ik in een bankschroef zit. Voor ik op de grond in elkaar zak, is mijn enige gedachte dat ik mijn zoon niet mag laten vallen. Dat een goede moeder haar kind niet zou loslaten.

'Dus het komt erop neer dat ik een tikkende tijdbom ben,' zeg ik tegen dokter Gelman, mijn verloskundig arts.

Ik was flauwgevallen en weer bijgebracht. Toen ik de artsen vertelde wat er gebeurd was, kreeg ik achter elkaar een paar heparine-injecties. Op een spiraal-CT-scan was te zien dat er een bloedstolsel in mijn long was terechtgekomen, een longembolie. Nu heeft dokter Gelman me zojuist verteld dat bloedonderzoek uitwijst dat ik een stollingsafwijking heb. Dat dit steeds opnieuw kan gebeuren.

'Een tijdbom? Nee, dat hoeft niet. Nu we weten dat je een anti-trombine III-tekort hebt, kunnen we je op Marcoumar zetten, een antistollingsmedicijn. Het is te behandelen, Zoë.'

Ik durf me amper te bewegen. Stel dat het stolsel loskomt en rechtstreeks naar mijn hersenen schiet. Stel dat ik een aneurysma krijg. Maar dokter Gelman verzekert me dat de heparineshots die ik heb gekregen dat zullen voorkomen.

Ergens ben ik teleurgesteld. Een deel van mij, dat na de bevalling nog steeds voelt alsof ik een zware steen heb ingeslikt, betreurt het kennelijk dat ik verder moet leven.

'Waarom is Zoë daar niet eerder op getest?' vraagt Max. 'U heeft haar op alle mogelijke afwijkingen onderzocht.'

Dokter Gelman kijkt Max aan. 'AT III-deficiëntie houdt geen verband met zwangerschap. Het is een aangeboren vorm van trombose, die doorgaans bij jongere mensen de kop opsteekt. Maar wij kunnen vaak geen stollingsafwijking diagnosticeren totdat het verergert door een of andere omstandigheid. Dat kan een gebroken been zijn of, zoals bij Zoë, een bevalling.'

'Het houdt geen verband met zwangerschap,' herhaal ik. Uit alle macht klamp ik me aan deze uitspraak vast. 'Dus technisch gezien kan ik nog steeds een gezonde baby krijgen?'

De dokter aarzelt. 'Zwangerschap en AT III-tekort sluiten elkaar in principe niet uit. Maar zullen we daar over een paar weken verder over praten?'

Dokter Gelman en ik draaien ons gelijktijdig om naar de deur, die Max op dat moment achter zich sluit. Hij is weggegaan zonder nog iets te zeggen.

Als ik uit het ziekenhuis word ontslagen, duwt een verpleeghulp me in een rolstoel de kamer uit naar de liften. Max draagt mijn weekendtas. Opeens zie ik iets wat ik in die twee dagen dat ik hier geweest ben niet heb opgemerkt. Het is één boterbloem in een miniem glazen buisvaasje, dat op mijn kamerdeur zit geplakt. Ik speur de andere kamerdeuren af. Op de hele gang zie ik nergens een andere deur waar nog zo'n vaasje hangt. Het dringt tot me door dat dit een soort teken is. Een signaal voor de medewerkers bloedafname, de coassistenten en de vrijwilligers van het patiëntenvervoer die deze kamer binnengaan. Dit is geen zone van vreugde en geluk, zegt het vaasje in feite. In tegenstelling tot alle andere kamers met jonge moeders op deze kraamafdeling heeft zich hier iets verschrikkelijks afgespeeld.

Terwijl we op de lift wachten, wordt een andere vrouw in een rolstoel naast me geparkeerd. Zij houdt een pasgeboren baby in haar armen, en aan de armleuning van haar rolstoel is een ballon vastgebonden met GEFELICITEERD! erop. Haar man komt naast haar staan met zijn armen vol bloemen. 'Zie jij je papa?' koert de vrouw, op het moment dat de baby zijn handjes beweegt. 'Zwaai je naar hem?'

Er klinkt een belletje, en één paar liftdeuren schuift open. De lift is leeg. Er is meer dan genoeg ruimte voor ons allemaal. De andere vrouw wordt als eerste naar binnen gereden en de verpleeghulp begint mijn rolstoel te draaien, zodat hij me naast haar kan in de lift kan zetten.

Maar Max houdt hem tegen. 'Wij nemen de volgende,' zegt hij.

We rijden naar huis in Max' truck. Ik ruik natte klei en vers gemaaid gras, ook al staan er geen grasmaaiers of wiedmachines in de
laadruimte. Ik vraag me af wie voor hem invalt op zijn bedrijf. Max
zet de radio aan en stemt af op een muziekzender. Dit is echt heel bijzonder – meestal is de autoradio een bron van gekibbel tussen ons.
Hij luistert graag naar *Toeters en Bellen, De Grote Radioquiz* en verder naar alle nieuwsprogramma's die je kunt verzinnen. Maar muziek
tijdens het autorijden, daar houdt hij niet van. Terwijl ik vóór ik een
kilometer op weg ben al zin krijg om mee te zingen met een of ander
liedje.

'Er is mooi weer voorspeld voor het komend weekend,' zegt Max.
'Het wordt warm.'

Ik kijk uit het zijraampje. We staan te wachten voor een rood stop-
licht, en in de auto naast ons zit een moeder achter het stuur met twee
kinderen op de achterbank. De kleintjes zitten Dora-kinderkoekjes te
eten.

'Ik dacht, misschien kunnen we een ritje naar het strand maken.
Wat vind jij?'

Max is gek op surfen, en dit zijn de laatste zomerdagen. Normaal
gesproken zou hij beslist het hele komende weekend aan het strand
doorbrengen. Maar wat is er nu nog normaal? 'Misschien,' zeg ik.

'Ik dacht,' gaat Max verder, 'dat het een goede plek is om, je weet
wel...' Hij slikt. 'Om de as uit te strooien.'

We hebben de baby Daniël genoemd, en zijn crematie geregeld. Volgens afspraak krijgen we de as terug in een urntje, in de vorm van een
keramische babyschoen met een blauw lint. We hebben niet echt besproken wat we ermee gaan doen als het zover is, maar nu besef ik
dat Max een punt heeft. Ik wil geen urn op de schoorsteenmantel. Ik
wil hem ook niet begraven in de gemeenschappelijke achtertuin van
ons appartementencomplex, zoals we met onze dode kanarie hebben
gedaan. In zee voor de kust, dat is inderdaad een mooie plek. Niet dat
de kustwateren van Rhode Island een speciale betekenis voor me hebben, maar wat zijn de andere opties? Ons kindje is tenslotte ook niet
verwekt op een romantische plek; Venetië of zo, waar ik de urn de
rivier de Po af zou kunnen laten drijven. Of onder de sterren in Tan-
zania, waar ik het urntje zou kunnen openmaken en de as in de wind
uitstrooien over de Serengetiwoestijn. Mijn baby is verwekt in het

laboratorium van een fertiliteitskliniek, en ik kan daar moeilijk de as in de gangen uitstrooien.

'Misschien,' herhaal ik. Meer duidelijkheid heb ik Max niet te bieden, op dit moment.

Als we de parkeerstrook bij ons appartement oprijden, staat de auto van mijn moeder er al. Zij blijft overdag bij me om voor me te zorgen wanneer Max op zijn werk is. Ze komt naar buiten lopen en helpt me uit de truck. 'Wat zal ik voor je maken, Zoë?' vraagt ze. 'Een kopje thee? Warme chocolademelk? Ik heb *True Blood* voor je op de digitale recorder, dat had je al geprogrammeerd. Zullen we samen kijken?'

'Ik wil gewoon naar bed,' zeg ik. Max en mijn moeder schieten toe om me te helpen, maar ik weer ze af. Langzaam loop ik de gang door, met mijn hand steunend tegen de wand. Maar ik ga niet direct naar onze slaapkamer. Ik sta stil voor het kleine kamertje halverwege de gang, rechts.

Tot een maand geleden was dit nog mijn geïmproviseerde kantoor, waar Alexa een keer per week mijn boekhouding deed. Daarna hadden Max en ik het kamertje in één weekend zonnegeel geschilderd. We hadden er een babybedje en een commode neergezet die we voor in totaal veertig dollar in een kringloopwinkel op de kop hadden getikt. Terwijl Max het zware werk deed, had ik een doos boeken uit mijn kindertijd tevoorschijn gehaald. Zorgvuldig had ik *Max en de Maximonsters*, *Harry Hond*, *Apenstreken* en nog meer van mijn oude lievelingsboeken op een plank gerangschikt.

Maar nu... Terwijl ik de deur opentrek, snak ik naar adem. De wieg en de commode zijn verdwenen. In plaats daarvan staat de oude tekentafel er weer die ik als bureau gebruikte. Alsof hij nooit is weggeweest. Mijn computer is aangesloten en staat te zoemen. Mijn dossiermappen liggen op een keurige stapel naast mijn pc. En mijn muziekinstrumenten – djembés, banjo's, gitaren en xylofoons – staan opgesteld langs de muur.

De enige aanwijzing dat dit ooit een kinderkamer was, is de kleur op de muren. Zonnegeel. De kleur die je vanbinnen voelt als je lacht.

Ik ga op het gevlochten kleed midden op de vloer liggen en druk mijn knieën tegen mijn borst. Max' stem klinkt uit de gang: 'Zoë? Zoë-lief? Waar ben je?' Ik hoor hem de slaapkamerdeur open- en dichttrekken. Dan loopt hij naar de badkamer. Vervolgens hoor ik zijn voetstappen naar het kleine kamertje komen. Hij duwt de deur open en ziet me liggen. 'Zoë,' zegt hij. 'Wat is er mis?'

Ik kijk het kamertje rond, deze niet-kinderkamer, en denk aan meneer Docker. Aan wat het betekent om je bewust te worden van je omgeving. Het lijkt op wakker worden uit een heerlijke droom en ontdekken dat, in werkelijkheid, iemand honderd messen tegen je keel gedrukt houdt. 'Alles,' fluister ik.

Max gaat naast me zitten. 'We moeten praten.'

Ik mijd zijn blik. Ik ga zelfs niet rechtop zitten. Ik blijf liggen waar ik lig en staar voor me uit, met mijn ogen ter hoogte van het stopcontact vlak boven de vloer. Max is vergeten de veiligheidsplaatjes eraf te halen. Op de contactdoos zitten nog steeds twee platte plastic schijfjes, om te voorkomen dat er een ongeluk gebeurt.

Te laat, verdomme.

'Niet nu,' zeg ik.

Je verliest je sleutels, je portemonnee of je bril. Je verliest een weddenschap.

Je verliest je geld of je baan.

Je verliest je hoop; je verliest je geloof. Je verliest jezelf.

Je verliest je vrienden uit het oog.

Je verliest je verstand. Je verliest een tenniswedstrijd.

Je verliest een kind. Tenminste, dat wordt gezegd.

Maar het klopt niet, want ik weet precies waar hij is.

Wanneer ik de volgende dag wakker word, voelen mijn borsten zo hard als marmer. Iedere ademhaling bezorgt me felle pijnsteken. Ik heb geen zuigeling die ik aan de borst kan leggen, maar blijkbaar weet mijn lichaam dat niet. De kraamverpleegsters in het ziekenhuis hadden me dit al voorspeld. Een paar jaar geleden kregen vrouwen nog een injectie toegediend om de moedermelkproductie te stoppen, maar dat gaf ernstige bijwerkingen. Dus het enige wat ze nu konden doen was me naar huis sturen met de waarschuwende mededeling dat me iets onprettigs te wachten stond.

Max' dekbed, aan zijn kant van het matras, ligt recht en is gladgestreken. Hij is niet naar bed gekomen vannacht. Waar zou hij hebben geslapen? Hoe dan ook, hij zal nu inmiddels wel naar zijn werk zijn.

'Mam,' roep ik, maar er komt niemand. Ik druk mezelf op mijn ellebogen overeind in bed en zie een briefje op mijn nachtkastje liggen. *Ben boodschappen doen*, heeft mijn moeder geschreven.

Ik blader door de ontslagpapieren die ik heb meegekregen uit het ziekenhuis. Maar niemand denkt eraan een vrouw met een doodgeboren kindje het telefoonnummer van een lactatiekundige mee te geven.

Ik voel me dom, maar toch toets ik het praktijknummer van dokter Gelman in. Haar receptioniste – een leuke meid die ik nu ruim een halfjaar maandelijks heb gezien – neemt op. 'Hallo,' zeg ik. 'Met Zoë Baxter.'

'Zoë!' zegt ze enthousiast. 'Ik hoorde dat je afgelopen vrijdag bent opgenomen! Dus..? Is het een jongen of een meisje?'

Ik hoor aan haar sprankelende, vrolijke stem dat ze geen idee heeft wat er gebeurd is tijdens het weekend. De woorden blijven als droge bladeren in mijn keel steken. 'Een jongen,' breng ik uit. De rest kan ik niet vertellen.

Zelfs de stof van mijn T-shirt tegen mijn borsten bezorgt me ondraaglijke pijn.

'Mag ik de assistent-verloskundige spreken?'

'Natuurlijk, ik verbind je door,' antwoordt de receptioniste. Met de telefoon tegen mijn oor gedrukt doe ik een vurig schietgebedje dat de assistent-verloskundige alsjeblieft wél op de hoogte is van mijn ongeluksbevalling.

Ik hoor een klik en ben verbonden met de assistente. 'Zoë', zegt ze vriendelijk, 'hoe gaat het met je?'

'Mijn borsten staan op springen,' zeg ik met verstikte stem. 'Is daar iets aan te doen?'

'Eigenlijk niet… je moet er gewoon doorheen. Die stuwing is nu eenmaal pijnlijk,' zegt ze. 'Maar je kunt af en toe een ibuprofen nemen. Leg intussen wat koolbladeren in de vriezer, die kun je als ze bevroren zijn in je beha stoppen. We weten niet hoe het precies werkt, maar er zit kennelijk een stofje in dat borstontsteking tegengaat. En salie. Kook zoveel mogelijk met salie of maak er thee van. Salie remt de melkproductie af.'

Ik bedank haar en verbreek de verbinding. Ik wil de handset terugzetten in de houder, maar laat hem per ongeluk op de wekkerradio vallen, die begint te spelen. De radio staat afgestemd op *Muziek Klassiek*. Op de een of andere manier gaat het mij makkelijker af om 's morgens om zes uur op te staan met klassieke muziek dan met een stevig rocknummer.

De fluit. Het minutieuze heen-en-weer van de viool- en cellopartij. Het pompende gebrom van de tuba en de hoorn. Ik draai aan de volumeknop, en de 'Walkürenrit' van Wagner dendert door de slaapkamer. De muziek vult de ruimte met chaos, gedrevenheid en sensatie.

Dit fragment staat op de cd die in mijn bevallingstas zit. De tas is nog onuitgepakt.

Dit fragment heeft tijdens mijn bevalling niet geklonken, ook al heb ik een kind gekregen.

Met één snelle beweging grijp ik de wekkerradio en ruk hem met kracht aan het snoer uit het stopcontact. Ik houd het ding hoog boven mijn hoofd en slinger het keihard door de kamer. De radio valt kapot op de houten vloer, met een crescendo waar Wagner trots op had kunnen zijn.

Dan is het stil. Ik hoor mijn eigen, hortende ademhaling. Hoe ga ik dit uitleggen aan Max? Of aan mijn moeder, die misschien op het punt staat om geschrokken van de herrie en beladen met boodschappen de kamer binnen te komen vallen? 'Oké,' spreek ik mezelf hardop toe. 'Je kunt het. Je hoeft alleen maar de brokstukken bij elkaar te rapen.

Langzaam hobbel ik met mijn zere lijf naar de keuken om een zwarte plastic vuilniszak plus stoffer en blik te halen. Ik pak de restanten van de wekkerradio op en gooi ze in de zak. Ik veeg alle kleine stukjes, scherfjes en het inwendige van de radio bijeen op het blik.

De brokstukken bij elkaar rapen.

Zo simpel is het, eigenlijk. Voor de eerste keer in achtenveertig uur voel ik iets veranderen vanbinnen. Er ontstaat een plan. Dus toets ik opnieuw het nummer van dokter Gelman in. 'Ja, nog een keer met Zoë Baxter,' zeg ik. 'Ik wil graag een afspraak maken.'

Er zijn verschillende redenen waarom ik met Max mee naar huis ging, de eerste avond dat ik hem ontmoette.

1. Hij rook naar de zomer.
2. Ik was niet het type meisje dat meeging met een jongen die ze nét tegen het lijf was gelopen. Echt niet.
3. Hij bloedde als een rund.

Het gebeurde op de bruiloft van Max' broer. Hoewel het feest in volle gang was, deed Max weinig anders dan wachten tot de band waarin ik zong weer even pauze had. Terwijl de andere bandleden een glas water haalden bij de bar of naar buiten gingen om te roken, zag ik Max voor het podium staan met twee blikjes frisdrank. Destijds nam ik aan dat hij geen alcohol dronk uit solidariteit met mij. Ik was aan het werk en mocht dus niet drinken. Dat was vast de reden dat hij ook alleen maar water en fris nam. Ik weet nog dat ik dacht: *wat ontzettend schattig... Dit hoef je van de meeste jongens absoluut niet te verwachten.*

Ik was op de valreep komen opdraven als invaller voor de vaste zangeres, dus kende ik het gelukkige bruidspaar niet. Toch was het op het eerste gezicht al moeilijk te geloven dat Reid en Max naaste familie van elkaar waren. Om te beginnen leken ze uiterlijk totaal niet op elkaar. Reid was lang en atletisch, iemand die aan een exclusieve sport doet, zoals golf of squash. Max daarentegen was één bonk spieren, groot en breed. Maar dat was niet het enige. Ze hadden zo'n verschillende uitstraling dat ze bijna van aparte planeten afkomstig hadden kunnen zijn. Reids vrienden zagen eruit alsof ze allemaal in het bankwezen of op een advocatenkantoor werkten. Van die types die zichzelf graag hoorden praten. Hun vriendinnetjes of echtgenotes heetten Muffy of Winky, of iets in die geest. Liddy, de kersverse vrouw van Reid, kwam uit Mississippi. Het viel me op dat ze om de haverklap Jezus prees, of de Heer. Ze dankte de Vader en de Zoon voor het mooie weer, de goede wijn, en voor het feit dat haar omaatje Kate het nog had mogen beleven een trouwring aan Liddy's vinger te zien glimmen. Vergeleken met de rest van de bruiloftsgasten was Max heel verfrissend. Je wist meteen wat je aan hem had. Tegen middernacht, toen de band stopte met spelen, wist ik al een heleboel over Max. Dat hij zijn eigen hoveniersbedrijf had en 's winters sneeuwruimde. Dat zijn broer verantwoordelijk was voor het zilverachtige litteken op zijn wang (een strak geslagen honkbal, pal op zijn kaak) en dat hij allergisch was voor schaaldieren. Over mij wist hij dat ik het alfabet van achteren naar voren kon zingen, tien verschillende instrumenten bespeelde én dat ik een gezin wilde. Een groot gezin.

Vanaf mijn plaats voor op het podium keek ik achterom naar de band. Volgens het programma zou ons slotnummer 'Last Dance' van Donna Summer zijn. Maar deze mensen leken mij geen fervente discofans, dus vroeg ik de jongen achter me die keyboard speelde: 'Ken je Etta James?' Hij stak meteen van wal met de beginakkoorden van 'At Last'.

Soms sta ik te zingen met mijn ogen dicht. Dan vult de muziek me helemaal op, het ritme is mijn hartslag en de melodie stroomt door mijn aderen. Dat betekent het om jezelf te verliezen in de muziek. Je wórdt een symfonie; je bent zelf de klank, de maat en het ritme.

Toen ik stopte met zingen kregen we een daverend applaus. Ik hoorde hoe Reid ons toejuichte: 'Bravo!' En het gekwetter van Liddy's vriendinnen: '... de beste bruiloftsband die ik ooit heb gehoord... je moet me hun telefoonnummer geven'.

'Dank jullie wel,' mompelde ik. Eindelijk deed ik mijn ogen open, en keek recht in de ogen van Max.

Plotseling stommelde een man het podium op. Hij knalde met zijn ene hand tegen het drumstel, maar struikelde vastberaden verder. Hij was ladderzat, en te oordelen naar zijn zuidelijk accent was hij een van Liddy's familieleden of kennissen. 'Hé, wijfie,' tetterde hij terwijl hij de zoom van mijn zwarte jurk vastgreep. 'Weet je wel wat jij bent?'

De bassist deed een stap naar voren en trok me achter zich, maar Max was me al te hulp geschoten. 'Meneer,' zei hij beleefd, 'u kunt maar beter vertrekken, want...'

De dronkenman gaf hem een onzachte duw en grabbelde naar mijn hand. 'Jij,' lalde hij, amper verstaanbaar, 'jij bent verdomme een nachtegaaltje!'

'Vloeken in de aanwezigheid van een dame, dat gaat te ver,' zei Max en gaf de man een vuistslag. De zatlap viel van het podium, midden tussen een groepje gillende bruidsmeisjes. Hun lange jurken braken zijn val.

Uit het niets verscheen een gorilla-achtige jongen in smoking, die Max in zijn kraag greep en hem ronddraaide. 'Wie mijn pa mept, krijgt met mij te maken,' zei hij en sloeg Max bewusteloos.

Toen brak de hel los. Het werd een ware knokpartij; de Amerikaanse Burgeroorlog op herhaling, in zakformaat. Tafels werden omver gesmeten, oude dames scheurden krijsend de linten van elkaars
hoeden. De bandleden probeerden hun instrumenten in veiligheid te
brengen. Ik sprong van het podium en hurkte neer bij Max. Er drupte
bloed uit zijn neus en mond. Hij had een diepe snee in zijn voorhoofd,
de plek waar hij tegen de rand van het podium was gevallen. Ik trok
zijn hoofd op mijn schoot en boog me diep over hem heen, om hem
af te schermen van het strijdgewoel. Zodra hij met zijn oogleden
begon te knipperen zei ik: 'Dát was pas echt bezopen.'

Max grijnsde. 'O ja?' zei hij. 'Je hebt anders wél je armen om me
heen.'

Hij bloedde zo hevig dat ik erop stond dat hij naar de Spoedeisende
Hulp ging. Hij gaf me de sleutels van zijn truck en liet mij rijden. Terwijl hij naast me zat met een servet tegen zijn voorhoofd gedrukt, mij-
merde hij hardop: 'Ik denk niet dat iemand van ons ooit Reids bruiloft zal vergeten.'

Ik gaf geen antwoord.

'Ben je boos op me?' vroeg Max.

'Het was bedoeld als compliment,' zei ik uiteindelijk. 'Je hebt uit-
gehaald naar die man omdat hij me een compliment gaf.'

Hij aarzelde. 'Ja hoor, natuurlijk. Ik had hem je jurk van je lijf moeten laten scheuren.'

'Hij zou mijn jurk niet van mijn lijf hebben gescheurd. De jongens
van de band zouden het nooit zover hebben laten komen...'

'Maar ík wilde jou redden,' zei Max eenvoudig.

Ik keek even naar hem van opzij, zoals hij daar zat in de groene
gloed van het dashboard.

In het ziekenhuis zaten we samen in een behandelhokje. 'Je moet
vast gehecht worden,' zei ik tegen hem.

'Ik moet nog veel meer,' zei hij. 'Om te beginnen moet ik het goed
zien te maken mijn broer. Ik weet vrij zeker dat hij me op dit moment
wel kan schieten.'

Voordat ik kon antwoorden trok een arts het gordijn opzij, stapte
binnen en stelde zich voor. Hij trok een paar rubberhandschoenen
aan en vroeg wat er gebeurd was.

'Ik ben ergens tegenaan gelopen,' zei Max.

Hij kromp even in elkaar toen de dokter de hoofdwond onderzocht. 'Waartegen?'

'Een vuist,' bekende Max.

De dokter pakte een zaklampje en vertelde Max dat hij de lichtstraal met zijn ogen moest volgen. Ik zag hoe hij zijn ogen omhoog rolde en vervolgens van rechts naar links. Hij ving mijn blik op en knipoogde naar me.

'Die wond moet gehecht worden,' zei de dokter. 'Volgens mij heb je geen hersenschudding, maar toch is het beter dat er vannacht iemand bij je blijft.' Hij trok het gordijn van het hokje open. 'Ik haal even een hechtset.'

Max keek me vragend aan.

'Natuurlijk blijf ik bij je,' zei ik. 'Medisch noodgeval.'

Een week na mijn bevalling ga ik weer aan het werk op de brandwondenunit van het ziekenhuis. Mijn eerste cliënt is Serena, een veertienjarig meisje uit de Dominicaanse Republiek. Drie jaar geleden werd ze op het nippertje gered uit een brandend huis en had ernstige brandwonden. Ze werd in haar woonplaats behandeld en raakte uiteindelijk misvormd. Ze had grote littekens. Twee jaar lang verstopte ze zich in de donkerste hoeken van haar ouderlijk huis en kwam uiteindelijk naar Rhode Island voor reconstructieve huidtransplantaties. In de regel werk ik iedere week werk een vol uur met haar, op de dag dat ik op verschillende afdelingen in het ziekenhuis therapie geef. Niemand begreep aanvankelijk echt hoeveel baat Serena kon hebben bij goede muziektherapie. Door de littekens kon ze haar oogleden nauwelijks meer bewegen. Als gevolg daarvan ontwikkelde ze staar, waardoor ze nu blind is. Ze kan haar handen en vingers beperkt bewegen, ook vanwege littekenweefsel. Ik ben begonnen met voor haar te zingen, tot ze uit zichzelf met me meezong. In de loop van de tijd heb ik een aangepaste gitaar voor haar gemaakt, met open G-stemming. Ik heb een kettinkje op de snaren gemonteerd, een *slide,* zodat ze met minimale handbewegingen kan spelen, glissando. Achter op de hals van haar gitaar heb ik stukjes klittenband geplakt, zodat ze zich op haar tastzin en gehoor een weg kan zoeken door de akkoorden.

'Hoi, Serena,' zeg ik, terwijl ik op haar open kamerdeur klop.

'Hoi, ken ik jou ergens van?' antwoordt ze, met een glimlach in haar stem. Het is egoïstisch van me, maar op dit moment ben ik dankbaar dat ze blind is. De verpleegsters achter de balie hadden moeite hun medeleven onder woorden te brengen, dus was ik degene die hén op hun gemak moest stellen. Maar bij Serena is dat niet nodig. Zij wist helemaal niet dat ik zwanger was, dus hoeft ze ook niet te weten dat mijn baby overleden is.

'Waar was je al die tijd?' vraagt ze.

'Ik heb een griepje gehad,' zeg ik. Ik schuif mijn stoel naast de hare, zet mijn gitaar op mijn dijbeen en begin met stemmen. Zij pakt haar eigen instrument. 'Wat heb jij zoal gedaan?'

'De gewone dingen,' zegt Serena. Haar gezicht zit helemaal in de zwachtels. Ze is nog aan het genezen van haar recentste operatie. Ze spreekt onduidelijk, maar ik werk al zo lang met Serena dat ik haar uitstekend kan verstaan. 'Ik heb iets voor je,' zegt ze.

'Echt waar?'

'Ja, luister maar. Het heet "Derde Leven".'

Ik ga rechtop zitten, dit is interessant. De term 'derde leven' is ontsproten aan onze therapiesessies van de afgelopen twee maanden. We hebben gepraat over het verschil tussen haar eerste leven – voor de brand – en haar tweede, na de brand. 'Hoe zit het met je derde leven?' vroeg ik Serena toen. 'Hoe gaat het verder met jou, als alle operaties gedaan zijn?'

Ik luister naar Serena's ijle sopraan. De regelmatige piepjes en het gezoem van de monitoren die op haar lichaam zijn aangesloten, vormen een gestaag tegenritme.

Niet meer verstopt in het donker,
geen woede of verdriet.
Vanbuiten ben ik veranderd,
maar vanbinnen geldt dat niet.

Bij het tweede couplet heb ik de melodie opgepikt en tokkel ik zachtjes met haar mee op mijn gitaar. Wanneer zij stopt met zingen, stop ik met spelen. Ze laat haar hand over de gitaarhals naar de topkam glijden en ik begin te klappen. 'Dat was het mooiste cadeau dat ik ooit heb gekregen,' zeg ik tegen Serena.

'Was het een griepje waard?'

Ooit had ik Serena tijdens een sessie een regenmaker gegeven. Ze draaide hem om en om. De rijstkorrels in het holle bamboestokje ratelden op en neer en Serena raakte steeds meer geagiteerd. 'Waar denk je nu aan?' had ik haar gevraagd. Ze begon te vertellen over de laatste dag dat ze buitenshuis was geweest in de Dominicaanse Republiek. Ze liep van school naar huis toen het begon te stortregenen. Ze merkte het aan de enorme plassen waar ze opeens doorheen liep en aan haar kletsnatte haar en jurk. Maar ze voelde de druppels niet op haar huid vanwege het dikke, verkleefde littekenweefsel. Ze begreep niet dat ze die stromende regen niet voelde, terwijl de pesterijen van klasgenootjes over haar misvormde monstergezicht als een gloeiend zwaard door haar heen gingen.

Dat was het moment waarop ze besloot om nooit meer haar huis uit te gaan.

Muziektherapie draait niet om de therapeut, dat spreekt voor zich. Het gaat om de cliënt. En toch zie ik druppels op de klankkast van mijn gitaar vallen, dus blijkbaar huil ik. Maar net als Serena die geen regen voelde, heb ik de tranen op mijn wangen niet gevoeld.

Ik haal diep adem. 'Welk couplet vind je het mooist?'

'Ik denk het tweede.'

Ik verval in het vertrouwde rolpatroon: van docent tot student of therapeut tot cliënt. Zo pakte de vrouw die ik vroeger was dat aan. 'Kun je uitleggen waarom?' vraag ik.

Max heeft het allemaal geregeld. Als we bij de Narragansettbaai aankomen ligt er een huurboot voor ons klaar. De weersvoorspelling blijkt niet te kloppen: het is vochtig en kil. Wij zijn misschien wel de enigen die voor vanochtend tóch een motorbootje hebben gereserveerd. De mist voelt koud op mijn gezicht en ik rits mijn jack dicht tot aan mijn kin.

'Ga jij maar eerst,' zegt Max. Hij houdt de boot vast zodat ik erin kan stappen. Dan geeft hij me de kartonnen doos aan die de hele autorit tussen ons in op de voorbank heeft gestaan.

Max start de motor, en sputterend komt de boot in beweging. We manoeuvreren omzichtig door de lagesnelheidszone, uitwijkend voor markeringsboeien en onbemande, dobberende zeiljachtjes. Het schuim van de golftoppen kruipt met beenwitte, bobbelige vingers over de lage reling. Mijn gympen zijn meteen doorweekt.

'Waar gaan we naartoe?' roep ik boven het geronk van de motor uit.

Max hoort me niet, of hij houdt zich doof. Dat doet hij de laatste tijd vaak. En hij komt meestal pas lang na zonsondergang thuis, terwijl ik geen flauw idee heb hoe hij die laatste uren van de dag heeft doorgebracht. In ieder geval niet met snoeien, planten of grasmaaien. Zelfs niet met surfen. Dat hij zo laat thuiskomt is zijn excuus om op de bank te slapen. 'Ik wilde je niet wakker maken,' zegt hij dan, alsof het mijn schuld is dat hij avond aan avond wegblijft.

Het is nog niet echt licht, op dit vroege uur. Het was Max' idee om de zee op te gaan nu het nog rustig is. Er zijn geen vissersboten, en geen zeiljachten die al uitvaren om het weekend te vieren. Ik ga midden op een van de twee bankjes zitten met de kartonnen doos op schoot. Als ik mijn ogen dichtdoe, klinken de ronkende motor en de regelmatige golfslag me in de oren als een rapbeat. Ik trommel met mijn vingers tegen de metalen bank, in de maat.

Na zo'n tien minuten zet Max de motor af. We glijden nog een stukje verder, slingerend in ons eigen kielzog.

Hij komt tegenover me zitten, met zijn handen tussen zijn knieën. 'Wat doen we nu?'

'Ik weet het niet.'

'Wil jij...'

'Nee,' zeg ik, en druk hem de doos in de handen. 'Doe jij het maar.'

Hij knikt en pakt het blauwe keramische schoentje uit de doos. Een paar schuimkorrels – verpakkingsmateriaal – waaien op uit de doos, en verdwijnen in het niets. Ik voel paniek opkomen. Stel dat er precies op het verkeerde moment een harde windvlaag komt? Stel dat de as in mijn haar waait, of op mijn jack?

'Ik heb het gevoel dat we nu iets moeten zeggen,' mompelt Max.

De tranen staan in mijn ogen. 'Het spijt me,' fluister ik.

Dat ik niets beters weet te zeggen.

Dat dit me te doen staat.

Dat het me niet is gelukt jou nog een paar weken langer veilig onder mijn hart te dragen.

Max staat op een afstandje van me, maar nu grijpt hij mijn hand. 'Het spijt mij ook.'

Het blijkt dat de realiteit van mijn kind niet méér is dan een wolkje adem, een flard grijze rook in de koude lucht. De as is bijna direct verdwenen zodra Max het schoentje leegschudt. Als ik even met mijn ogen had geknipperd, zou ik gemakkelijk kunnen beweren dat dit nooit gebeurd was.

Maar ik stel me voor hoe de asdeeltjes het kolkende wateroppervlak raken. Ik stel me de zeemeerminnen voor die hem zingend naar huis roepen, naar zijn plekje in de diepte van de oceaan.

Max is te laat voor de afspraak met dokter Gelman. Als hij eindelijk haar spreekkamer komt binnenhollen, hangt er een geur van rotte bladeren om hem heen. 'Sorry,' zegt hij verontschuldigend. 'Het werk liep een beetje uit.'

Er was een tijd dat hij tien minuten te vroeg aankwam als we hier een afspraak hadden. Eén gedenkwaardige keer had hij pech met zijn truck, juist toen hij een spermamonster naar de kliniek moest brengen. Hij had de hele verdere weg naar de kliniek hardlopend afgelegd, zodat de eicellen nog net op tijd bevrucht konden worden. Maar er is iets veranderd. Sinds ik twee weken geleden uit het ziekenhuis ben gekomen, hebben we nauwelijks echt samen gepraat. Behalve over het weer, de dagelijkse boodschappen en wat ik 's avonds op tv wil zien. Max laat zich op de stoel naast me zakken en kijkt de verloskundig arts vol verwachting aan. 'Is alles oké met Zoë?'

'Er is alle reden om aan te nemen dat het goed gaat met Zoë,' zegt dokter Gelman. 'Nu we eenmaal weten dat ze aanleg voor trombose heeft, kunnen we dat beheersbaar maken met medicatie. En de fibromen... de vleesbomen die we onder de placenta zagen,' verduidelijkt ze, '... die zullen hoogstwaarschijnlijk snel slinken. Door de hormonale schommelingen van de zwangerschap hebben ze zo hard kunnen groeien, en dat is nu niet meer aan de orde.'

'Maar hoe moet dat dan de volgende keer?' vraag ik.

'Ik verwacht echt niet dat je nog eens met zo'n stolsel te maken krijgt. Zolang we je op Marcoumar houden...'

'Nee,' onderbreek ik haar. 'Ik bedoel bij mijn volgende zwangerschap. U zei dat ik het opnieuw kon proberen.'

'Wát?' zegt Max. 'Waar heb je het in godsnaam over?'

Ik draai me half om en kijk hem aan. 'We hebben nog drie embryo's over. Drie ingevroren embryo's, Max. We zijn nooit gestopt met proberen nadat ik een miskraam had gehad, toch? We kunnen het nu niet zomaar opgeven...'

Max wendt zich tot dokter Gelman. 'Toe nou. Dat moet u haar afraden. Dat is toch veel te gevaarlijk?'

De dokter gaat met haar duim over de rand van haar schrijfblok. 'De kans dat je opnieuw een placentaloslating krijgt, ligt tussen de twintig en vijftig procent. Daarnaast zijn er nog andere risico's, Zoë. Zoals zwangerschapsvergiftiging met alle gevolgen van dien. Hoge bloeddruk, bijvoorbeeld. Centraal oedeem en longoedeem. Dan zou je magnesium moeten gaan slikken om te proberen een epileptisch insult te voorkomen. Je kunt ook een hersenbloeding krijgen...'

'Jezus christus,' mompelt Max.

'Maar ik kan het proberen,' zeg ik weer, terwijl ik haar recht in de ogen kijk.

'Ja,' zegt ze. 'Je kent nu de risico's. Maar een zwangerschap is nog steeds mogelijk.'

'Nee,' zegt Max, bijna onhoorbaar. Tegelijkertijd schuift hij zijn stoel achteruit en staat op. 'Nee,' herhaalt hij, en loopt de spreekkamer uit.

Ik ga hem achterna, ren de gang door en grijp hem bij zijn arm. Hij schudt me van zich af. 'Max!' roep ik hem na, maar hij loopt door en stapt een lift in. Hijgend glip ik achter hem aan naar binnen, juist voordat de deuren dichtgaan.

Er staat een moeder met een kinderwagen in de lift. Ik ga tegenover haar staan, naast Max, die zwijgend voor zich uit staart.

De lift komt tot stilstand en de deuren zoeven open. De vrouw duwt de wagen met haar baby naar buiten.

'Dat is alles wat ik ooit heb gewild,' zeg ik, zodra we weer alleen zijn. 'Een baby.'

'En als ík dat nou niet wil?'

'Maar jij wilde het toch ook?'

'Nou, jíj wilde een relatie met mij,' zegt Max. 'Dus ik denk dat we allebei een beetje veranderd zijn.'

'Waar heb je het over? Ik wil nog steeds een relatie met jou.'

'Jij wilt een relatie met mijn sperma. Deze... deze hele babytoestand... is ons ver boven het hoofd gegroeid. Ons allebei. Maar het gaat niet eens meer om ons allebei. Het gaat om jou, en het kind dat we blijkbaar niet kunnen krijgen. En hoe moeilijker en riskanter het wordt, hoe meer ruimte het opslokt, Zoë. Voor mij is er geen plaats meer over.'

'Ben je nu jaloers? Op een baby die niet eens bestaat?'

'Ik ben niet jaloers, ik ben eenzaam. Ik wil mijn vrouw terug. Ik wil het meisje terug op wie ik verliefd was, en dat gewoon bij mij wilde zijn. Dat me de overlijdensberichten uit het stadsblad voorlas. Dat samen met mij zestig kilometer wilde rijden, gewoon om te zien waar we zouden uitkomen. Ik wil dat je mijn nul-zes belt om míj te spreken, niet alleen om me te herinneren aan de afspraak op de fertiliteitskliniek, om vier uur stipt. En nu... nu wil je nóg een zwangerschap, zelfs al wordt het je ondergang? Wanneer stop je nou eens, Zoë?'

'Het wordt heus niet mijn ondergang,' zeg ik nadrukkelijk.

'Maar misschien wel de mijne.' Hij kijkt me aan. 'We zijn al negen jaar zo bezig. Ik kan dit niet meer.'

Er is iets in zijn blik wat me een koude rilling bezorgt. Een soort bittere kern van waarheid. 'Dan zoeken we een draagmoeder. Of we adopteren...'

'Zoë,' zegt Max. 'Ik bedoel dat ik dít niet meer kan. Wij, samen. Dat lukt me niet meer.'

De liftdeuren schuiven open, en we zijn op de begane grond. Het licht van de middagzon stroomt door de glazen toegangsdeuren van de kliniek. Max loopt de lift uit, maar ik niet.

Het moet een speling van het licht zijn, denk ik bij mezelf. Een optische illusie. Daarnet zag ik hem nog, en nu is hij weg. Alsof hij hier nooit geweest is.

2

Huis van hoop

MAX

Ik ging er altijd van uit dat ik later kinderen zou krijgen. Ik bedoel, dat is het plaatje dat de meeste jonge mannen voor zich zien. Je wordt geboren, je groeit op, je sticht een gezin en je gaat dood. En als er ergens vertraging optreedt, dan het liefst tijdens het laatste stuk van de rit. Tenminste, zo had ik het graag gewild.

Ik ben niet de slechterik in dit verhaal. Ik wilde ook graag een kind. Niet omdat ik mijn hele leven heb gedroomd van het vaderschap, maar om een veel eenvoudiger reden.

Omdat Zoë het wilde.

Ik heb alles gedaan wat ze van me vroeg. Ik ben gestopt met koffiedrinken. Ik kocht een stapel boxershorts en gooide mijn gewone, oude slips weg. Ik zette mijn racefiets aan de kant en begon met joggen. Ik ging op een dieet dat zij op internet had gevonden, dat de vruchtbaarheid zou verhogen. Ik zette mijn laptop niet meer op schoot vanwege de straling. Ik ging zelfs naar een of andere geschifte acupuncturist die zijn naalden met miniplukjes mos erop griezelig dicht bij mijn testikels zette. Vervolgens streek hij een lucifer af, en stak de naalden in brand.

Toen niets van dat alles bleek te werken, ging ik naar een uroloog. Ik vulde braaf een enquête in van tien pagina's lang, met vragen zoals: *Hebt u erectieproblemen?* en *Hoeveel seksuele partners hebt u in uw leven gehad?* en *Bereikt uw vrouw een orgasme tijdens de geslachtsdaad?*

Ik ben opgegroeid in een gezin waarin bar weinig over gevoelens werd gepraat. Bij ons thuis ging je alleen naar de dokter als je per ongeluk een vinger of zo had afgesneden met een kettingzaag. Dus ik wil niet zeuren, maar je moet wel begrijpen dat al dat gewroet en die intieme vragen over seks en gevoelens me behoorlijk tegenstonden. En bij ivf is dat nog maar het begin.

Ik had al zo'n vermoeden dat het niet alleen aan Zoë lag dat ze niet zwanger werd. Mijn broer Reid en zijn vrouw zijn nu ruim tien jaar getrouwd en zij hebben ook nog steeds geen kinderen. Ze pakten het wel anders aan dan wij. In plaats van meer dan tienduizend dollar neer te tellen voor ivf, hebben hij en Liddy ontzaglijk veel gebeden.

Maar Zoë zei dat dokter Gelman toch echt een grotere kans op succes bood dan God.

Het is gebleken dat ik een totaal aantal zaadcellen heb van 60 miljoen per milliliter. Dat klinkt als een gigantische hoeveelheid, toch? Maar als je ze dan sorteert op vorm en snelheid heb ik opeens nog maar 400.000 goede zaadcellen over. Lijkt me trouwens nog steeds behoorlijk veel. Maar... stel je voor dat je de marathon van New York loopt samen met 59 miljoen dronkaards. Dan wordt het wel een heel grote opgave om de finish tijdig te bereiken. En dat hebben we gemerkt. Toen de kliniek Zoës vruchtbaarheidsproblemen optelde bij de mijne, stonden we pardoes oog in oog met ivf en ICSI.

Maar dat moet je wel kunnen betalen. Ik heb geen idee hoe andere mensen het geld ophoesten voor herhaalde ivf-pogingen. Iedere nieuwe ronde kost vijftienduizend dollar, als je de medicatie meerekent. En dan hebben we nog geluk dat we in Rhode Island wonen. Hier dwingt de staat verzekeringsmaatschappijen om de kosten van ivf voor vrouwen tussen de vijfentwintig en veertig te dekken. Althans, als ze getrouwd zijn en niet op natuurlijke wijze zwanger kunnen worden. Toch is de eigen bijdrage nog steeds drieduizend dollar voor iedere behandeling met een nieuw embryo. Een volgende poging met een ingevroren exemplaar kost nog eens zeshonderd dollar. Wat sowieso niet wordt vergoed is de ICSI, waarbij goede spermacellen rechtstreeks in de eitjes worden geïnjecteerd (vijftienhonderd dollar). Hetzelfde geldt voor het invriezen van embryo's (duizend dollar), en het bewaren ervan (achthonderd dollar per jaar). Wat ik eigenlijk wil zeggen is dat we al een jaar geleden platzak waren. Zelfs mét de vergoeding van de verzekering en vóór de financiële nachtmerrie van de laatste behandeling.

Wanneer is het misgegaan? Het precieze moment kan ik niet aanwijzen. Misschien was het de eerste, of de vijfde, of de vijftigste keer dat Zoë de dagen van haar menstruatiecyclus had afgeteld, in bed ging liggen en zei: 'Nu!' Ons seksleven ging steeds meer lijken op het kerstdiner van een disfunctionele familie. Iets waar je verplicht aan deelneemt, ook al vind je er niets aan. Misschien ging het mis toen we met ivf begonnen. Of toen ik besefte dat voor Zoë geen zee te hoog ging om haar fanatieke kinderwens te vervullen. Dat willen inmiddels moeten was geworden, en vervolgens een obsessie. Ik kreeg het gevoel dat Zoë en haar denkbeeldige baby helemaal op dezelfde golflengte zaten, maar dat ik een buitenstaander was geworden. Ik had geen functie meer in ons huwelijk, behalve als genetisch materiaal.

Je hoort mensen vaak praten over wat vrouwen doormaken als ze geen kind kunnen krijgen. Maar niemand vraagt ooit naar hun mannen. Nou, ik kan je dit vertellen: wij voelen ons losers. Ons lukt niet wat andere mannen wél lukt, meestal zonder enige moeite. Wij krijgen met de beste wil van de wereld niet voor elkaar wat andere mannen doorgaans juist proberen te voorkomen. Of het nu aan jou ligt of niet, de maatschappij kijkt anders tegen je aan als je geen kinderen hebt. Er is een heel Bijbelboek in het Oude Testament gewijd aan wie wie heeft verwekt; de stambomen vliegen je om de oren. Zelfs beroemde sekssymbolen waar vrouwen over zwijmelen, zoals David Beckham en Brad Pitt, staan altijd in *People* afgebeeld met een van hun kinderen op hun schouders. (Ik kan het weten. Ik heb zo'n beetje ieder nummer van dat tijdschrift gelezen in de wachtkamer van de fertiliteitskliniek.) Dit mag dan de eenentwintigste eeuw zijn, maar je bent pas een echte man als je in staat blijkt je voort te planten.

Ik heb hier niet om gevraagd, ik weet het. Ik weet ook dat ik het niet hoef te zien als ontoereikendheid van mijn kant. Ik weet dat het een medische aandoening is. Dat als ik een hartaanval kreeg of een enkel brak, ik mezelf geen watje zou vinden omdat ik een operatie nodig had, of een gipsverband. Dus waarom zou ik mezelf hier wél voor schamen?

Omdat dit het zoveelste bewijs is – en de lijst is eindeloos – dat ik mislukt ben.

In de herfst is het sappelen voor een hoveniersbedrijf. Ik klus zo veel mogelijk bij met bladblazen. Ik maai gazons tot stoppelhoogte om ze winterklaar te maken. Ik snoei herfstbloeiers, zowel loofbomen als struiken. Ik heb een paar van mijn vaste klanten zover gekregen dat ze me laten planten vóór de vorst in de grond zit. Daar heb je altijd plezier van zodra het lente wordt. Ik heb flink wat klanten warm kunnen maken voor varianten van de rode esdoorn, die spectaculaire kleuren krijgen in het najaar. Maar deze herfst staat vooral in het teken van ontslag. Ik moet de arbeidskrachten de laan uit sturen die ik voor deze zomer had aangenomen. Meestal kan ik een of twee man in dienst houden, maar deze winter niet. Ik zit simpelweg te diep in de schulden en er is te weinig werk. Mijn vijfmanshoveniersbedrijf zal moeten inkrimpen tot een eenmanssneeuwruimservice.

Ik ben bezig de rozenstruiken van een klant te snoeien als een van mijn zomerhulpen met lange passen op me afkomt. Het is Todd, die nog op de middelbare school zit. Vorige week is hij gestopt met werken omdat de scholen weer begonnen. 'Max?' zegt hij, met zijn honkbalpet in zijn handen. 'Heb je even?'

'Natuurlijk,' zeg ik. Ik zit op mijn knieën en leun achterover om hem aan te kijken. Ik knijp mijn ogen tot spleetjes tegen het licht. De zon staat al laag, en het is nog maar halfvier in de middag. 'Hoe bevalt het om weer naar school te gaan?'

'Gaat wel.' Todd aarzelt. 'Ik, ehm... wilde je vragen of ik mijn baantje terug kan krijgen.'

Met krakende knieën kom ik overeind. 'Het is me nog een beetje te vroeg om alweer mensen in te huren voor het volgend voorjaar.'

'Ik bedoel voor dit najaar, en de winter. Ik heb mijn groot rijbewijs. Ik kan je helpen met sneeuwruimen...'

'Todd,' kap ik hem af, 'je bent een prima kracht. Maar er is veel te weinig werk het komend seizoen. Ik kan het me op dit moment gewoon niet veroorloven jou weer in dienst te nemen.' Ik geef hem een vriendschappelijk schouderklopje. 'In maart kun je me gerust weer bellen, oké?'

Ik loop in de richting van mijn truck.

'Max!' roept hij, en ik draai me naar hem om. 'Ik heb het hard nodig.' Zijn adamsappel gaat op en neer als een kurk die op het water drijft. 'Mijn vriendin is... ze is zwanger.'

Ik heb een vage herinnering aan Todds vriendinnetje. Ergens in juli kwam ze langsrijden bij de tuin van een klant waar we aan het werk waren. Haar auto zat vol uitgelaten pubermeisjes. Ze parkeerde langs

de stoeprand, sprong uit de auto en liep met een thermoskan limona-
de naar Todd. Even zie ik haar lange bruine benen in de afgeknipte
spijkerbroek voor me. Ik weet nog hoe Todd stond te blozen toen ze
hem kuste en terugrende naar haar auto, met haar teenslippers klep-
perend tegen haar voetzolen. Ik herinner me hoe het was toen ik zo
oud was als hij. Iedere keer als ik met een meisje had gevreeën, was
ik achteraf doodsbang dat ik bij die twee procent hoorde waarbij de
Durex het had laten afweten.

Wat een ellende, had Zoë wel eens gezegd. *Op je zestiende ben je
letterlijk in een wip zwanger, terwijl je dat helemaal niet wilt. En op
je veertigste wanneer je het juist dolgraag wilt, lukt het voor geen
meter.*

Ik vermijd het Todd in de ogen te kijken. 'Sorry,' mompel ik, 'ik kan
echt niets voor je doen.' Ik sta wat te prutsen aan het tuingereedschap
in de laadruimte van mijn truck tot ik hem zie wegrijden. Ik heb nog
werk te doen, maar ik besluit er voor vandaag een punt achter te zetten. Tenslotte ben ik de baas. Als iemand weet wanneer het tijd is om
te stoppen, dan ben ik dat.

Ik rijd naar een café waar ik op weg naar diverse klussen al zeker vijftig keer langsgekomen ben. Het heet Quasimodo. De verf bladdert
van de kozijnen en voor een van de ramen zitten ijzeren tralies. Aan
het traliewerk is een verlicht bord bevestigd met BUDWEISER erop.
Kortom, dit is het soort kroeg waar 's middags geen hond komt.

En inderdaad, wanneer ik naar binnen loop en rondkijk in de sche-
merige ruimte, zie ik niemand. Pas als mijn ogen aan het halfdonker
gewend zijn, merk ik de vrouw aan de bar op. Ze zit een kruiswoordpuzzel in te vullen. Ze heeft gebleekt, blond haar. De huid van haar
dunne, blote armen doet me denken aan crêpepapier. Ze komt tegelijkertijd vreemd en vertrouwd op me over, als een verwassen T-shirt
waarvan de opdruk een vage, kleurige vlek is geworden. 'Irvin,' zegt
ze, 'weet jij een vierletterwoord voor "leemachtig sediment"?'

De barman haalt zijn schouders op. 'Iets waar je een diarreeremmer
voor moet slikken?'

Ze fronst haar wenkbrauwen. 'Nee, daar is de kruiswoordpuzzel
van *The New York Times* veel te netjes voor.'

'Löss,' zeg ik, terwijl ik mezelf op een barkruk hijs.

'Lus?' vraagt ze, en draait zich naar me toe. 'Dat zijn maar drie letters, toch?'

'Nee, *löss*. L-Ö-S-S. Een bodemsoort die bestaat uit lagen slib dat in de richels van zandduinen is gewaaid. Ik wijs naar haar krant. 'Dat moet het antwoord zijn.'

Ze vult de letters in met balpen. 'Weet je toevallig ook zes horizontaal? Londense trams?'

'Nee, sorry.' Ik schud mijn hoofd. 'Ik ben geen feitjeskenner. Ik weet alleen toevallig iets van geologie.'

'Wat kan ik voor je inschenken?' vraagt de barman en hij legt een bierviltje voor me neer.

Ik laat mijn ogen langs de rij flessen achter hem gaan. 'Sprite, graag,' zeg ik.

Hij tapt de frisdrank uit een koeltank onder de bar en zet het glas voor me neer. Vanuit mijn ooghoek zie ik het drankje van de blonde vrouw, een martini. Het water loopt me in de mond.

Er hangt een televisie boven de bar. Oprah Winfrey onthult schoonheidsgeheimen uit alle hoeken van de wereld. Maar ja, wat maakt het mij uit hoe Japanse vrouwen hun huid zo glad houden?

'Ben jij soms professor of zo?' vraagt de vrouw. Ik schiet in de lach. 'Goed geraden.' Wat zou het ook? Ik zie deze vrouw toch nooit meer terug.

Om eerlijk te zijn heb ik niet eens mijn propedeuse gehaald. Ik ben voor het einde van mijn oriëntatiejaar op de universiteit gestopt. Dat lijkt wel honderd jaar geleden. Mijn broer Reid, de ideale zoon, heeft het er heel wat beter van afgebracht. Hij is cum laude afgestudeerd, kreeg meteen een baan als financieel analist bij de grootste bank van Boston en een paar jaar later begon hij zijn eigen beleggingsfirma. Zelf blonk ik in mijn korte studietijd alleen uit in bierpong spelen en ethylalcohol drinken. Het begon met feesten in de weekends, en toen midden in de week tijdens de studiepauzes, alleen studeerde ik helemaal niet. Eén studieblok van twee maanden is een compleet zwart gat voor me, op één enkele herinnering na. Dat is dat ik 's ochtends een keer spiernaakt wakker werd op de stenen buitentrap van de universiteitsbibliotheek. Ik had geen flauw benul hoe ik daar terechtgekomen was.

Mijn vader wilde niet dat ik weer thuis kwam wonen. Maar Reid had zijn eigen appartement in Kenmore Square, en ik mocht bij hem op de bank slapen. Ik kon een baantje bemachtigen als bewaker in een winkelcentrum. Helaas kwam ik constant te laat op mijn werk, en ook nog met een enorme kater. Het lukte me gewoon niet om op tijd wakker te worden nadat ik de hele nacht was doorgezakt. Dus werd ik ontslagen. Ik begon geld te jatten van Reid. Ik kocht zo veel mogelijk flessen goedkope drank en verstopte ze op de gekste plaatsen in zijn appartement. Tot ik op een ochtend kotsmisselijk wakker werd, mijn ogen opsloeg en in de loop van een pistool keek dat op mijn voorhoofd was gericht.

'Reid,' piepte ik, moeizaam overeind krabbelend. 'Ben je gek geworden!'

'Als jij probeert jezelf te slopen, Max,' zei hij, 'wil ik je best een handje helpen.'

We hebben samen alle flessen tevoorschijn gehaald en laten leeglopen in de gootsteen. Reid nam die dag vrij van zijn werk en ging met me mee naar mijn eerste AA-bijeenkomst. Dat is nu zeventien jaar geleden. Toen ik Zoë ontmoette, was ik negenentwintig. Na mijn ontwenningskuur was ik volledig van de drank af en had uitgeknobbeld wat een man zonder diploma van zijn leven zou kunnen maken. De colleges die me van mijn academische boemeljaar waren bijgebleven, hielden allemaal verband met geologie. Een reden te meer om met beide benen in de klei te gaan staan. Ik peuterde een startersleninkje los van de bank om een eigen bedrijf te beginnen. Ik kocht mijn eerste grasmaaimachine, beschilderde de zijkant van mijn truck en liet simpele folders drukken. Ik mag dan geen luxeleventje leiden zoals Reid en Liddy, maar ik vind het wel best zo. Vorig jaar heb ik 23.000 dollar verdiend én ik kon tussendoor nog steeds gaan surfen als er mooie golven waren.

Met Zoës inkomen erbij konden we een etage huren – het appartement waar zij nu in woont. Als jij de partner bent die uit een relatie wil stappen, dan moet je ook écht opstappen. Dat is nu alweer een maand geleden gebeurd. Als ze maar niet vergeet de huisbaas te vragen om de verwarmingsketel te checken. Zou ze het huurcontract verlengen voor volgend jaar, maar nu zonder mijn naam erbij? En wie zeult er nu haar zware drumstel de trap op? Of zou ze dat nu gewoon 's nachts in de kofferbak van haar jeep laten liggen?

Heb ik een fout gemaakt door weg te gaan?

Ik werp een steelse blik op de martini van de kruiswoordpuzzel-vrouw. 'Hé,' zeg ik tegen Irvin de barman, wijzend naar het glas martini. 'Schenk mij ook maar zo eentje in.'

De vrouw tikt met haar pen op de bar. 'Dus jij bent geoloog?'

Op de televisie bespreekt Oprah hoe je je eigen zoutscrub kunt maken zoals Cleopatra die ooit gebruikte.

'Nee, egyptoloog,' lieg ik.

'Net als Indiana Jones?'

'Ja, zoiets,' antwoord ik. 'Behalve dan dat ík niet bang ben voor slangen.'

'Ben je daar geweest? Op de Nijl?'

'O, ja,' zeg ik, hoewel ik Noord-Amerika nooit uit ben geweest. 'Wel tien keer.'

Ze schuift me haar krant toe, en de pen. 'Hè, spannend. Hoe ziet mijn naam eruit in Egyptische letters?'

Irvin zet de martini voor me neer. Het zweet breekt me uit. Het zou zo gemakkelijk zijn.

'Ik heet Sally,' zegt de vrouw. 'S-A-L-L-Y.'

Het is verbazingwekkend waartoe je bereid bent als je iets heel graag wilt. Je doet alles, je zegt alles. Je doet je desnoods voor als een heel ander iemand. Zo voelde ik me vroeger als het op alcohol aan-kwam. Ik deed dingen voor geld om drank te kopen... dingen die ik ongetwijfeld permanent uit mijn geheugen heb gewist. En zo heb ik me beslist ooit gevoeld over een baby van Zoë en mij. Mijn seksleven tot in detail beschrijven aan een volslagen vreemde? Tuurlijk. Mijn eigen vrouw een injectienaald in haar kont prikken? Prima, hoor. Me-zelf afrukken en mijn kwakje opvangen in een plastic beker? Geen probleem. Als de artsen ons hadden opgedragen om achteruitlopend een opera te zingen ter verhoging van onze vruchtbaarheid hadden we dat gedaan. Zonder ook maar één wenkbrauw op te trekken.

Als je iets verschrikkelijk graag wilt, draai je jezelf constant een rad voor ogen.

Je denkt bijvoorbeeld: de vijfde keer is het raak.

Of: als de baby er eenmaal is, worden Zoë en ik weer een gelukkig stel.

Of: één slok kan geen kwaad.

Ik heb ooit een tv-documentaire gezien over reuzeninktvissen. Een zo'n beest werd gefilmd terwijl hij inkt in het water spoot in de richting van een achtervolger. De inktstroom was zwart en prachtig en kringelde als rook: een afleidingstactiek, zodat de inktvis kon ontsnappen. Zo voelt alcohol voor mij wanneer ik drink. Als de uitwaaierende inkt van de inktvis in mijn bloed. Het middel dat me blind zal maken voor mijn problemen en waardoor ik kan vluchten voor alles wat pijn doet.

De enige taal die ik ken is Engels, maar wat dan nog. Ik teken drie golvende lijntjes in het witte kader van de krant, dan iets wat op een slang lijkt, plus een zonnetje. 'Dat zijn alleen maar de klanken van je naam,' zeg ik. 'Er bestaat geen echte vertaling voor Sally.'

Ze scheurt de hoek van de krant af, vouwt het papiertje op en stopt het in haar beha. 'Zeker weten dat ik hier een tatoeage van laat maken.'

Nou ja, wat weet een gemiddelde tatoeagekunstenaar van hiërogliefen? Hopelijk niets. Misschien heb ik wel geschreven: *Wil je een lekkere beurt? Bel Nefertiti.* Weet ik veel.

Sally springt van haar kruk en gaat vlak naast me zitten. 'Drink je die martini nog op of wacht je tot hij antiek wordt?'

'Ik ben er nog niet uit,' beken ik. De eerste keer dat ik haar niet voor de gek houd.

'Nou, vooruit met de geit,' antwoordt Sally. 'Dan kan ik je op de volgende trakteren.'

Ik pak mijn glas en sla de martini in één verrukkelijke teug achterover. 'Irvin,' zeg ik, terwijl ik het lege glas terugzet, 'je hebt gehoord wat mevrouw zei.'

De eerste keer dat mijn sperma in de kliniek onderzocht moest worden zal ik niet gauw vergeten. Een verpleegkundige stak haar hoofd om de hoek van de wachtruimte en riep mijn naam. Ik stond op en dacht: *iedereen hier weet precies wat ik op het punt sta te gaan doen.*

Van tevoren hadden Zoë en ik allerlei informatiebrochures doorgenomen. Ergens stond bijvoorbeeld dat de echtgenote zou kunnen 'helpen' met de sperma-afname. Maar het enige wat mij nog gênanter leek dan mezelf aftrekken in een ziekenhuisomgeving was dat mijn vrouw ernaast zou zitten, met verplegend personeel en patiënten aan de andere kant van de deur. De verpleegkundige liep met me mee naar een kamertje aan het einde van de gang. 'Kijkt u eens,' zei ze, en gaf me een bruine papieren zak. 'U hoeft alleen maar de instructies te lezen.'

'Het zal heus wel meevallen,' had Zoë bemoedigend gezegd, die ochtend onder het ontbijt. 'Probeer het maar te zien als een bezoekje aan een absurdistische kermis.'

Tja, ik had eigenlijk weinig te klagen. Zij kreeg twee keer per dag een injectie en moest doorlopend inwendige onderzoeken ondergaan. En door al die hormonen die ze kreeg ingespoten kon ze ontzettend van slag raken. Soms barstte ze al in tranen uit als ze iets heel simpels moest doen, zoals de straat oversteken. Daarmee vergeleken leek mijn aandeel een fluitje van een cent.

Het was ijskoud in het kamertje. Direct naast de deur hing een wasbak. Verder stonden er een bank met een laken erover, een tv met videospeler en een bijzettafeltje. Er lagen een paar video's: *Geile meiden in de polder*, *Cowgirlseks* en *Hitsige huisvrouwen*. Plus diverse nummers van *Playboy* en vreemd genoeg één *Cosmopolitan*. Rechts zat een klepje in de muur met een bak eronder, waarschijnlijk een soort doorgeefluik. Daar zou ik het spermamonster vermoedelijk moeten achterlaten als ik klaar was. De verpleegster ging de kamer uit en ik draaide de deur op slot. Vervolgens deed ik hem weer open, en toen weer op slot. Voor de zekerheid.

Ik keek in de papieren zak. De beker waar mijn sperma in moest, was gigantisch. Het leek bijna een emmer. Sodeju, wat werd er van mij verwacht?

Stel dat ik iets zou morsen?

Ik begon in een van de tijdschriften te bladeren. De laatste keer dat ik dit gedaan had was op mijn vijftiende, toen ik het decembernummer van *Playboy* had gepikt uit een kiosk. Ik merkte opeens dat ik vreselijk hard zat te zuchten. Was dat normaal? Misschien was het een teken van een naderende hartaanval?

Of misschien moest ik maar eens in actie komen.

Ik zette de televisie aan. Er zat al een band in de videospeler. Ik keek even naar het scherm, en toen opzij naar het doorgeefluik. Zou daarachter een laborant zitten wachten op mijn spermamonster? Zat hij of zij mee te luisteren?

Het duurde een eeuwigheid voor het lukte.

Uiteindelijk deed ik mijn ogen dicht en dacht aan Zoë.

Zoë, voordat we serieus begonnen te praten over een gezin. Zoals die keer toen we wild gingen kamperen in de White Mountains. Toen ik 's ochtends uit de tent kroop terwijl zij vlakbij op een rotsblok blokfluit zat te spelen, helemaal in haar blootje.

Zodra ik klaar was, staarde ik naar het minimale witte plasje in de beker. Geen wonder dat Zoë niet zwanger werd. Het was écht weinig, althans qua hoeveelheid vloeistof. Ik schreef mijn naam en het tijdstip op het label en legde het spermamonster in de bak onder het luikje. Ik vroeg me af of ik moest kloppen of roepen. Moest ik de laborant laten weten dat het spul voor hem klaarstond?

Ze zouden er vanzelf wel achter komen, dacht ik, waste mijn handen en haastte me de gang op. De receptioniste glimlachte naar me toen ik langs haar heen naar de uitgang liep. 'Fijn dat u gekomen bent,' zei ze.

Ja, hoor. Het was verdomd fijn, dacht ik. Eigenlijk zou zo'n zinnetje verboden moeten worden voor personeel in een fertiliteitskliniek.

Ik moest Zoë straks beslist vertellen wat die receptioniste had gezegd. Onderweg naar mijn truck liep ik me al te verheugen op haar reactie. Wat zouden we lachen.

Wanneer ik wakker word, lig ik met mijn hoofd op een kussen van paars nepbont, op de vloer van een slaapkamer die ik niet herken. Langzaam kom ik overeind. Ik probeer de voorhamer die tegen mijn slapen dreunt te negeren. Ik zie een blote voet en vuurrood gelakte teennagels. Mijn tong voelt aan als een kokosmat.

Ik sta te wankelen op mijn benen, en kijk neer op... O, ja. Sally. Het kost me een volle minuut om op haar naam te komen. Hoe zijn we hier ook alweer beland? Er doemt een beeld op van een ander café, na Quasimodo. En misschien daarna nog een derde kroeg. Ik proef tequila op mijn tong, en schaamte.

Sally ligt te snurken als een bootwerker en dat is het enig goede aan deze situatie. Ik moet er niet aan denken dat zij en ik nog een babbeltje zouden moeten maken. Ik sluip de kamer uit met mijn broek, T-shirt en schoenen tot een bal gerold tegen mijn buik gedrukt. Ben ik zelf hierheen gereden, gisteravond? Ik kan alleen maar hopen van niet. Maar waar is mijn truck, in dat geval? God mag het weten.

Een wc. Mooi zo. Even naar de wc en dan wegwezen hier. Ik ga gewoon naar huis; dit is gewoon niet gebeurd. Ik doe een plas, duw mijn hoofd onder de kraan van het fonteintje en wrijf mijn haar droog met een roze handdoek. Mijn blik valt op de plank boven de krap bemeten wastafel. Er ligt een pakje condooms. O, goddank. Góddank dat ik die fout niet ook nog gemaakt heb.

Kom op, Max. Beheers je, denk ik bij mezelf.

Je hebt dit eerder meegemaakt, en terugvallen is geen optie.

Iedereen gaat wel eens de fout in. Ik misschien iets vaker dan anderen, maar ik lig nog niet in de goot. Deze ene keer betekent niet dat ik weer aan de drank ben. Dit was gewoon... een waarschuwing.

Ik trek de wc-deur open. Achter de drempel staat een dreumes met zijn duim in zijn mond. Hij kijkt naar me op, evenals zijn oudere zus – een tiener – die hem bij de hand houdt. 'Allejezus, wie ben jij?' vraagt ze.

Ik geef geen antwoord. Ik schiet langs hen heen, de voordeur uit en de oprit af, waar mijn truck overigens niet staat. In mijn boxershort ren ik de hele weg door deze naargeestige buitenwijk. Pas bij de kruising met de rijksweg trek ik snel mijn kleren aan. Ik graaf in mijn zakken naar mijn mobiele telefoon, maar de batterijen zijn leeg. Ik blijf doorracen. Wie weet zitten Sally en haar kinderen me wel op de hielen, in het minibusje dat op hun oprit stond. Zij denkt tenslotte dat ze een professor aan de haak heeft geslagen. Ik ga pas langzamer lopen als ik in de verte een rijtje winkels zie. Daar mag ik vast wel ergens gebruikmaken van een telefoon, om een taxi te bellen. Dan terug naar café Quasimodo en mijn truck oppikken (ik hoop tenminste dat hij daar nog staat). Daarna houd ik me voorlopig schuil bij Reid en Liddy.

De eerste winkel die ik binnenga, blijkt een restaurant te zijn. Het is zaterdagochtend en de tent is helemaal leeg, op de eigenaar na. Ik vraag hem of ik even zijn telefoon mag gebruiken. Hoofdschuddend kijkt hij me aan. 'Ruige nacht gehad?' vraagt hij meewarig.

Wat kan ik eraan doen dat hij me meteen een drankje aanbiedt? En nog wel op kosten van de zaak?

Gewoonlijk zouden we thuis zijn geweest. Tenslotte moest de progesteron iedere avond tussen zeven uur en kwart over zeven geïnjecteerd worden. Het was gemakkelijk genoeg om onze avonden daaromheen te plannen, want we hadden toch geen geld om uit eten of naar de film te gaan. Maar Zoë was uitgenodigd voor de bruiloft van twee bejaarden. Het koppel had elkaar ontmoet tijdens de groepstherapie die ze gaf in een verzorgingshuis. 'Als ik er niet was geweest, zou er niet eens een bruiloft zíjn,' had ze gezegd.

Dus kwam ik vroeg thuis van mijn werk, douchte, trok een colbertje aan en deed een stropdas om. Toen reden we naar het verzorgingshuis. Zoë had de injectiespuit, de flacon met progesteron en ontsmettende tissues in haar tas. We keken toe hoe Sadie en Clark, die samen 184 jaar oud waren, in het huwelijk traden. We aten rul gehakt gemengd met roomsaus, en gelatinepuddinkjes toe; het eten moest kunstgebitvriendelijk zijn. De bewoners die nog mobiel waren, dansten op oude lp's met bigbandmuziek.

Het gelukkige paar voerde elkaar stukjes bruiloftstaart. Ik boog me naar Zoë toe en fluisterde: 'Ik geef dit huwelijk hooguit tien jaar.'

Zoë lachte. 'Pas op, makker. Er komt een dag dat wij er ook zo aan toe zijn.' Toen piepte haar horloge. 'O,' zei ze. 'Het is zeven uur. Ga je mee?' Ik volgde haar door de gang naar de toiletten.

Er was een dames- en een herentoilet. Ze waren allebei groot genoeg voor een rolstoel – of voor een man die zijn vrouw een progesteronshot moest geven. Het damestoilet was op slot, dus gingen we het herentoilet in. Zoë deed haar rok omhoog.

Op het bovenste deel van haar linkerbil was een rondje getekend met viltstift. We waren nu bijna een week met de injecties bezig, en ik had elke dag het rondje overgetekend nadat Zoë gedoucht had. Ik wilde haar niet op een plek prikken waar het meer pijn deed dan strikt nodig was.

Ik was er aanvankelijk van overtuigd dat niets zo zenuwslopend was als Zoë injecties in haar buik geven. Eerst moest ik Menopur in poedervorm met water mengen, tussen duim en wijsvinger een huidplooi opnemen en het spul inspuiten. Stap twee was de Puregon, waarvan ik de juiste dosis instelde met de doseerknop van een injectiepen die gemaakt leek voor een kinderhand. De naalden waren klein en dun. Wanneer ik Zoë injecteerde, verzekerde ze me altijd dat het geen pijn deed, al kreeg ze er blauwe plekken van op haar buik. Zoveel zelfs dat het soms moeilijk was een nieuwe plek te vinden om het volgende shot te zetten.

Maar nu waren we toe aan de progesteron, en dat was nog een heel ander verhaal.

Ten eerste was de naald groter. Ten tweede was het geneesmiddel in olie opgelost, waardoor het er akelig dik en stroperig uitzag. En ten derde moesten we dit dertien weken lang elke avond doen.

Zoë haalde de ontsmettende tissues en de flacon tevoorschijn. Ik wreef het rubberdopje van de flacon schoon, pakte een nieuwe tissue en depte daarmee het viltstiftrondje op haar bil. 'Zou het wel lukken terwijl je staat?' vroeg ik. De andere keren lag ze voorover uitgestrekt op ons bed.

'Doe het nu maar gewoon,' zei Zoë.

Snel schroefde ik de grote naald op de injectiespuit, prikte door het rubberdopje heen en zoog de juiste dosering op uit de flacon. Het was een lastig karwei vanwege de olieachtige substantie. Alsof je probeert suikerstroop door een rietje te drinken. Ik wachtte tot de vloeistof iets voorbij het getal op de spuit was gestegen en drukte de zuiger in.

Vervolgens draaide ik de naald van de spuit en schroefde er een nieuwe naald op die we voor de injectie zouden gebruiken. De naald was weliswaar niet zo dik, maar het bleef een rotklus: ik moest hem ruim vijf centimeter diep in Zoë's bilspier duwen. 'Oké,' zei ik, en haalde diep adem, ook al was het Zoë die de prik kreeg.

'Wacht even!' riep ze uit en draaide zich naar me om. 'Je hebt het nog niet gezegd.'

We hadden een vast ritueel. 'Kon ik dit maar van je overnemen,' zei ik iedere avond tegen haar.

Ze knikte en zette zich schrap, met haar handen tegen de muur.

Ik had er voorheen geen idee van hoe taai de menselijke huid is. Taai en veerkrachtig. Het prikken mag niet te langzaam gaan, en je moet beslist even kracht zetten. Kortom, het vergt enige moed om een naald door iemands huid heen te jassen. Maar het was erger voor Zoë dan voor mij. Dus deed ik alle moeite om mijn handen niet te laten trillen (echt een probleem, in het begin) en stootte de naald manmoedig midden in het getekende rondje. Ik lette goed op of er geen bloed in het medicatiemengsel sijpelde. En het ergste kwam nog. Kun je je voorstellen hoeveel druk ervoor nodig is om olie in het menselijk lichaam te persen? Echt, hoe vaak ik dit mijn vrouw ook aandeed (ja inderdaad, ik zag het alsof ik haar iets aandeed), voelde ik elk vezeltje van haar vlees, elke druppel bloed weerstand bieden tegen de progesteron.

Zodra ik klaar was, trok ik de naald terug en stopte hem in de gele naaldencontainer naast de wasbak. Vervolgens masseerde ik de plek waar ik Zoë had geïnjecteerd, om te voorkomen dat ze daar een harde bobbel zou krijgen. Ik was gewend om daarna een thermokussentje te pakken dat ze op haar bil kon drukken. Maar dat zat vanavond duidelijk niet in de planning.

Zoë deed alle medische spullen terug in haar tasje en trok haar rok omlaag. 'Ik hoop maar dat we het bruidsboeket gooien niet hebben gemist,' zei ze, en opende de deur van het herentoilet. Een bejaarde man met een rollator stond geduldig te wachten. Hij zag Zoë uit het herentoilet komen met mij vlak achter haar aan, en knipoogde. 'O, ik weet nog zo goed hoe dat eraan toeging,' verzuchtte hij en ging het toilet in.

Zoë en ik barstten in lachen uit. 'Vast niet, tenzij hij in de kracht van zijn leven aan diabetes leed,' zei ik. Toen liepen we hand in hand terug naar het feest.

Ik moet naar de afdeling Personen- en Familierecht van de arrondissementsrechtbank van Kent County. Dat is vlak bij Wilmington, waar Zoë en ik jarenlang samen in onze huurflat hebben gewoond. Maar ik kom nu uit Newport, waar Reid woont. Dus dat betekent een heel eind verder rijden. Ik heb bij de Dienst Burgerzaken van Wilmington een kopie aangevraagd van mijn huwelijksakte. Die houd ik nu in mijn hand geklemd terwijl ik onder een zuilengalerij door loop die van de parkeerplaats naar het gerechtsgebouw leidt.

Om de paar stappen hoor ik een vogel fluiten.

Ik sta stil en kijk omhoog. Dan zie ik plotseling de speaker en de bewegingssensor. Die sensor volgt iedere stap die ik zet, en de speaker transformeert mijn bewegingen tot rare piepjes.

Het is eigenlijk wel toepasselijk, denk ik. Ik ben onderweg om een scheiding aan te vragen en nu merk ik ineens dat iets waarvan ik dacht dat het echt was, een illusie is.

Als ik het kantoor binnenstap, kijkt de secretaresse naar me op. Ze heeft zwart krullend haar – ook op haar bovenlip. 'Goedemorgen,' zegt ze. 'Kan ik u helpen?'

De laatste tijd heb ik niet het gevoel dat íémand mij nog kan helpen. Maar ik ga voor de borsthoge balie staan en zeg: 'Ik wil scheiden.'

Ze vertrekt haar mond tot een glimlach. 'Nee toch. Waren u en ik getrouwd, dan?' Ik zwijg, en zij rolt met haar ogen. 'O, waarom kan er nooit een keer een lachje af? Maar goed. Wie is uw advocaat?'

'Die kan ik niet betalen.'

Ze geeft me een bundel papieren. 'Hebt u een eigen huis, of vermogen?'

'Nee.'

'Hebt u kinderen?'

'Nee,' zeg ik, en wend mijn blik af.

'Dan hoeft u alleen deze formulieren in te vullen en ze bij de balie van de gerechtsdeurwaarder af te geven. Dat is aan het einde van de gang.'

'Bedankt,' zeg ik, en ik ga op een bank in de hal zitten met de hele papierwinkel op schoot.

Betreffende: het huwelijk van

Eiser: dat zal ik dan wel zijn.
En *Verweerder*: dat is dus Zoë.

Het eerste wat ik moet invullen is mijn woon- of verblijfplaats. Na enig aarzelen schrijf ik Reids adres op. Ik logeer daar nu al twee maanden. Bovendien komt op het tweede stippellijntje Zoë's adres te staan. Stel dat de rechter zou denken dat we nog onder één dak wonen, en daarom besluit mijn verzoek tot echtscheiding af te wijzen.

Nou ja, zo werkt het natuurlijk niet, maar toch.

Ten derde: Op......(datum en jaar), in ...... (woonplaats),..... (district),..... (staat), zijn de eiser en verweerder in de echt verbonden. U dient een gewaarmerkte kopie van uw huwelijksakte bij deze aanvraag tot echtscheiding te voegen.

Zoë en ik hadden destijds een huwelijksambtenaar met een spraakgebrek. Hij vroeg ons de huwelijksgeloften na te zeggen die hij voorlas, maar we konden hem geen van tweeën verstaan. Gelukkig kreeg Zoë precies op tijd een lumineuze inval. 'We hebben onze eigen geloften geschreven,' zei ze. Toen verzon ze voor de vuist weg haar geloften, en ik ook.

Op de volgende bladzijde van het scheidingsformulier staan vier stippellijntjes voor de namen van de kinderen, plus hun geboortedata.

Het zweet breekt me uit.

Redenen voor scheiding zonder schuldvraag:

Er staan twee opties voorgedrukt, dat is alles. Zorgvuldig schrijf ik de eerste optie over. *Onverenigbare verschillen die tot een onherstelbare ontwrichting van het huwelijk hebben geleid.*

Het is een moeilijke zin, maar ik kan wel raden wat hij betekent. Ja, zo zit het eigenlijk tussen mij en Zoë. Zij kan haar kinderwens niet opgeven, en ik moet er niet aan denken dat we ooit nog een poging zouden moeten doen. Die onverenigbare verschillen, dat zijn de kinderen die wij nooit hebben gekregen. Het zijn al die keren dat zij tegenover mij aan tafel zat te glimlachen terwijl ik wist dat ze niet aan mij dacht. Het zijn de boeken met babynamen opgestapeld naast de wc; de wiegmobile die ze drie jaar geleden heeft gekocht en nooit uitgepakt. Onze creditcardschulden waarvan ik 's nachts wakker lig.

Vlak boven de ruimte waar ik mijn handtekening moet zetten, staat een voorgedrukte verklaring:

De eiser verzoekt de rechter oprecht om een volledige scheiding.

Ja, ik neem aan van wel.

In ieder geval wil ik oprecht dat mijn leven volledig verandert. Ik zou er zelfs voor op mijn knieën willen als dat moest.

In zekere zin kan ik beter opschieten met mijn schoonzusje dan met mijn eigen broer. 'Kun je je draai al een beetje vinden? Gaat het binnenkort lukken om weer op eigen benen te staan?' Dat zijn de vragen die ik zoal van Reid te horen krijg. Maar dan zegt Liddy vermanend tegen hem dat ik naaste familie ben. Wat haar betreft, zegt ze, mag ik zo lang blijven logeren als ik wil. Als ze voor het ontbijt een oneven aantal plakjes bacon heeft gebakken krijg ik er een extra, en Reid niet. Soms denk ik dat Liddy de enige op deze wereld is voor wie het ertoe doet dat ik besta. Die óf niet doorheeft dat ik een hopeloze klungel ben, óf, beter nog, wie het niets kan schelen.

Liddy's vader was voorganger van een pinkstergemeente. Maar als ze even haar superchristelijke opvoeding vergeet, kan ze heel cool zijn. Ze verzamelt Groene Lantaarn-stripboeken, om maar iets te noemen. En ze is verslingerd aan bizarre B-films, hoe kitscheriger hoe beter. Noch Zoë, noch Reid heeft ooit iets begrepen van de aantrekkingskracht van dit soort pulpfilms.

Vandaar dat Liddy en ik samen al jaren eens per maand naar een nachtvoorstelling in een obscuur bioscoopje gaan. Daar organiseren ze minifestivals rond prullerige regisseursfilms, ter ere van mensen die niemand kent, zoals William Castle of Bert Gordon. En nu zitten we op dit late uur te kijken naar *Invasion of the Body Snatchers*. Niet de remake uit 1978 maar het origineel uit 1956, van Don Siegel.

Liddy betaalt steevast mijn kaartje. Ik heb regelmatig aangeboden te trakteren, maar Liddy wil daar nooit van horen. Zij en Reid hebben immers meer geld te besteden dan ik. Bovendien houd ik haar gezelschap terwijl Reid een zakendiner heeft met een cliënt of een kerkenraadsvergadering bijwoont. Dus, zegt ze altijd, is dit wel het minste wat ze voor me kan doen. We zijn gewend de grootste beker popcorn te kopen die te krijgen is, met echte boter erbij. Als Liddy met Reid uitgaat, staat hij erop dat al hun consumpties zout- en vetarm zijn. Toegegeven: Liddy's opstandigheid gaat nooit verder dan deze maandelijkse vette snack, dat is haar ultieme uitspatting.

Zelf ben ik deze week drie keer in de kroeg iets gaan drinken. Gewoon even ergens zo'n klein, koud vriendje pakken, dat kan ik heus wel aan. Maar omdat ik vanavond laat nog met Liddy naar de film ging, heb ik vandaag geen drank aangeraakt. Stel dat ze Reid zou vertellen dat mijn adem naar alcohol stonk... Ik bedoel, ik weet dat ze me graag mag en dat we prima met elkaar overweg kunnen, maar ze is bovenal de vrouw van mijn broer.

Liddy grijpt mijn arm. Het spannendste moment is aangebroken: dokter Bennell, het hoofdpersonage, rent in paniek de snelweg op. Zoals bij alle griezelige scènes klemt Liddy zich aan me vast en knijpt haar ogen stijf dicht. Maar vervolgens moet ik haar tot in de kleinste details beschrijven wat ze gemist heeft, dat is vaste prik.

'Ze zijn al onder ons!' schreeuwt de acteur, en hij kijkt recht in de camera. 'Jullie zijn nú aan de beurt!'

Tijdens de aftiteling blijven we altijd zitten. Helemaal tot het einde, tot ze zelfs de stad bedankt hebben die de filmmakers toestond daar te filmen. Meestal komen we als laatsten de bioscoop uit.

Dit keer zitten we nog steeds op onze stoelen als een puber met jeugdpuistjes het zaaltje binnenkomt, het gangpad begint te vegen en het afval opraapt. 'Heb je ooit de remake uit 1978 gezien?' vraagt Liddy.

'Die is knudde,' zeg ik. 'En breek me de bek niet open over *The Invasion*, de tweede remake.'

'Ik denk dat dit mijn favoriete B-film aller tijden is,' antwoordt Liddy.

'Dat zeg je over elke film waar we naartoe gaan.'

'Ja, maar nu meen ik het serieus.' Ze strekt haar hoofd achterover en legt het op de bovenleuning van haar stoel. 'Zouden ze geweten hebben wat hun overkwam?'

'Wie?'

'De peulmensen. De aliens. Denk jij dat ze op een ochtend uit hun bed stapten, in de spiegel keken en zich afvroegen wat er met hen was gebeurd?'

De jongen die het gangpad veegt, houdt stil bij onze rij. We staan op en lopen de zaal uit, de groezelige theaterlobby in. 'Het is maar een film,' zeg ik tegen Liddy. Maar wat ik zou wíllen zeggen is, nee, de peulmensen vragen zich niet af wat er gebeurd is.

Nee, als je verandert in iemand die je zelf niet meer herkent, voel je eigenlijk helemaal niets meer.

Zevenenzeventig.

Zoveel dagen duurt het voor ik in de rechtszaal moet verschijnen nadat ik mijn verzoek tot echtscheiding heb ingediend. Zoveel dagen heeft Zoë om afspraken met mij te maken nadat ze de dagvaarding heeft ontvangen. We zullen hoe dan ook samen voor de rechter moeten komen.

Sinds ik de scheiding heb aangevraagd, valt het me moeilijk om aan het werk te gaan. Ik zou nu bezig moeten zijn met flyers ophangen, om te adverteren als sneeuwruimer. Ik zou mijn maaimachines moeten schoonmaken en veilig opbergen voor de winter. Maar ik kom tot niets. Ik slaap eindeloos lang uit, zit tot diep in de nacht in de kroeg en loop maar zo'n beetje te teren op de gastvrijheid van mijn broer.

Gisteren vroeg Reid of ik dominee Clive, de predikant van hun kerk, vanmorgen kon ophalen van Logan Airport. De dominee zou aankomen met een nachtvlucht, na een evangelische conferentie in de kolossale Saddlebackkerk te hebben bijgewoond. Natuurlijk had ik onmiddellijk ja moeten zeggen. Ik bedoel, ik had het niet bepaald druk. En na alles wat Reid voor me had gedaan kon ik hem toch ten minste terugbetalen door iets van mijn tijd geven, want geld zat er niet in.

Maar ik gaf geen antwoord. Ik staarde hem alleen maar aan.

'Nou zeg,' zei Reid kalm. 'Jij bent me er een, hè broertje?'

Liddy kwam naar de keukentafel en schonk een glas jus d'orange voor me in. Alsof ik een hint nodig had dat ik het zwarte gat midden in hun huis was, dat hun voedsel, hun geld en hun privacy opzoog.

Ik was niet in staat ja te zeggen tegen mijn broer, maar ik kon geen nee zeggen tegen Liddy.

Dus nu, bij het krieken van de dag, ben ik er helemaal klaar voor om naar Logan te rijden. Daar zal ik dan wachten op het vliegtuig van zeven uur 's ochtends, om de dominee vervolgens een lift te geven terug naar Newport. Maar wanneer ik langs Point Judith rijd, zie ik de golfslag. Uitgelezen golven om te surfen. Ik kijk hoe laat het is op mijn dashboardklok. Ik heb mijn surfplank en mijn wetsuit bij me, die liggen altijd in mijn truck voor het geval dat. Wat heeft het voor zin om zo heidens vroeg op te staan als er geen kwartier afkan om te surfen, onderweg naar het vliegveld?

Ik trek mijn wetsuit en handschoenen aan, zet mijn cap op en waad in de richting van mijn favoriete zandbank. Die richel is gewoon magisch: bij gunstig tij tovert hij een aankomende, lage watermuur gegarandeerd om tot een brullende, krullende golf.

Al peddelend passeer ik een paar jongere surfers. 'Hoi, Jerry, Herc,' zeg ik en knik hun toe. Herfst- en wintersurfers zijn een klasse apart. We kennen elkaar allemaal, simpelweg omdat maar weinig mensen gek genoeg zijn om te gaan surfen bij een watertemperatuur van tien graden. En boven water is het nog kouder, hooguit vijf graden Celsius. Ik heb precies de goede timing en het lukt me om een geschikte tweemetergolf af te rijden. Op de terugweg zie ik Hercs golf compleet verticaal gaan. Hij scheert langs de hoge, opkrullende binnenkant.

Ik voel mijn bovenarmspieren prikken. Ik voel de vertrouwde ijshoofdpijn, vanwege het steenkoude water dat de oceaan je met bakken tegelijk in je gezicht gooit. Het valt me niet mee om weer terug op mijn plank te klauteren. Het is gemakkelijker om anderen toe te knikken dat ze een bepaalde golf moeten pakken, en zelf de volgende af te wachten. 'Gaat het een beetje, opa?' hoor ik.

Ik ben veertig, dus nog lang niet oud. Behalve in het surfwereldje, waar ik met gemak voor een fossiel kan doorgaan. *Opa? Kom op zeg,* denk ik. Ik besluit de eerstkomende golf te nemen en die kleuters eens een poepie te laten ruiken.

Maar.

Ik heb mezelf nog amper overeind gehesen en mijn voeten in de juiste positie gezet of ik verlies mijn evenwicht. Ik tuimel achterover. Het laatste wat ik zie is de platte kant van mijn surfplank die loodrecht op me afkomt.

Wanneer ik bijkom, lig ik met mijn wang in het zand gedrukt. Mijn cap is verdwenen. De wind heeft mijn natte haar nagenoeg in ijspegels veranderd. Langzaam komt Jerry's gezicht in beeld. 'Hé, ouwe,' zegt hij, 'alles oké? Je hebt nogal een opdonder gekregen.'

Huiverend ga ik rechtop zitten. 'Niets aan de hand,' mompel ik.

'Kan ik je een lift aanbieden naar de Spoedeisende Hulp? Gewoon even checken of je in orde bent?'

'Nee.' Mijn hele lijf doet pijn, ik voel me gekraakt en ik zit te trillen als een gek. 'Hoe laat is het?'

Herc trekt de neopreen mouw van zijn wetsuit omhoog om op zijn horloge te kijken. 'Tien over zeven.'

Ben ik al ruim een uur aan het surfen? 'Shit,' zeg ik, en krabbel moeizaam overeind. Even draait de wereld om me heen, en Herc grijpt me bij mijn arm om me te ondersteunen.

'Kunnen we iemand voor je bellen?' vraagt hij.

Het telefoonnummer geven van een van mijn werknemers? Dat kan ik niet doen, want ik heb hen allemaal tijdelijk ontslagen voor deze winter. Het nummer van Reid en Liddy? Beter van niet, want die denken dat ik op dit moment hun dominee help instappen in mijn truck op Logan Airport. Het nummer van Zoë? Nee, niet na wat ik haar heb aangedaan.

Ik schud mijn hoofd, al krijg ik de woorden *nee, er is niemand* niet over mijn lippen.

Herc en Jerry gaan weer het water in terwijl ik langzaam naar mijn truck loop. Ik heb vijftien berichten op mijn mobiel ontvangen. Ik hoef mijn voicemail niet af te luisteren om te weten dat ze allemaal van Reid komen, en dat ze niet bepaald vriendelijk van toon zijn.

Ik bel hem terug. 'Reid,' zeg ik, 'man, het spijt me enorm. Ik wilde net de autoweg richting Boston nemen, toen mijn truck er de brui aan gaf. Ik heb geprobeerd je te bellen, maar ik had geen ontvangst...'

'Waar ben je nu?'

'Ik sta hier te wachten op de sleepdienst, ' lieg ik. 'Geen idee hoelang die reparatie gaat duren.'

Reid zucht. 'Ik bel wel een taxi voor dominee Clive,' zegt hij. 'Heb jij ook een lift nodig?'

Waar heb ik zo'n broer aan verdiend? Ik bedoel, ieder ander had me al lang geleden afgeschreven. 'Nee, ik red het zelf wel,' antwoord ik.

Zoë had gewild dat ik met surfen stopte. Ze begreep mijn obsessie niet. Ze begreep niet dat ik geen strand voorbij kon rijden als ik daarachter een prachtige deining zag. 'Word toch eens volwassen, Max,' zei ze dan. 'Hoe kun jij nu een kind opvoeden als je er zelf nog een bent?'

Had ze gelijk gehad?

Over alles?

Ik probeer me voor te stellen hoe het eraan zal toegaan als de gerechtsdeurwaarder bij haar aanbelt. 'Zoë Baxter? U bent gedagvaard,' zal hij zeggen. Hij zal haar een blauwe enveloppe geven en rechtsomkeert maken. De blauwe enveloppe waarvan ze wist dat hij ooit zou komen, maar die niettemin zal voelen als een mes in haar buik.

In de truck zit ik nog steeds te rillen, hoewel ik de verwarming op de hoogste stand heb gezet. Even ben ik in dubio. Dan grijp ik in het handschoenenvakje naar de fles Jägermeister die ik daar bewaar voor medicinaal gebruik. In films zie je dat aldoor, dat iemand onderkoeld is omdat hij van een brug in het water is gevallen of te lang in de vrieskou heeft rondgelopen. Ze zijn paniekerig en verward, nemen een teug van zo'n drankje en hun doorbloeding komt weer op gang. Eén slok, en op slag zijn ze genezen.

Twee maanden later

Gelukkig kwam de vuilniswagen langs, anders had ik mijn afspraak op de rechtbank gemist.

Met een schok word ik wakker van de hoge, doordringende pieptoon. Ik schiet overeind en bots met mijn hoofd tegen het dak van mijn truck. De vuilniswagen rijdt achteruit in de richting van de afvalcontainer waarnaast ik geparkeerd sta. De automatische grijper schuift uit tot vlak boven de container. Met een hels geknars en gerinkel wordt de losse vergaarbak uit de container getild. Het lijkt potdomme het Laatste Oordeel wel.

De ramen van mijn cabine zijn beslagen en ik ril van de kou, dus start ik de motor en zet de elektrische ruitontdooier aan. En pas dan besef ik dat het niet zes uur 's ochtends is, zoals ik dacht. Het is iets over halfnegen.

Over zesentwintig minuten ga ik scheiden.

Het is duidelijk te laat om nog naar Reids huis te rijden voor een douche en een schoon stel kleren. Gezien de tijd zal ik het landelijke snelheidsrecord moeten breken, wil ik om negen uur bij de arrondissementsrechtbank van Kent County zijn.

'Verrek,' mompel ik en gooi de auto in zijn achteruit. Met piepende banden scheur ik de parkeerplaats van het bankgebouw af, waar ik vannacht in slaap moet zijn gevallen. Om de hoek is een Ierse pub. De laatste ronde was om drie uur 's nachts. Ik heb een vage herinnering aan een stel kerels die een vrijgezellenfeest hadden en die me uitnodigden om een paar bodempjes tequila met hen te drinken.

Gelukkig ligt er nog geen sneeuw. Dat verlaagt in ieder geval de kans op een over de kop slaande truck op de snelweg. Ik parkeer zomaar ergens, niet in een parkeervak. (Geen briljant idee vlak voor een gerechtsgebouw, maar wat moet ik anders?) Als de sodemieter ren ik het gebouw in. 'Sorry,' hijg ik, terwijl ik met bonkend hoofd de trap op stuif naar de zaal waar rechter Meyer zitting houdt. Ik bots aan tegen een vrouw met twee kinderen en een advocaat die een juridisch document staat te lezen. 'O jee... pardon, mevrouw...'

Ik probeer onopvallend in de achterste bank van de rechtszaal te schuiven. Ik zweet me kapot en mijn T-shirt hangt uit mijn broek. Ik heb geen gelegenheid gehad om me te scheren, of zelfs maar mijn gezicht te wassen in de toiletruimte. Ik snuffel terloops aan mijn mouw, die naar de Ierse pub en tequila ruikt.

Wanneer ik opkijk, zie ik dat ze naar me zit te staren.

Zoë ziet ook niet best uit. Alsof ze in die zevenenzeventig dagen geen oog heeft dichtgedaan. Ze heeft donkere kringen onder haar ogen. Ze is behoorlijk vermagerd. Maar ze werpt één blik op mijn gezicht, mijn haar en mijn kleren, en ze weet het. Ze weet precies waar ik mee bezig ben geweest.

Ze draait zich van me weg en kijkt recht voor zich uit.

Ik voel die afwijzing alsof ze eigenhandig een gat in mijn borst slaat. Het enige wat ik al die jaren heb gewild is goed genoeg zijn voor haar, en ik heb het zwaar verknald. Ik kon haar niet het kind geven waarnaar ze verlangde. Ik kon haar niet het leven bieden dat ze verdiende. Ik kon niet de man zijn voor wie ze me hield.

De griffier staat op en begint namen op te lezen van een lijst. 'Malloy contra Malloy?' zegt ze.

Nu komt een advocaat overeind. 'We zijn er klaar voor, edelachtbare. Die zaak kan vandaag afgehandeld worden, als het u schikt.'

De rechter, een vrouw met een rond, zonnig gezicht, heeft haar balie opgeleukt met seizoensartikelen: kleurige herfstbladeren, pompoenen, dennenappels en kastanjes.

'Jones contra Jones?'

Een andere advocaat staat op. 'Dat betreft een onbetwist verzoek. We kunnen zó van start gaan, wat mij betreft.'

'Kasen contra Kasen?'

'Edelachtbare, voor die zaak moet ik om een andere datum vragen. Zou het op achttien december kunnen?'

'Horowitz contra Horowitz,' leest de griffier verder.

'Dat is een eensluidend verzoek, edelachtbare,' antwoordt weer een andere advocaat. 'We zijn klaar voor de gerechtelijke uitspraak.'

'Baxter contra Baxter?'

Het duurt even voor het tot me doordringt dat de griffier mijn naam noemt. 'Ja,' zeg ik, terwijl ik opsta. Helemaal aan de andere kant van de rechtszaal komt Zoë precies tegelijk met mij overeind. Alsof ze met een draad aan me vastzit.

'Ehm,' zeg ik. 'Present.'

'Vertegenwoordigt u zichzelf, meneer?' vraagt rechter Meyers.

'Ja,' zeg ik.

'Is uw vrouw aanwezig?'

Zoë schraapt haar keel. 'Ja.'

'Vertegenwoordigt u zichzelf, mevrouw?' vraagt de rechter.

'Ja,' zegt Zoë, 'dat klopt.'

'Bent u beiden nog steeds bereid de scheiding door te zetten?'

Ik knik. Ik kijk niet naar Zoë om te zien of zij hetzelfde doet.

'Indien u zichzelf vertegenwoordigt,' zegt rechter Meyers, 'bent u in feite uw eigen advocaat. Dat betekent dat u in deze zaak zelf het woord moet voeren, als u inderdaad vandaag een scheiding wenst. Ik wil u van harte aanbevelen de andere onbetwiste scheidingen aandachtig te volgen, zodat u weet wat u te doen staat. Want ík kan per slot van rekening niet voor u spreken. Is dat duidelijk?'

'Ja, mevrouw,' zeg ik, maar ze had net zo goed Portugees kunnen spreken. Ik kan haar absoluut niet volgen.

Pas twee uur later worden onze namen opnieuw afgeroepen. Ik had dus best nog even kunnen douchen. Want ook al heb ik nu vijf onbetwiste scheidingen op rij bijgewoond, ik heb nog steeds geen idee wat ik moet doen. Ik loop door het geopende hek voor in de rechtszaal en ga in de getuigenbank zitten. Een geüniformeerde bode komt naar me toe met een bijbel in zijn hand. 'Meneer Baxter, zweert u dat u de volledige waarheid en niets dan de waarheid zult zeggen?'

Vanuit mijn ooghoek zie ik hoe de griffier Zoë een plaats wijst aan een van de tafels vlak voor de balie. 'Ja,' zeg ik, 'dat beloof ik.'

Is dat niet vreemd? Bij je huwelijk spreek je dezelfde woorden uit als bij je scheiding.

'Wilt u voor de goede orde uw naam vermelden?'

'Max,' zeg ik. 'Maxwell Baxter.'

De rechter vouwt haar handen op haar bureau. 'Meneer Baxter, u bent hier als eiser?'

'Ja.'

'U wilt scheiden, meneer Baxter?'

'Ja'

'En u vertegenwoordigt zichzelf?'

'Ik kan me geen advocaat veroorloven,' leg ik uit.

De rechter wendt zich tot Zoë. ' En u, mevrouw Baxter? U hebt ook geen advocaat in de arm genomen?'

'Nee.'

'U wilt dit verzoek tot echtscheiding niet aanvechten, begrijp ik dat goed?'

Ze knikt.

De rechter draait zich weer om naar mij en trekt haar neus op. 'Meneer Baxter, u ruikt... alsof u flink heeft zitten pimpelen. Bent u onder invloed van drank of drugs?'

Ik aarzel. 'Vandaag nog niet,' zeg ik uiteindelijk.

'Meen je dat, Max?' flapt Zoë eruit. 'Ben je weer aan de drank?'

'Dat is jou probleem niet meer...'

De rechter slaat met haar hamer op haar bureau. 'Als u beiden behoefte hebt aan een relatiegesprek, dan verdoet u mijn tijd.'

'Nee, edelachtbare,' zeg ik. 'Ik wil dit gewoon achter de rug hebben.'

'Goed dan, Meneer Baxter. Gaat u verder.'

Maar hoe? Waar ik woon, wanneer ik getrouwd ben en op welk punt ik precies bij Zoë wegging... Nou ja, dat zegt niet zoveel over wat er echt gebeurd is. Het verklaart niet hoe twee mensen die dachten dat ze de rest van hun leven zouden delen, op een dag beseften dat hun bedgenoot een vreemde voor hen was.

'Hoe oud bent u, meneer Baxter?' vraagt de rechter.

'Ik ben veertig.'

'Wat is de hoogste opleiding die u hebt afgerond?'

'Ik ben afgehaakt op de universiteit en toen voor mezelf begonnen als hovenier. Dat is uitgegroeid tot een bedrijf.'

"Hoe lang bent u al hovenier?'

'Tien jaar,' antwoord ik.

'Wat is uw jaarinkomen?'

Ik kijk naar de publieke tribune. Het is al erg genoeg om dit tegen de rechter te moeten zeggen, maar er zit nog een heel stel andere mensen in de rechtszaal. 'Ongeveer vijfendertigduizend per jaar,' zeg ik. Maar dat klopt niet helemaal. Het is me één keer gelukt om dat bedrag in een jaar te verdienen.

'U verklaart formeel in uw echtscheidingsverzoek dat er bepaalde twistpunten tussen u zijn gerezen, die ertoe hebben geleid dat uw huwelijk niet meer functioneert. Klopt dat?' vraagt de rechter.

'Ja, edelachtbare. We hebben negen jaar lang geprobeerd een kind te krijgen. En ik... dat wil ik niet meer.'

Zoës ogen glinsteren van de tranen, maar ze grijpt niet naar de doos tissues die naast haar op tafel staat.

Twee maanden geleden ben ik bij haar langsgegaan. Ze had toen juist de kopie van de echtscheidingsaanvraag ontvangen. We moesten alle bijzonderheden bespreken waarvan de rechter kennis zou willen nemen. Ik kan je dit zeggen: het is heel raar om terug te gaan naar een woning die je ooit als je thuis hebt beschouwd, maar nu niet meer. Om aan de tafel te zitten waar je vroeger elke dag zat te eten, en je een totale vreemde te voelen.

Zoë zag er niet uit toen ze de deur voor me opendeed. Maar het leek me niet gepast om daar iets over te zeggen, dus bleef ik een beetje staan schuifelen tot ze me binnenliet.

Als ze me op dat moment had gevraagd bij haar terug te komen, dan had ik het gedaan. Tenminste, dat denk ik.

Maar zo was het niet gegaan. Zoë had alleen gezegd: 'Nou, laten we dit maar zo snel mogelijk afhandelen,' en dat was dat.

'Bezit u onroerend goed?' vraagt de rechter.

'We woonden in een huurappartement,' antwoord ik.

'Hebt u gezamenlijk vermogen of enige andere activa van waarde?'

'Ik heb mijn hoveniersoutillage meegenomen en Zoë heeft haar muziekinstrumenten gehouden.'

'Dus u verzoekt dat de items die in uw bezit zijn aan u toegewezen worden en dat ik uw vrouw de items toeken die zij in haar bezit heeft?'

Dat had ik toch daarnet gezegd, maar dan wat korter en duidelijker? 'Ja, ik neem aan van wel.'

'Hebt u een ziektekostenverzekering?' vraagt de rechter.

'We hebben afgesproken dat we ons apart van elkaar gaan verzekeren. En dat betalen we allebei zelf.'

De rechter knikt. 'Hoe zit het met de schulden die op uw naam staan?'

'Die kan ik nu nog niet afbetalen,' beken ik. 'Maar dat zal ik doen zodra ik het geld heb.'

'Aanvaardt uw vrouw de verantwoordelijkheid voor eventuele schulden die op haar naam staan?'

'Ja,' zeg ik.

'Meneer Baxter, verkeert u in goede gezondheid?'

'Jazeker.'

'Begrijpt u wat alimentatie is?'

Ik geef de rechter een bevestigend knikje.

'Ik lees hier dat u afstand wilt doen van uw recht op alimentatie. Is dat zo?'

'U bedoelt dat Zoë mij niets hoeft te betalen? Dat klopt.'

'Begrijpt u ook dat het hier een definitief besluit betreft? Dat u niet kunt terugkomen naar dit gerechtshof, of welke ander gerechtelijke instantie dan ook, en alsnog alimentatie aanvragen?'

Zoë en ik hebben nooit veel geld gehad. Maar de gedachte dat zij me zou moeten onderhouden is pas echt vernederend. 'Ja, dat begrijp ik,' zeg ik.

'Dus u verzoekt om een volledige, algehele echtscheiding van uw vrouw?'

Ik weet dat dit juridisch koeterwaals is, maar toch zet het me even aan het denken. Algeheel. Dat is zo definitief. Net als een boek waar je ooit helemaal in opging. Je baalt ervan dat er een eind aan komt, omdat je weet dat je het terug moet brengen naar de bieb zodra je het uit hebt.

'Meneer Baxter,' zegt de rechter. 'Is er nog iets wat u het hof wilt meedelen?'

Ik schud mijn hoofd. 'Niet het hof, edelachtbare. Maar ik wil wel graag iets tegen Zoë zeggen.' Ik wacht tot ze me aankijkt. Haar blik is uitdrukkingsloos, alsof ze een vreemde in de metro aankijkt. Alsof ze me nooit gekend heeft.

'Het spijt me,' zeg ik.

We wonen in Rhode Island, een overwegend katholieke staat. Daarom duurt het behoorlijk lang voor de scheiding erdoor is. Na de zevenenzeventig dagen die we moesten wachten tot we naar de rechter konden, is het nog niet over en uit. Er gaan in totaal eenennegentig dagen overheen voor het definitieve oordeel wordt geveld. Alsof de rechter een echtpaar nog één kans geeft om te heroverwegen.

Ik moet bekennen dat ik het merendeel van die laatste twee weken straalbezopen ben.

Slechte gewoontes lijken op kattenstaart – de plant, bedoel ik. Als die opduikt in je tuin denk je dat je die enkele, decoratief ogende paarse stengels wel in de hand kunt houden. Maar ze verspreiden zich als een bosbrand. Voor je het weet zijn alle andere planten overwoekerd en is het enige wat je nog ziet een knalpaars kattenstaarttapijt. Je vraagt je af hoe dit in zo'n korte tijd zo uit de hand heeft kunnen lopen.

Ik heb mezelf gezworen dat ik nooit bij die tachtig procent afgekickte alcoholisten zal horen die uiteindelijk in hun oude fout vervallen. En toch sta ik hier weer flessen drank te verstoppen in Reids huis. Boven de plafondtegels in de badkamers en het toilet. Achter de rijen boeken in zijn boekenkast. In een gleuf die ik listig in het matras in de logeerkamer heb gesneden. Als Liddy niet thuis is, kieper ik regelmatig volle pakken melk leeg in de gootsteen, om vervolgens heel galant aan te bieden voor haar naar de avondwinkel te gaan. Dan hebben we weer genoeg melk voor het ontbijt... én ik kan onderweg naar huis even een café in schieten voor een neut. Ik wil geen argwaan wekken. Dus probeer ik me zo min mogelijk af te zonderen en drink ik bij voorkeur wodka. Daar krijg je niet snel een drankkegel van. Ik heb een paar buisjes Alka Seltzer en diverse energiedrankjes onder mijn bed verstopt om mijn katers te bestrijden. Ik let goed op dat ik naar kroegen in verschillende stadjes ga. Dan kan ik doorgaan voor iemand die zo nu en dan even binnenwipt voor een drankje. In Newport vertoon ik me nooit in een café, uit angst dat een of andere buurtgenoot me herkent en verlinkt aan Reid. Ik ben ook een keer naar een tent in Wilmington gegaan. Daar heb ik me helemaal klem gezopen. Toen pas durfde ik langs ons oude appartement te rijden, nou ja, ik bedoel het huidige appartement van Zoë. Ik zag licht branden in de slaapkamer. Wat zou ze aan het doen zijn? Lezen misschien, of haar nagels verzorgen?

Of zou er iemand bij haar zijn? Bij die gedachte trapte ik het gaspedaal in en scheurde met een noodgang de straat uit.

Natuurlijk maak ik mezelf wijs dat ik helemaal geen probleem heb. Niemand merkt toch dat ik drink? Nou dan.

Ik logeer nog steeds bij Reid. Ik kan niets anders bedenken, en hij heeft me er nog niet uit geschopt. Ik betwijfel of hij het echt leuk vindt dat ik in zijn souterrain ben getrokken, maar waarschijnlijk ziet hij het als zijn christenplicht me onderdak te geven. Vlak voor zijn huwelijk met Liddy was mijn broer ineens 'wedergeboren'. ('Is één keer geboren worden niet goed genoeg?' had Zoë gevraagd.) Reid sloot zich aan bij een streng, evangelisch kerkgenootschap dat op zondagen bijeenkwam in de aula van een school in de buurt. Inmiddels is hij penningmeester van die gemeente en doet hij hun complete boekhouding. Ik ben zelf niet erg godsdienstig ingesteld. Ieder zijn meug, zo denk ik erover. Wat dat betreft zat ik wel op één lijn met Zoë, maar er was een nadeel: we hadden steeds minder contact met mijn broer en zijn vrouw. Het lukte eenvoudig niet om een keertje met z'n vieren te eten zonder dat Zoë en Reid elkaar in de haren vlogen. Ze kregen overal onenigheid over. Of abortus wel of niet mocht, hoe zwaar overspelige politici gestraft dienden te worden, of bidden verplicht hoorde te zijn op openbare scholen en ga zo maar door. De laatste keer dat we bij ze langsgingen, was Zoë direct na het voorgerecht vertrokken. Reid vond het maar niets dat zij een nummer van punkrockband Green Day had gezongen voor een van haar brandwondenslachtoffers. 'Je reinste anarchisten,' had hij afkeurend gezegd. Reid, die als tiener op zijn kamer ademloos naar Led Zeppelin had zitten luisteren. Ik dacht dat de Kerk misschien kritiek had op sommige songteksten van Green Day, maar het bleek dat juist de muziek zondig was. 'Echt waar?' had Zoë ongelovig gevraagd. 'Om welke muziek gaat het dan precies? Welke akkoorden zijn zondig? En waar staat dat in de Bijbel geschreven?' Ik weet niet meer hoe dit gesteggel uit de hand liep, maar uiteindelijk kwam Zoë zo woest overeind dat ze een waterkan omgooide. 'Het zal jou wel ontgaan zijn, Reid, maar God is niet per se een ultrarechtse Republikein, hoor!'

Ik weet dat Reid mij graag mee wil hebben naar de kerk. Liddy heeft al diverse pamfletten met de strekking 'Jezus redt' op mijn bed gelegd, wanneer ze mijn beddengoed had verschoond. De mannenvereniging voor Bijbelstudie waar Reid lid van is ('Echte mannen lezen de Bijbel') vergaderde hier een keer. Mijn broer vroeg meteen of ik erbij kwam zitten in de salon.

Ik verzon een smoes en taaide af naar de kroeg.

Maar vanavond kom ik er niet zo gemakkelijk van af. Liddy en

Reid hebben blijkbaar besloten meer druk op de ketel zetten. Ik hoor Liddy het antieke belletje luiden dat altijd op de schoorsteenmantel staat. Dat betekent etenstijd, dus kom ik uit mijn onderaardse logeergrot tevoorschijn en ga naar boven, om via de salon naar de eetkamer te lopen. En wie zit daar naast Reid op de bank? Dominee Clive Lincoln.

Reid veert overeind. 'Max,' zegt hij. 'Je kent dominee Clive toch wel, hè?'

Wie niet? denk ik onwillekeurig.

De dominee haalt voortdurend de krant met zijn protestacties tegen het homohuwelijk, meestal bij het Statenhuis in Providence, de hoofdstad van Rhode Island. Afgelopen jaar was er hier in de buurt een middelbare school die een homoseksuele puber toestond zijn vriendje mee te nemen naar het eindexamenfeest. Clive ging er direct op af. Met honderd leden van zijn kerk in zijn kielzog beklom hij de trappen van de school. Daar stonden ze met zijn allen luidkeels Jezus aan te roepen om de jongen te helpen zijn weg terug te vinden naar een christelijke levensstijl. Dit najaar is Clive zelfs op Fox News geweest. Hij deed een zogenaamd serieuze oproep om pornofilms te vertonen op kinderdagverblijven. Want, zei hij, dat was in wezen niet anders dan het voorstel van de Amerikaanse president om seksuele voorlichting te gaan geven aan de groepen twee, drie en vier op de basisschool. Clive is lang, met een golvende, witte haardos die bijna tot halverwege zijn schouders reikt. Zijn kleding ziet er behoorlijk prijzig uit. Ik moet toegeven, hij is een persoonlijkheid. Als je hem ergens in een ruimte ziet zitten, worden je ogen naar hem toe getrokken.

'Aha! De broer over wie ik al zoveel heb gehoord.'

Het is ook weer niet zo dat ik compleet anti-kerk ben. Mijn hele jeugd ging ik iedere zondag met mijn moeder mee naar de vrije lutherse gemeente, en zij was bovendien voorzitster van de christelijke vrouwenvereniging. Maar na haar overlijden kwam de klad in mijn kerkbezoek. En toen ik met Zoë trouwde ging ik helemaal niet meer. Zoë was niet zo'n Jezusfan, zoals ze dat zelf uitdrukte. Ze zei dat religie van oorsprong een God predikte die louter liefde was, maar dat de kerken er stiekem toch allerlei voorwaarden bij hadden bedacht. En je moest maar aannemen wat je werd voorgehouden, anders ging het sowieso mis met je. Ze vond het vervelend dat christenen op haar neerkeken omdat ze atheïst was, maar eerlijk gezegd was het omgekeerd precies hetzelfde. Zij keek neer op mensen omdat ze gelovig waren.

Wanneer Clive mijn hand schudt, voel ik een statische schok tussen ons. 'Ik wist niet dat we gasten hadden voor het eten,' zeg ik tegen Reid.

'De dominee is geen gast,' antwoordt Reid. 'Hij is familie.'

'Wij zijn broeders in Christus,' voegt Clive er glimlachend aan toe.

Ik wiebel van de ene voet op de andere. 'Nou, ik ga maar eens in de keuken kijken of ik Liddy kan helpen...'

'Nee, dat doe ik wel,' zegt Reid abrupt. 'Blijf jij maar hier bij dominee Clive.'

Ik had gedacht dat mijn continu benevelde toestand mijn kleine geheimpje was en dat ik het razend slim aanpakte allemaal. Maar nu dringt de waarheid tot me door. Het is helemaal geen geheim en ik ben niemand te slim af geweest. Deze maaltijd is niet gewoon een vriendschappelijk etentje met de dominee, het is een valstrik.

Schutterig ga ik op de bank zitten, waar Reid zojuist nog zat. 'Ik weet niet wat mijn broer u verteld heeft,' begin ik.

'Alleen maar dat hij voor je bidt,' zegt dominee Clive. 'En hij heeft mij gevraagd óók voor jou te bidden, zodat jij je weg weer vindt.'

'Volgens mij heb ik een aardig goed richtingsgevoel,' mompel ik.

Clive schuift naar voren en gaat op het puntje van de bank zitten. 'Max,' zegt hij. 'heb jij een persoonlijke relatie met Jezus Christus, onze Heer?'

'We... zijn meer een soort vage kennissen.'

Hij glimlacht niet. 'Weet je, Max, ik had nooit verwacht dat ik predikant zou worden.'

'O, nee?' antwoord ik beleefd.

'Ik kom uit een gezin dat geen cent te makken had, met vijf jongere broers en zussen. Toen ik twaalf was, raakte mijn vader zijn baan kwijt. In diezelfde periode werd mijn moeder ziek en moest naar het ziekenhuis. Aan mij de taak om ons gezin te onderhouden, en we waren finaal blut. Op een dag ging ik naar de kruidenier in mijn woonplaats en zei tegen de caissière dat ik mijn boodschappen zou betalen zodra ik geld had. Maar ik mocht van haar niets zomaar meenemen, tenzij ik ervoor betaalde. En toen... stond er opeens een man achter me in deftige kleren, die zei dat hij garant stond voor alles wat ik nodig had. "Kijk eens, mijn jongen. Ik zal voor jou een boodschappenlijstje schrijven," zei hij. Hij krabbelde iets op zijn visitekaartje en legde dat op de weegschaal die op de toonbank stond. Het was een nietig klein stukje papier, maar de ene helft van de weegschaal begon naar beneden te zakken. Toen pakte hij melk, brood, eieren kaas en gehakt uit mijn winkelmandje en stapelde dat alles op de andere helft van de weegschaal. Maar de schaal bewoog niet. Ook al zouden al die etenswaren duidelijk veel zwaarder moeten zijn dan dat ene papiertje. Aangezien mijn boodschappen niets wogen, had de winkeljuffrouw geen andere keus dan me alles gratis mee te geven. Toch gaf de man haar een twintigdollarbiljet. Toen ik thuiskwam, pakte ik de boodschappen uit en zag het visitekaartje op de bodem van mijn tas liggen. Ik dacht dat daar de boodschappenlijst op stond die de man voor mij had geschreven. En wat bleek? Er was helemaal geen lijst. Op de achterkant van het kaartje stond alleen maar: *Goede God, help deze jongen alstublieft.* Op de voorkant stond zijn naam: dominee Billy Graham.'

'En nu gaat u me zeker vertellen dat het een wonder was, wat er in die winkel gebeurde.'

'Natuurlijk niet... de weegschaal was gewoon kapot. De kruidenier heeft een nieuwe moeten aanschaffen. Het wonderlijke was alleen dat God de weegschaal precies op het juiste moment stuk liet gaan. Het punt is, Max, dat Jezus een plan heeft met jouw leven. Dat is het mooie aan Hem. Hij houdt nu al van je, zelfs terwijl jij nog volop zondigt. Maar aan de andere kant... houdt Hij te veel van je om je onbeperkt je gang te laten gaan.'

Nu begin ik kwaad te worden. Oké, dit is niet echt mijn eigen huis, maar ik logeer hier. Ik zit in de salon van wat ik voorlopig mijn thuis mag noemen en Clive probeert me hier doodleuk te bekeren. Dat vind ik behoorlijk brutaal.

'De enige manier om God te behagen is te doen wat Hij van je wil,' vervolgt dominee Clive. 'Stel dat je banketbakker bent in de Alleenmaar-pasteitjesfabriek, dan ga je daar niet opeens koekjes staan bakken. Zo kom je niet vooruit in het leven. Zelfs al bak je de lekkerste koekjes van de hele wereld, je baas zal nog steeds niet tevreden over je zijn.'

'Ik ben geen pastei- of koekjesbakker,' zeg ik. 'En met alle respect, ik hoef niet bekeerd te worden. Ik kan het heel goed stellen zonder godsdienst.'

De dominee leunt glimlachend achterover. Zacht trommelt hij met zijn vingers op de armleuning van de bank. 'Dat is nóg zoiets moois aan Jezus,' zegt hij. 'Onze Verlosser heeft zo zijn eigen manier om jou te laten zien dat je het mis hebt.'

De sneeuwjacht komt uit het niets opzetten. De meteorologen hadden lichte sneeuwval voorspeld en daar was op zich niets vreemds aan. Het is tenslotte al eind november. Maar het is geen fijne poedersneeuw die nu neerdwarrelt. Wanneer ik de cafédeur naar buiten opendoe, ga ik zowat onderuit over de ijslaag die op de drempel is ontstaan. Het enige wat ik zie is een dik, wit gordijn van vallende sneeuw.

Ik duik snel terug het café in en bestel nog een biertje aan de bar. Het heeft geen zin om nu naar buiten te gaan, ik kan net zo goed hier de bui uitzitten. Ik ben de enige klant in de hele kroeg. Op dinsdagavond en met een spekgladde weg blijven de meeste mensen liever thuis. De barman geeft me de afstandsbediening van de televisie en ik zap naar een basketbalwedstrijd op het sportkanaal. We klinken op de Celtics, maar ze verliezen uiteindelijk toch. 'Die clubs uit Boston,' zegt de barman, 'daar word je meestal niet blij van.'

'Ik denk dat de ik tent vanavond maar vroeg dichtgooi,' zegt hij. Er ligt inmiddels een sneeuwlaag van ruim twintig centimeter dik. 'Kun jij nog thuiskomen, met dit weer?'

'Ik ben sneeuwruimer,' zeg ik. 'Dus dat moet lukken.'

Mijn Dodge Ramtruck is voorzien van een sneeuwschuiver. Dankzij de flyers die ik pas nog heb geprint op Reids Mac is er nu een handvol gegadigden voor mijn sneeuwruimservice. Die mensen verwachten dat ik hun oprit sneeuwvrij kom maken voor ze morgenochtend naar hun werk vertrekken. Tijdens een forse sneeuwbui zoals deze kom ik 's nachts niet aan slapen toe. Ik ga gewoon door met mijn werk tot het ophoudt met sneeuwen. Dit is de eerste grote noordoostersneeuwjacht van deze winter en ik zou het geld dat het sneeuwruimen me oplevert goed kunnen gebruiken.

Zodra ik instap, beslaat de voorruit van mijn truck. Ik zet de ruitontdooier op een hogere stand. De bartender in zijn Prius glibbert intussen stapvoets van het parkeerterrein, dat zie ik aan de bewegende rode straal van zijn mistlampen. Ik trap de koppeling in en ga op pad naar mijn eerste klant.

Het is glad op de weg, maar dat heb ik al zo vaak bij de hand gehad. Ik zet de radio aan en stuit uitgerekend op het praatprogramma *Gezond en Wel* van reli-freak John Tesh, een slijmbal van jewelste. *Wist je dat je maag er twintig minuten over doet om de boodschap dat je vol zit naar je hersenen te sturen?*

'Nee, dat wist ik niet,' zeg ik hardop.

Ik kan mijn groot licht niet voeren vanwege de dichte sneeuwval, dus mis ik bijna de bocht in de weg. Mijn achterwielen draaien rond zonder grip te krijgen en ik begin te slippen. Mijn hart bonst. Ik haal mijn voet van het gaspedaal. Langzaam snijden mijn banden door de sneeuwhopen die samenklonteren onder mijn truck.

Even later ziet de wereld er heel anders uit. Compleet witgekalkt met vreemde, torenachtige bobbels die eruitzien als slapende reuzen. Ik kan nergens een oriëntatiepunt ontdekken. Ik weet niet of ik nog op de weg zit. Waar ben ik, in godsnaam?

Ik knipper met mijn ogen en wrijf ze uit. Ik doe mijn groot licht aan... maar het helpt niet.

Nu begin ik in paniek te raken. Ik grijp naar mijn mobiel waar een gps-functie op moet zitten, om te kijken waar ik verkeerd ben gereden. Maar terwijl ik in mijn dashboardkastje rondtast, komt de truck op een strook ijzel terecht en begint om zijn as te draaien.

Er staat iemand op de weg.

Haar lange, donkere haar wappert rond haar gezicht, en ze staat ineengedoken vanwege de kou. Ik ga vol op mijn rem staan. Razendsnel gooi ik het stuur om naar rechts, zodat ik misschien nog kan keren voor ik op haar in rij. Maar de remmen werken niet. De weg is gewoon te glad en ik heb geen controle meer over de wielen. Vertwijfeld kijk ik op, precies op het moment dat zij oogcontact met me maakt.

Het is Zoë.

'Neeeee,' schreeuw ik. Ik hef mijn arm alsof ik mezelf wil beschermen tegen de onvermijdelijke botsing. Ik hoor een misselijkmakend gepiep en gekras van metaal. De airbag klapt uit, terwijl mijn truck over de kop slaat op de plek waar zij stond.

Wanneer ik bij mijn positieven kom, ben ik bedekt met minuscule stukjes verbrijzeld glas. Ik hang ondersteboven en kan mijn benen niet bewegen.

God, help me. Alstublieft, God. Help. Mij.

Het is doodstil, op het zachte getik van de sneeuw na die op de bekleding van de cabine valt. Ik weet niet hoelang ik knock-out ben geweest, maar het ziet er niet naar uit dat het binnenkort licht wordt. Ik kan geen kant op. Ik zou hier kunnen doodvriezen en op zo'n witte sneeuwhoop gaan lijken. Een ongeluk waarvan niemand weet dat het is gebeurd, tot het te laat is.

O, god, denk ik. *Ik ga dood.*

En meteen daarop: *niemand zal mij missen.*

Die gedachte doet pijn. Meer pijn dan het branderig schrijnen van mijn linkerbeen, het gedreun in mijn schedel en het metaal dat zich in mijn schouder boort. Ik zou zo van deze wereld kunnen verdwijnen, zonder dat het een groot verlies betekent.

Ik hoor banden knerpen en zie het schijnsel van koplampen. Boven mij over de weg komt langzaam een auto aanrijden. 'Hé!' brul ik, zo hard als ik kan. 'Hé, ik zit vast! Help!'

De lichtbundel glijdt langs me heen. Dan hoor ik een autoportier dichtslaan. Een politieagent komt van de helling van de opgehoogde weg af rennen, naar de truck die op zijn kop ligt. Ik zie de sneeuw opstuiven achter zijn laarzen.

'Ik heb een ambulance opgeroepen,' zegt hij hijgend.

'Die vrouw,' breng ik uit met krakende stem. 'Waar is ze?'

'Zat er een passagier bij u in de truck?'

'Nee, niet in de truck. Heb haar geraakt...'

Hij rent naar boven. Ik kijk hoe hij met een schijnwerper de hele helling afzoekt. Ik wil iets zeggen, maar ik ben waanzinnig duizelig en zodra ik probeer te praten moet ik overgeven.

Misschien na een uur, of misschien maar tien minuten, staat een brandweerman mij uit de veiligheidsgordel te zagen die mijn redding is geweest. Een ander is bezig met een hydraulische spreider mijn truck uit elkaar te trekken. Om me heen hoor ik stemmen:

'We moeten hem op een schepbrancard schuiven...'

'Gecompliceerde breuk...'

'... versnelde hartslag...'

Opeens staat de politieagent weer voor me. 'We hebben overal ge-zocht, maar uw wagen heeft niemand geraakt, zegt hij. 'Alleen een boom. En het is maar goed dat u gekeerd bent en vervolgens van de weg af geraakt. Als u op dit punt rechtdoor was gereden, zou u te pletter zijn gevallen in de afgrond daar. U hebt geluk gehad.'

Ik voel een golf van opluchting door me heen gaan die in snikken naar buiten komt. Ik begin zo hard te huilen dat ik geen adem meer kan halen. Was Zoës verschijning een hallucinatie veroorzaakt door mijn dronkenschap of blijf ik me klem zuipen omdat ik Zoë niet uit mijn hoofd kan zetten?'

De sneeuw valt als duizend mininaalden op mijn gezicht terwijl ik uit het autowrak naar de ambulance word geschoven en gereden. Het water loopt uit mijn neus en ik zie alles door een rood waas.

Plotseling wil ik niet meer degene zijn die ik ben. Ik wil niet meer pretenderen dat ik de wereld voor de gek houd, terwijl ik alleen maar mezelf voor de gek houd. Kan iemand anders me alsjeblieft een op-lossing bieden? Is er iemand, wie dan ook, die een plan voor me heeft? Op eigen houtje breng ik er bitter weinig van terecht.

De ziekenwagen komt in beweging. Iemand van het ambulance-team sluit me aan op een monitor en brengt vervolgens een infuus in. Steeds wanneer de bestuurder remt, vlamt de pijn in mijn been op.

'Mijn been...'

'... is waarschijnlijk gebroken, meneer Baxter,' zegt de ambulance-medewerkster. Ik vraag me af hoe ze mijn naam kent, en dan besef ik dat ze mijn rijbewijs in haar hand houdt. 'We brengen u naar het zie-kenhuis. Kan ik iemand voor u bellen?'

Niet Zoë, dat is verleden tijd. Reid moet natuurlijk ingelicht wor-den. Maar op dit moment wil ik niet denken aan zijn verwijtende blik als hij erachter komt dat ik heb gereden onder invloed. Trouwens, ik zal waarschijnlijk ook een advocaat nodig hebben.

'Mijn dominee,' zeg ik. 'Clive Lincoln.'

Ik ben bloednerveus. Liddy en Reid staan aan weerszijden naast me met een kamerbrede glimlach op hun gezicht. Je zou haast denken dat ik het wondermiddel tegen kanker had uitgevonden of de wereldvrede tot stand gebracht. Maar het enige is dat ik met hen ben meegekomen naar de Eeuwige Gloriekerk om te getuigen dat ik Jezus heb gevonden.

Eindelijk heeft Hij tot me weten door te dringen. Het absolute diep-tepunt was voor mij het auto-ongeluk met mijn truck. Dat Zoë aan mij verscheen, was het werk van Jezus. Zijn speciale manier om in mijn leven te komen. Als ik haar niet had gezien midden op die weg, zou ik nu dood zijn. Maar door het visioen dat Hij me stuurde, begon ik te slingeren. Ik slingerde rechtstreeks in Zijn open armen.

Toen Clive bij me kwam in het ziekenhuis zat ik onder de pijnstil-lers. Mijn linkerbeen zat helemaal in het nog vochtige gips en ik had hechtingen in mijn hoofd en schouder. Ik kon niet stoppen met hui-len, vanaf het moment dat ze me in de ambulance hadden geschoven. De dominee ging op de rand van mijn bed zitten en greep mijn hand. 'Ban de duivel uit je hart, mijn jongen,' zei hij. 'Maak ruim baan voor Christus.'

Ik kan onmogelijk uitleggen wat er daarna precies gebeurde. Het was alsof iemand een knop in mij omzette, en alle pijn vloeide uit me weg. Ik voelde me alsof ik boven mijn bed zweefde. Alsof ik zó weg kon vliegen als die katoenen deken niet over me heen had gelegen. Ik keek naar mezelf. Ik zweer je dat ik licht zag schijnen in de ruimte tussen mijn vingers en onder de randen van mijn nagels.

Heb jij Jezus nog niet toegelaten in je hart? Dan zal ik je vertellen hoe dat voelt. Het is alsof je al tijden een bril nodig had, maar hoe troebel je alles ook ziet, je blijft het ontkennen. Uiteindelijk zie je geen hand voor ogen meer. Je gooit van alles omver en loopt voortdurend overal vast, dus ga je toch maar naar de optometrist. Je komt zijn praktijk uit met een nieuwe bril, en de wereld ziet er schoongewassen uit. Helder en fris. Je vindt het achteraf onbegrijpelijk dat je zo lang hebt gewacht om een afspraak te maken.

Als Jezus aan jouw kant staat, kun je alles aan. Bijvoorbeeld de gedachte dat je nooit meer een borrel zult nemen, of het moment dat je wordt voorgeleid vanwege drinken onder invloed. En ook dit mo-ment, nu ik op het punt sta gedoopt te worden in de naam van de Vader, de Zoon en de Heilige Geest.

Zodra ik uit het ziekenhuis kwam, ben ik trouw iedere zondag naar de Eeuwige Gloriekerk gegaan. Af en toe sprak ik dominee Clive, die speciaal voor mij een gebedskettingbrief had rondgestuurd aan de hele gemeente. Dus al deze mensen hadden al voor me gebeden, zelfs toen ik hen nog helemaal niet kende. Dat gaf me zo'n fantastisch gevoel. Volledig onbekenden die niet stiekem op me neerkeken vanwege mijn fouten, maar die blij leken mijn gezicht te zien. Ik hoefde me er niet voor te schamen dat ik mijn studie niet had afgemaakt, of dat ik gescheiden was of dat ik strontlazarus in een greppel was beland. Eigenlijk hoefde ik aan geen enkele eis te voldoen. Het feit dat Jezus mij in deze gemeente had gebracht, gaf mij waarde in hun ogen.

De Eeuwige Gloriekerk heeft geen eigen gebouw, dus huren ze voor de zondagen de aula van een school in de buurt. Liddy, Reid en ik staan helemaal achter in de ruimte te wachten tot dominee Clive ons een teken geeft. Clives vrouw speelt op de piano en zijn drie dochtertjes zingen. 'Ze klinken als engelen,' fluister ik.

'Ja,' stemt Reid in. 'De Lincolns hebben nog een vierde kind, maar zij treedt niet op.'

'Net als de jongste van de Jonas Brothers,' zeg ik.

De psalm is ten einde. Dominee Clive gaat met gevouwen handen op het podium staan.

'Vandaag,' roept hij met galmende stem, 'draait alles om Jezus.'

Er stijgt een instemmend gemompel op.

'En daarom zal onze jongste broeder in Christus ons vandaag zijn verhaal vertellen. Max, wil je naar voren komen?'

Ondersteund door Reid en Liddy stuntel ik op mijn krukken door het gangpad. Normaliter sta ik niet graag in het centrum van de belangstelling, maar dit is anders. Dit is de dag dat ik de gemeente ga vertellen hoe ik tot Christus ben gekomen. Ik zal mijn geloof in het openbaar belijden, zodat al deze mensen er getuige van zijn.

'Welkom,' hoor ik.

'Hallo, broeder Max.'

Clive dirigeert me naar een stoel op het podium. Er zitten tennisballen bevestigd aan de stoelpoten, waarschijnlijk om te zorgen dat de vloer niet beschadigd raakt. De stoel zal wel uit een klaslokaal komen. Maar nu staat hij hier, naast iets wat lijkt op een vrieskist; een grote, witte bak vol water met een trapje ervoor. Ik ga op de stoel zitten. Clive komt tussen Liddy en Reid staan en houdt hun handen vast. 'Lieve Heer Jezus, help Max om nader tot U te komen. Leer hem God lief te hebben tot in het diepst van zijn ziel, en Zijn woord ter harte te nemen.'

Terwijl de dominee voor me bidt, sluit ik mijn ogen. De podiumlichten verwarmen mijn gezicht. Het doet me denken aan die keren dat ik als kleine jongen op de fiets zat, met mijn gezicht opgeheven naar de zon en mijn ogen dicht. Dan wist ik gewoon dat ik onoverwinnelijk was. Dat ik niet zou vallen, of ergens tegenaan rijden.

Allerlei stemmen voegen zich bij die van dominee Clive. Het voelt alsof ik duizendmaal gekust word, alsof ik barstensvol zit met al het goede van de wereld. Er is gewoon geen plaats meer voor het kwaad. Het is liefde, onvoorwaardelijke acceptatie, en de overtuiging dat ik Jezus nooit heb teleurgesteld. Dat Hij zélf zegt dat ik dat nooit kan en zal doen. Mijn lichaam stroomt vol met Zijn liefde, tot ik het niet meer kan binnenhouden. Ik open mijn mond en hoor mezelf klanken uitstoten. Het zijn niet echt woorden, maar voor mij is de boodschap overduidelijk.

3

Vluchteling

VANESSA

Ik heb me nooit echt in Zoë Baxter verdiept. Tot ik haar aantref terwijl ze zich probeert te verdrinken in het zwembad van de YMCA.

Aanvankelijk heb ik niet in de gaten dat zij het is. Iedere ochtend om halfzeven trek ik mijn vaste aantal baantjes in het zwembad. Dat is zo ongeveer de enige vorm van lichaamsoefening waarvoor ik mezelf uit bed kan slepen op dit vroege uur. Ik ben halverwege de overhaal van een borstcrawl als ik haar zie, een vrouw die langzaam omlaag zweeft naar de bodem. Haar haar vormt een donkere waaier rond haar hoofd. Ze houdt haar armen uitgestrekt en ziet er niet zozeer uit alsof ze zinkende is, maar eerder alsof ze zichzelf probeert los te laten.

Ik schiet tot mijn middenrif uit het water, duik naar beneden in een gehoekte sprong en grijp haar hand. Ik sleep haar door het water naar de oppervlakte. Pas daar begint ze tegen te spartelen. Maar dan heb ik van pure stress al zoveel adrenaline aangemaakt dat ik haar zonder pardon een kontje geef over de zwembadrand. Ze kukelt op de rubbertegels. Ik trek me op aan de rand en buig me over haar heen. Het water druipt van me af op haar gezicht, terwijl ze zich hoestend op haar zij rolt. 'Waar ben je nou mee bézig?' sputtert ze.

'Waar ben jíj potdomme mee bezig?' kaats ik terug. Ze gaat overeind zitten en pas dan realiseer ik me wie ik gered heb. 'Zoë?'

Het is rustig in het zwembad. Zo vlak voor Kerstmis is de horde baantjestrekkers geslonken tot mijzelf, een paar bejaarden en nu en dan een revalidatiepatiënt of iemand uit de afkickkliniek. Het voorvalletje tussen Zoë en mij speelt zich af bij de rand van het zwembad, zonder dat iemand er verder aandacht aan besteedt.

'Ik lag omhoog te kijken naar het licht,' zegt Zoë.

'Hallo zeg, dat kan ook zonder jezelf te verdrinken, hoor.' Nu we allebei het water uit zijn, begin ik te rillen. Ik grijp mijn handdoek en sla hem om mijn schouders.

Natuurlijk heb ik gehoord hoe het met haar baby is afgelopen. Dat de eregast van een babyshower met spoed naar het ziekenhuis wordt afgevoerd waar ze vervolgens bevalt van een dood kindje... Nou ja, dat is op zijn zachtst gezegd afschuwelijk. Ik had al weinig zin gehad in dat feestje. Maar ik ging toch, omdat ik Zoë een beetje zielig vond. Wat voor soort vrouw heeft zo weinig vriendinnen dat ze haar professionele contacten moet uitnodigen op een privéfeestje? Achteraf had ik natuurlijk nog veel meer medelijden met haar. Ik hielp haar boekhoudster het restaurant opruimen dat ze voor die middag hadden afgehuurd. De ambulance was toen al lang met loeiende sirene weggescheurd. Naast iedere placemat hadden plastic staafjes gelegen, bekroond met minizuigflesjes. Die had ik op weg naar buiten nog verzameld, met het vage plan ze ooit terug te geven aan Zoë. Ze liggen nu al tijden ergens in mijn kofferbak.

Ik weet niet wat ik tegen haar moet zeggen. *Hoe gaat het?* lijkt een overbodige vraag. *Wat erg voor je*, dan? Nee. Ook niet echt een originele tekst.

'Je zou het zelf eens moeten proberen,' zegt Zoë.

'Mezelf van kant maken?'

'Nou, nou. Eens een schooldecaan, altijd een schooldecaan,' antwoordt ze. 'Ik ben geen suïcidale tiener, hoor. En ik heb je toch gezegd dat ik daar helemaal niet mee bezig was. Precies het tegenovergestelde, eigenlijk. Daarbeneden kun je je hart voelen kloppen tot in je vingertoppen.'

Als een otter glijdt ze terug in het zwembad en kijkt verwachtingsvol naar me op. Met een zucht laat ik mijn handdoek vallen en duik terug het water in. Onder water doe ik mijn ogen open, en zie Zoë weer naar de bodem zakken. Dus doe ik precies hetzelfde, draai me op mijn rug en kijk omhoog naar de trillende puntjes en streepjes, een morsecode van fluorescerende zwembadverlichting. Ik adem uit door mijn neus zodat ik zink. Mijn primaire reactie is paniek – ik heb tenslotte geen lucht meer. Maar dan voel ik inderdaad mijn hartslag onder mijn vingernagels, in mijn keel en tussen mijn benen. Alsof mijn hart immens opzwelt en alle ruimte onder mijn huid in beslag neemt. Nu begrijp ik dat voor iemand die zoveel verloren heeft, het een troost is zich zo vol te voelen.

Ik houd het niet langer uit, zet mezelf af tegen de bodem en schiet naar de oppervlakte. Naast mij komt Zoë boven. Al watertrappend zegt ze: 'Als kleuter wilde ik later graag zeemeermin worden. Ik oefende door met mijn enkels samengebonden in het kikkerbadje van ons stedelijke zwembad te springen.'

'Hoe is dat afgelopen?'

'Nou, je ziet het, ik ben geen zeemeermin geworden.'

'Eeuwig zonde. Je hebt duidelijk talent...'

'Ik kan het allicht nog proberen, toch?' Zoë klautert uit het zwembad en gaat op de rand liggen.

'Ik weet niet hoe de arbeidsmarkt voor zeemeerminnen eruitziet tegenwoordig,' zeg ik. 'Maar vampiers bijvoorbeeld, die zijn momenteel enorm in trek. Hetzelfde geldt voor zombies, klopgeesten en wat al niet meer.'

'Wat een pech,' verzucht Zoë. 'Juist nu ik me weer bij de wereld van de levenden heb gevoegd.'

Ik sta op, strek mijn hand uit en help Zoë overeind. 'Welkom terug,' zeg ik.

Het clubhuis bij het zwembad is eenvoudig ingericht, zonder een bar met hapjes en drankjes. Dus gaan we koffiedrinken bij een Dunkin' Donuts, de koffiebar die je zo'n beetje op iedere straathoek van Wilmington aantreft.

Zoë volgt me in haar eigen auto en parkeert vlak naast me. 'Steengoed nummerbord, zeg,' merkt ze op terwijl ik uitstap.

Mijn kenteken is VS-66. In Rhode Island is het een sport om een zo laag mogelijk getal op je nummerbord te hebben. Sommige mensen leggen in hun testament vast aan welke familieleden ze een twee- of een driecijferig nummerbord nalaten. Ooit heeft een voormalig gouverneur zelfs de strijd tegen nummerbordcorruptie tot onderdeel van zijn verkiezingscampagne gemaakt. Als je je initialen plus een laag getal als kenteken hebt, zoals ik dus, dan ben je waarschijnlijk een maffiabaas. Nou, dat ben ik niet, maar ik weet wel hoe je dingen voor elkaar kunt krijgen. Toen ik mijn nieuwe auto moest laten registreren kwam ik aan bij het plaatselijk kantoor van de Dienst voor het Wegverkeer met een kofferbak vol sixpacks. Die vonden gretig aftrek bij de dienstdoende ambtenaren. Ze waren meteen bereid om er iets tegenover te stellen.

'Tja, ik heb een paar nuttige contacten,' antwoord ik, terwijl we de Dunkin' Donuts binnenstappen. We bestellen allebei een koffie verkeerd met vanille en strijken neer aan een tafeltje achterin.

'Hoe laat moet jij op je werk zijn?' vraagt Zoë.

'Acht uur. En jij?

'Ik ook.' Ze neemt een slok koffie. 'Ik werk vandaag in het ziekenhuis.'

Zodra ze het ziekenhuis noemt, heb ik het gevoel dat er een net over ons heen wordt gegooid. Een dwingende herinnering die ons terugsleept naar het moment dat zij spoorslags verdween met de ambulance, weg van haar eigen babyfeest. Ik frutsel aan de deksel van mijn koffiebeker. Ook al geef ik iedere dag advies aan pubers, ik weet niet wat ik met Zoë aan moet. Waarom heb ik haar eigenlijk meegevraagd om koffie te gaan drinken? We kennen elkaar nauwelijks.

Maanden geleden had ik Zoë gecontracteerd om met een autistische jongen te werken. Hij zat al in de tweede klas van het Wilmington College, de scholengemeenschap waar ik werk, en had voor zover ik wist nog nooit één woord met een docent gewisseld. Zijn moeder had iets gelezen over de heilzame invloed van muziektherapie. Ze vroeg me een therapeut in de omgeving te zoeken die met haar zoon aan de slag kon. Zelf had ik er geen hoge verwachtingen van, zeker niet na mijn eerste ontmoeting met Zoë. Ze zag eruit alsof ze door de tijd was ingehaald. Zo'n jarenzeventigtype dat per ongeluk was terechtgekomen in het nieuwe millennium. Maar binnen een maand had Zoë de jongen zover gekregen dat hij samen met haar improvisaties speelde. De ouders vonden Zoë een genie, en mijn conrector gaf mij een pluim omdat ik haar had aangetrokken.

'Moet je horen,' begin ik na een lange, ongemakkelijke stilte, 'ik weet niet echt wat ik moet zeggen over je kindje.'

Zoë kijkt me aan. 'Dat weet niemand.' Ze strijkt met haar vingertop over de rand van de koffiebeker. Ik denk: *oké, dat was het dan.* Ik wil juist demonstratief op mijn horloge kijken en iets roepen van, *o jee, is het al zo laat!* Maar dan begint zij weer te praten. 'We hebben een overlijdenscoördinator gesproken,' zegt ze. 'Daar hebben ze in het ziekenhuis hier een speciale verpleegkundige voor. Toen alles afgelopen was, kwam zij de kamer in en vroeg Max en mij wat we met onze zoon wilden doen. Of we een lijkschouwing wilden. Of we al een idee hadden over een kistje, voor de begrafenis. Of dat we misschien de voorkeur gaven aan crematie. Ze zei dat we hem ook gewoon mee naar huis konden nemen. Hem zelf begraven, in de achtertuin of zo.' Zoë kijkt naar me op. 'We hebben geen eigen achtertuin, alleen een gezamenlijke tuin van het hele appartementencomplex. Maar ons kindje zelf begraven achter onze flat, daar heb ik nog steeds nachtmerries over. Dat we hem onder de sneeuw hebben gestopt omdat we niet dieper in de bevroren grond konden spitten. En dat ik, als in maart de dooi inzet, naar buiten loop en dat kleine hoopje botten zie liggen.' Ze dept haar ogen met een servet. 'Sorry hoor. Ik heb dit nog nooit aan iemand verteld. Nooit.'

Ik weet best waarom ze juist bij mij haar hart uitstort. Zo vergaat het me ook met leerlingen op mijn werk. Ze komen mijn kantoor binnen en bekennen bijvoorbeeld dat ze na elke maaltijd stiekem alles weer uitbraken in de wc-pot of dat ze zichzelf onder de douche snijden met een scheermes. Soms is het gemakkelijker jezelf uit te spreken tegenover een relatief onbekende. Maar er is één probleem. Zodra jij het achterste van je tong hebt laten zien aan iemand, is de persoon in kwestie niet meer anoniem voor je.

Ik heb Zoë ooit aan het werk gezien met die autistische leerling. 'De kunst van therapie is dat je aansluit op het punt waar de cliënt zich bevindt,' legde ze uit. Toen de jongen binnenkwam, maakte ze geen oogcontact met hem. Ze zei niets, net zomin als hij. In plaats van interactie te forceren pakte ze haar gitaar en begon te spelen en te zingen. De jongen ging achter de piano zitten. Zijn vingers vlogen over de toetsen en produceerden een soort hortende, onstuimige begeleiding. Steeds als hij even stopte, liet Zoë een krachtig gitaarakkoord horen. Aanvankelijk leek hij zich er niets van aan te trekken, maar op den duur onderbrak hij vaker zijn spel. Hij wachtte duidelijk tot zij met haar muziek op hem zou reageren. Ik besefte dat ze in feite met elkaar in gesprek waren. Eerst uitte hij een zinnetje, en dan zij. Ze communiceerden alleen in een andere taal.

Misschien had Zoë Baxter dat nu ook nodig, een andere manier van communiceren. Zodat ze zich niet meer naar de bodem van een zwembad hoefde te laten zinken. Zodat ze weer zou gaan glimlachen.

Grote onthulling: ik ben zo iemand die graag de scherven opraapt en aan elkaar lijmt. Aan mij kun je gerust een kapotte stoel verkopen, want ik heb al meteen een plan hoe ik hem kan repareren. Ik heb een afgedankte windhond uit het asiel gehaald die te oud was voor de races en daarna werd verwaarloosd. Kortom, ik ben een dwangmatige probleemoplosser. Misschien verklaart dát waarom ik schooldecaan ben geworden. God weet dat ik het niet doe omdat het zo'n makkelijk baantje is of omdat het dik betaalt, want geen van beide is het geval. Dus is het eigenlijk ook logisch dat ik de neiging voel om Zoë weer op de been te helpen.

'Overlijdenscoördinator,' zeg ik hoofdschuddend. 'En ik dacht nog wel dat ík een rotbaan had.'

Zoë kijkt me aan en proest het uit. Ze slaat haar hand voor haar mond.

'Je mag best lachen, hoor,' zeg ik zachtjes.

'Ik heb het gevoel van niet. Omdat het dan lijkt alsof het me allemaal niet kan schelen wat er gebeurd is.' Ze schudt haar hoofd, en opeens staan de tranen in haar ogen. 'Het spijt me. Jij bent vanmorgen niet gaan zwemmen om dit allemaal aan te moeten horen. Ik ben niet echt een gezellige date, tegenwoordig.'

Onmiddellijk voel ik mezelf verkrampen. Wat weet zij? Wat heeft ze over me gehoord? En waarom zou dat iets uitmaken?

Ik ben nu vierendertig. Waarom maak ik me nog steeds zo druk over wat de mensen denken? Maar ja, als je ooit flink je vingers hebt gebrand, spreekt het waarschijnlijk vanzelf dat je de rest van je leven oppast voor vuur.

'Nee, het is juist prima dat we elkaar tegen het lijf zijn gelopen,' hoor ik mezelf zeggen. 'Ik was al een tijdje van plan jou te bellen.'

Echt waar? denk ik vervolgens, en vraag me af waar dit op uit zal draaien.

'Echt waar?' antwoordt Zoë.

'Ja. Een leerling van ons zit al een tijdlang in een depressie,' zeg ik. 'Ze verblijft regelmatig op de psychiatrische afdeling van het ziekenhuis, en ze heeft een hoog schoolverzuim. Ik wilde je vragen of jij met haar aan de slag zou willen.' Eerlijk gezegd heb ik helemaal niet aan Zoë of haar muziektherapie gedacht, althans niet in verband met

Lucy DuBois. Maar zodra ik dit gezegd heb, weet ik dat het hout snijdt. Dat meisje heeft al twee keer een serieuze zelfmoordpoging gedaan, en tot nu toe heeft geen enkele benadering geholpen. Haar ouders zijn zo conservatief dat ze Lucy niet naar een psychiater willen sturen. Ik zal hen dus moeten overtuigen dat muziektherapie een heel normale behandeling is, geen moderne vorm van hekserij.

Ik zie aan Zoës gezicht dat mijn aanbod in goede aarde valt, maar toch aarzelt ze nog. 'Vanessa, ik heb je toch al gezegd dat ik niet gered hoef te worden.'

'Ik ben niet bezig jou te redden,' zeg ik. 'Ik vraag je om iemand anders te redden.'

Met 'iemand anders' bedoel ik Lucy, tenminste dat denk ik op dat moment. Ik realiseer me niet dat ik het over mezelf heb.

Ik ben opgegroeid in de zuidelijke buitenwijken van Boston. Bijna dagelijks reed ik op mijn gele, met glitterplaatjes versierde kinderfietsje door de buurt, langs de huizen van meisjes die ik leuk vond. Op mijn zesde was ik er rotsvast van overtuigd dat ik ooit met Katie Whittaker zou trouwen, een meisje met goudblond haar en een gezichtje vol sproeten. En natuurlijk zouden we daarna nog lang en gelukkig leven.

Ik weet niet meer wanneer het precies tot me doordrong dat dit beslist niet hetzelfde was als waar alle andere meisjes van droomden. Maar toen ik in groep vier zat, praatte ik al met die andere meisjes mee dat ik óók verliefd was op Jared Tischbaum. Hij was volgens hen namelijk supercool omdat hij in het reizende jeugdvoetbalteam zat, én omdat hij altijd hetzelfde jasje droeg, dat Robin Williams ooit had aangeraakt in een bagageterminal op een luchthaven.

Jaren later vrijde ik op een avond voor het eerst serieus met mijn vriendje Ike. Het gebeurde in het gastenverblijf voor bezoekende honkbalteams op het terrein van onze school. Ike was lief en teder en zei dat ik mooi was. Met andere woorden: hij deed alles goed, en ik vond het geen probleem dat ik na die avond geen maagd meer was. Maar ik herinner me wel dat ik na afloop naar huis ging met één grote vraag in mijn hoofd. Vanwaar al die ophef over seks? Ik vond het alleen maar zweterig, mechanisch gedoe, hoe lief Ike ook voor me was geweest. Misschien had er toch iets aan ontbroken.

Dat vertrouwde ik toe aan mijn beste vriendin, Molly. Soms zat ik tot na middernacht met haar aan de telefoon om mijn verkering met Ike tot op het bot te ontleden. Molly en ik maakten vaak huiswerk bij haar thuis en als we klaar waren, wilde ik eigenlijk helemaal niet weg. Ik sprak met haar af om op zaterdag te gaan shoppen in het winkel-centrum en merkte dat ik vol spanning de dagen aftelde tot het week-end. Eensgezind kraakten we de oppervlakkige meisjes af die verke-ring kregen met een jongen en dan plotseling geen tijd meer hadden voor hun vriendinnen. We beloofden elkaar plechtig dat wij onaf-scheidelijk zouden blijven.

In oktober 1998, toen ik eerstejaars was op de universiteit, gebeur-de er iets vreselijks. Matthew Shepard, een homoseksuele student aan de Universiteit van Wyoming, werd in elkaar geslagen en voor dood achtergelaten. Hij overleed een paar dagen later in het ziekenhuis. Ik kende Matthew Shepard niet en hij zat op een heel andere universi-teit. Ik was totaal niet politiek actief. Maar toch stapte ik samen met mijn toenmalige vriendje op de bus naar Laramie. Daar liepen we mee in de stille tocht bij kaarslicht op het universiteitsterrein waar Matt-hew gestudeerd had. Op dat moment, te midden van al die flakkeren-de lichtjes, brak er iets in mij. Ik wist dat míj dit had kunnen overko-men. Eindelijk durfde ik ronduit te bekennen wat ik steeds al half en half had aangevoeld. Dat ik lesbisch was. Vroeger, nu en voor altijd.

En weet je? Ook toen ik dat hardop had gezegd, draaide de wereld gewoon door.

Ik was nog steeds een eerstejaars algemene sociale wetenschappen die het volgende jaar onderwijskunde ging studeren. Ik stond nog steeds een 7,8 gemiddeld voor al mijn vakken. Ik woog nog steeds 55 kilo en gaf de voorkeur aan chocolade- boven vanille-ijs. Ik zong in een a-capellakoortje genaamd Helse Toonhoogte. Ik ging minstens twee keer per week zwemmen in het sportzwembad van de universiteit. En je had nog altijd meer kans mij thuis voor de televisie aan te treffen, ver-diept in een aflevering van *Cheers*, dan midden in de nacht swingend op een studentenfeest. Ik had toegegeven dat ik lesbisch was. Maar dat veranderde niets aan wie ik vroeger was, of wie ik zou worden.

In mijn achterhoofd speelde de angst dat ik in geen van beide kam-pen zou passen. Wat wist ík nu af van seks met een vrouw? Misschien vond ik dat wel even saai als rollebollen met een jongen. Stel dat ik niet écht homoseksueel was, maar gewoon totaal aseksueel? En dan zag ik nog een donker wolkje zweven boven mijn onwennige nieuwe status. Het was iets waar ik nooit bij had stilgestaan, maar als je een vrouw ontmoet neem je standaard aan dat ze hetero is. (Behalve misschien bij een concert van k.d. lang of tijdens een vrouwenbasketbalwedstrijd.) Lesbische meiden liepen nu eenmaal niet rond met een L op hun voorhoofd gestempeld en mijn homoradar was vast nog niet bijster goed ontwikkeld, vreesde ik.

Maar ik had me geen zorgen hoeven maken. Het meisje met wie ik samen in de werkgroep bio-psychologie zat – een keuzevak – nodigde me uit om op haar kamer te komen studeren. Al snel brachten we al onze vrije tijd samen door. Wanneer ik niet bij haar was, verlangde ik naar haar. Als een docent iets raars of seksistisch of grappigs zei, was zij de eerste aan wie ik dat wilde vertellen. Op een zaterdagmiddag zaten we op de tribune van het sportveld naar een rugbywedstrijd te kijken. Het was ijskoud. We zaten tegen elkaar aangedrukt met een deken over onze benen en dronken beurtelings uit een thermoskan warme chocolademelk gemengd met Baileys. Het was een spannende wedstrijd, en vlak voor een vierde touchdown greep ze mijn hand. Ze liet niet meer los, zelfs toen het doelpunt allang gescoord was. De eerste keer dat ze me kuste, dacht ik dat er ergens in mijn lijf een slagader scheurde. Mijn hart bonkte en al mijn zintuigen leken te exploderen. *Dit*, dacht ik. Het was het enige woord waar ik me aan vast kon houden, in een zee van gevoelens.

Terugkijkend op mijn hechtste vriendschappen besefte ik dat ik daarin nooit echt beperkingen had gevoeld, niet vanbinnen. Ik dacht nooit: *oké, nu is het wel even genoeg.* Van mijn beste vriendinnen wilde ik alle babyfoto's zien, ik wilde hun favoriete muziek horen en hetzelfde kapsel hebben als zij. Na een telefoongesprek dacht ik steevast dat ik één ding vergeten was te zeggen. Ik zou het niet benoemd hebben als duidelijke fysieke aantrekkingskracht, meer als een sterke, emotionele band. En toch was dat nooit echt genoeg voor me. Maar ik had me gewoon niet durven afvragen wat 'genoeg' precies zou zijn.

Geloof me, homoseksueel zijn is geen keuze. Niemand zou ervoor kiezen zijn leven moeilijker te maken dan nodig is, toch? En hoe zelfverzekerd je als homo of lesbo misschien ook bent en hoe lekker je ook in je vel steekt, je hebt geen controle over de gedachten van anderen. In een bioscoop heb ik wel meegemaakt dat zodra mensen me hand in hand met een andere vrouw zagen zitten, zij direct opstonden om naar een andere rij te verkassen. Kennelijk vonden ze ons bescheiden blijk van genegenheid ronduit weerzinwekkend. En dat terwijl een rij verderop een stel pubers elkaar praktisch zat uit te kleden, nog voor het licht uit was. Ooit heeft iemand met een verfspuitbus levensgroot POT op mijn auto gesprayd. En een keer wilde een ouderpaar hun kind van het Wilmington College afnemen en per se naar een veel verder gelegen school sturen. Toen hun gevraagd werd waarom, beweerden ze dat zij er een andere 'educatieve filosofie' op nahielden dan ik.

Natuurlijk, het zijn nu andere tijden dan toen Matthew Shepard werd vermoord. Maar er is een subtiel verschil tussen tolerantie en acceptatie. Het is één ding om, misschien noodgedwongen, te verhuizen naar een probleemwijk. Maar je buurvrouw in je nieuwe wijk vragen een kwartiertje op jouw peuterdochter te passen terwijl jij naar het postkantoor fietst, dat is een andere zaak. Het is één ding om voor een feestje te worden uitgenodigd met je partner van hetzelfde geslacht. Maar op die party intiem met elkaar kunnen dansen zonder dat de andere gasten daarover smiespelen, dat is nog lang niet gegarandeerd.

Mijn moeder had als klein meisje op een strenge nonnenschool gezeten. Ze vertelde me eens dat de nonnen haar geregeld hard op haar linkerhand sloegen, iedere keer als zij per ongeluk met links schreef. Als een leraar tegenwoordig zoiets zou doen, zou hij of zij waarschijnlijk aangehouden worden wegens kindermishandeling. De optimist in mij wil graag geloven dat seksuele oriëntatie ooit net zoiets wordt als links- of rechtshandig schrijven. Dat er geen sprake meer is van de goede of verkeerde kant. Mensen zijn nu eenmaal verschillend ingesteld, en daar is niets mis mee.

Als je kennismaakt met iemand interesseert het je toch ook niet of de persoon in kwestie met links of met rechts schrijft?

Wat maakt het tenslotte uit, behalve voor degene die de pen vasthoudt?

De langdurigste relatie die ik ooit met een vrouw heb gehad is met Rajasi, mijn kapster. We kunnen het al jarenlang uitstekend met elkaar vinden. Iedere maand ga ik bij haar langs voor een knipbeurt en om mijn haarwortels te laten bijkleuren. Maar vandaag is Rajasi blijkbaar slechtgehumeurd. Ze praat aan een stuk door en onderstreept haar zinnen door venijnige knipjes met haar kappersschaar. 'Ehm,' zeg ik, in de spiegel glurend naar mijn pony. 'Is dat niet een beetje kort?'

'... dus ze willen me uithuwelijken!' ratelt Rajasi verder. 'Niet te geloven, toch? We zijn twintig jaar geleden uit India hierheen gekomen. We zijn zo Amerikaans als wat! Mijn ouders halen hun eten minstens één keer per week bij McDonald's. Nou vráág ik je...'

'Misschien moet je hun uitleggen...'

Een vlok haar tuimelt voor mijn ogen langs naar beneden. 'Vorige week vrijdag is mijn vaste vriend nog bij ons wezen eten,' tiert Rajasi. 'Dachten ze nou echt dat ik de jongen met wie ik al drie jaar een relatie heb zomaar zou dumpen? En nog wel voor een of andere afgeleefde, haveloze Punjabi die aan komt zakken met een stel kippen als bruidsschat?'

'Kippen?' vraag ik. 'Meen je dat?'

'Nou ja, ik weet het niet precies. Maar dat is het punt niet.' Ze knipt maar door, en gaat helemaal op in haar tirade. 'Het is 2011, of niet soms?' zegt ze. 'Mag ik als-je-blieft zélf beslissen met wie ik ga trouwen?'

'Meid,' antwoord ik, 'ik voel met je mee. Je hoeft míj niet te overtuigen, hoor.'

Ik woon in Rhode Island, een van de weinige staten in New England die het homohuwelijk niet erkennen. Daarom moeten homoparen die hun boterbriefje willen halen de grens oversteken naar Fall River in Massachusetts. Dat lijkt misschien eenvoudig, maar het brengt een heleboel problemen met zich mee. Zo heb ik twee vrienden, homoseksuele mannen, die in het huwelijksbootje waren gestapt in Massachusetts. Vijf jaar later gingen ze uit elkaar. Al hun eigendommen bevonden zich in Rhode Island, waar ze samen woonden. Hun vermogen stond op een bank in Rhode Island. Maar omdat hun huwelijk hier nooit was erkend, konden ze in feite ook niet scheiden.

Rajasi houdt haar schaar stil. 'Ja, en?' zegt ze.

'Wat bedoel je?'

'Nou, ik sta hier honderduit te kletsen over mijn liefdesleven en jij zegt helemaal niets over dat van jou...'

Ik schiet in de lach. 'Rajasi, áls ik zou willen trouwen dan maakt jouw aftandse Punjabi bij mij een betere kans dan bij wie ook. Mijn keuzemogelijkheden zijn op dit moment nul.'

'Je klinkt alsof je de zestig bent gepasseerd,' protesteert Rajasi. 'Alsof je het hele weekend thuiszit met zo'n honderd katten als gezelschap.'

'Grapjas. Zelfs katten zijn waarschijnlijk beter in kruissteekjes borduren dan ik. Trouwens, ik heb grootse plannen voor dit weekend. Ik ga naar Boston, naar een balletvoorstelling.'

'Kijk je wel een beetje uit? Er is sneeuw voorspeld.'

'Niet zoveel dat het ons zal tegenhouden,' zeg ik.

'Óns,' herhaalt Rajasi. 'O, kom op, vertel nou...'

'Gewoon een vriendin van me. We gaan haar trouwdag vieren.'

'Zonder haar man?'

'Ja, ze is pas gescheiden. Ik probeer haar door een moeilijke periode heen te slepen.'

Zoë en ik hadden elkaar een stuk beter leren kennen in de weken sinds onze ontmoeting bij het zwembad. Ik moet haar als eerste gebeld hebben, want ik had haar privénummer en zij niet het mijne. Ik moest een schilderij ophalen van een lijstenmakerij vlak bij haar huis, dus vroeg ik of ze met me wilde gaan lunchen. Onder het genot van een rijkelijk belegde Italiaanse bol bespraken we het onderzoek dat ze was gestart naar depressie en de effecten van muziektherapie. Ik zei dat ik bij de eerste gelegenheid met Lucy's ouders zou spreken. Het weekend daarop had Zoë twee kaartjes voor een filmpremière gewonnen via een radioquiz. Had ik zin om mee te gaan? Ongemerkt brachten we heel wat tijd samen door. Van vage bekenden werden we binnen de kortste keren dikke vriendinnen. Het ging zo snel dat ik het amper besefte, maar ik kon me steeds moeilijker voorstellen dat ik haar ooit níét had gekend.

Ze heeft me verteld hoe ze in aanraking is gekomen met muziektherapie. (Als kind brak ze haar arm en daar moest een pen in worden gezet. Toevallig werkte er een muziektherapeut op de kinderafdeling van het ziekenhuis.) We hebben over haar moeder gepraat. (Die Zoë drie keer per dag opbelt, vaak om iets overbodigs te bespreken zoals *Nieuwsuur* van de vorige avond of op welke dag Kerstmis valt over drie jaar.) We hebben het over Max gehad. Over zijn drankprobleem, en over het gerucht dat hij inmiddels de rechterhand is geworden van de predikant van de Eeuwige Gloriekerk.

Zoë is écht grappig, iets wat ik totaal niet van haar had verwacht. Ze heeft een soort half onschuldige, half sceptische kijk op de wereld die net onconventioneel genoeg is om mij de lachkriebels te bezorgen.

Als iemand met een meervoudige persoonlijkheidsstoornis zelfmoord probeert te plegen, is het dan een poging tot moord?

Waarom spéél je in een film en bén je op tv?

Een rokersgedeelte in een restaurant lijkt verdacht veel op een pisgedeelte in een zwembad, wat vind jij?

We hebben veel gemeen. We zijn allebei opgegroeid in een eenoudergezin (haar vader overleden, de mijne weggelopen met zijn secretaresse) en als kind waren we als de dood voor clowns. We hebben allebei altijd willen reizen, maar hadden nooit genoeg geld om het te doen. We zijn stiekem gefascineerd door reality-tv. We houden van benzinedamp, worden misselijk van chloorlucht en zijn allebei waanzinnig nieuwsgierig hoe je fondant maakt, zoals patissiers dat kunnen. We geven de voorkeur aan witte wijn boven rode en extreme kou boven smeltende hitte. We zijn gek op pindarepen, maar niet op chocoladerozijnen. In een openbare gelegenheid stappen we allebei net zo gemakkelijk het herentoilet binnen als de rij voor de damestoiletten te lang is.

Morgen zou ze eigenlijk tien jaar getrouwd zijn en ik voelde gewoon dat ze er als een berg tegen opzag. Zoë's moeder, Dara, is komend weekend in San Diego op een conferentie voor levenscoaches. Dus ik stelde voor om samen iets te gaan ondernemen waarvoor Max in geen miljoen jaar te porren zou zijn geweest. Zoë wist onmiddellijk waar ze heen wilde: een balletvoorstelling in het Wangtheater in Boston. Het wordt *Romeo en Julia* van Prokofjev. Zoë had me verteld dat Max ook in de eerste jaren van hun huwelijk al de rillingen kreeg van klassiek ballet. Zodra hij geen flauwe opmerkingen meer kon bedenken over de danskleding van de mannen viel hij in een diepe slaap, die tot het laatste applaus duurde.

'Misschien is dat voor mij ook wel een idee,' mijmert Rajasi hardop. 'Gewoon die oude zot die mijn ouders laten overkomen uit India meenemen naar iets wat hij compleet walgelijk vindt.'

Ze kijkt me aan via de spiegel. 'Wat zou zo'n ouderwetse brahmaan nou écht stuitend vinden?'

'Een restaurant waar je onbeperkt spareribs kunt eten?' opper ik.

'Of een knetterharde houseparty.'

Dan kijken we elkaar aan. 'NASCAR' zeggen we gelijktijdig. Zo'n krankzinnige autorodeo, met opgevoerde auto's. Daar kan zelfs een doorsnee-Amerikaan volledig gestoord van raken.

'Nou, ik moet ervandoor,' zeg ik. 'Ik heb over een kwartier afgesproken met Zoë.'

Rajasi draait de kappersstoel rond en bekijkt het resultaat van haar werk. Haar gezicht vertrekt.

Als je kapster haar gezicht vertrekt, betekent dat foute boel. En inderdaad, mijn haar is zo kort dat er alleen boven op mijn hoofd nog wat waarneembare plukjes overeind staan, als minigraspollen. Rajasi doet haar mond open en ik werp haar een vernietigende blik toe. 'Waag het niet om nu glashard te beweren dat het alleen nog een beetje uit moet groeien...'

'Wat ik wilde zeggen is dat de militaire look heel erg trendy wordt, komend voorjaar...'

Ik haal mijn handen door mijn resterende haar. Ik probeer er een ietwat speelse warboel van te maken, zonder succes. 'Ik voel moordneigingen, Rajasi,' zeg ik. 'Maar volgens mij kan ik je beter in leven laten, zodat je verplicht uit moet met die Punjabi van je. Dan krijg je pas echt je verdiende loon.'

'Zie je nou wel?' Je begint je nieuwe kapsel al te waarderen. Anders zou je nu tranen met tuiten huilen, in plaats van grapjes te maken.' Rajasi pakt het geld aan dat ik uit mijn portemonnee trek. 'Wees voorzichtig op de weg,' waarschuwt ze. 'Het sneeuwt nu al.'

'Een beetje poedersneeuw,' zeg ik, en wuif haar gedag. 'Maak je geen zorgen.'

Het blijkt dat Zoë en ik nog iets gemeen hebben: *Romeo en Julia*. 'Het is altijd mijn favoriete stuk van Shakespeare geweest,' zegt ze. De voorstelling is zojuist afgelopen en het balletgezelschap heeft een welverdiend applaus in ontvangst genomen. Zoë is net terug van een toiletbezoek en nu staan we na te praten in de weelderig gerenoveerde foyer van het Wangtheater. 'Weergaloos toch, zo'n mooie jongen die straalverliefd op je afkomt en een compleet sonnet begint voor te dragen?'

'Deed Max dat dan niet?' vraag ik glimlachend.

Ze snuift. 'Max dacht dat een sonnet een loodgietersonderdeel was dat je op de bouwmarkt koopt.'

'Ik zei ooit tegen onze hoofddocent Engels dat ik *Romeo en Julia* zo mooi vond, maar zij maakte me uit voor cultuurbarbaar.'

'Wat! Waarom?'

'Omdat het niet zo complex is als *Koning Lear* of *Hamlet*, denk ik.'

'Maar *Romeo en Julia* is zo sprookjesachtig. Dit is toch de wensdroom van iedereen?

'Om samen met je geliefde een pijnlijke dood te sterven?'

Zoë lacht. 'Nee om te sterven voordat je een lijst begint te maken van alles wat je aan hem irriteert.'

'Tja, stel je voor dat er nog een vervolg zou zijn. Ik bedoel, als dit stuk anders afgelopen was,' antwoord ik. 'Romeo en Julia worden verstoten door hun familie. Ze hebben geen rooie cent, dus bivakkeren ze in een gammele caravan in een woonwagenkamp. Romeo heeft inmiddels een spuuglelijk, ordinair kapsel, een matje of zo. En hij raakt verslaafd aan internetpoker, terwijl Julia er vrolijk op los scharrelt met priester Lawrence.'

'Die een ecstasylab blijkt te runnen in zijn geheime keldertje,' vult Zoë aan.

'O, zeker weten. Hoe wist hij anders wat voor "medicijn" hij haar moest geven, in het originele stuk?' Ik wikkel mijn sjaal om mijn hals en zet mijn kraag op. Bij de open deuren komt een ijzige kou ons tegemoet.

'Wat doen we nu?' vraagt Zoë. 'Zou het te laat zijn om nog ergens iets te eten, of...' Haar stem sterft weg zodra we naar buiten stappen. In de drie uur die wij in het theater hebben doorgebracht, is de miezerige, lichte sneeuwbui een felle sneeuwjacht geworden. Ik kan geen halve meter vooruitkijken vanwege de dikke witte sneeuwvlokken die om ons heen wervelen. Ik probeer de straat op te lopen. Meteen verdwijnt mijn ene schoen in een twintig centimeter dikke sneeuwlaag.

'Wauw,' zeg ik. 'Dit is niet echt leuk meer.'

'Misschien kunnen we beter wachten tot het ophoudt met sneeuwen voor we naar huis rijden,' antwoordt Zoë.

Een chauffeur die tegen een limousine geleund staat, hoort ons praten en kijkt onze kant op.

'Dan kunnen jullie lang wachten, dames,' zegt hij. 'Volgens de bui-enradar komt er ruim een halve meter sneeuw te liggen, dus dit duurt nog wel even.'

'Dan overnachten we hier,' kondigt Zoë aan. 'Het stikt hier in de buurt van de hotels...'

'Die allemaal peperduur zijn...'

'Dat valt wel mee als we een kamer delen.' Ze haalt haar schouders op. 'En trouwens, daar heb je een creditcard voor.' Ze geeft me een arm en trekt me mee, door een gordijn van sneeuw. Aan de overkant van de straat is een drogisterij. 'We hebben tandenborstels nodig en tandpasta. En ik ben door mijn tampons heen,' zegt ze, terwijl de schuifdeuren achter ons dichtgaan. 'We kunnen er ook nagellak en krulspelden bij kopen, lekker lang opblijven en tot diep in de nacht over jongens kletsen...'

Nooit van mijn leven, denk ik. Maar ze heeft wel gelijk. In dit hon-denweer naar huis rijden, dat zou onverantwoord zijn.

'Hé, en wat dacht je van roomservice,' probeert Zoë me over te halen.

Ik aarzel. 'Mag ik de film uitkiezen op hotel-tv?'

'Afgesproken.' Zoë steekt me haar hand toe.

Waarom doe ik hier zo moeilijk over? Ik kan me de luxe van één hotelovernachting best veroorloven, en gezien de omstandigheden valt het volledig te rechtvaardigen.

Maar toch. Terwijl we inchecken en onze plastic drogisterijtasjes naar boven dragen, gaat mijn hart tekeer als een razende. Ik ben niet echt oneerlijk geweest tegenover Zoë. Ik heb haar alleen nog niet ver-teld dat ik lesbisch ben. We hebben het er simpelweg nooit over gehad. Stel dat ze me ernaar had gevraagd, dan had ik het meteen ge-zegd. En trouwens, dat ik lesbisch ben betekent niet dat ik automa-tisch iedere vrouw in mijn omgeving wil bespringen, ongeacht wat homohaters denken of beweren.

Niettemin zit ik in een lastig parket. Stel dat een heterovrouw een fijne, platonische vriendschap heeft met een man, dan nog zou ze in een geval als dit waarschijnlijk geen kamer met hem delen.

Toen ik mijn moeder eindelijk durfde vertellen dat ik lesbisch was, zei ze direct: 'Maar je bent zo'n knappe meid om te zien!' Alsof dat niet zou kunnen samengaan met homoseksualiteit. Toen viel ze stil en verdween naar de keuken. Even later kwam ze weer de woonkamer in, ging tegenover me zitten en vroeg: 'Als je naar het zwembad gaat, kleed je je dan nog steeds om in de dameskleedkamer?'

'Ja, natuurlijk,' zei ik geërgerd. 'Ik ben nog steeds gewoon een vrouw, mam. Geen transseksueel.'

'Maar... Vanessa,' zei ze haperend, 'heb je dan niet de neiging om... je weet wel... stiekem naar andere meisjes te kijken?'

Nou, nee dus. Toen niet en nu niet. Ik duik altijd bij voorkeur een eenpersoonskleedhokje in, en zelfs daar staar ik tijdens het verkleden voornamelijk naar de vloer. Eerlijk gezegd voel ik me in die dameskleedruimte totaal niet op mijn gemak. Ik kan me moeilijk voorstellen dat een andere vrouw die zich daar toevallig ook staat te verkleden zich nóg onbehaaglijker zou voelen dan ik. Zelfs als ze wist dat het meisje in het paarse sportbadpak lesbisch was.

Dit is gewoon weer zoiets waar bijna niemand ooit over nadenkt, behalve als je in mijn situatie zit.

'Oeee,' zegt Zoë, terwijl ze de kamer binnenstapt. 'Chic de friemel, zoals mijn moeder zou zeggen!'

De inrichting van de kamer is helemaal toegesneden op de metroseksuele zakenman, die blijkbaar verzot is op zwarte glanzende dekbedovertrekken, chroomverlichting en kant-en-klare margarita's in de minibar. Zoë schuift de gordijnen open en kijkt uit over het oude stadspark van Boston. Dan trekt ze haar laarzen uit, laat zich op een van de bedden vallen en pakt een plastic tasje van de drogist. 'Nou, dan ga ik de spullen maar uitpakken.' Ze houdt twee tandenborstels omhoog, een blauwe en een paarse. 'Heb jij een voorkeur?'

'Zoë... je weet toch wel dat ik lesbisch ben, hè?'

'Ik had het over de tandenborstels,' zegt ze.

'Weet ik.' Ik haal mijn hand door mijn bespottelijke stekeltjeshaar. 'Ik wil alleen maar... ik wil niet dat je denkt dat ik iets voor je verzwijg.'

Ze gaat tegenover me op haar eigen bed zitten. 'Mijn sterrenbeeld is Vissen.'

'Wat maakt dat nou uit?'

'Wat maakt het mij uit dat jij lesbisch bent?' antwoordt Zoë.

Ik slaak een zucht. Kennelijk had ik mijn adem even ingehouden. 'Bedankt.'

'Hoezo?'

'Omdat... ik weet het niet. Omdat je bent wie je bent, denk ik.'

Ze glimlacht breed. 'Jaaa... wij Vissen zijn een bijzonder soort.' Ze rommelt in haar plastic tasje en haalt het doosje tampons tevoorschijn. 'Ben zo terug.'

'Gaat het wel goed met je?' vraag ik. 'Dit is al de vijfde keer binnen een uur dat je naar het toilet gaat.' Terwijl Zoë in de badkamer is, pak ik de afstandsbediening van de televisie. Er is een aanbod van veertig verschillende films. 'Moet je horen,' roep ik. 'We kunnen kiezen uit...' Ik som de titels op, terwijl de preview van een Adam Sandler-film eindeloos op het beeldscherm wordt herhaald. 'Ik heb wel zin in een comedy,' zeg ik. 'Heb jij die nieuwste film met Jennifer Aniston al gezien in de bioscoop?'

Geen antwoord. Ik hoor water stromen in de badkamer.

'Bedenkingen?' roep ik. 'Opmerkingen? Voors en tegens?' Snel neem ik de titels nog een keer door. 'Dan kies ik zelf iets, hoor!' Ik druk op pauze. Het keuzescherm staat stil, want ik wil niet dat Zoë het begin van de film mist. Intussen bekijk ik de menukaart van de roomservice. Voor de prijs van een biefstuk zou ik zowat een tweede autootje kunnen aanschaffen. En waarom bieden ze ijs uitsluitend aan in bekers van een halve liter? Een doodgewoon, klein ijsje is wel genoeg voor mij. Enfin, het ziet er in ieder geval aanlokkelijker uit dan wat ik thuis voor mezelf zou koken.

'Zoë, ik rammel van de honger!' Ik werp een blik op de klok. Het is tien minuten geleden dat ik het televisiescherm op pauze heb gezet. Zoë zit nu al minstens een kwartier in de badkamer.

Is ze stiekem toch geschokt door mijn mededeling dat ik lesbisch ben? Heeft ze er nu spijt van dat ze met mij op één kamer zit? Is ze bang dat ik midden in de nacht bij haar in bed kruip? Ik sta op en klop op de badkamerdeur. 'Zoë?' roep ik. 'Is er iets?'

Stilte.

'Zoë?'

Nu word ik zenuwachtig.

Ik rammel aan de deurknop. Ik roep opnieuw haar naam en gooi vervolgens mijn hele gewicht tegen de deur, zodat het slot open knalt.

De kraan loopt. De doos tampons is ongeopend. En Zoë ligt bewusteloos op de tegelvloer, haar spijkerbroek tot haar enkels afgestroopt en haar slipje doordrenkt met bloed.

Ik rijd met Zoë mee in de ambulance. Het is gelukkig maar een korte afstand naar het Brigham-ziekenhuis, waaraan het grootste gynaecologisch behandelcentrum van Boston verbonden is. Mocht er een lichtpuntje zijn in deze ellendige situatie, dan is het wel dat we juist hier gestrand zijn. In deze stad zit je nagenoeg op loopafstand van een aantal van de beste medische voorzieningen ter wereld. De ambulancebroeder vraagt: *Is ze altijd zo bleek? Is dit al eerder voorgevallen?*

Eigenlijk weet ik op geen van beide vragen een antwoord te geven.

Dan komt Zoë weer bij bewustzijn. Ze is nog zo slap dat ze niet rechtop kan zitten. 'Maak je niet druk...' mompelt ze. 'Gebeurt... nogal vaak.'

En plotseling besef ik dat, hoeveel ik ook over Zoë Baxter denk te weten, er nog veel meer is dat ik niet weet.

Terwijl een arts haar onderzoekt en zij een bloedtransfusie krijgt, zit ik in de wachtruimte. Daar hangt een televisie waarop een herhaling van *Friends* te zien is. Verder is het doodstil in het ziekenhuis, bijna spookachtig. Ik vraag me af of de artsen hier ook allemaal vastzitten vanwege de sneeuwjacht, net als wij. Eindelijk komt een verpleegster naar me toe. Ze brengt me naar een kamer waar Zoë met gesloten ogen op bed ligt.

'Hé,' zeg ik zachtjes. 'Hoe gaat het nu?'

Ze draait haar hoofd naar me toe en kijkt omhoog naar de zak bloed die aan de infuusstandaard hangt. 'Ik voel me net een vampier.'

'Die zijn helemaal hot tegenwoordig, dat heb ik je toch verteld?' antwoord ik, in een poging tot een grap. We glimlachen geen van beiden. 'Wat zei de dokter?'

'Dat ik hiermee al eerder naar het ziekenhuis had moeten gaan.'

Mijn wenkbrauwen schieten omhoog. 'Ben je al eens eerder flauwgevallen toen je ongesteld werd?'

'Ik ben niet echt ongesteld. Ik heb geen eisprong, althans niet regelmatig. Dat heb ik nooit gehad. Maar sinds de... bevalling... lijkt dit voor mij op een menstruatie. De arts heeft een echo gemaakt. Ze zei dat er een oneffen gedeelte zichtbaar is in mijn baarmoederslijmvlies.'

Ik zit met mijn ogen te knipperen. 'Wat betekent dat?'

'Nieuwe misère. Ik moet gecuretteerd worden.' Zoë's ogen staan vol tranen. 'Het lijkt op een afschuwelijke flashback.'

Ik ga op de rand van haar bed zitten. 'Dit is iets heel anders,' zeg ik. 'Het komt heus wel in orde met jou.'

Het ís ook anders. Niet alleen omdat er ditmaal geen doodgeboren kindje zal zijn, dus geen overweldigend groot verdriet. Maar... de laatste keer dat Zoë met spoed naar het ziekenhuis moest, waren haar man en haar moeder bij haar. Nu ben ik de enige die hier naast haar zit. En wat weet ik nou af van zorgen voor iemand, behalve voor mezelf? Ik heb geen hond meer. Ik heb niet eens een goudvis. De orchidee die ik van mijn conrector voor de kerstperiode had gekregen, ligt nu al verdord in de vuilnisbak.

'Vanessa?' zegt Zoë. 'Wil jij mijn telefoon even aangeven, zodat ik mijn moeder kan bellen?'

Ik knik en pak haar mobiel uit haar tas. Op dat moment komen twee verpleegkundigen binnen om Zoë voor te bereiden op de operatie. 'Ik bel je moeder wel voor je,' beloof ik, terwijl Zoë de gang op wordt gereden. Even later klap ik haar telefoontje open.

Ik kan er niets aan doen. Het lijkt een beetje alsof je bij iemand op bezoek bent, daar even naar de wc gaat en de verleiding niet kunt weerstaan om in het medicijnkastje te kijken. Ik scroll door het telefoonboek op haar schermpje. Misschien krijg ik zo een beter beeld van Zoë. Welke mensen kent ze? Het ligt voor de hand dat het merendeel van de adressen op de lijst me niets zegt. En dan heb je natuurlijk het voorspelbare rijtje: de wegenwacht, het plaatselijke pizza-afhaalrestaurant, de telefoonnummers van het ziekenhuis, de verzorgingscentra en scholen waar ze werkt.

Maar af en toe rijzen er vraagtekens. Wie is Jane, bijvoorbeeld? Wie is Alice? Zijn het oude studievriendinnen of collega's van Zoë? Heeft ze het ooit met mij over Jane of Alice gehad?

Heeft ze ooit míjn naam laten vallen tegenover hén?

Max' nul-zesnummer staat ook nog steeds in haar telefoon geprogrammeerd. Ik vraag me af of ik hem moet bellen, onder deze omstandigheden. Zou Zoë willen dat ik hem belde?

Hoe dan ook, dat heeft ze me niet gevraagd. Ik speur de lijst verder af, op zoek naar Dara's nummer. Ze staat – nogal logisch – onder MAM. Ik klik op het balkje, maar krijg direct haar voicemail en verbreek de verbinding. Een alarmerend bericht achterlaten voor iemand die 5000 vijfduizend kilometer ver weg zit, lijkt me geen goed idee.

Dara kan nu toch niets doen om Zoë te helpen. Ik probeer haar straks nog wel een keer te bereiken.

Anderhalf uur nadat Zoë naar de operatiekamer is gebracht, rijden twee verpleegkundigen haar weer terug haar kamer in. 'Ze zal nog wel een tijdje versuft zijn,' zegt een van hen tegen me. 'Maar dat gaat vanzelf over. Het komt wel goed met haar.'

Ik knik en zie de verpleegsters de deur achter zich dichttrekken. 'Zoë?' fluister ik.

Ze is in diepe slaap. Haar wimpers werpen blauwachtige schaduwen op haar wangen. Haar ene hand ligt met de handpalm naar boven op de katoenen deken, alsof ze mij iets aanbiedt wat onzichtbaar voor me is. Een nieuwe literzak bloed hangt aan de infuusstandaard links van haar. Het bloed sijpelt gestaag door het kronkelende, doorzichtige slangetje dat onder haar huid in de binnenkant van haar elleboog uitkomt.

De laatste keer dat ik in een ziekenhuis was, lag mijn moeder op sterven. Het was heel geleidelijk gegaan. De diagnose was kanker aan de alvleesklier, en de behandeling onduidelijk. Maar niemand maakte er een geheim van dat de doses morfine die ze toegediend kreeg hoger en hoger werden. Dat ging net zo lang door tot de slaap het voorgoed gewonnen had van de pijn. Natuurlijk is Zoë mijn moeder niet, en haar mankeert iets heel anders. Maar door hoe ze daar ligt, roerloos en stil, voel ik me desondanks beklemd. Alsof ik een deel van mijn leven opnieuw beleef. Alsof ik een hoofdstuk moet herlezen waarvan ik nog steeds betreur dat het is afgedrukt.

'Vanessa,' zegt Zoë onverwacht, en ik spring op van mijn stoel. Ze likt met haar tong over haar droge, kleurloze lippen.

Ik grijp haar hand. Het is de eerste keer dat ik Zoës hand vasthoud, die klein en breekbaar aanvoelt. Ik voel de eelt op haar vingertoppen, van het gitaarspelen. 'Ik heb geprobeerd je moeder te bellen, maar ik kon haar niet bereiken. Ik kan natuurlijk een bericht inspreken, maar dat leek me...'

'Niet te geloven...' prevelt Zoë, die me blijkbaar niet gehoord heeft.

'Wat kun je niet geloven?' fluister ik. Ik buig me dieper over haar heen om haar te kunnen verstaan.

'Niet te geloven...'

Er zijn zoveel dingen die ik niet kan geloven. Dat mensen ooit zullen krijgen wat ze verdienen, zowel het positieve als het negatieve. Dat ik ooit in een wereld zal leven waar mensen worden beoordeeld op wat ze doen, zonder daarbij te betrekken van wie ze houden. Dat er een onvoorwaardelijk happy end bestaat, zonder bijkomende verwikkelingen.

'Niet te geloven,' herhaalt Zoë nogmaals, met zo'n dun stemmetje dat ik het gemakkelijk in mijn zak zou kunnen stoppen. '... dat we al dat geld hebben verspild aan een hotelkamer...'

Ik kijk naar haar gezicht om te zien of ze een grapje maakt, maar ze is alweer ingedommeld.

Er was een tijd dat homo's en lesbo's niets met opvoeding en onderwijs te maken mochten hebben. Die is voorbij. Toch is het beleid van horen, zien en zwijgen nog volop in zwang op de scholengemeenschap waar ik werk. Ik probeer niet koste wat kost voor mijn collega's te verbergen dat ik lesbisch ben, dat niet. Maar ik maak er zeker geen ophef over. Ik ben hier een van de twee volwassen adviseurs voor de Rainbow Alliance, een aanspreekpunt – en toevluchtsoord – voor homoseksuele leerlingen. Maar de andere adviseur op het Wilmington College, Jack Kumanis, is door en door hetero. Hij heeft vijf kinderen, doet mee aan triatlons en citeert graag uit *Fight Club*. Hij is toevallig wel opgevoed door twee moeders.

Maar ik blijf hoe dan ook voorzichtig. Een schooldecaan doet meestal de deur van zijn kantoortje dicht als hij een persoonlijk gesprek wil voeren met een leerling. Ik niet. Mijn deur staat altijd op een kier. Iedereen mag mij bezig zien, is de boodschap van die kierstand. Niemand hoeft zich af te vragen of wat daarbinnen gebeurt wel helemaal door de beugel kan.

Mijn baan houdt een hele waaier van activiteiten in. Van een luisterend oor bieden aan leerlingen tot netwerken met toelatingscommissies voor vervolgonderwijs. Het is mijn taak te zorgen dat onze school op de denkbeeldige kaart staat van beroepsonderwijsinstellingen, hogescholen en universiteiten. Maar ik moet ook opkomen voor een verlegen leerling die zich zelf niet goed kan uiten. Plus dat ik veelvuldig aan het jongleren ben met logistiek, om bijvoorbeeld driehonderd leerlingen in te roosteren die allemaal Engels hebben opgegeven als eerste keuzevak. Vandaag probeer ik troost te bieden aan de moeder van Michaela Berrywick, een jonge bovenbouwleerling die zojuist een zeven heeft gekregen voor maatschappijleer. 'Mevrouw Berrywick,' zeg ik, 'dat is toch niet het einde van de wereld.'

'U begrijpt het niet, mevrouw Shaw. Michaela wil al van héél jongs af aan dolgraag naar Harvard.'

Dat waag ik te betwijfelen. Geen enkel kind komt het geboortekanaal uit met een stipte planning voor haar eindresultaten op de middelbare school, inclusief de naam van de vervolgopleiding. Dat is volgens mij eerder te wijten aan overijverig, ambitieus ouderschap. Toen ik op school zat, bestond de term 'helikopterouder' nog niet. Maar nu zitten overbezorgde ouders hun kinderen soms zo dicht op hun huid dat die af en toe niet meer weten hoe ze gewoon kind moeten zijn.

'Ze vindt het echt verschrikkelijk dat één docent maatschappijleer een permanente smet op haar schoolresultaten werpt. Die man mág onze dochter gewoon niet,' zegt mevrouw Berrywick nadrukkelijk. 'Michaela is volledig bereid om een extra werkstuk voor meneer Levine te maken als hij dit cijfer wil heroverwegen...'

'Maar het kan Harvard niet schelen of Michaela ooit een zeven heeft gekregen voor maatschappijleer. De toelatingscommissie van Harvard wil weten hoe ze zich als bovenbouwleerling heeft ontwikkeld. Wat ze geleerd heeft over wie ze echt is en wat haar capaciteiten zijn. Dat ze een interessegebied heeft gevonden waar ze zichzelf in kwijt kan...'

'Precies,' zegt mevrouw Berrywick. 'Daarom is ze alvast bij een studiegroep gegaan, ter voorbereiding op haar eindexamens én haar toelatingsexamen voor de universiteit.'

Zucht. Michaela doet pas over ruim twee jaar eindexamen, en dat geldt ook voor het toelatingsexamen voor Harvard. 'Ik zal dit met meneer Levine bespreken,' zeg ik. 'Maar ik kan u niets concreets beloven.'

Mevrouw Berrywick klikt haar handtasje open en haalt een vijftigdollarbiljet tevoorschijn. 'Wat fijn dat u mijn kant van de zaak serieus neemt.'

'Ik mag geen geld van u aannemen. U kunt geen hoger cijfer kópen voor Michaela...'

'O nee, zo bedoel ik het niet,' onderbreekt ze me met een geforceerd glimlachje. 'Michaela verdient gewoon een hoger cijfer. 'Ik wil u alleen... mijn erkentelijkheid tonen.'

'Dank u,' zeg ik, en druk het bankbiljet terug in haar handen. 'Maar ik kan dit echt niet accepteren.'

Ze bekijkt me van top tot teen. 'Niet om het een of ander,' fluistert ze samenzweerderig, 'maar u zou best wat nieuwe kleding kunnen gebruiken.'

Ik krijg een aanvechting om Alec Levine te gaan vragen Michaela een láger cijfer te geven, wanneer ik iemand hoor huilen in de wachtruimte voor mijn kantoortje. 'Neem me niet kwalijk,' zeg ik, en zwaai demonstratief de deur verder open, in de verwachting dat de leerlinge teruggekomen is die ik een uur geleden nog heb gesproken. Ze is twaalf dagen over tijd en haar vriendje heeft haar gedumpt nadat ze seks hadden gehad. Ik grijp alvast naar mijn doos tissues – schooldecanen zouden een bonus moeten krijgen van de Kleenex-fabrikant. Dan steek ik mijn hoofd om de deur.

Maar het is niet het meisje dat ik verwachtte. Het is Zoë.

'Hoi,' zegt ze en probeert te glimlachen, maar dat mislukt jammerlijk.

Ons rampzalige tripje naar Boston is inmiddels drie dagen geleden. Anderhalf uur na Zoës curettage kreeg ik eindelijk haar moeder aan de lijn, die meteen daarna op het vliegtuig naar huis stapte. Ik ben bij Zoë gebleven tot haar moeder arriveerde. Sindsdien heb ik Zoë ontelbaar vaak gebeld om te informeren hoe het met haar ging. 'Als je me nog één keer vraagt hoe ik me voel, hang ik op, hoor,' had ze ten slotte gedreigd. Eigenlijk zou ze vandaag weer aan het werk gaan.

'Wat is er aan de hand?' vraag ik, terwijl ik haar meetrek mijn kamer in.

Nu sluit ik de deur wél.

Zoë pakt een tissue en veegt haar ogen af. 'Ik begrijp het gewoon niet. Wat doe ik verkeerd?' zegt ze met trillende lippen. 'Ik probeer sociaal te zijn, ik scheid mijn afval en ik geef geld aan daklozen. Ik zeg alstublieft en dank u wel en ik flos mijn tanden elke dag. Op eerste kerstdag ben ik vrijwilligster in een gaarkeuken. Ik werk met alzheimerpatiënten en mensen die depressief zijn en brandwondenslachtoffers. Ik probeer ze iets mee te geven waar ze even op kunnen teren,

al is het nog zo weinig.' Ze kijkt me aan. 'En wat krijg ík? Vruchtbaarheidsproblemen. Miskramen. Een doodgeboren baby. Een longembolie, verdomme. Een echtscheiding.'
'Het is niet eerlijk,' zeg ik alleen maar.
'Nou, dat geldt ook voor het telefoontje dat ik vandaag kreeg.
Weet je nog, de gynaecologe van het Brigham-ziekenhuis? Die belde
me vanmorgen. Ze zei dat ze na de curettage wat weefselonderzoek
hadden gedaan. En wat blijkt?' Zoë schudt haar hoofd. 'Ik heb kanker. Endometriumkanker. Dat is kanker van het baarmoederslijmvlies, om precies te zijn. O ja, maar wacht even, ik ben nog niet
klaar. Dit is namelijk góéd nieuws. Want ze hebben het tijdig ontdekt, dus moet ik gewoon eventjes mijn baarmoeder laten verwijderen en dan is alles weer tiptop in orde. Als dat geen lot uit de loterij is, dan weet ik het niet meer. Waar heb ik al deze zegeningen aan
verdiend? Ik bedoel maar, wat kan me nog meer gebeuren? Een
piano die per ongeluk op mijn hoofd valt vanaf de tweede verdieping? Mijn huisbaas die me uit mijn huis zet?' Ze komt overeind en
begint een wilde rondedans. 'Kom maar tevoorschijn!' roept ze,
naar de muren, de vloer en het plafond. 'Wat is dit voor een klote-
versie van *Bananasplit*? Waar zit de verborgen camera? Wíé mij ook
gekozen heeft tot Kop van Jut van het Jaar... het is gelukt. Het is
gelúkt. Het...'
Ik sta op, sla mijn armen stijf om haar heen en kap zodoende haar
woorden af, wat ze ook nog had willen zeggen. Even staat Zoë on-
beweeglijk tegen me aan. Dan begint ze te snikken, met haar gezicht
tegen mijn zijden blouse gedrukt. 'Zoë, begin ik. 'Wat...'
'Hou je mond,' onderbreekt Zoë me. 'Waag het niet om te zeggen
"Wat erg voor je".'
'O, nee,' zeg ik met een uitgestreken gezicht. 'Ik vind het helemaal
niet erg. Ik bedoel, louter statistisch gezien is dit voor mij alleen maar
gunstig. Dat jou dit allemaal overkomt, betekent dat ik nu relatief
veel minder kans loop op al die narigheid. Jij bent eigenlijk mijn ge-
lukspoppetje.'
Zoë knippert met haar ogen, totaal verbouwereerd. En dan begint
ze keihard te schateren. 'Ongelooflijk dat je dat zei.'
'Ongelooflijk dat ik jou zo aan het lachen heb gemaakt. Je zou nu
eigenlijk de goden moeten vervloeken, of je geloof afzweren of zoiets.

Ik moet je dit zeggen, Zoë. Jij bent bepaald niet geknipt voor de rol van lijdzame kankerpatiënt.'

Weer een lachsalvo. 'Ik heb kanker,' hikt ze ongelovig. 'Ik heb écht kanker.'

'Misschien lukt het je binnenkort nog om er koudvuur bovenop te krijgen.'

'Ach, ik wil niet te gretig overkomen,' antwoordt Zoë. 'Ik bedoel, er is vast wel iemand anders die grote behoefte heeft aan een sprink-hanenplaag, of de Mexicaanse griep, of....'

'... Q-koorts,' vul ik aan. 'Een termietenplaag!'

'Parodontitis..., scheurbuik...'

'Een lekke uitlaat,' breng ik te berde.

Zoë is even stil. 'Metaforisch gezien,' zegt ze, 'is daar de ellende mee begonnen.'

Daar moeten we nog harder om lachen. Zo hard zelfs dat de afde-lingssecretaresse haar hoofd naar binnen steekt om te checken of we in orde zijn. Inmiddels stromen de tranen over mijn wangen en heb ik letterlijk buikpijn van het lachen. 'Mijn baarmoeder moet eruit,' zegt Zoë, die met haar hoofd op haar knieën ligt om op adem te komen. 'En ik heb de slappe lach. Wat mankeert me?'

Ik kijk haar zo serieus mogelijk aan. 'Nou... ik heb begrepen dat je kanker hebt,' zeg ik.

Na mijn coming-out tijdens die stille tocht voor Matthew Shepard ge-beurde er iets heel bijzonders. Ik had Ted, mijn toenmalige vriend, nog amper verteld dat ik lesbisch was, toen hij me bekende dat hij homo was. Daar stonden we dan, een homo en een lesbienne die zich als hetero's voordeden voor hun medestudenten. Maar nu speelden we eindelijk open kaart. We gaven elkaar nog steeds af en toe een knuffel of liepen met onze armen om elkaars schouders. Maar wat een opluchting dat we niet meer hoefden te proberen elkaar op te vrij-en (zonder succes), of te pretenderen dat we nauwelijks van elkaar konden afblijven. In het verleden vertelde ik heteroseksuele kennissen wel eens dat ik in mijn eerste studiejaar een vriendje had en dat ik met hem naar bed ging, met alles erop en eraan. Dan waren ze altijd stom-verbaasd. Maar dat ik lesbisch ben, betekent niet dat ik geen seks kan hebben met een man. Het staat alleen niet bepaald hoog op mijn verlanglijstje. Vlak na onze wederzijdse blijde bekentenis gingen Ted en ik naar Provincetown voor de jaarlijkse Gay Parade. We kwamen ogen tekort toen we de mannelijke travestieten in hun fantastische outfits en op hoge hakken door de hoofdstraat zagen schrijden. En dan die horde gebronsde, met olie ingesmeerde mannen die in een miniem veterbroekje over het strand wandelden. We gingen naar een thé dansant bij de Boatslip, een spetterende parade van homo- en biseksuelen, travestieten en transseksuelen. Daarna naar de PiedBardansclub. Echt, ik had nog nooit in mijn leven zoveel lesbiennes bij elkaar gezien. Dat weekend was het alsof de wereld op zijn kop stond. Alsof hetero's de afwijkende soort waren in plaats van de norm.

En toch had ik niet het gevoel dat ik daar op dat holebi-festijn wél in mijn element was. Ik ben nooit zo'n lesbienne geweest die altijd alleen maar rondhangt met andere lesbo's of homo's. Ik ben geen decadent feestbeest, geen *butch*, geen *femme* of lipsticklesbo. Ik ben hoe dan ook geen typische pot, en zo zie ik er ook niet uit. Ik draag geen stoere, mannelijke kleding, geen leer, en ik ben dolblij dat de tuinbroek al decennialang uit de mode is. Dat ene weekend in Provincetown was leuk, maar ik ben geen type voor de meer uitbundige kant van het homocircuit. Natuurlijk zijn er ook genoeg homo-ontmoetingsplaatsen waar je je niet hoeft uit te sloven om jezelf te profileren. Maar toch heb je nog steeds meer kans mij om acht uur 's avonds in pyjama voor de televisie aan te treffen dan in café De Roze Engel. Wat betekent dat de meeste vrouwen die ik tegenkom waarschijnlijk eerder hetero zijn dan lesbisch.

Iedere homoseksueel heeft wel eens de pech gehad dat zij of hij verliefd werd op een hetero. De eerste keer dat het gebeurt, denk je: *door mij zal ze veranderen. Ik ken haar beter dan ze zichzelf kent.* Maar korte tijd later zit je onveranderlijk met een verbroken relatie en, minstens even pijnlijk, een gebroken hart. In zekere zin lijkt het op zo'n vrouw die zich laat mishandelen door haar man. Zij weet zéker dat die vent van wie ze houdt en die haar elke avond slaat, daar uiteindelijk mee zal stoppen. Het punt is in beide gevallen dat mensen niet veranderen omdat jíj dat wilt. Dat het niet uitmaakt hoe leuk en charmant je bent of hoe vurig je van iemand houdt; je kunt iemand niet omtoveren tot iets wat ze niet is.

Mijn hele kindertijd was ik doorlopend verliefd op heteroseksuele meisjes, ook al kon ik mijn gevoelens toen nog niet benoemen. Maar de eerste keer dat ik als volwassene de fout inging was met Janine Durfee, die op het eerste honk speelde in een softbalteam van de universiteit. Ik wist dat ze een vriendje had, een jongen die haar aan de lopende band belazerde met andere meiden. Op een avond kwam ze naar mijn kamer, helemaal in tranen, omdat ze hem betrapt had met een ander. Ik vroeg haar binnen zodat ze een beetje kon kalmeren. Ik probeerde haar te troosten en op de een of andere manier liep dat uit op een zoenpartij, en daarna tien heerlijke dagen waarin wij een stelletje waren. Vervolgens ging ze terug naar het joch dat haar als oud vuil behandelde. 'Het was hartstikke leuk met jou, Vanessa,' zei ze verontschuldigend. 'Maar ik ben gewoon niet zo.'

Overigens: ik heb een heleboel heterovriendinnen. Gewone vriendinnen op wie ik totaal niet val, maar met wie ik ga lunchen, naar de film ga of wat dan ook. Het is in de loop der jaren een paar keer gebeurd dat een van die vrouwen me toch een bijna onmerkbare kriebel in mijn buik bezorgde. Dat het onwillekeurig door mijn hoofd schoot: *Stel dat*. Van die vrouwen houd ik bewust een beetje extra afstand, hoe graag ik ze ook mag. Want ik ben geen masochist. Ik wil gewoon nooit meer te horen krijgen: 'Het ligt niet aan jou hoor, maar ik ben gewoon niet zo.'

Ik ben geen proeftuin. Ik ben geen vrijwilligster in een experiment van iemand anders. En ik wil niet meer proberen te bewijzen dat ik door mijn persoonlijke charme kan veranderen hoe iemand biologisch geprogrammeerd is. Dat lijkt me onzinnig.

Ik ben ervan overtuigd dat ik lesbisch geboren ben. Dus moet ik wel aannemen dat voor iemand die als heteroseksueel geboren is, hetzelfde geldt. Maar ik geloof ook dat je verliefd wordt op een persóón, en als je het rationeel bekijkt zou dat soms een man kunnen zijn, en soms een vrouw. Ik heb me afgevraagd wat ik zou doen als de grote liefde van mijn leven een man blijkt te zijn. Voel je je tot mensen aangetrokken om wíé ze zijn of om wát ze zijn?

Ik weet het niet. Maar ik weet wél dat ik in de fase ben beland waarin ik op zoek ben naar vastigheid. Ik wil 'voor altijd' en niet meer 'voor even'.

Ik weet dat de eerste persoon die ik heb gekust lang niet zo belangrijk is als de laatste die ik zal kussen.

En ik weet wel beter dan te dagdromen over dingen die niet kunnen.

Ik zit aan mijn bureau en kom nergens toe.

Om de twee minuten kijk ik op het digitale klokje in de beneden-hoek van mijn computerscherm. Het is 12:45, wat betekent dat Zoë haar operatie eigenlijk al achter de rug moet hebben.

Haar moeder is bij haar in het ziekenhuis. Ik heb overwogen er ook heen te gaan, maar zou dat niet vreemd overkomen? Tenslotte heeft Zoë me niet gevráágd om te komen, en ik wil me niet opdringen. Misschien wil ze graag alleen zijn met haar moeder.

Of heeft ze me niet gevraagd omdat ze niet wilde dat ik me ver-plicht zou voelen?

Maar ik zou het absoluut niet ervaren hebben als een verplichting.

12:46.

Afgelopen weekend zijn Zoë en ik naar het grootste kunstmuse-um van Rhode Island geweest. De lopende tentoonstelling was een lege zaal met rijen kartonnen dozen langs de randen van de ruimte. Ik was op zo'n doos gaan zitten, maar werd direct op mijn vingers getikt door een suppoost. Het was me ontgaan dat ik mezelf per ongeluk tot onderdeel van het kunstwerk had gemaakt. 'Misschien ben ik ouderwets,' had ik gezegd. 'Maar geef mij maar een olieverf-schilderij.'

'Jammer voor jou dat Marcel Duchamp daar anders over dacht,' antwoordde Zoë. 'Die heeft in 1917 gewoon een urinoir gepakt, ge-signeerd en naar een kunsttentoonstelling gestuurd. Hij noemde het *Fontein*.'

'Grapje, zeker?'

'Nee,' zei Zoë. '*Fontein* is onlangs nog door zo'n vijfhonderd con-naisseurs gekozen tot het invloedrijkste kunstwerk uit de modernisti-sche periode.'

'Dan zal het wel de bedoeling zijn dat je beseft dat alles kunst kan zijn, of het nu een urinoir is of een kartonnen doos, zodra je het in een museum neerzet?'

'Inderdaad. En daarom heb ik besloten mijn baarmoeder te done-ren aan dit museum,' zei Zoë met een stalen gezicht. 'Aan de afdeling moderne kunst, dat spreekt.'

'Doe er dan wel een paar kartonnen dozen bij. En een raam. Dan kun je het *Baarmoeder met uitzicht* noemen.'

Ze lachte een beetje weemoedig. 'Meer iets van *Baarmoeder zonder inhoud*,' had ze gezegd. Voordat ze de kans kreeg om te gaan somberen, trok ik haar mee het museum uit naar een restaurantje iets verderop in de straat. Daar serveren ze echt overheerlijke cappuccino's met fantastische schuimkoppen erop. Dat noem ik pas kunst.

12:50.

Zou Dara me bellen zodra Zoë geopereerd is? Ik bedoel, het is volkomen normaal dat ik wil weten of ze er goed doorheen gekomen is. Maar dat Dara nog niet gebeld heeft, hoeft nog niet te betekenen dat er iets mis is. Toch?

Ik ben zo iemand die al snel het ergste denkt. Wanneer vrienden van me ergens naartoe gaan per vliegtuig, check ik de aankomsttijden op het internet. Er gebeuren tenslotte regelmatig vliegtuigongelukken. Als ik de stad uitga, trek ik in huis alle stekkers uit het stopcontact voor het geval dat zich een stroomstoring voordoet.

Op mijn browser tik ik de homepage in van het ziekenhuis waar Zoë geopereerd wordt. Daar word ik niets wijzer van. Ik typ de woorden *laparoscopische hysterectomie* in de zoekbalk van Google en klik door naar de lijst met mogelijke complicaties.

Als de telefoon gaat, stort ik me nagenoeg op het toestel. 'Hallo?'

Maar het is niet Dara of Zoë. Ik hoor een klein, dun stemmetje, zo zwak dat het amper tot me doordringt. 'Gewoon even afscheid nemen,' murmelt Lucy DuBois.

Het is het zestienjarige meisje over wie ik met Zoë gesproken heb, weken geleden. Degene die nu al enige tijd zwaar depressief is. Dit is niet voor het eerst dat ze me belt terwijl ze in een crisis zit.

Maar het is wel voor het eerst dat ze zó klinkt als nu. Alsof ze diep onder water is en pijlsnel verder naar de bodem zinkt.

'Lucy?' schreeuw ik door de telefoon. 'Waar ben je?' Op de achtergrond hoor ik een trein fluiten, en iets wat klinkt als klokgelui.

'Zeg maar tegen iedereen,' brabbelt Lucy onduidelijk, 'dat ze voor mij de pestpokken kunnen krijgen.'

Ik graai de presentielijst van vandaag naar me toe, waarop Lucy DuBois heel profetisch afwezig is gemeld.

Iemands leven redden, dat is een aparte gewaarwording.

Op basis van de treinfluit en de kerkklokken die ik had gehoord kon de politie vaststellen waar ze moesten zoeken. Lucy moest zich in de buurt van een oude, houten brug bevinden achter één bepaalde katholieke kerk waar de mis altijd om een uur 's middags werd opgedragen. Ze vonden haar liggend onder een schraag van de brug, met drie blikjes Red Bull en vier doordrukstrips van elk tien tabletten paracetamol, alles leeg.

Ik tref haar moeder in het ziekenhuis. Lucy heeft intussen een adsorberende kooloplossing en acetylcysteïne toegediend gekregen. Ze is overgebracht naar de psychiatrische afdeling van het ziekenhuis vanwege suïcidegevaar. Het is nog niet duidelijk hoeveel schade haar lever en nieren hebben geleden door de overdosis paracetamol.

Sandra DuBois gaat naast me zitten op een stoel in de wachtkamer. 'Ze houden haar een paar dagen hier voor observatie,' zegt ze en dwingt zichzelf mij recht in de ogen te kijken. 'Mevrouw Shaw, ik weet niet hoe ik u moet bedanken.'

'Zegt u alstublieft Vanessa,' antwoord ik. 'En ik weet wél hoe u me kunt bedanken. Laat mij uw dochter helpen.'

De afgelopen maand heb ik herhaaldelijk op Lucy's ouders ingepraat. Ik heb geprobeerd hen te overtuigen dat muziektherapie een beproefde, wetenschappelijk verantwoorde manier is om te trachten door te dringen tot hun dochter, die steeds sterker geïsoleerd raakt. Tot nu toe hebben ze mijn advies in de wind geslagen. Sandra en haar man zijn overtuigd lid van de Eeuwige Gloriekerk en zij stellen psychische aandoeningen niet op één lijn met lichamelijke ziekte. Als Lucy werd gediagnosticeerd met blindedarmontsteking zouden ze de noodzaak van een behandeling inzien. Maar depressie is volgens hen iets wat met een paar nachtjes lekker slapen en een keer extra naar de Bijbelkring wel weer wegtrekt.

Hoeveel zelfmoordpogingen zal het kosten om dat inzicht te veranderen?

'Mijn man gelooft niet in psychiaters...'

'Dat hebt u me verteld, ja.' De vader is niet eens naar het ziekenhuis gekomen, ondanks het feit dat het dit keer kantje boord was met Lucy. Hij schijnt op zakenreis te zijn. 'Uw man hoeft het niet per se te weten. We kunnen dit beschouwen als iets tussen u en mij.'

Ze schudt haar hoofd. 'Hoe zou liedjes zingen iets kunnen uitmaken? Dat zie ik echt niet in.'

'"Prijs de Heer met blijde galmen,"' citeer ik, en ze knippert met haar ogen in mijn richting, alsof ik voor het eerst haar taal spreek. 'Kijk, mevrouw DuBois, ik weet niet waar Lucy uiteindelijk het best mee geholpen is. Maar wat u en ik tot dusver hebben gedaan blijkt in ieder geval niet te werken. En ook al hebt u een compleet kerkgenootschap achter u staan dat dagelijks voor Lucy bidt, als ik in uw schoenen stond zou ik daarnaast een Plan B opstarten. Gewoon voor Lucy's veiligheid.'

Sandra's neusvleugels trillen. Nu heb ik ongetwijfeld die wazige grens overschreden waar professionaliteit en persoonlijke overtuiging in elkaar overgaan. 'Die muziektherapeut,' zegt ze ten slotte, 'heeft die al eerder met pubers gewerkt?'

'Heel veel.' En na enige aarzelen voeg ik eraan toe: 'Ze is een vriendin van me.'

'Maar is ze een goed christen?'

Plotseling besef ik dat ik geen idee heb of Zoë gelovig is. En zo ja, welke godsdienst ze dan aanhangt. Heeft ze in het ziekenhuis om een dominee gevraagd, of een priester? Heeft ze op haar intakeformulier een vinkje gezet bij een bepaald geloof? Sandra en ik zijn uitgepraat, lijkt het. Ze staat op en loopt de gang in, naar Lucy.

En dan herinner ik me opeens wat Zoë verteld heeft over Max. 'Jazeker!' roep ik Lucy's moeder na. 'Een aantal familieleden van haar zijn lid van uw gemeente!'

Sandra houdt haar pas in. En dan, voordat ze om de hoek verdwijnt, kijkt ze me over haar schouder aan en knikt me instemmend toe.

De eerste dag dat ik Zoë opzocht, was ze nog niet bij kennis. Haar moeder en ik speelden rummikub. Tussendoor stelde Dara me indringende vragen over mijn jeugd. Uiteindelijk bood ze me aan om met behulp van de achtergebleven groenetheeblaadjes in mijn plastic beker mijn toekomst te voorspellen.

De tweede dag dat ik op bezoek ging, nam ik een zelfgemaakte bloem voor Zoë mee. Ik had dertig gitaarplectrums in een stuk modelschuim geprikt, in de vorm van een madeliefje. En laat ik erbij zeggen dat ik geen kei ben in handvaardigheid, sterker nog, dat ik braakneigingen krijg als iemand me een lijmpistool of een haaknaald voor mijn neus houdt.

De derde dag staat Zoë me op te wachten bij haar eigen voordeur.

'Ontvoer me alsjeblieft,' smeekt ze.

Ik kijk over haar schouder heen richting keuken, waar ik Dara hoor kletteren met aardewerk en pannen. Ze staat blijkbaar te koken.

'Ik meen het, Vanessa. Als ik nog één woord moet aanhoren over de positieve effecten van koperen armbanden op mijn gezondheid, dan... dan sta ik niet voor mezelf in.'

'Als ik jou zomaar meeneem, wordt het mijn dood,' fluister ik, met een blik op Dara.

'Maar als je het niet doet, wordt het míjn dood,' pleit Zoë.

'En je mag nog niet eens lopen...'

'De dokter heeft niet gezegd dat ik geen autoritje mag maken. Frisse lucht is bevorderlijk voor de genezing,' zegt ze, 'en jij hebt een cabriolet...'

'Het is januari hoor,' sputter ik tegen.

Toch weet ik nu al dat ik zal doen wat ze van me vraagt. Zoë zou me er waarschijnlijk van kunnen overtuigen dat Antarctica midden in de winter een ideale vakantiebestemming is Ach wat, ik zou zelf ook meteen een ticket boeken, als zij ging.

Ik volg haar aanwijzingen en we komen terecht bij een met sneeuw bedekte golfbaan. Zo te zien is dit een geliefde verzamelplaats voor plaatselijke basisschoolkinderen, die onvermoeibaar hun opblaasbare sleetjes de heuvel op zeulen. Boven aangekomen grijpen ze elkaars armen en benen en sleeën gillend van plezier naar beneden, verbonden als de atomen van een reusachtig molecuul. Zoë draait het autoraampje omlaag zodat we hun stemmen kunnen horen.

'Man, dat was gaaf.'

'Je knalde bijna tegen die boom!'

'Zag je hoe hard ik ging?'

'Volgende keer mag ik vooraan in de ketting...'

'Herinner jij je die tijd nog?' vraag ik. 'Toen het ergste wat je op een dag kon overkomen was dat je alleen maar boterhammen met pindakaas in je broodtrommeltje had tussen de middag?'

'Of hoe opgetogen je was als je uit je bed stapte en ontdekte dat er sneeuw lag?'

'Dat heb ik nog steeds,' beken ik.

Zoë kijkt toe hoe de horde kinderen opnieuw de heuvel bestormt. 'Toen ik in het ziekenhuis lag, droomde ik over een klein meisje met wie ik samen op een ouderwetse houten slee zat. Zij zat voor me en ik hield haar om haar middel vast. Het was de eerste keer dat ze sleetje ging rijden. Die droom was zo, zo echt. Ik bedoel, mijn ogen traanden door de wind, mijn wangen voelden ijskoud aan en dat meisje... Ik had mijn neus in haar haar gedrukt, en kon haar shampoo echt rúíken. Ik voelde haar hart kloppen.'

Dus daarom heeft ze me meegenomen naar deze plek. Daarom zit ze nu naar deze kinderen te kijken alsof ze hun gezichtjes voor altijd in haar geheugen wil prenten. 'Ik gok erop dat je dat meisje niet kende?'

'Nee. En nu zal ik haar ook nooit meer leren kennen.'

'Zoë...' Ik leg mijn hand op haar arm.

'Ik wilde altijd zo graag moeder worden,' zegt ze. 'Maar waarom? Ik dacht omdat ik verhaaltjes wilde voorlezen voor het slapengaan, of omdat ik mijn kind wilde zien zingen in het schoolkoor. Of, veel later, om samen met haar te gaan winkelen en een jurk uitzoeken voor haar eindexamenfeest. Je weet wel, die dingen waarvan ik nog weet dat mijn eigen moeder er zoveel plezier in had. Maar ik had het mis,' vervolgt Zoë. 'Míjn ware motief was eigenlijk heel egoïstisch. Ik wilde iemand die later mijn houvast in het leven zou worden, begrijp je? Zo iemand die elke dag belt, gewoon voor het contact. Iemand die midden in de nacht voor je naar de apotheek gaat als je ziek bent. Die jou mist als je weg bent. Kortom, iemand die wel van je móét houden, wat er ook gebeurt.'

Zo iemand zou ik voor jou kunnen zijn.

De gedachte komt als een donderslag bij heldere hemel. Opeens besef ik dat wat ik als vriendschap heb aangemerkt veel meer is dan dat, tenminste van mijn kant. Tegelijkertijd zie ik in dat wat ik van Zoë wil, iets is wat ik nooit zal krijgen.

Dit is me eerder overkomen, dus ik weet wat ik moet doen; wat voor toneelstukje ik moet opvoeren.

Ik ga niet voor alles of niets, want dan weet ik zeker dat ik haar kwijtraak.

Dus schuif ik een stukje bij Zoë vandaan en trek mijn hand terug. Ik schep opzettelijk ruimte tussen ons. 'Nou,' zeg ik, met een geforceerde glimlach, 'je zult het voorlopig met mij moeten doen.'

4

Laatste liefde

ZOË

Wat mijn eerste hechte vriendschap betreft, zocht ik het dicht bij huis. Ik zat in groep zes van de basisschool toen ik beste vriendinnen werd met Ellie, die bij ons aan de overkant van de straat woonde. Haar huis zag er altijd een beetje haveloos uit, met doorgezakte dakgoten en verveloze kozijnen. Haar moeder was alleenstaand, net als de mijne. Maar Ellies moeder was single uit vrije keus, niet door een gril van het noodlot. Ze werkte bij een verzekeringsmaatschappij. Naar kantoor droeg ze platte schoentjes en streng ogende broekpakken, maar in het weekend zag ze er heel anders uit. Op zaterdagavond zaten we vol bewondering toe te kijken hoe ze verleidelijke valse wimpers aanbracht en haar haar toupeerde voor ze uitging naar een dansclub.

Ik was in alles tegenovergesteld aan Ellie. Zij was op haar elfde jaar een heel mooi meisje, met lange blonde krullen waar altijd zonlicht doorheen leek te spelen. Ze had lange, bruine, veulenachtige benen. Het was onveranderlijk een puinhoop op haar kamer, waar massa's kleren, tijdschriften en knuffels rondslingerden. Als ik langskwam, schoof ze de rommel met één armbeweging van haar bed af op de vloer zodat wij konden zitten. Af en toe sloop ze zonder gewetensbezwaren haar moeders kamer binnen om damesjurken en parfums te 'lenen' en zichzelf mooi te maken. Ze las altijd tijdschriften, geen boeken.

Ellie en ik hadden één ding gemeen: we hadden geen van beiden een vader. Daarin waren we anders dan alle andere kinderen in onze groep. Want zelfs klasgenootjes van wie de ouders gescheiden waren, gingen soms in het weekend of in de vakanties bij de afwezige ouder logeren. Ellie en ik niet. Bij mij was de reden overduidelijk en Ellie had haar vader nooit ontmoet. Ellies moeder verwees naar hem als de Ware, op eerbiedige toon. Daardoor dacht ik dat hij jong gestorven moest zijn, net als mijn eigen vader. Jaren later hoorde ik dat het heel anders zat en dat de Ware een springlevende, getrouwde man was die zijn vrouw had bedrogen, maar niet van haar wilde scheiden.

De avonden dat Ellies moeder de hort op was, moest Ellies oudere zus Lila op ons passen. Maar Lila bracht al haar tijd door op haar slaapkamer, met de deur potdicht. We mochten haar niet storen. Dus meestal waagden we ons niet in de buurt van haar kamer, ook had ze heel coole fluorescerende posters op haar muren hangen, die opgloeiden door een ultraviolette lamp achter haar bed. We moesten ons zelf zien te vermaken. We warmden een blikje Campbell's soep op en keken naar enge films op het filmkanaal, waarbij we af en toe onze handen voor onze ogen gedrukt hielden.

Ik kon Ellie alles vertellen. Bijvoorbeeld dat ik soms gillend wakker werd omdat ik gedroomd had dat mijn moeder óók doodging. Of dat ik bang was dat ik nooit in iets zou uitblinken, en wie wil nu haar hele leven middelmatig zijn? Ik bekende haar dat ik gedaan had alsof ik buikpijn had om onder een rekentoets uit te komen, en dat ik ooit een jongen z'n penis had gezien op schoolkamp, toen zijn zwembroek van zijn billen gleed tijdens de duikwedstrijd naar een zakmes. Op doordeweekse avonden belde ik haar op vlak voordat ik ging slapen. De volgende ochtend belde ze mij om te vragen wat voor kleur T-shirt ik aantrok, zodat zij een bijpassende kleur kon kiezen.

Eén weekend, tijdens een logeerpartij bij Ellie thuis, liet ik me uit het bed glijden waar we samen in sliepen en sloop de gang door. De deur van haar moeders slaapkamer stond open. Toen ik naar binnen gluurde was er niemand, hoewel het al na drie uur 's nachts was. Zoals gebruikelijk was Lila's deur gesloten, maar ik zag er wel een paarse streep licht onderuit komen. Ik draaide de deurknop om. Zou ze nog wakker zijn? Toen ik naar binnen keek, leek de kamer wel een betoverde grot. Wierookdampen stegen op en vermengden zich met het lavendelkleurige licht van de fluorescerende posters, die tot leven schenen te komen in 3D. Ik zou zweren dat een grote afbeelding van een schedel met rozetvormige ogen zich naar mij toe bewoog. Lila lag op bed met haar ogen wijdopen. Om haar arm was een rubberband gebonden, van het soort dat ik onze huisarts een keer had zien gebruiken toen hij bloed bij me moest prikken. Er lag een injectiespuit in Lila's halfopen hand.

Ik wist bijna zeker dat ze dood was.

Ik deed een stap naar voren. Lila lag volkomen stil; haar huid was lichtblauw in het spookachtige licht. Ik dacht aan mijn vader en hoe hij ineengezakt was op ons gazon. Ik probeerde de losse flarden van een gil te verzamelen in mijn keel, toen Lila opeens loom op haar zij rolde. Ik schrok me een ongeluk. 'Rot op, kleine truttebol,' zei ze. Haar woorden klonken zo dun en rond als luchtbellen, die uiteenspatten zodra ze uit haar mond bubbelden.

Van de rest van die nacht herinner ik me niets meer. Behalve dat ik meteen naar huis ben gerend, om halfvier 's nachts.

En dat, na wat er gebeurd was, Ellie en ik nooit meer zo dik bevriend waren.

Toen ik op de middelbare school zat, verzon mijn moeder constant alternatieve namen voor de klasgenoten die ik thuis uitnodigde. Robin werd Bonnie, Alice werd Eliza en Suzy werd Julia. Hoe vaak ik haar ook verbeterde, ze bleef koppig de namen gebruiken die haar vertrouwd in de oren klonken, al klopten ze van geen kanten. Na een tijdje begonnen mijn vriendinnen zelfs antwoord te geven, met welke naam ze hen ook aansprak.

Daarom vind ik het zo opvallend dat mijn moeder Vanessa's naam nog nooit verbasterd heeft. Niet eenmaal. Die twee waren vanaf de eerste keer dat ze elkaar ontmoetten twee handen op een buik. Ze hebben eindeloos veel dingen met elkaar gemeen en ze schijnen het grappig te vinden dat ik daar stapelgek van word.

Het is twee maanden geleden dat Vanessa en ik elkaar tegenkwamen in het zwembad. Zij heeft geruisloos de rol van boezemvriendin aangenomen op het moment dat ik dat hard nodig had – aangezien mijn voormalige boezemvriénd het ineens in zijn hoofd kreeg zich van mij te laten scheiden. Verbazingwekkend, hoeveel vriendschap soms op een liefdesrelatie lijkt. Zoals de vonk van spanning in het begin, als alles nog nieuw is. De nieuwigheid die slijt en plaatsmaakt voor vertrouwdheid en heerlijke voorspelbaarheid, net als het lievelingsvest dat je op een regenachtige zondag uit de kast trekt vanwege je behoefte aan knusse nestwarmte. Als ik ergens tegen aan loop te hikken, zoals mijn belastingformulieren invullen, bel ik Vanessa. Ik bel haar wanneer ik al zappend op *Dirty Dancing* stuit en niet kan stoppen met kijken. Of als de dakloze voor de McDonald's weifelend naar het vijfdollarbiljet kijkt dat ik hem toesteek en me vraagt of ik het kan wisselen voor muntgeld. Zij is degene die ik opbel als ik me stierlijk zit te vervelen in de file en als ik een huilbui heb omdat een tweejarig cliëntje op de brandwondenunit midden in de nacht overlijdt. Ik heb haar nul-zesnummer als snelkeuzetoets geprogrammeerd in mijn telefoon, op de plaats waar vroeger Max stond.

Het is achteraf makkelijk na te gaan waarom ik op een bepaald moment geen echte vriendinnen meer had. Eerst was er de onvermijdelijke omslag die samengaat met een huwelijk, waarbij degene die elke nacht naast je in bed ligt automatisch je belangrijkste vertrouweling wordt. Dat overkwam de meesten van mijn vriendinnen ook. Maar vervolgens raakten al die andere vrouwen zwanger en kregen baby's, de een na de ander. Ik nam afstand van hen uit zelfbehoud en jaloezie. Max was de enige die begreep wat ik zo vreselijk graag wilde en zo hard nodig had. Tenminste, dat maakte ik mezelf wijs.

En toch zijn vriendinnen van levensbelang. Echte vriendinnen zijn niet te beroerd om jou een spiegel voor te houden. Zij zeggen het je ronduit als er spinazie tussen je tanden zit, als je kont te dik lijkt in een bepaalde spijkerbroek of als je je onuitstaanbaar gedraagt. Ze zeggen het gewoon, en dat is geen drama. Het betekent niet dat ze je minder aardig of mooi vinden, een conclusie die je zou kunnen trekken als zo'n boodschap afkomstig was van je man. Vriendinnen zeggen je de waarheid omdat je die moet weten, maar dat verandert niets aan de vriendschapsband. Wat heb ik dat ontzettend gemist. Dat besef ik nu pas.

Op dit moment zit Vanessa in mijn woonkamer tegenover mijn moeder, die honderduit kwekt over een doorbraak met een van haar cliënten. Vanessa en ik staan op het punt om naar de bioscoop te gaan, maar daar trekt mijn moeder zich niets van aan. 'Dus heb ik twintig bakstenen gekocht en ze in de kofferbak van mijn auto geladen,' zegt ze. 'En toen we bij het klif aankwamen, heb ik Deanna een viltstift gegeven en moest ze op iedere steen iets schrijven. Gewoon trefwoorden, weet je wel, die allemaal stonden voor een aspect van haar emotionele bagage.'

'Briljant,' zegt Vanessa.

'Vind je? Dus schrijft ze *Mijn ex* op een steen. En *Nooit de dingen uitgepraat met mijn zus,* op een andere. En *Nog steeds negen kilo te zwaar na de geboorte van derde kind* enzovoorts. Vanessa, je zult het niet geloven maar ze heeft drie viltstiften opgebruikt. En toen ben ik met haar op de rand van het klif gaan staan en moest ze de bakstenen stuk voor stuk naar beneden smijten. Ik heb haar ervan kunnen overtuigen dat op het moment dat de stenen het water raakten, ze die emotionele ballast voorgoed kwijt zou zijn.'

'Hopelijk zwom er op dat ogenblik geen school bultrugwalvissen onder dat klif,' mompel ik. Ongeduldig tik ik met mijn voet op de vloer. 'Hé, sorry dat ik jullie boeiende intervisiegesprek zomaar afkap, maar we staan op het punt om de eerste helft van de film te missen.'

Vanessa staat op. 'Ik vind het echt een geweldig idee, Dara,' zegt ze. 'Je zou het moeten opschrijven en aan een vakblad voorleggen ter publicatie.'

Mijn moeder bloost. 'Echt waar?'

Ik pak mijn tas en mijn jas. 'Jij komt er zelf wel uit, hè?' zeg ik tegen mijn moeder.

'Nee, nee,' zegt ze, en komt overeind. 'Ik ga nu gewoon naar huis.'

'Heb je misschien zin om met ons mee te gaan naar de film?' vraagt Vanessa.

'O, nee. Mijn moeder heeft vast wel iets beters te doen,' zeg ik en geef haar een snelle afscheidszoen. 'Ik bel je morgenochtend,' roep ik en sleep Vanessa mee mijn appartement uit.

Onderweg naar de auto staat Vanessa halverwege stil en draait zich om. 'Ik ben iets vergeten,' zegt ze, en gooit me de autosleutels toe. 'Ben zo terug.' Dus stap ik in haar cabriolet en start alvast de motor. Ik zit aan de knoppen van de autoradio te draaien wanneer zij zich op de bestuurdersstoel laat glijden. 'Oké,' zegt Vanessa, terwijl ze achteruit de oprit af rijdt.'Waarom heb jij de bokkenpruik op?'

'Hoe kom je er nu bij om mijn moeder mee te vragen naar de bioscoop?'

'Omdat ze een eenzame zaterdagavond voor de boeg heeft?'

'Vanessa, ik ben veertig, verdorie. Ik heb geen zin om uit te gaan met mijn moeder!'

'Misschien heb je daar wél zin in zodra het niet meer kan,' antwoordt Vanessa.

Ik kijk naar haar gezicht. In het donker beweegt een geel, maskerachtig licht rond haar ogen door de reflectie van de achteruitkijkspiegel. 'Als jij je moeder zo mist, mag je de mijne wel hebben,' zeg ik.

'Ik zeg alleen maar dat je niet zo bot tegen haar moet doen.'

'Nou, je hoeft haar nu ook weer niet oeverloos door te laten kwebbelen. Vond je die baksteenoefening van haar nou echt zo'n topidee?'

'Ja, echt. Ik zou die methode zelf wel willen gebruiken. Ik vrees alleen dat mijn leerlingen overwegend de namen van docenten op hun bakstenen zouden schrijven, dus dat zou niet erg opbouwend zijn.' Ze remt af bij een stopbord en draait zich naar me toe. 'Weet je, Zoë, mijn moeder vertelde me altijd vijf keer hetzelfde verhaal. Vijfmaal, zonder mankeren. Dus ik reageerde continu met: 'Ja, mam, ik wéét het' en bladerde verder in het boek dat ik aan het lezen was. En nu... nu kan ik me niet eens meer de klank van haar stem herinneren. Soms denk ik even dat ik het geluid te pakken heb in mijn hoofd, maar dan verdwijnt het weer, voor ik haar echt gehoord heb. Ik zet wel eens oude videobanden op met onze eigen opnames, gewoon om niet helemaal te vergeten hoe ze ook alweer klonk. Dan zit ik te luisteren hoe ze "Er is er een jarig" voor me zingt of me vraagt een opscheplepel voor de aardappelen te halen. Nu zou ik er een moord voor doen om haar hetzelfde verhaal vijf keer te horen vertellen. Ik zou zelfs al blij zijn met één keer.'

Halverwege haar verhaal weet ik al dat ik ga inbinden. 'Doe je dat met die leerlingen ook zo?' vraag ik zuchtend. 'Hun een spiegel voorhouden en laten inzien wat voor kleinzielige, gemene etterbakken ze eigenlijk zijn?'

'Volgens mij begint het al te werken,' antwoordt ze glimlachend.

Ik zet mijn mobiele telefoon aan. 'Ik vraag mijn moeder wel of ze naar de bioscoop komt, dan wachten we daar op haar.'

'Ze is al onderweg. Daarom ben ik nog even teruggerend naar je flat – om haar nogmaals uit te nodigen.'

'Hoe wist je zo zeker dat ik bakzeil zou halen?'

'Kom nou,' lacht Vanessa. 'Ik weet zelfs welke consumpties je gaat bestellen, straks in de pauze.'

Ja, dat zit er wel in. Zo is Vanessa. Als je één keer iets doet of zegt, staat het al in haar geheugen gegrift zodat ze je er de volgende keer zo nodig op kan wijzen. Ik had bijvoorbeeld een keer terloops gezegd dat ik niet van olijven houd, en een maand later kregen we in een restaurant een mandje olijvenbrood voorgezet. Nog voor ik mijn mond kon opendoen had Vanessa gevraagd of ze in plaats van dat brood ook crackers hadden.

'Even voor de duidelijkheid,' zeg ik, 'er zijn nog een heleboel dingen die je níét over me weet.'

'Popcorn zonder boter,' zegt Vanessa. 'Sprite.' Ze tuit haar lippen. 'En een chocolade-pindareep, want een romantische comedy is altijd nóg leuker met chocola erbij.'

Ze heeft alles goed. Tot aan de snoepreep toe.

Als Max zelfs maar half zo oplettend en attent was geweest als Vanessa, zou ik nu nog steeds met hem getrouwd zijn, denk ik.

Tot mijn grote verbazing is het bij de bioscoop een drukte van belang. De film waar wij naartoe gaan is een doorsnee luchtige comedy die al een paar weken draait. In de kleine zaal wordt een onafhankelijke film vertoond, getiteld *July*. Die film heeft veel stof doen opwaaien in de pers omdat een populair, dertienjarig tienersterretje de hoofdrol speelt. Plus dat het een vrije bewerking is van *Romeo en Julia*, maar... dit liefdesverhaal gaat over Julia en Julia.

Vanessa krijgt mijn moeder in het oog, die aan de andere kant van de mensenmenigte staat. Ze zwaait enthousiast terwijl mijn moeder zich een weg naar ons toe baant. 'Dit is toch niet te geloven!' zegt Vanessa, met een knikje naar de massa publiek.

Ik heb een paar artikelen gelezen over *July* en de discussies eromheen. Er is blijkbaar veel belangstelling voor, dus ik vraag me af of we niet beter naar díé film kunnen gaan. Maar als we dichter bij de kassa komen, dringt het tot me door dat de meeste mensen hier niet in de rij staan voor een toegangskaartje. Het merendeel van hen loopt om de rij heen, zwaaiend met spandoeken en kartonnen borden op stokken:

HOMO'S GAAN NAAR DE HEL

GOD GRUWT VAN IEDERE POT

ADAM EN EVE, NIET ADAM EN EVERT

Behalve dat hun teksten er niet om liegen, lijken deze mensen niet direct agressieve maniakken. Ze gedragen zich rustig en schijnen tot in de puntjes georganiseerd. Ze zijn gekleed in zwarte pakken met smalle stropdassen of onopvallende jurken met bloemetjesprint. Ze zien eruit als je buurman, of je oma, of je geschiedenisleraar. Dat laatste hebben ze in ieder geval gemeen met de mensen die ze zwart lopen te maken.

Naast me voel ik Vanessa verstarren. 'We kunnen ook gewoon weggaan,' fluister ik haar toe. 'Dan huren we een leuke dvd om thuis te kijken.'

Maar voor ik de kans krijg haar de rij uit te trekken hoor ik mijn naam roepen: 'Zoë?'

Aanvankelijk herken ik Max niet eens. De laatste keer dat ik hem zag, was hij aangeschoten en verfomfaaid en probeerde hij bovendien een rechter duidelijk te maken waarom hij van mij wilde scheiden. Ik had gehoord dat hij nu met Reid en Liddy meeging naar hun kerk, maar déze radicale omslag had ik toch niet verwacht.

Max draagt een keurig zwart pak en een donkergrijze stropdas. Zijn haar is kortgeknipt en hij heeft zich pas geschoren. Op de revers van zijn jasje zie ik een klein gouden kruisje glimmen.

'Asjemenou,' zeg ik. 'Wat zie jij er goed uit, Max.'

We voeren een onhandig dansje uit omdat we elkaar in eerste instantie op de wang willen kussen. Maar zodra ik terugwijk, doet hij dat ook. Vervolgens kijken we allebei naar de grond.

'Jij ook,' zegt hij.

Zijn been zit in het loopgips. 'Wat is er gebeurd?' vraag ik. Onvoorstelbaar eigenlijk dat Max gewond is geraakt en niemand mij dat heeft laten weten.

'Ach, niets bijzonders. Een ongeluk,' zegt Max.

Ik vraag me af wie er voor hem gezorgd heeft, de eerste tijd na het ongeluk.

Ik ben me hyperbewust van mijn moeder en Vanessa, die achter me staan. Ik voel hun aanwezigheid alsof ik met mijn rug naar een gloeiend hete open haard gekeerd sta. Iemand voor in de rij bij de kassa koopt een ticket voor *July*. Nu wordt het de actievoerders pas echt menens. Ze beginnen te schreeuwen en leuzen te scanderen, fanatiek zwaaiend met hun spandoeken. 'Ik had al gehoord dat je naar de Eeuwige Gloriekerk gaat,' zeg ik.

'In feite is de Eeuwige Gloriekerk naar míj toe gekomen,' antwoordt Max. 'Ik heb Jezus binnengelaten in mijn hart.' Hij vertrekt zijn mond tot een stralende tandpastaglimlach. Alsof hij zoiets gezegd heeft als: 'Ik heb daarnet mijn auto in de was gezet,' of: 'Zal ik vanavond Chinees halen?' Alsof zijn mededeling een doodgewoon smalltalkzinnetje zou zijn, in plaats van dat het tot nadenken stemt. Ik verwacht half en half dat Max nu begint te grinniken. Net als vroeger, toen we samen grappen maakten over Reid en Liddy's halleluja-kretologie die onophoudelijk over hun lippen rolde. Maar Max lacht niet.

'Heb je weer gedronken?' vraag ik. Dat moet de verklaring zijn. Hoe kan het anders dat de man die ik ken dezelfde is als degene die nu voor me staat?

'Nee,' zegt Max. 'Geen druppel.'

Oké, geen druppel alcohol. Maar het is voor mij zonneklaar dat Max zich compleet heeft laten vollopen met religieuze peptalk, van het soort dat de Eeuwige Gloriekerk ruimschoots te bieden heeft. Er klopt iets niet aan hem, hij heeft iets robotachtigs. Ik had Max liever met al zijn fouten en gebreken, ook al was dat soms ingewikkeld. Ik vond hem leuker toen we nog samen konden ginnegappen om Liddy die 'chips' zei in plaats van 'shit' als ze gefrustreerd was. (Dat was haar manier om schuttingtaal te vermijden.) Of toen Max en ik ons een keer krom hadden gelachen omdat hij Liddy had wijsgemaakt dat Char, het medium, zich verkiesbaar wilde stellen als president.

Grote onthulling: ik ben niet religieus. Van mij mogen mensen geloven wat ze willen, dat is hun goed recht. Maar ik begin te steigeren als ze proberen mij hun overtuiging op te dringen. Dus zodra Max zegt: 'Ik bid veel voor je, Zoë,' heb ik daar niet van terug. Dit is een twijfelgeval: ik neem aan dat hij het goed bedoelt, maar ik heb nooit gevraagd of hij voor me wilde bidden, toch?

En trouwens, wil ik echt dat déze mensen voor mij bidden, een clubje dat God gebruikt om hun boodschap van haat te camoufleren? Ik zie knappe, gezond uitziende tienermeisjes bij de kassa staan die brochures uitdelen met de tekst: IK BEN BLOND <u>GEBOREN</u>, JIJ HEBT <u>GEKOZEN</u> HOMO TE ZIJN. Die stralende, blonde kopjes, de vriendelijke glimlach waarmee ze de flyers aanbieden, hun claim dat ze 'goede christenen' zijn... Het lijkt me dat deze meisjes de aantrekkelijke slagroom zijn op een door en door giftige taart. 'Waarom leen jij je in hemelsnaam voor dit gedoe?' vraag ik Max. 'Het gaat over een film, nota bene. Waar maak je je druk over?'

'Misschien kan ik die vraag beantwoorden,' zegt een man. Hij heeft een enorme bos golvend wit haar en torent zeker vijftien centimeter boven Max uit. Ik geloof dat ik hem herken van de regionale televisie; hij moet de predikant van deze kerk zijn. 'We zouden hier niet staan als niet de homobeweging óók actie voerde, en wel voor hun eigen politieke doeleinden. Zij willen hun homoseksuele agenda realiseren. Dus als wij niets doen, wie zal er dan opkomen voor de rechten van het traditionele gezin? Als wij niets doen, wie gaat er dan voorkomen dat ons prachtige land een plaats wordt waar Jantje twee mama's heeft? Wie zorgt ervoor dat het huwelijk een instituut blijft zoals God het heeft bedoeld, namelijk een heilig verbond tussen man en vrouw?' Zijn stem schalt inmiddels boven de menigte uit. 'Broeders en zusters, wij zijn hier omdat christenen de minderheid zijn geworden! Homoseksuelen claimen het recht om gehoord te worden, of niet soms? Nou, dat geldt ook voor christenen!'

Zijn gemeenteleden brullen hun instemming. Ze zwaaien verwoed met hun spandoeken en steken hun demonstratieborden nog hoger in de lucht.

'Max,' zegt de dominee, en gooit hem een sleutelbos toe, 'we hebben een nieuwe doos pamfletten nodig uit het busje.'

Max knikt en wendt zich tot mij. 'Ik ben echt blij dat het goed met je gaat,' zegt hij, en voor de eerste keer tijdens dit gesprek geloof ik hem.

'Ik ben ook blij dat het goed gaat met jou.' En ik meen het, ook al heeft hij keuzes gemaakt die absoluut de mijne niet zijn. Maar in zekere zin is dat de ultieme rechtvaardiging voor mij, het bewijs dat onze relatie nooit meer gelijmd had kunnen worden. Als dit Max' bestemming is, hadden onze wegen zich sowieso gescheiden.

'Je gaat toch niet naar *July*, mag ik hopen?' vraagt Max. Hij werpt me dat gemoedelijke, halve glimlachje toe, de lach waardoor ik ooit verliefd op hem werd.

'Nee, naar die film met Sandra Bullock.'

'Verstandige keuze,' antwoordt Max. Spontaan buigt hij zich naar me toe en kust me op mijn wang. Ik ruik de geur van zijn shampoo en voel hoe mijn lichaam instinctief reageert. In een flits zie ik de plastic fles in de douche voor me, met de blauwe dop en het stickertje met een hele opsomming geneeskrachtige eigenschappen van theeboomolie. 'Ik denk iedere dag aan je...,' zegt Max.

Een beetje duizelig deins ik achteruit. Is dit nog een sprankje van onze oude liefde?

'... hoe ongelooflijk gelukkig je zou kunnen zijn als je ruimte maakte voor God, onze Heer,' besluit Max.

Pardoes sta ik weer met beide benen op de grond. 'Wat is er met jóú gebeurd,' mompel ik. Maar Max heeft zich al omgedraaid en is op weg naar de parkeerplaats om het bevel van zijn zielenherder uit te voeren.

Het café heet Atlantis en is trendy op het dwangmatige af. Het is onderdeel van een klein, luxe hotel in Providence. Op de blauwgroene wanden worden non-stop bewegende rimpelingen geprojecteerd, wat de illusie moet geven dat we ons onder water bevinden. De tafeltjes en stoelen zijn van nepkoraal, met kussens in de vorm van zeeanemonen. Midden in de ruimte staat een reusachtig aquarium waarin tropische vissen zwemmen, en een vrouw die haar benen in een siliconen-zeemeerminnenstaart heeft gepropt. Haar beha bestaat uit twee schelpen.

Gelukkig heeft mijn moeder besloten direct na de film naar huis te gaan, zodat Vanessa en ik nog even samen iets kunnen drinken. Ik ben gefascineerd door de vrouw in het aquarium. 'Hoe kan ze ademen?' vraag ik me hardop af, en dan zie ik plotseling hoe ze tersluiks een hap zuurstof inhaleert uit een apparaatje dat waarschijnlijk ontworpen is voor duikers. Ze houdt het verstopt in haar hand, en het is met een slang bevestigd aan een kastje op de uitspringende bovenrand van het aquarium.

'Ik had het mis,' zegt Vanessa. 'Er bestaat blijkbaar wél een loopbaantraject voor vrouwen die zeemeermin willen worden.'

Een serveerster brengt ons onze drankjes in kobaltblauwe glazen en een portie nootjes in – hoezo voorspelbaar? – een grote schelp. 'Ik heb zo'n vermoeden dat dit héél snel afgezaagd wordt,' zeg ik.

'Ik weet het niet. Ik las ergens dat het in China bijvoorbeeld wemelt van de themarestaurants op dit moment. Het is daar echt een rage. De ene tent serveert alleen maar kant-en-klaar maaltijden, een andere heeft enkel middeleeuwse gerechten, én je moet er met je handen eten.' Ze kijkt me aan. 'Maar wat mij helemaal te gek lijkt is het prehistorische restaurant. Daar serveren ze rauw vlees.'

'Moet je de dieren eerst nog zelf slachten?'

Vanessa lacht. 'Wie weet. Stel je voor dat je daar serveerster bent. Dan krijg je dingen te horen zoals: 'Ehm, mevrouw, we hadden een tafel gereserveerd bij de jagers, maar nu zitten we ineens tussen de verzamelaars.' Ze pakt haar drankje, een Dirty Martini. Dat spul smaakt volgens mij naar kwastenreiniger, maar toen ik dat ooit tegen Vanessa zei, vroeg ze: 'Wanneer heb jij voor het laatst kwastenreiniger gedronken?' Nu heft ze haar glas naar me. 'Op de Eeuwige Gloriegemeente. Dat ze ooit nog eens mogen komen tot een scheiding van Kerk en Haat.'

Ik klink met haar en zet mijn glas terug op het tafeltje. Ik zit aan Max te denken.

'Wat is dat toch voor gezanik over die mysterieuze "homoseksuele agenda"?' vraagt Vanessa op nadenkende toon. 'Weet je wat er in de agenda van mijn homovrienden en -vriendinnen staat? Tijd doorbrengen met hun familie, hun rekeningen betalen en een pak melk kopen onderweg van hun werk naar huis.'

'Max was alcoholist,' zeg ik plompverloren. 'Hij is in het eerste jaar van zijn studie afgehaakt vanwege zijn drankmisbruik. Hij ging surfen zodra er een gunstige deining was, zomer en winter. Daar hadden we soms ruzie over. Hij werd verondersteld een bedrijf te leiden, maar dan kwam ik er weer eens achter dat hij zomaar klanten had laten zitten vanwege een paar mooie driemetergolven.'

Vanessa zet haar glas neer en kijkt me aan.

'Ik wil maar zeggen,' vervolg ik, 'dat hij niet altijd geweest is zoals jij hem nu hebt gezien. Alleen al dat donkere pak... Volgens mij had hij niet meer dan één colbertje, al die jaren dat we getrouwd waren.'

'Hij zag er een beetje uit als een CIA-agent,' zegt Vanessa.

Mijn lippen trillen. 'Het enige wat nog ontbrak was een oortje.'

'Ik weet bijna zeker dat de rechtstreekse verbinding met God draadloos is.'

'De mensen moeten die holle frasen toch zó kunnen doorprikken,' zeg ik. 'Wie neemt zo'n man als Clive Lincoln nu echt serieus?'

Vanessa strijkt met haar vinger over de rand van haar martiniglas. 'Gisteren moest ik even een boodschap doen in de supermarkt en op de parkeerplaats naast me stond een truck met een grote bumpersticker. De tekst luidde: IK REM VOOR DIEREN – NIET VOOR MIETJES.' Ze kijkt op van haar glas. 'Dus... ik denk dat sommige mensen Clive Lincoln wel degelijk serieus nemen.'

'Maar ik had nooit gedacht dat Max daarbij zou horen.' Aarzelend voeg ik eraan toe: 'Denk jij dat dit mijn schuld is?'

Ik verwacht dat Vanessa dat idee meteen van tafel veegt. Maar ze zwijgt even en kijkt peinzend voor zich uit. 'Als jij niet die dreun te verwerken had gekregen van de dood van je kindje, had je misschien meer oog gehad voor Max' problemen. Maar ik heb begrepen dat Max al eens danig ontwricht was geraakt vóór je hem ontmoette. Misschien is hij daar nooit helemaal overheen gekomen. En in dat geval had je nog zo hard je best kunnen doen om hem op de been te houden, maar... vroeg of laat was hij waarschijnlijk toch weer ingestort.' Ze pakt haar glas op en drinkt het leeg. 'Weet je wat jij moet doen? Loslaten.'

'Loslaten... wat? Wie?'

'Max, natuurlijk.'

Ik voel dat ik een kleur krijg. 'Ik klamp me niet vast aan mijn relatie met Max, hoor. Dat is voorbij.'

'Hé, ik begrijp het wel, echt. Het is volkomen normaal, omdat jullie tweeën zo lang...'

'Hij was niet eens mijn type,' gooi ik eruit, en pas wanneer ik het heb gezegd, realiseer ik me dat het klopt.

'Max was, nou ja, hij was gewoon totaal anders dan de jongens die doorgaans in mij geïnteresseerd waren.'

'Je bedoelt groot, gespierd en sexy?'

'Vond jíj dat?' vraag ik verbaasd.

'Dat ik geen moderne kunst in mijn woonkamer heb hangen, wil nog niet zeggen dat ik er geen kijk op heb,' zegt Vanessa.

'Max probeerde me altijd van alles uit te leggen over rugby, en ik vind rugby echt afschuwelijk. Al die kerels die vechtend over elkaar heen rollen in het kunstgras. En basketbal, dat is zó zinloos. Het is pure tijdverspilling om een hele wedstrijd uit te zitten, want het wordt toch allemaal beslist in de laatste twee minuten. En hij was een sloddervos. Hij liet doodgemoedereerd een hele meloen op het aanrecht liggen als hij er één part van had afgesneden, en tegen middernacht krioelde het in de keuken van de mieren. Plus dat hij abnormaal lang een wrok kon koesteren. Dan wist ik niet eens dat hij ergens mee zat, en zes maanden later gooide hij het me ineens voor de voeten. Terwijl we ruzie hadden over een totaal ander onderwerp.'

'Maar toch ben je met hem getrouwd,' houdt Vanessa me voor.

'Tja,' antwoord ik, 'dat wel.'

'Waarom dan?'

Dat is achteraf moeilijk uit te leggen. 'Als je verliefd wordt op iemand,' zeg ik ten slotte maar, 'ben je blind voor zijn fouten.'

'Ik zou de volgende keer maar wat kieskeuriger zijn.'

'De volgende keer!' herhaal ik. 'Nooit van mijn leven. Ik heb het helemaal gehad met relaties.'

'Nou ja, zeg. Wil jij jezelf afschrijven terwijl je pas veertig bent?'

'Hou toch op,' zeg ik. 'Ik wil jou nog wel eens horen zodra jij een scheiding achter de rug hebt.'

'Zoë-lief, daar houd ik je aan, al was het alleen maar omdat het zou betekenen dat ik het recht had om te trouwen. Maar nu even serieus. Kijk eens om je heen. Er moet hier toch iemand bij zitten die jij aantrekkelijk vindt?'

'Je gaat niet voor koppelaarster spelen, Vanessa. Zet dat maar uit je hoofd.'

'Maar je kunt het me toch gewoon vertellen? Als een soort theoretische oefening, bedoel ik.'

'Wat moet ik je dan vertellen?'

'Wat je zoekt.'

'Alsjeblieft, Vanessa, ik heb geen idee. Ik ben hier absoluut nog niet aan toe.'

Ik kijk vluchtig naar de zeemeermin. Ze houdt pauze en komt het water uit door tree voor tree langs een laddertje omhoog te springen. Aan de bovenkant van het open aquarium is een brede, uitspringende rand. Daar gaat ze zitten, droogt zich af met een handdoek en checkt vervolgens haar Blackberry.

'Iemand die echt is,' hoor ik mezelf zeggen. 'Iemand bij wie ik nooit hoef te doen alsof. Iemand die intelligent is en een flinke dosis zelfspot heeft. Iemand die naar een symfonie kan luisteren met tranen in zijn ogen, omdat hij begrijpt dat muziek soms te groot is voor woorden. Iemand die mij beter kent dan ik mezelf ken. Iemand die ik 's ochtends als eerste wil spreken en 's avonds als laatste. Iemand van wie ik het gevoel heb dat ik hem mijn hele leven al ken, ook al is dat niet echt zo.'

Ik stop met praten en kijk Vanessa aan. Dan zie ik pas dat ze naar me zit te grijnzen. 'Jeetje,' zegt ze. 'Nee, ik kan wel horen dat je hier absoluut nog niet over hebt nagedacht.'

Ik drink het laatste restje wijn uit mijn glas. 'Jíj vroeg het me toch?'

'Dat klopt. Want stel dat ik jouw toekomstige man tegenkom ergens op straat, dan kan ik hem tenminste je telefoonnummer geven.'

'Hoe ziet jouw perfecte partner eruit?' vraag ik.

Vanessa gooit een twintigdollarbiljet op tafel. 'O, mijn verlanglijstje is wat korter dan het jouwe. Vrouw, wanhopig, gewillig...' Ze kijkt op naar de zeemeermin, die nu met een nors gezicht een glas whisky achteroverslaat. '... en menselijk,' voegt ze eraan toe.

'Goh, wat een eisen,' zeg ik lachend. 'Hoe ga je dat aanpakken, om zo iemand aan de haak te slaan?'

'Ach, het is altijd hetzelfde oude liedje,' antwoordt ze. 'Hetzelfde oude liedje.'

Pas wanneer ik thuis in bed lig, realiseer ik me dat Vanessa eigenlijk niet erg uitgebreid op mijn vraag is ingegaan. In ieder geval lang niet zo uitgebreid als ik háár vraag heb beantwoord.

En dat ik met mijn schets van de perfecte partner – uitgezonderd de woordjes 'hem' en 'hij' – heel precies Vanessa heb beschreven.

Als jij een beeld van jezelf moest geven door één verzamelbandje of -cd, welke liedjes zou je daar dan voor kiezen?

Die vraag heb ik al mijn hele leven gebruikt als een waterdichte karaktertest. Het is begonnen met die oude single 'Witch Doctor', het liedje dat mijn moeder zo sterk herinnerde aan mijn overleden vader. Dat zou vast en zeker op háár verzamel-cd komen. En 'Voor altijd samen,' het liedje waarop zij en mijn vader op hun bruiloft hadden gedanst. Later werd dat nummer overbekend in de muzakvariant. Zodra het weer eens ergens in een warenhuis, een supermarkt of een lift te horen was draaiden ze altijd een paar keer rond in elkaars armen, hoeveel bekijks ze ook trokken. Als ik daarbij was bestierf ik het zowat van schaamte, maar ik vond het ook iets magisch hebben. En dan heeft mijn moeder nog een favoriete Beatles-song, die verband houdt met de keer dat ze als twintigjarige overnachtte op de trappen van een hotel waar het legendarische viertal logeerde. Zij lag de hele nacht in de kou te wachten, alleen om een glimp van hen te kunnen opvangen als ze het hotel uitkwamen om naar het vliegveld te rijden. En Enya, die ze tegenwoordig gebruikt voor haar oefeningen 'bewust ademen'. Echt waar, als je de favorietenlijst op mijn moeders iPod doorkijkt, krijg je waarschijnlijk een even goed beeld van haar als wanneer je haar persoonlijk zou ontmoeten.

En dat geldt denk ik voor iedereen: onze muziekkeuze is een duidelijke afspiegeling van wie we zijn. Er zal je beslist een licht opgaan over iemand zodra je weet dat hij Bon Jovi tussen zijn favorieten heeft staan. Of, even heel wat anders, The Red Hot Chilli Peppers. Of de eerste, ontroerende opname van 'Bye, Bye Birdie'.

Ik deed de verzameltapetest voor het eerst toen ik op de middelbare school zat, om te checken of mijn toenmalige vriendje wel echt bij me paste. Aanleiding: wanneer we zo heftig zaten te tongzoenen dat de ramen van de auto er zowat van besloegen, draaide hij alsmaar 'Escape' van Metallica op de autostereo. Hij stopte iedere keer midden onder… nou ja, wat we ook allemaal verder deden, om het refrein keihard mee te blèren. Ik had beter moeten weten dan een jongen te vertrouwen die verzot was op *power ballads*, de enkele, sentimentele liedjes van heavymetalbands.

Daarna vroeg ik al mijn potentiële vriendjes naar hun denkbeeldige verzameltape. Ik zei er steevast bij dat het enig goede antwoord niet bestond, en dat is ook zo. Maar in mijn ogen waren er wel een paar behoorlijk foute antwoorden:

'Crazy'
'I'm too sexy'
'Mmmbop'
'The Streak'
'All my Ex's live in Texas'

Max' lijst was een verzameling country- en westernmuziek, een genre waarvan ik nooit fan ben geweest. Al die songs gaan over drank, of dat iemand door zijn vrouw verlaten wordt. Of vrouwen worden vergeleken met reusachtige landbouwmachines, zoals combines en tractoren. Ken je die oude grap over die cowboy en die Hells Angel, die allebei op dezelfde dag geëxecuteerd worden? Van tevoren vraagt de bewaker aan de cowboy of hij nog een laatste verzoek heeft, en die smeekt om voor hij sterft nog één keer 'Achy Breaky Heart' te mogen horen. Je weet wel, dat nummer dat door de heropleving van linedansen nu weer razend populair is. Dan vraagt de bewaker de Hells Angel om zijn laatste wens. 'Dat je mij om zeep helpt voor je dat nummer gaat draaien,' zegt hij.

De interessantste mensen die ik heb ontmoet kwamen altijd met muziek op de proppen waarvan ik nog nooit gehoord had. Zuid-Afrikaanse a-capellagroepen, Peruaanse slagwerkers, nieuwe, veelbelovende altrockgroepen uit Seattle, Jane Birkin, de Postelles. Toen ik muziekwetenschappen ging studeren kwam ik een jongen tegen die alleen maar rapmuziek op zijn speellijstje had. Zelf was ik in een 'witte' buitenwijk opgegroeid, met de top 40 als grootste muzikale inspiratie. Op dat moment wist ik bijna niets over hiphop. Maar hij legde me uit dat die muziek voortkwam uit de gebruiken van de West-Afrikaanse *djeli's*, rondtrekkende zangers en dichters die een eeuwenoude mondelinge verteltraditie levend hielden. Hij liet me rapnummers horen die een onverbloemd commentaar waren op sociale misstanden. Hij leerde me mijn intuïtie te volgen bij het schrijven van liedjes, hoe je poëzie kon voelen in lettergrepen, ritme en de ruimte tussen de woorden. Hij leerde mij dat wat je weglaat in de songtekst even belangrijk is als de tekst zelf.

Ik was een tijdje tot over mijn oren verliefd op hem.

Jaren later ben ik gestopt met potentiële dates in te schatten door mijn verzameltapetest. Dat was natuurlijk zodra ik Max had ontmoet. Alleen mijn cliënten – voor zover ze aanspreekbaar zijn – vraag ik nog altijd naar hun lievelingsmuziek. Ik heb mensen ontmoet van wie het favorietenlijstje louter bestond uit klassiekemuziekfragmenten, en anderen die alleen maar heavymetalnummers noemden. Ik heb potige getatoeëerde motorrijders meegemaakt die wegsmolten bij operamuziek en oma's die de songteksten van Eminem uit hun hoofd kenden.

Je muziekvoorkeur zegt natuurlijk nog niet alles.

Maar het is een prima begin om iemand te leren kennen.

In februari schrijven Vanessa en ik ons in voor een Bikram-yogacursus, het soort dat je in een stikhete ruimte doet. We gaan naar de eerste les en vertrekken halverwege tijdens de pauze, omdat we allebei denken dat we op het punt staan een beroerte te krijgen.

Dus de week daarop bel ik haar met een nieuw voorstel. Zou buikdansen misschien meer iets voor ons zijn? En inderdaad, we zijn er best goed in, maar onze medecursisten niet. De dansinstructrice schopt ons eruit omdat we steeds de slappe lach krijgen, juist op momenten dat we verondersteld worden ons te concentreren op de oefeningen.

Op de zaterdagen vervallen we in een vast patroon. Vanessa komt naar mijn flat met koffie en bagels en we lezen uitgebreid de krant aan de keukentafel. Vervolgens maken we een gezamenlijke doe-lijst. We hebben het allebei te druk om tijdens kantooruren naar de stomerij, de supermarkt of het postkantoor te gaan, dus doen we dat samen in het weekend. In je eentje boodschappen doen wordt algauw een saaie bedoening. Het is veel leuker om samen door de winkelpaden van de Walmart te dolen, al kletsend over het aanbod in de gigantische supermarkt. Op de non-foodafdeling stuiten we bijvoorbeeld op XXXL Tinkerbell-beha's, de lingerie die oorspronkelijk geïnspireerd is door het snoezige setje van het Disney-elfje in *Peter Pan*. Maar spelen deze buitensporig grote maten nu in op een gat in de markt, of creëren ze juist een ietwat gestoorde, zonderlinge doelgroep?

We gaan naar de boerenmarkt, waar voornamelijk potten honing, bijenwaskaarsen en truien van handgesponnen wol te koop zijn, althans in deze tijd van het jaar. We zwerven van kraam naar kraam en proeven gratis blokjes boerenkaas. Soms krijgen we een bevlieging en kiezen een recept uit *De Gezonde & Natuurlijke Keuken*. Dan scharrelen we alle benodigde ingrediënten op en zijn we de hele middag bezig een soufflé in elkaar te flansen, of een ragout, of beef Wellington.

De tweede zaterdag van maart ben ik op mezelf aangewezen. Vanessa is naar San Francisco voor de bruiloft van een vriendin. Eigenlijk komt me dat wel goed uit, want ik wil me voorbereiden op een nieuwe cliënt. Het gaat om Lucy DuBois, het meisje over wie Vanessa mij maanden geleden heeft gesproken. Ze is zojuist ontslagen uit het academisch ziekenhuis waar ze zes weken lang een klinisch programma voor depressieve jongeren heeft gevolgd. Vanaf dit weekend gaat ze weer naar school en kan ik met haar aan de slag. Ik heb zitten broeden op ideeën en diverse boeken geraadpleegd over pubers en depressie, en over muziektherapie bij stemmingsstoornissen.

Ik heb Vanessa beloofd wat kleding voor haar af te halen bij de stomerij, dus rijd ik even snel heen en weer naar het stadscentrum alvorens me in Lucy's schooldossier te verdiepen. De vrouw die de stomerij runt is klein en tenger, en ze beweegt zich zo vlug dat ze me altijd aan een kolibrie doet denken. 'Bent u vandaag alleen?' vraagt ze, terwijl ze mijn bonnetjes aanneemt en het wonderbaarlijke labyrint van mechanische transportrails in gang zet. 'Die bewegende plafondrails lijken wel iets uit een fantasyfilm van Tim Burton,' had Vanessa vorige week gezegd. Prompt had de eigenares ons uitgenodigd om in het kamertje achter de winkel te komen kijken. Daar gingen de ovaalvormige rails van het stomerijtransportsysteem de bocht om en zoefden terug naar voren. Twee naast elkaar bewegende rails leken op een reusachtige rits die zich over de volle lengte van het plafond sloot.

'Tja, ik moet het in mijn eentje rooien dit weekend,' antwoord ik.

Ze overhandigt me mijn nette broek en een kleurig bundeltje blouses van Vanessa. Ik geef haar de kleding die ik meegebracht heb om deze week te laten reinigen en stop de roze bonnetjes in mijn portemonnee.

'Doet u de groeten aan uw partner van mij!'

Ik verstijf, en zonder eerst mijn portemonnee dicht te doen zeg ik: 'Ze is niet – ík ben geen...' Ik schud mijn hoofd. 'Mevrouw Chin, Vanessa en ik zijn gewoon vriendinnen.'

Het is vast een onschuldig misverstand, meer niet. Ze heeft mij nu al weken samen met Vanessa gezien. Eigenlijk is het fantastisch als je bedenkt hoe de wereld veranderd is. Dat een winkelier er gewoon van uit zou kunnen gaan dat twee mensen van hetzelfde geslacht een paar vormen.

Dus waarom sta ik nu te blozen?

Met de kleding over mijn arm loop ik naar mijn auto. Eigenlijk best grappig dat mevrouw Chin dacht dat Vanessa en ik een stel zijn. Dat ga ik aan Vanessa vertellen; die zal er vast ook om moeten lachen.

De laatste keer dat ik met pubers heb gewerkt ging het om een ont-spanningsprogramma, bedoeld om rivaliserende jongerenbendes uit achterstandswijken nader tot elkaar te brengen. Voorheen stonden ze elkaar letterlijk naar het leven zodra ze de kans hadden. Toen ik hun vertelde dat we een percussiekring gingen doen, vlogen ze elkaar al-weer bijna aan. Hun begeleiders dwongen hen in een wijde cirkel te gaan zitten rond de percussie-instrumenten die ik had verzameld: djembés, een tubano- en een congadrum, een ashiko, een doundoun en een bastrommel. Een voor een deelde ik de instrumenten uit. Als jou als veertienjarige jongen een trommel in je handen wordt gedrukt, dan móét je erop slaan. Je kunt gewoon niet anders. We begonnen met een simpel handklapritme: klap-klap-klap; klap-klap-klap. Toen mochten ze de instrumenten gebruiken. Uiteindelijk gingen we de hele kring rond, zodat elke jongere afzonderlijk even voor het voetlicht kwam, met zijn of haar unieke soloritme.

Een percussiekring werkt zo geweldig omdat niemand ooit alleen hoeft te spelen. En alle foute manieren om je woede te uiten worden gekanaliseerd door zo'n slaginstrument te hanteren, in een veilige, ge-controleerde omgeving. Voor de groep het besefte, waren ze bezig samen muziek te maken.

Dus wat die eerste therapiesessie met Lucy DuBois betreft voel ik me vrij zeker van mijn zaak. Wat ook zo bijzonder is aan muziek, is dat het toegang heeft tot beide hersenhelften: de analytische linker-helft en de emotionele rechterhelft. Muziek brengt een verbinding tot stand tussen de twee helften. Daardoor kan iemand die een hersen-bloeding heeft gehad soms geen eenvoudige zin uitbrengen maar wél een liedje zingen. En een cliënt die volledig verstijfd is door parkinson kan met behulp van muziek weer in beweging komen en dansen door het ritme en herhaling in de gespeelde melodie. Muziek heeft blijk-baar het vermogen om het niet-functionerende deel van de hersenen te omzeilen en tóch een verbinding met de rest van het brein te leg-gen. Als dat zo is, moet dat ook kunnen werken bij een psyche die is lamgelegd door een klinische depressie.

Op school komt Vanessa anders over dan wanneer we samen zijn in onze vrije tijd. Ze draagt een onberispelijk broekpak en een kleu-rige zijden blouse. Ze loopt door het gebouw met verende, snelle tred alsof ze al vijf minuten te laat is. We stuiten op twee tieners die staan te zoenen in de gang. Geroutineerd haalt Vanessa hen uit elkaar. 'Mensen,' zegt ze zuchtend, met een kalme, vanzelfsprekende autoriteit. 'Willen jullie nu echt op deze manier mijn tijd verspillen?'

'Nee, m'vrouw Shaw,' mompelt het meisje. Zij en haar vriendje maken zich stilletjes uit de voeten in tegenovergestelde richting, als magneten die elkaar afstoten.

'Sorry voor de onderbreking,' zegt Vanessa. Ze snelwandelt weer verder, met mij half hollend achter haar aan. 'Puberale hormonen. Daar loop ik in mijn vak nogal eens tegenaan.' Ze glimlacht naar me. 'En wat is jouw voorgenomen strategie voor vandaag?'

'Een intakegesprek,' antwoord ik. 'Ik ga proberen in te schatten op welk punt ik het therapieproces met Lucy het best kan beginnen. Dat moet verband houden met haar mentale toestand van dit moment.'

'Ik vind dit superspannend. Ik heb jou nauwelijks ooit echt aan het werk gezien,' zegt Vanessa.

Ik houd mijn pas in. 'Wacht even. Dat lijkt me geen goed idee.'

'O, maar ik weet zeker dat je het heel goed zult doen...'

'Dat is het punt niet,' val ik haar in de rede. 'Vanessa, dit is therapíé. Als jij Lucy naar een psychiater had verwezen, zou je ook niet verwachten dat je de sessies kon bijwonen, toch?'

'O, zit het zo. Ik snap het,' zegt ze, maar ik voel aan dat ze een beetje beledigd is. 'Hoe dan ook,' zegt Vanessa terwijl ze in ijltempo verder sjeest, 'ik heb een ruimte voor je gereserveerd. Je kunt het remedialteachinglokaal gebruiken.'

'Hé, nou moet je niet meteen denken...'

'Zoë,' zegt Vanessa kortaf. 'Ik begrijp het. Echt.'

Ik neem me voor hier later nog met Vanessa op terug te komen, want dit is niet het moment. We slaan de hoek om en stappen het rt-lokaal binnen, waar Lucy Dubois onderuitgezakt in een stoel hangt. Ze heeft lange slierten rood haar, waarvan sommige in de kraag van haar geruite flanellen blouse zijn gepropt. Met boze bruine ogen staart ze tussen haar slordige pony door voor zich uit. Haar mouwen zijn opgerold, zodat we het volle zicht hebben op de roze en grijze littekens op haar polsen. Alsof ze de hele wereld uitdaagt commentaar te leveren. Ze zit kauwgom te kauwen, wat verboden is op het hele schoolterrein.

'Lucy,' zegt Vanessa. 'Weg met die kauwgom.'

Ze haalt het uit haar mond en drukt het plat op het tafeltje voor haar.

'Lucy, dit is mevrouw Baxter.'

Ik heb met het idee gespeeld om weer mijn meisjesnaam aan te nemen, Weeks. Maar dat deed me te veel aan mijn moeder denken. Max heeft een heleboel van me afgenomen, maar juridisch gezien mag ik nog steeds zijn achternaam gebruiken als ik dat wil. Dus heb ik voor Baxter gekozen. Een meisje dat bij het namen oplezen altijd pas aan het einde van het alfabet werd genoemd, zal niet snel een achternaam versmaden die met een B begint. 'Je mag me gerust Zoë noemen,' zeg ik tegen Lucy.

Alles aan dit meisje straalt onverholen afweer uit. Van haar opgetrokken schouders tot de weloverwogen manier waarop ze mijn blik ontwijkt. Ze heeft een neusringetje in. Eén nietig, dun cirkeltje dat op het eerste gezicht een speling van het licht lijkt. Op de knokkels van haar hand is iets getekend of getatoeëerd.

Plotseling zie ik dat het letters zijn.

F.U.C.K

Wat heeft Vanessa me ook alweer verteld? Dat het gezin van Lucy lid is van de Eeuwige Gloriegemeente, de ultraconservatieve kerk waar Max heen gaat. Ik denk terug aan die avond bij de bioscoop, waar dominee Clive & Co hun protestactie hielden. Ik kan me Lucy niet een-twee-drie voorstellen tussen de smetteloze stralende tienermeisjes die bij de kassa antihomoflyers stonden uit te delen.

Zou Max dit meisje kennen?

'Het lijkt me heel leuk om met jou samen te werken, Lucy,' zeg ik. Ze vertrekt geen spier.

'Ik reken erop dat je Zoë alle medewerking geeft, Lucy' voegt Vanessa eraan toe. 'Wil je mij nog iets vragen voordat jullie tweeën van start gaan?'

'Ja.' Lucy laat haar hoofd achterovervallen als een paardenbloem die te zwaar is voor zijn steel. 'Als ik niet kom opdagen voor deze sessies, krijg ik dan een slechte aantekening van school?'

Vanessa kijkt me aan en trekt haar wenkbrauwen op. 'Veel succes,' zegt ze en sluit de deur achter zich.

'Zo.' Ik schuif mijn stoel tot vlak voor Lucy's tafeltje, zodat ze niet anders kan dan me aankijken. 'Zoals ik al zei, het lijkt me fijn om samen aan de slag te gaan. Heeft iemand je al uitgelegd wat muziektherapie precies is?'

'Stom gezeik?' zegt Lucy uitdagend.

'Het is een manier om toegang te krijgen tot je gevoel als je vastzit vanbinnen,' zeg ik, alsof ze niets heeft gezegd. 'Eigenlijk doen alle mensen zelf al een beetje muziektherapie. Jij ook. Je kent dat wel, als je een baaldag hebt. Je wilt alleen maar rondhangen in een oude trainingsbroek, een bak chocolade-ijs leegeten en meehuilen met "Ik voel me zo verdomd alleen". Dat is muziektherapie. Of wanneer het eindelijk warm weer wordt en je het autoraampje omlaag draait, de stereo aanzet en keihard meezingt. Dat is ook muziektherapie.'

Al pratend pak ik een notitieblok uit mijn tas zodat ik kan beginnen met de officiële intake. De bedoeling is opmerkingen en antwoorden van de cliënt, plus mijn eigen indruk, in steekwoorden te noteren. Later werk ik dat uit tot een klinisch verantwoord evaluatierapport. Bij een ziekenhuispatiënt is deze eerste stap vrij gemakkelijk. Ik probeer in te schatten hoeveel pijn iemand heeft en of hij of zij angstig is. Daarnaast maak ik notitie van bepaalde gezichtsuitdrukkingen.

Maar Lucy geeft niets prijs.

Ze staart rechtuit naar een punt ergens achter mijn schouder en wrijft afwezig met haar duim over het tafelblad. Automatisch volgt ze de balpenkrassen gemaakt door verveelde leerlingen die daar vóór haar hebben gezeten.

'En verder,' zeg ik op opgewekte toon, 'wil ik jou vandaag wat beter leren kennen. Daar moet je me natuurlijk wel bij helpen... Bijvoorbeeld, heb je ooit op een instrument gespeeld?'

Lucy gaapt.

'Ik neem aan van niet, dus. Maar heb je ooit een instrument wíllen spelen?'

Geen antwoord. Ik schuif mijn stoel nog een stukje naar voren. 'Lucy, ik vroeg je of jij ooit een instrument wilde leren spelen...'

Ze legt haar hoofd op haar armen en sluit haar ogen.

'Dat is geen probleem, hoor. Er zijn genoeg mensen die nooit hebben geleerd een muziekinstrument te bespelen. Maar stel nou dat jij dat zou willen, dan zou ik je in de tijd dat we hier samen werken kunnen helpen. Ik speel van alles: houten en koperen blaasinstrumenten, keyboard en gitaar. En ik kan ook drummen...' Ik werp een blik op mijn notitieblok. Tot nu toe heb ik Lucy's naam opgeschreven, verder niets.

'Alles,' herhaalt Lucy zachtjes. Ik ben zo blij dat ik haar schorre stem hoor, dat ik bijna van mijn stoel val. 'Ja,' antwoord ik. 'Alles.'

'Speel je accordeon?'

'Nou, nee,' zeg ik aarzelend. 'Maar dat kunnen we samen leren, als jij dat zou willen.'

'Didgeridoo?'

Dat heb ik ooit geprobeerd. Maar ik kreeg die speciale ademhalingstechniek niet onder de knie, laat staan dat het me lukte ook nog mijn stembanden erbij te gebruiken. 'Nee.'

'Dus eigenlijk,' zegt Lucy, 'ben jij een vuile leugenaar. Net als iedereen die ik ooit ben tegengekomen.'

Ik heb al heel lang geleden geleerd dat woede een vorm van betrokkenheid is, en dat het hoe dan ook een stap vooruit betekent vergeleken met totale onverschilligheid. 'Wat voor soort muziek vind je leuk? Wat heb je op je iPod staan?'

Lucy heeft zich alweer in stilte gehuld. Ze pakt een pen en tekent een ingewikkeld patroon op haar handpalm, met allerlei lussen en krullen zoals de knopen in de sieraden van Maori's.

Misschien heeft ze helemaal geen iPod. Ik bijt op de binnenkant van mijn lip, boos op mezelf. Ik heb een sociaal-economische aanname over een cliënt laten doorschemeren in mijn vraag. Dat hoor ik niet te doen. 'Ik weet dat jouw familie religieus is.' zeg ik. 'Luister je naar gospelrock? Heb je een favoriete band?'

Stilte.

'Vertel eens, wat was de eerste popsong waarvan je de tekst uit je hoofd hebt geleerd? Toen ík klein was, had de oudere zus van mijn beste vriendin een platenspeler. Ze draaide continu 'Billy, Don't Be a Hero' van Paper Lace. Dat was in 1974. Ik spaarde net zo lang mijn zakgeld op tot ik die single zelf kon kopen. En nog steeds als ik dat liedje hoor krijg ik tranen in mijn ogen vanwege het einde, wanneer het meisje bericht krijgt dat haar vriendje gestorven is,' vertel ik. 'Gek hè, maar als ik één liedje mocht meenemen naar een onbewoond eiland zou ik dat kiezen, al heb ik sinds die tijd veel muziek gehoord die ingewikkelder, artistieker en specialer is. Ik zou Paper Lace kiezen uit pure nostalgie.' Ik probeer Lucy's blik te vangen. 'En jij? Welke muziek zou jij willen horen als je terechtkwam op een onbewoond eiland?'

Lucy glimlacht lief naar me. 'De soundtrack van *Baywatch*,' zegt ze en staat op. 'Mag ik even naar het toilet?'

Even zit ik haar aan te staren. Vanessa en ik hebben niet besproken of dat is toegestaan. Maar dit is therapie, geen gevangenis. Bovendien, stel dat ze echt nodig moet? 'Natuurlijk,' zeg ik. 'Dan wacht ik even op je.'

'Je doet maar,' mompelt Lucy en glipt de deur uit.

Ik trommel met mijn vingers op het tafeltje en pak dan mijn pen. *Cliënte biedt weerstand tegen het geven van persoonlijke informatie,* schrijf ik.

Houdt van tv-serie Baywatch.

Het laatste zinnetje streep ik door. Dat heeft Lucy alleen maar gezegd om me uit te dagen.

Denk ik.

Ik wist zo zeker dat ik tot Lucy zou kunnen doordringen. Eigenlijk heb ik nooit aan mijn vaardigheden als therapeut getwijfeld. Maar ja, met wat voor mensen heb ik de laatste tijd gewerkt? Met bewoners van verzorgings- en verpleegtehuizen, cliënten die vaak letterlijk geen kant meer op kunnen. En daarnaast de brandwondenslachtoffers, die in dermate fysieke nood verkeren dat muziek alleen maar kan helpen, en niet nog meer schade toebrengen.

Zelf heb ik echt uitgekeken naar deze therapiesessie en ik was er nauwelijks op berekend dat Lucy DuBois er niets van zou willen weten.

Na een tijdje begin ik het rt-lokaal rond te kijken.

De meeste achterstandsleerlingen zijn uitstekend in het onderwijs geïntegreerd, maar sommige zijn daarnaast op remedial teaching aangewezen. Ik zie skippyballen om op te zitten in plaats van stoelen, kleine computertafels waar leerlingen staand aan kunnen werken, planken vol boeken, een emmer met stressballetjes en een stapeltje schuurpapier. Op het witte schoolbord staat één enkel zinnetje geschreven: *Hoi, Ian!*

Wie is Ian? vraag ik me af. *En waar hebben ze hem gelaten, nu Lucy en ik zijn werkruimte hebben ingepikt?*

Sinds Lucy's vertrek is inmiddels een kwartier verstreken. Ik loop het lokaal uit, en mijn oog valt meteen op een meisjestoilet aan de overkant van de gang. Ik duw de deur open en tref een meisje aan dat bijna met haar neus tegen de spiegel gedrukt haar mascara bijwerkt.

Ik hurk neer en inspecteer de ruimtes onder de toiletdeuren, maar ik zie nergens een paar voeten.

'Ken jij Lucy DuBois?'

'Ehm, ja-a,' zegt het meisje. 'Compleet geflipt, die griet.'

'Heb je haar hier binnen zien komen?'

Het meisje schudt haar hoofd.

'Verdorie,' mompel ik en loop terug, de gang op. Ik kijk nog even in het lokaal waar we samen hebben gezeten, maar ik ben echt niet zo naïef om te denken dat Lucy daar op me zit te wachten.

Ik zal met hangende pootjes naar de administratie moeten om door te geven dat Lucy vroegtijdig vertrokken is van de therapiesessie.

Ik zal het Vanessa moeten vertellen.

En vervolgens zal ik zo snel mogelijk de benen nemen, net als Lucy.

Wat een blamage, denk ik bij mezelf. Ik wil nu echt niet direct door naar mijn lege huis. Ik weet dat er berichten op mijn voicemail zullen staan van Vanessa. Ze was niet op haar kantoor toen ik me kwam afmelden, dus heb ik een briefje voor haar neergelegd met uitleg en een excuus vanwege de mislukte muziektherapiesessie. Ik zet mijn mobiele telefoon uit en rijd naar de anoniemste plaats die ik kan bedenken: de Walmart. Het zou je verbazen hoeveel tijd je daar kunt zoet brengen. Ik dwaal door de winkelpaden, bestudeer het Corelle-serviesgoed met de sinaasappel- en citroendecoraties en vergelijk de prijzen van merknaamvitamines met die van het huismerk. Ik laad mijn winkelwagen vol spullen die ik niet wil hebben: theedoeken, een kampeerlantaarn, drie Jim Carrey-dvd's in één verpakking en een zakje strips om je tanden mee te bleken. Vervolgens laat ik de afgeladen winkelwagen achter, ergens op de afdeling hengelsportartikelen, en klap een tuinstoel uit. Ik ga zitten en blader door het nieuwste nummer van *People*.

Waarom ben ik zo verpletterend down over mijn mislukte sessie met Lucy DuBois? Ik heb tal van andere cliënten behandeld met wie de eerste ontmoeting geen daverend succes was. Neem nu die autistische jongen, ook op het Wilmington College, met wie ik een paar maanden heb gewerkt. Die zat de eerste vier sessies alleen maar stilzwijgend heen en weer te wiegen met zijn bovenlichaam, in een hoek van de therapieruimte. Ik weet dat, ondanks wat er vandaag gebeurd is, Vanessa op mijn oordeel zal vertrouwen. Als ik haar zeg dat het naar mijn verwachting de volgende keer een stuk beter zal gaan, is er niets aan de hand. Ze zal me niet kwalijk nemen dat ik Lucy de kans heb gegeven ertussenuit te knijpen. Waarschijnlijk zal ze Lucy nog eerder de schuld geven dan mij.

Ik ben niet bang dat ze teleurgesteld zal zijn.

Het is gewoon... dat ík niet degene wil zijn die haar teleurstelt.

'Hallo, mevrouw,' hoor ik, terwijl iemand me op mijn schouder tikt. Ik kijk omhoog en zie een winkelmedewerker met een grote Walmart-badge en een kalend hoofd. Langzaam, alsof hij een kleuter voor zich heeft, zegt hij: 'Deze stoelen zijn niet om op te zitten.'

Waarvoor zijn ze dan wel? denk ik bij mezelf. Maar ik kom overeind met een beleefde glimlach in zijn richting, klap de stoel op en zet hem weer in het rek.

Een halfuur lang rijd ik gedachteloos rond, en opeens sta ik op de parkeerplaats van een café dat maar anderhalve kilometer van mijn appartement is. Ooit heb ik hier gewerkt, eerst als serveerster en toen als zangeres, waarbij ik mezelf op de gitaar begeleidde. Dat was voordat Max en ik begonnen met ivf. Toen we daar eenmaal mee bezig waren, was ik voortdurend moe of gestrest, of allebei. Ik had geen zin meer om twee keer per week om tien uur 's avonds te zingen voor publiek.

Nu is het café nagenoeg uitgestorven. Het is woensdag, een doordeweekse dag dus, en nog vroeg in de avond.

Bovendien hangt er een groot bord op de deur met de aankondiging: WOENSDAG IS KARAOKEAVOND.

Karaoke staat naar mijn mening in de top tien van foute uitvindingen, samen met Windows Vista en camouflerende haarspray voor kalende mannen. Mensen die normaal gesproken alleen de moed hebben om tijdens het douchen te zingen onder de dekmantel van luid stromend water, gaan nu ineens het podium op voor vijftien minuten twijfelachtige roem. Voor ieder echt goed karaokeoptreden dat je ooit meemaakt, heb je waarschijnlijk twintig tenenkrommende voorstellingen moeten uitzitten.

Maar nadat ik binnen twee uur mijn vierde drankje naar binnen heb gekieperd, spring ik opeens zelf op het podium. Daar staat op dat moment een dame van middelbare leeftijd met een slecht permanent, en ik ruk haar de microfoon zowat uit handen. Ik hou mezelf voor dat ik het doe om erger te voorkomen. Als zij nog één nummer van Celine Dion zingt, zal ik haar acuut moeten wurgen met de rubberslang die aan het spuitwatervat onder de bar hangt. Maar het zou evengoed kunnen dat ik wil zingen omdat ik weet dat ik me daardoor beter zal gaan voelen.

Musici en muziektherapeuten hebben natuurlijk dezelfde inspiratiebron: muziek. Maar muziektherapeuten richten zich niet in eerste instantie op wat ze zelf uit muziek kunnen putten, zoals uitvoerende musici. Wij bedenken allerlei methodes om ánderen aan te moedigen zoveel mogelijk uit muziek te putten. Muziektherapie is muziek maken zonder ego – maar de meesten van mijn collega's blijven wel hun eigen vaardigheden oefenen door 's avonds in een bandje te spelen of in een koor te zingen.

Of, zoals ik nu doe, door karaoke.

Ik weet dat ik een goede zangstem heb. En op zo'n dag als vandaag, wanneer het erop lijkt dat al mijn andere kwaliteiten op de schop gaan, is zelf zingen ronduit balsem voor mijn ziel. Heerlijk om applaus te krijgen en de caféklanten om een toegift te horen vragen. Aardig van de barman dat hij me een bierglas geeft om fooien in te verzamelen. Ik zing wat van Linda Ronstadt, van Aretha Franklin en Eva Cassidy. Op een gegeven moment loop ik even naar mijn auto om mijn gitaar te pakken. Ik zing een paar zelfgeschreven nummers, meng er wat Melissa Etheridge doorheen, en dan een akoestische versie van Bruce Springsteens 'Glory Days', een ode aan zijn jeugdvriend. Wanneer ik aan Don McLeans megasucces 'American Pie' toe ben, zingt het hele café uit volle borst mee met het refrein en denk ik absoluut niet meer aan Lucy DuBois.

Ik denk niet, punt. Ik laat mezelf dragen door de muziek, ik bén de muziek. Ik ben de glitterdraad van klanken die alle mensen in deze ruimte aaneenrijgt en ons hecht met elkaar verbindt.

Wanneer ik stop met zingen gaat er een gejuich op. De barman schuift me nog een gin-tonic toe. 'Zoë,' zegt hij, 'het wordt hoog tijd dat jij hier weer regelmatig komt zingen, meid.'

Ja, misschien moet ik dit vaker gaan doen. 'Ik weet het nog niet, Jack. Ik zal erover nadenken,' zeg ik.

'Zing je ook verzoeknummers?'

Ik draai me om en daar staat Vanessa, vlak naast de barkruk waar ik op zit.

'Sorry,' zegt ze.

'Van wie? Brenda Lee of John Denver?' Ik wacht tot ze op de kruk naast me is gaan zitten en een drankje heeft besteld. 'Ik ga je niet vragen hoe je me hebt gevonden.'

'Jij bent de enige in deze stad die in een knalgele jeep rondrijdt. Zelfs verkeershelikopters pikken jou er moeiteloos uit.' Vanessa schudt haar hoofd. 'Je bent niet de eerste bij wie Lucy hem is gesmeerd, hoor. Ze heeft hetzelfde geflikt bij de psychologe van de schoolbegeleidingsdienst, tijdens hun eerste en enige gesprek.'

'Had me dat dan eerder verteld!'

'Ik hoopte gewoon dat het nu eens een keer anders zou lopen,' zegt Vanessa. 'Ben je nog van plan om terug te komen?'

'Wíl jij dan dat ik terugkom?' vraag ik. 'Ik bedoel, als je gewoon een menselijk wezen zoekt zodat Lucy ook die persoon weer linea recta kan dumpen, dan huur je maar een ander in. Misschien een of andere scholier, tegen het minimumjeugdloon. Dan ben je ook nog goedkoper uit.'

'De volgende keer bind ik haar vast op haar stoel,' belooft Vanessa. 'Dan laten we haar als represaille naar die dame luisteren die zo voortreffelijk Celine Dion zingt.'

Ze wijst naar de vrouw met het kurkdroge, uitgezakte permanent van wie ik de karaokecarrière in de kiem heb gesmoord. 'Ben je hier al zo lang?

'Yep. Waarom heb je me nooit verteld dat je zo fantastisch kunt zingen?'

'Je hebt mij zeker honderd keer horen zingen...'

'Ja, maar als jij mee kwinkeleert met de reclamejingle van Carglass krijg ik om de een of andere reden geen alomvattend zicht op jouw zangkwaliteiten.'

'Vroeger kwam ik hier een paar keer per week zingen en gitaarspelen,' vertel ik haar. 'Ik was vergeten hoe leuk ik dat vond.'

'Ga het dan gewoon weer doen! Ik kom in ieder geval naar je luisteren, dus je zult nooit voor een lege ruimte staan.'

Over een lege ruimte gesproken. Ik moet meteen weer denken aan de therapiesessie van vandaag, waarbij mijn cliënt aan de haal ging. Ik sla mijn armen rond de hals van mijn gitaarkoffer alsof ik die als schild wil gebruiken. 'Ik dacht echt dat ik iets van Lucy gedaan kon krijgen. Ik voel me zo'n kluns.'

'Ik vind jou geen kluns.'

'Wat vind je me dan wél?' Het floept uit mijn mond voor mijn verstand erin heeft toegestemd.

'Nou,' zegt Vanessa langzaam, 'ik vind jou de interessantste vrouw die ik ooit heb ontmoet. Elke keer als ik denk dat ik jou kan plaatsen, kom ik weer iets over je te weten wat me compleet verrast. Zoals vorig weekend, toen je vertelde dat je een lijst bewaart van alle bestemmingen waar je heen had gewild na je studietijd. Of dat je bij iedere aflevering van *Star Trek* aan de buis gekluisterd zat en alle dialogen uit je hoofd leerde. Of, wat ik me nu pas realiseer, dat jij de opvolgster wordt van Sheryl Crow.'

De caféruimte is doortrokken van een warmgele gloed. Mijn gezicht gloeit en ik ben duizelig, ook al zit ik op een barkruk. Ik ben niet veel drank gewend. Toen ik getrouwd was met Max dronk ik zelden, aanvankelijk uit solidariteit, en later ook omdat ik zwanger wilde worden. Vandaar dat de alcohol me nu naar mijn hoofd is gestegen. Ik reik achter Vanessa langs naar de stapel servetten die naast een bakje olijven ligt. De haartjes op mijn pols raken even de zijden mouw van haar blouse. Er gaat een aangename rilling door me heen.

'Jack,' roep ik. 'Heb je een pen voor me?'

De barman gooit me een pen toe. Ik vouw het papieren servet open en schrijf de cijfers een tot acht onder elkaar. 'Als jij een verzameltape moest maken van liedjes die iets over jou zeggen,' begin ik, 'welke nummers zou je daar dan op zetten?'

Ik houd mijn adem in. Zal Vanessa in lachen uitbarsten of gewoon het servet verfrommelen? Maar ze doet geen van beide. Ze pakt de pen van me aan. Al schrijvend buigt ze haar hoofd zo diep over de bar dat haar pony schuin over één oog valt.

'Is het jou wel eens opgevallen dat de huizen van andere mensen een specifieke geur hebben?' had ik Vanessa gevraagd, de eerste keer dat ik bij haar langsging.

'O jee. Je gaat me toch niet vertellen dat mijn huis afschuwelijk ruikt? Naar gebakken worstjes of zo?'

'Nee,' zei ik. 'Het ruikt schoon. Zoals zonlicht op pas gewassen lakens.' Toen vroeg ik haar waar mijn appartement naar rook.

'Weet je dat echt niet?'

'Nee. Dat kan ik niet weten omdat ik daar wóón, verklaarde ik. Ik ben er zelf onderdeel van.'

'Je huis ruikt naar jou, Zoë,' had Vanessa gezegd. 'Het ruikt als een plaats waar een mens nooit meer weg wil.'

Vanessa bijt op haar lip terwijl ze haar lijstje invult. Soms knijpt ze haar ogen tot spleetjes en soms kijkt ze naar de barman, of vraagt mij naar de naam van een band om meteen daarop zelf al met het antwoord te komen.

Een paar weken geleden keken we naar een documentaire waarin werd beweerd dat mensen gemiddeld vier keer per dag liegen. 'Dat is 1460 keer per jaar,' reageerde Vanessa prompt.

Ik had het zelf ook uitgerekend. Als je zestig bent, heb je al bijna achtentachtigduizend keer gelogen.

'Weet je wat volgens mij de meest voorkomende leugen is?' zei Vanessa toen. 'Iets met de strekking van: "Nee hoor, met mij gaat het goed".'

Ik ben vanmorgen van het Wilmington College weggegaan zonder op Vanessa's terugkomst te wachten. Ze had het toch al zo druk, en misschien zou ze stiekem denken dat ik een erbarmelijk slechte muziektherapeut was. Dat waren de dingen die ik mezelf had wijsgemaakt. Maar de andere reden waarom ik er zo snel vandoor ging, was dat ik wilde (of wenste?) dat ze achter me aan zou komen.

'Ta-dáá,' zegt Vanessa en ze geeft het beschreven servet een zetje in mijn richting. Het lichte papier fladdert even op als een vlinder en daalt vervolgens voor me neer op de bar.

Aimee Mann. Ani DiFranco. Madonna.

Tori Amos, Melissa Etheridge, Garbage.

The Indigo Girls, Elvis Costello, k.d. lang.

Wilco. Etta James.

Van Morrison, Macy Gray.

Ik ben sprakeloos.

'Ja, ik weet het. Het zijn er iets meer dan acht. En het is een beetje een rare combinatie, hè? Wilco en Etta James samen op één cd, dat lijkt zoiets als bij een etentje Barack Obama naast Sarah Palin zetten, die zitten ook niet direct op dezelfde golflengte. Maar ik vond dat Wilco en Etta geen van tweeën mochten ontbreken.' Vanessa buigt zich naar me toe en wijst weer naar de lijst. 'Kijk. Ik kon ook geen afzonderlijke nummers kiezen. Lijkt mij hetzelfde als een moeder vragen van welk kind ze het meest houdt, toch?'

Alle rockgroepen en artiesten die ze heeft opgeschreven staan zonder uitzondering ook op mijn denkbeeldige lijstje. En toch weet ik zeker dat ik haar dit nooit heb verteld. Het had niet eens gekund, want ik heb nooit daadwerkelijk een speellijst opgesteld voor mijn persoonlijke verzamel-cd. Ik heb het geprobeerd, maar het is me nooit gelukt mijn rijtje af te maken. Er zijn zoveel mooie, bijzondere liedjes in de wereld.

In de muziek verwijst 'perfecte toonafstemming' naar de kunst om een zuivere klank te produceren zonder gebruik te maken van een richtlijn buiten jezelf. Met andere woorden, je hoeft de noten niet te benoemen. Je kunt gewoon beginnen met een cis zonder dat iemand anders de toon voorspeelt. Of je hoort een A en herkent hem als zodanig. Je hoort een auto claxonneren en je weet dat het een F is.

In het gewone leven ben je perfect op iemand afgestemd als je de persoon in kwestie door en door kent, misschien zelfs beter dan hij of zij zichzelf kent.

Toen Max en ik nog getrouwd waren, hadden we constant bonje over de autoradio. Hij hield van luchtige nieuwsprogramma's en ik wilde muziek horen, behalve country en western dan. En ineens dringt er iets tot me door. In de maanden dat Vanessa en ik vriendinnen zijn hebben we samen heel wat autoritjes gemaakt, van een snelle rit naar de dichtstbijzijnde bakker tot een weekendtrip naar Franconia Notch – het mooiste natuurreservaat dat ik ken – 350 kilometer hiervandaan. Maar tijdens al die korte en lange uitstapjes heb ik nog nooit de neiging gehad om van radiozender te veranderen. Geen enkele keer. Ik heb zelfs nooit een paar nummers willen doorspoelen van een cd die zij had gekozen.

Wat voor muziek Vanessa ook laat horen, ik wil er altijd naar blijven luisteren.

Misschien stokt mijn adem, of misschien niet. Maar hoe dan ook,

Vanessa draait zich naar me toe en dan zitten we heel even doodstil. We zijn zó dicht bij elkaar.

'Ik moet gaan,' mompel ik, met een gevoel alsof ik me met tegenzin moet losrukken. Ik graaf al het geld op dat verfrommeld in mijn zakken zit en leg het op de bar. Dan pak ik mijn gitaarkoffer en haast me het café uit, naar de parkeerplaats. Terwijl ik met trillende handen mijn auto openmaak, zie ik Vanessa in de verlichte deuropening staan. En terwijl ik het portier achter me dichtsla om direct daarop de motor te starten, weet ik dat ze mijn naam roept.

Die nacht lang geleden, toen Lila high was van de heroïne, liep ik niet zonder reden te dolen door Ellies donkere huis.

Midden in de nacht was ik wakker geworden en zag dat Ellie naar me lag te staren. 'Wat is er aan de hand?' vroeg ik terwijl ik de slaap uit mijn ogen wreef.

'Hoor je dat?' fluisterde ze.

'Wat bedoel je?'

'Ssst,' zei Ellie en drukte een vinger tegen haar lippen. Daarna legde ze diezelfde vinger op mijn lippen.

Maar ik hoorde niets. 'Ik denk...'

Voor ik mijn zin kon afmaken, trok Ellie mijn gezicht naar zich toe en kuste me.

Toen hoorde ik ineens een heleboel. Van het gebons van mijn hart tot de grote nachtvlinders die met hun vleugels tegen de ramen tikten. Ik hoorde zelfs een baby huilen, een eind verderop in de straat.

Ik sprong uit bed en rende de gang op. Ik wist dat Ellie me niet zou roepen, want dan zou ze iedereen in huis wakker maken. Maar het bleek dat Ellies moeder nog niet eens thuis was. En Lila, Ellies zusje, zat tegen een overdosis aan toen ik haar slaapkamer binnenkwam.

Indertijd dacht ik dat ik hard wegliep voor Ellie, maar nu betwijfel ik dat. Was ik eigenlijk niet weggerend voor mezelf?

Ik was niet boos omdat mijn beste vriendinnetje me onverwachts kuste.

Ik schrok ervan dat ik haar begon terug te kussen.

Twee uur lang rijd ik schijnbaar doelloos door de stad. Maar dan, zonder dat ik me er helemaal bewust van ben, blijk ik toch ergens op af te koersen. Wanneer ik aankom brandt er licht op de bovenverdieping van Vanessa's huis. Ik bel aan en hoor meteen voetstappen. Ik hoef me duidelijk niet schuldig te voelen dat ik haar uit haar slaap heb gehaald.

'Waar heb jij gezeten? barst ze los. 'Je mobiel staat uit en thuis nam je niet op. Dara en ik hebben allebei geprobeerd je te bereiken. Je bent helemaal niet naar huis gegaan vanavond...'

'We moeten praten,' onderbreek ik haar.

Vanessa stapt achteruit om me binnen te laten. Ze heeft nog steeds dezelfde kleren aan als vandaag op school en ze ziet er verschrikkelijk uit. Haar haar is een puinhoop en ze heeft lichtpaarse kringen onder haar ogen. 'Het spijt me,' zegt ze. 'Het was niet mijn bedoeling om jou... dat ik...' hoofdschuddend breekt ze haar zin af. 'Weet je, Zoë, er is niets gebeurd. En ik beloof je met mijn hand op mijn hart dat er ook niets zál gebeuren, want jij bent veel te belangrijk voor mij als vriendin. Dus ik neem niet het risico jou te verliezen omdat...'

'Niets gebeurd? Volgens jou is er níéts gebéúrd?' zeg ik, snakkend naar adem. 'Jij bent mijn allerbeste vriendin. Ik wil voortdurend bij je zijn, en als ik niet bij je ben dan denk ik aan je. Ik ken niemand, echt helemaal niemand – inclusief mijn moeder en vroeger mijn ex-man – die mij zó goed begrijpt als jij. Ik hoef niet eens hardop te zeggen wat ik denk en jij spreekt het al uit.' Ik blijf naar Vanessa staren tot ze me eindelijk aankijkt. 'Dus als jij zegt dat er niets gebeurd is, Vanessa, dan heb je het helemaal mis. Want ik hou van jou. En dat betekent dat álles gebeurd is. Álles.'

Vanessa's mond valt open. Roerloos staat ze me aan te kijken. 'Ik... ik kan je niet volgen, geloof ik.'

'Ik kan het zelf ook nog niet helemaal volgen,' beken ik.

We kennen mensen nooit zo goed als we denken, met inbegrip van onszelf. Ik geloof niet dat je op een ochtend zomaar ineens lesbisch wakker wordt. Maar blijkbaar kan het wel in één klap tot je doordringen dat je de rest van je leven niet wilt doorbrengen zonder een bepaalde persoon.

Ze is groter dan ik, dus ga ik op mijn tenen staan. Ik leg mijn handen op haar schouders.

Het is anders dan een man kussen. Het voelt zachter. Intuïtiever. Gelijkwaardiger.

Ze neemt mijn gezicht tussen haar handen en ik vergeet alles om me heen. Ik ben nog nooit zo totaal opgegaan in een kus.

De ruimte tussen ons zindert en ontploft. Mijn hart slaat keer op keer over en ik druk haar dicht tegen me aan. Ik proef haar en besef dat ik uitgehongerd ben.

Ik heb eerder van iemand gehouden, maar het voelde anders dan dit.

Ik heb eerder iemand gekust, maar nu weet ik pas wat een 'verzengende kus' betekent.

Misschien duurt hij een minuut, of misschien een uur. Ik ben me alleen nog maar bewust van die kus en hoe zacht Vanessa's huid voelt waar ze me aanraakt, en van het feit dat ik zonder het te beseffen een eeuwigheid op haar heb gewacht.

VANESSA

Als kind raakte ik helemaal geobsedeerd door de cadeautjes die je kon winnen met de wikkels van Bazooka Joe-kauwgom. Zoals een vergulde ring met je eigen initialen, een goocheldoos, een telescoop of een echt kompas. Weet je nog, die wasachtige papiertjes rond zo'n roze plakje kauwgom? Er stond een ministripverhaaltje op afgedrukt dat zelden of nooit grappig was, met daaronder de beschrijving van een cadeautje.

Elk cadeautje leek nóg aanlokkelijker dan dat op de wikkels van mijn vorige plakjes kauwgom. Maar je moest ervoor sparen. Er werd een klein geldbedrag gevraagd, plus een belachelijk groot aantal Bazooka-strips. In 1985 kreeg ik een kauwgompapiertje in handen met een aanbod dat voor mij onweerstaanbaar was. Als ik één dollar en tien cent bij elkaar kon schrapen, plus vijfenzestig Bazooka-wikkels, zou ik een röntgenbril winnen.

Een week lang lag ik er 's avonds voor ik in slaap viel over te denken. Wat zou je kunnen zien door een röntgenbril? Ik stelde me mensen voor in hun ondergoed, honden op straat waarvan ik het skelet kon zien, en de inhoud van sieradenkistjes en vioolkoffers. Zou ik door muren heen kunnen kijken en te weten komen wat er gebeurde in de lerarenkamer op school? Zou ik door de schutbladen van de bruinkartonnen map op mevrouw Watkins' bureau de antwoorden van onze rekentoets kunnen lezen? Zo'n röntgenbril bevatte een wereld van mogelijkheden. Ik stond te trappelen om er een in mijn bezit te krijgen.

Dus begon ik te sparen. Het duurde niet lang of ik had één dollar en tien cent bij elkaar, maar de Bazooka-wikkels, dat was een heel ander verhaal. Die week kocht ik twintig plakjes kauwgom van mijn zakgeld. Ik ruilde mijn kostbaarste honkbalplaatje (van de nieuwste speler van de Red Sox) met Joey Palliazo voor tien Bazooka-strips. (Joey had gespaard voor de magische decodeerring.) Ik stond Adam Waldman toe een van mijn borsten aan te raken in ruil voor nog eens vijf wikkels. (Ik vond er niets aan en hij ook niet.) Binnen een paar weken had ik genoeg wikkels en geld gespaard. Ik stopte alles in een enveloppe en stuurde die naar het op de wikkels vermelde adres. Er gingen nog vier tot zes weken overheen, maar daarna zou ik de röntgenbril in mijn bezit hebben.

Al die weken stelde ik me een wereld voor die ik tot op de bodem zou kunnen doorgronden. Ik zou mijn ouders horen overleggen over mijn kerstcadeau, ik zou iets lekkers in de koelkast zien liggen zonder de deur open te doen. Ik zou het dagboek van mijn beste vriendinnetje kunnen lezen om erachter te komen of ze mij net zo leuk vond als andersom. Toen, op een dag, stond de postbode op de stoep met een grijsbruine doos met mijn naam erop. Ik scheurde hem open en haalde een witte plastic bril tevoorschijn.

Hij was te groot voor me en gleed over mijn neus omlaag. De lenzen waren ietwat ondoorzichtig en in het midden van elke lens stond een wazig wit bot geëtst. Toen ik de bril opzette, zag alles eruit alsof dat stomme witte nepbot erop zat gedrukt.

Ik kon helemaal nergens doorheen kijken.

Laat dit een waarschuwing zijn. Pas op als je liefste wens vervuld wordt, want de uitkomst zal je hoe dan ook teleurstellen.

Je zou denken dat we na die eerste kus zoiets als 'sorry' hadden gezegd, of dat we op zijn minst een beetje onthand waren. Nou, de volgende dag had ik inderdaad zo mijn twijfels. Op mijn werk had ik acht uur lang de gelegenheid om iedere seconde van onze kus te analyseren. (Was Zoë stomdronken of alleen een beetje aangeschoten? Had ik haar aangemoedigd of was het haar eigen idee geweest? Was het echt zo fantastisch fijn als ik het me herinnerde of verzon ik dat nu ter plekke?) Daarna reed ik naar het ziekenhuis waar Zoë die dag met brandwondenslachtoffers werkte. Ze liet de dienstdoende verpleegkundige weten dat ze tien minuten pauze nam en we wandelden samen door een lange gang. We liepen dicht genoeg naast elkaar om elkaars hand vast te houden, maar dat deden we niet.

'Zeg, Zoë,' begon ik, zodra we buiten gehoorsafstand waren van wie er ook toevallig mee zou kunnen luisteren.

Verder kwam ik niet, want Zoë had zich op me gestort. Ze kuste me zo onstuimig dat de vonken ervan afspatten. 'God, ja,' hijgde ze, met haar lippen nog tegen de mijne. We weken een klein stukje uiteen. 'Ja, dit is precies zoals ik me van gisteravond herinner.' Toen keek ze met stralende ogen naar me op. 'Is het altijd zo?'

Wat moest ik daar nu op zeggen? De eerste keer dat ik een vrouw kuste, voelde het alsof ik de ruimte in werd geschoten. Het was nieuw en spannend en het voelde zo ongelooflijk goed dat ik niet begreep waarom ik het niet veel eerder had gedaan. Het leek op een vriendschappelijke wedstrijd tussen spelers van gelijk niveau, heel anders dan zoenen met een man. En toch was het bepaald niet soft of truttig. Het was driedimensionaal en wereldschokkend. Inténs.

Dit gezegd hebbende: nee, het was niet altijd zoals gisteravond. Ik wilde Zoë best vertellen dat het inderdaad zo speciaal was geweest omdat ze een vrouw had gekust. Maar ik wilde haar nog veel liever vertellen dat ze in vuur en vlam had gestaan omdat ze míj had gekust.

Dus gaf ik maar helemaal geen antwoord. Ik trok haar naar me toe, wiegde haar hoofd in mijn handen en kuste haar opnieuw.

Sindsdien zijn er drie dagen verstreken. In die tijd hebben we uren zitten zoenen en knuffelen in haar auto, op mijn zitbank thuis en in het voorraadkamertje in het ziekenhuis. We lijken wel een stel tieners. Ik heb haar mondholte verkend, ik weet dat als ik één bepaald plekje op haar kaakrand lik, ze begint te sidderen. Ik weet dat het kuiltje achter haar oor naar citroen ruikt en dat ze in haar nek een moedervlek heeft in de vorm van Massachusetts, precies op de haargrens.

Gisteravond toen we even stopten, blozend en hijgend, zei Zoë: 'Wat komt er hierna?'

En zo ben ik terechtgekomen waar ik nu lig: op mijn bed, volledig gekleed, met Zoë boven op me. Haar haar zwiert als een lang gordijn over mijn gezicht terwijl ze me kust en kust. Haar handen verkennen behoedzaam het terrein van mijn lichaam.

Volgens mij wisten we allebei waar deze avond op zou uitdraaien, al zijn we heel bescheiden begonnen. We hebben gegeten in een pizzeria en daarna een slappe film gekeken. Hoe begint seks ooit anders dan als een soort onweersbui die zich opbouwt tussen twee mensen en die zich uiteindelijk ontlaadt?

Maar dit is anders. Voor Zoë is het weliswaar de eerste keer, maar ík ben degene die alles te verliezen heeft als het niet meteen helemaal geweldig is.

Ik kan Zoë verliezen.

Dus ik bezweer mezelf dat ik haar het tempo zal laten bepalen, al betekent dat voor mij een ware marteling. Aarzelend glijden haar handen van mijn schouders naar mijn ribben, en verder omlaag tot mijn middel. Dan stopt ze. 'Wat is er?' fluister ik en denk meteen het ergste. Dat ze hiervan walgt, dat ze totaal niets voelt, dat het tot haar doordringt dat ze een vergissing heeft begaan.

'Ik ben bang, denk ik,' bekent Zoë.

'Je hóéft helemaal niets, hoor,' zeg ik.

'Maar ik wil wel. Ik ben gewôon bang dat ik het fout doe.'

'Zoë,' zeg ik, 'fout bestaat niet. Het is een kwestie van proberen, lieve schat.'

Ik pak haar handen en leg ze onder de zoom van mijn blouse. Ik voel haar vingers op mijn buik, en ik weet zeker dat ik morgen wakker word met haar initialen in mijn huid geschroeid. Langzaam kruipen haar handen omhoog, tot ze het kant van mijn beha raken.

Weet je wat het is met lesbische seks? Je hoeft niet bang te zijn dat je lichaam niet volmaakt is, want je weet dat je partner zich precies hetzelfde voelt. Het maakt niet uit dat je nog nooit een vrouw hebt aangeraakt, want je bént een vrouw en je weet van jezelf al wat jij fijn vindt in bed. Als Zoë ten slotte mijn blouse uittrekt, ontsnapt me een kreet, denk ik. Ze bedekt mijn mond met de hare en slikt het geluid in. En dan gaat haar T-shirt uit, en de rest ook. We zijn een kluwen van gladde benen, van heuvels en dalen, van zuchten en smeken. Ze duikt boven op me, ik probeer ons tempo iets af te remmen, en op de een of andere manier bereiken we elkaar in het heerlijke, glorieuze midden.

Achteraf liggen we tegen elkaar aan op het dekbed. Ik ruik haar huid, haar zweet en haar haar. Wat een zegen dat die geur als een herinnering in mijn lakens zal blijven hangen, ook als ze weg is. Want iets wat zo perfect is als dit kan niet van lange duur zijn. Ik heb zoiets eerder meegemaakt met een heterovrouw, dus ik weet dat een fantasie die waarheid wordt niet altijd betekent dat het blijvend is. Ik geloof heus wel dat Zoë ernaar verlangde dat dit tussen ons zou gebeuren. Maar het wil er bij mij niet in dat zij deze relatie door zal zetten.

Ze beweegt in haar slaap en draait zich om, zodat ze met haar gezicht naar me toe ligt. Haar voet glijdt tussen mijn benen, en ik trek haar dichter tegen me aan. Wanneer zal de nieuwigheid van mij eraf zijn voor haar? Dat is de vraag.

Twee weken later wacht ik nog steeds op het antwoord. Zoë en ik hebben tot nu toe alle nachten samen doorgebracht. We zijn op het punt beland dat ik haar niet eens meer vraag of ze na het werk bij me langskomt, omdat ik al weet dat ze bij mij thuis op me zit te wachten. Met een Chinese afhaalmaaltijd of een zelfgebakken quiche waarvan ze beweert dat ze die niet alleen op kan. Of ze heeft een dvd bij zich waar we het over hebben gehad.

Er zijn momenten dat ik niet kan geloven hoeveel geluk ik heb. Maar er zijn evenveel momenten waarop ik besef dat dit voor Zoë alleen nog maar een superspannend, nieuw spel is. Binnenskamers is Zoë lesbisch tot en met. Ze leest al mijn jaargangen van *Zij aan Zij*. Ze belt haar kabelbedrijf om Logo, het televisiekanaal dat zich richt op homo's, lesbo's, bi- en transseksuelen, te kunnen ontvangen. Ze begint tegen mij over Provincetown. Of ik daar ooit geweest ben en of ik er ooit nog een keer heen zou willen. Ze doet al die dingen die ik ook deed toen ik zo'n vijftien jaar geleden opgelucht en blij had aanvaard dat ik lesbisch was. Ik was óók opgetogen en uitgelaten. Eindelijk bevrijd uit mijn kooi, zo voelde het toen. Maar één ding is anders. Zoë heeft nog geen mens verteld – zelfs mij niet – dat ze daadwerkelijk een relatie heeft met een vrouw. Ze heeft nooit eerder een verhouding gehad die de mensen op straat ertoe aanzet iets te fluisteren wanneer zij langsloopt. Niemand heeft haar ooit 'pot' genoemd. Dit is allemaal nog niet echt, voor haar niet. En zodra de realiteit tot haar doordringt, zal ze haar gevoelens nog eens goed op een rijtje zetten. Ze zal me zeggen dat het echt heel erg leuk en gezellig was, maar helaas... een vergissing.

Toch sta ik niet sterk genoeg in mijn schoenen om haar af te wijzen, nu ze mij nog wil. Nu het zo verdomd goed voelt om bij haar te zijn.

Dus als ze me vraagt om haar tweede therapiesessie met Lucy te ob-
serveren, zeg ik meteen ja. Vorige keer wilde ik er al graag bij zijn.
Maar natuurlijk was dat toen al niet zozeer uit zorg voor Lucy's welzijn, als wel omdat ik Zoë aan het werk wilde zien. Zij had me toen
direct afgewimpeld, en terecht. Maar nu is ze minder zelfverzekerd.
Eerlijk gezegd denk ik dat ze me er vooral bij wil hebben om de deur
te barricaderen voor het geval dat Lucy opnieuw probeert te ontsnappen.

Vandaag staat de tweede sessie gepland, en ik help Zoë een heel
scala aan instrumenten uit haar auto te laden. 'Speelt Lucy hierop?'
vraag ik, terwijl ik een kleine marimba neerzet.

'Nee, ze speelt geen enkel instrument. Maar alles wat ik vandaag
heb meegebracht klinkt goed, ook al heb je er geen ervaring mee. Al
deze instrumenten zijn pentatonisch.'

'Wat is dat?'

'Een pentatonische toonladder bestaat uit vijf tonen. Heel anders
dan een heptatonische toonladder – een toonreeks met zeven noten
zoals de majeurtoonladder: do re mi fa sol la ti. De pentatonische
toonladder tref je over de hele wereld aan. In jazz, blues, Keltische en
Japanse volksmuziek, en allerlei kinderliedjes. Het leuke is dat je simpelweg geen fout kúnt maken. Welke toon je ook aanslaat of speelt,
het zal altijd goed klinken.'

'Ik begrijp het niet.'

'Ken je "My Girl", van de Temptations?'

'Hm-hm.'

Zoë zet het schootharpje dat ze in haar handen heeft op haar knie
en speelt het intro, die zes vertrouwde, stijgende noten, die zich herhalen. 'Dat is een pentatonische toonladder. En weet je nog, die melodie
die de aliens herkenden in *Close Encounters of the Third Kind*? Die
was ook pentatonisch. Trouwens, een bluestoonladder is gebaseerd op
een pentatonische reeks in mineur.' Ze zet de schootharp op de grond
en reikt me een hamertje aan voor de marimba. 'Probeer maar.'

'O nee, daar begin ik niet aan. Mijn laatste ervaring met een
muziekinstrument was ronduit bedroevend, weet je. Ik heb een paar
vioollessen gehad toen ik acht was. Zodra ik thuis ging oefenen hebben de buren het alarmnummer gebeld omdat ze dachten dat bij ons
in huis een zwaargewond dier lag.'

'Probéér het nou gewoon.'

Ik pak het hamertje en tik voorzichtig op een van de staven. En nog een. En een derde. Dan herhaal ik hetzelfde patroon. Voordat ik het weet, tik ik zomaar op allerlei staven en verzin al doende een liedje. 'Goh,' zeg ik. 'Gaaf zeg.'

'Weet ik toch! Dit is nu stressvrij muziek maken.'

Stel je voor dat je volgens een pentatonische toonladder kon leven. Dat je niets fout kon doen, welke stap je ook zou zetten.

Ik geef Zoë het hamertje terug, precies op het moment dat Lucy binnen komt chagrijnen; dat is eigenlijk de enige manier om haar houding te beschrijven. Ze kijkt van Zoë naar mij en haar gezicht betrekt zo mogelijk nog verder. *Vluchten kan niet meer*, ik zie het haar gewoon denken. Ze ploft op een stoel neer en begint op haar duimnagel te bijten.

'Hoi, Lucy,' zegt Zoë. 'Wat leuk om je weer te zien.'

Lucy blaast haar kauwgom tot een bubbel en laat hem vervolgens klappen. Ik kom overeind, pak de prullenbak en houd hem onder haar kin tot ze het spul uitspuugt. Daarna sluit ik de deur van het rt-lokaal zodat de geluiden uit de gang Zoës therapiesessie niet kunnen verstoren.

'Zoals je ziet, zit mevrouw Shaw vandaag bij ons. Dat is voor het geval dat jij je weer opeens een dringende afspraak elders herinnert,' zegt Zoë vriendelijk.

'Je bedoelt dat je niet wilt dat ik 'm smeer,' zegt Lucy.

'Zo kun je het ook stellen,' zeg ik bevestigend. 'Ik heb zitten denken, Lucy. Als jij me nou eens één ding noemt dat je leuk vond aan onze vorige sessie, dan zorg ik ervoor dat we dat deze keer weer doen...'

'Dat ik het kort heb gehouden,' antwoordt Lucy.

Als ik Zoë was, had ik die kleine brutale troela wel naar de keel kunnen vliegen. Maar Zoë glimlacht alleen even naar haar. 'Oké,' zegt ze. 'Vandaag houden we het tempo erin, daar kun je op rekenen.' Ze pakt de schootharp en zet hem neer op Lucy's tafel. 'Ken je dit instrument?' Lucy schudt haar hoofd en Zoë tokkelt op de snaren. Aanvankelijk hangen de noten als losse klanken in de lucht, maar algauw lijken ze zich als vanzelf te ordenen tot een wiegeliedje.

'*Ga maar slapen lieve kind*,' zingt Zoë zacht, '*totdat ik een kauwtje vind./ En als dat niet zingen wil/ geef ik jou een gouden ring.*' Ze zet de schootharp neer. 'Ik heb deze tekst nooit echt begrepen. Ik bedoel, zou jij niet liever een vogeltje krijgen dat zo slim is dat je het allerlei woorden kunt leren, ook al kan het misschien niet zingen? Dat is toch veel cooler dan een sieraad?' Ze laat haar hand over de snaren gaan. 'Wil jij het eens proberen?'

Lucy maakt geen aanstalten om de schootharp te pakken. 'Nou, geef mij die gouden ring maar,' zegt ze uiteindelijk. 'Die zou ik meteen verpatsen en van het geld een buskaartje kopen om hier zo ver mogelijk vandaan te komen.'

Ik ken Lucy nu ruim een jaar, maar ik heb haar nog nooit zoveel woorden achter elkaar horen gebruiken om iemand antwoord te geven. Verbluft leun ik naar voren. Misschien is muziek inderdaad een wondermiddel. Wat zal Zoë nu gaan doen, als volgende stap?

'Echt waar?' zegt ze. 'Waar zou je naartoe gaan?'

'Pffft. Overal en nergens. Gewoon wég.'

Zoë trekt de marimba naar zich toe. Ze begint op de klankstaven te tikken in een ritme dat vaag Afrikaans lijkt, of misschien Caraïbisch. 'Vroeger was ik van plan om de hele wereld rond te reizen als ik eenmaal afgestudeerd was. Ergens heen gaan en daar een tijdje werken als serveerster of zoiets. Sparen tot ik geld genoeg had om weer verder te trekken. Ik hield mezelf voor dat ik nooit zo'n type zou worden dat vooral apetrots is op haar huis en al haar mooie spullen. Ik wilde eigenlijk niet meer hebben dan ik kon meenemen in een rugzak.'

Voor het eerst zie ik Lucy aandachtig naar Zoë kijken. 'Waarom heb je het niet gedaan dan?'

Zoë haalt haar schouders op. 'Tja… van sommige mooie dromen komt niets terecht.'

Ik vraag me in stilte af van welke bestemmingen Zoë gedroomd had. Een uitgestrekt ongerept strand? Een blauwe gletsjer die oprijst midden in een ijsvlakte? De drukte rond de boekenstalletjes aan de oevers van de Seine?

Zoë begint een andere melodie te spelen op de marimba. Dit klinkt als een polka. 'Wat zo cool is aan deze twee instrumenten is dat ze pentatonisch gestemd zijn. Een heleboel wereldmuziek – volksmuziek uit verschillende landen – is daarop gebaseerd. Dat is het leuke aan muziek. Je kunt een fragment of een liedje horen en in je gedachten verplaatst dat stukje muziek jou zomaar naar een totaal ander deel van de wereld. Tenslotte kun je meestal niet écht pats-boem op het vliegtuig stappen. Stel dat je bijvoorbeeld het volgende lesuur een belangrijk vak hebt. Wiskunde of zo.' Ze beweegt het hamertje over de marimba en tovert een Aziatisch klinkende melodie tevoorschijn. Klanken die van hoog naar laag springen en weer terug. Ik sluit mijn ogen en zie kersenbloesems voor me en kleurige origamifiguren. 'Hier,' zegt Zoë en geeft het hamertje aan Lucy. 'Ik stel voor dat jij iets speelt dat klinkt als de plaats waar je het liefst wilt zijn.'

Lucy klemt het hamertje in haar vuist en staart ernaar. Ze slaat één keer hard de hoogste toon aan. Het klinkt als een jammerkreet. Lucy slaat nog een keer op dezelfde staaf en laat dan het hamertje uit haar handen rollen. 'Hier kun je een lekker pótje van maken,' zegt ze. 'Of een vette pótpourri.'

Ik kan het niet helpen, ik krimp in elkaar.

Zoë kijkt niet eens in mijn richting. 'Nou, je hebt nog te weinig laten horen voor een potpourri,' zegt ze laconiek. 'En wat mij betreft mag je er op de marimba een potje van maken, als jij daar blij van wordt. Met dit soort muziek kun je anderen moeilijk hoofdpijn bezorgen of op een andere manier kwetsen. Dat laatste is al helemaal niet de bedoeling.'

'En als het nou wel míjn bedoeling is?' vraagt Lucy uitdagend.

'Dan heb je pech. Wereldmuziek maken is trouwens een heel goede manier om je horizon te verbreden en zelf een beetje toleranter te worden. Dus ga je gang.'

Op slag trekt Lucy zich weer in zichzelf terug. Wég is het meisje dat bereid was om te praten over weglopen. Ze is weer een en al afweer: haar lippen op elkaar geklemd, boze ogen en stijf over elkaar geslagen armen. Een stap vooruit, twee stappen terug. 'Wil je de marimba proberen?' vraagt Zoë opnieuw.

Haar woorden ketsen af op een muur van stilte.

'Of de schootharp?'

Lucy blijft haar negeren en Zoë schuift de instrumenten opzij. 'Elke goede songwriter gebruikt muziek om iets uit te drukken wat in werkelijkheid onbereikbaar is. Misschien is dat een plaats, of misschien een emotie. Ken je dat gevoel dat je vanbinnen op ontploffen staat en je gewoon stoom móét afblazen? Dat kun je doen door een liedje, wist je dat? Kies jij nu eens een popsong of een ander liedje, dan gaan we daarnaar luisteren en praten we over de plaats waar die muziek jou heen brengt. Oké?'

Lucy sluit haar ogen.

'Ik leg je wat keuzes voor,' zegt Zoë. '"Genade, zo oneindig groot", of "American Idiot", of "Rock'n Roll Madonna".'

Ze had geen méér uiteenlopende opties kunnen geven: gospel, een punkrock anti-oorlogssong van Green Day, een gouwe ouwe van Elton John.

'Ook goed,' zegt Zoë, als Lucy niet reageert. 'Dan kies ik zelf iets.' Ze begint op de schootharp te spelen. Haar stem begint aanvankelijk laag en omfloerst en gaat dan krachtig en vol de hoogte in:

Genade, zo oneindig groot...
dat ik, die 't niet verdien
het leven vond, want ik was dood
en blind, maar kan nu zien.

Er is iets van warmte en troost aan de manier waarop Zoë dit zingt, als een kop dampende thee op een regenachtige dag. Als een behaaglijke deken om je schouders wanneer je rillerig bent. Veel vrouwen kunnen best mooi zingen, maar Zoës stem heeft een ziel. Als ze 's ochtends net wakker is, klinkt ze alsof haar keel vanbinnen met schuurpapier beplakt is. Fantastisch vind ik dat. En als ze gefrustreerd is, begint ze niet keihard te schreeuwen, maar stoot in plaats daarvan één langgerekte, hoge, opera-achtige klank uit. Dat is haar pure woede.

Ik kijk naar Lucy. De tranen staan in haar ogen. Ze werpt me een steelse blik toe en boent over haar gezicht, terwijl Zoë de gospelsong afsluit met een paar harpakkoorden. 'Steeds als ik dit lied hoor, stel ik me een meisje voor dat in een witte jurk en op blote voeten op een schommel staat,' zegt Zoë. 'En die schommel hangt aan een grote oude iep.' Ze lacht en schudt haar hoofd. 'Ik heb geen idee waarom. Want weet je waar het in werkelijkheid over gaat? Over een slavenhandelaar die in gewetensnood raakt, en hoe een goddelijke macht hem zijn leven toont zoals het eigenlijk bedoeld was. En hoe zit het met jou? Waar doet dit lied jou aan denken?'

'Aan leugens.'

'O ja?'zegt Zoë. 'Dat is interessant. Wat voor soort leugens?'

Plotseling staat Lucy op, zo abrupt dat haar stoel omvalt. 'Ik heb de pest aan dat lied. Ik háát het!'

Zoë maakt een snelle beweging, zodat ze nog maar een tiental centimeters van het meisje verwijderd is. 'Dat is juist goed, weet je. De muziek heeft ervoor gezorgd dat jij iets voelde. Waarom heb je er zo de pest aan?'

Lucy knijpt haar ogen tot spleetjes. 'Omdat jij het zo nodig moest zingen,' zegt ze en duwt Zoë opzij. 'Ik heb het verdomme helemaal gehad.' Ze schopt tegen de marimba terwijl ze er langsloopt. Het instrument laat een lage afscheidstoon horen.

Zodra de deur achter Lucy dicht smakt, wendt Zoë zich tot mij. 'Nou ja,' zegt ze blijmoedig. 'Ze is deze keer tenminste twee keer zo lang gebleven.'

'De dode man in de trein,' mompel ik.

'Pardon?'

'Daar doet dat lied míj aan denken,' leg ik uit. 'Het was in mijn studietijd en ik reisde naar huis om Thanksgiving te vieren. De treinen zaten bomvol, en ik kwam naast een oude man terecht. Hij vroeg me hoe ik heette. 'Vanessa,' zei ik, en hij zei 'Vanessa, hoe?' Ik kende hem natuurlijk helemaal niet dus wilde ik mijn achternaam niet noemen, voor het geval dat hij, weet ik veel, een seriemoordenaar was of zo. Dus zei ik mijn tweede doopnaam: 'Grace.' En hij zei: 'Jouw naam betekent 'genade', Vanessa Grace.' Toen begon hij voor me te zingen en in plaats van de eerste regel zong hij steeds 'Vanessa Grace, oneindig groot.' Hij had een prachtige, diepe zangstem en de mensen in de coupé klapten allemaal. Ik geneerde me nogal en hij bleef maar tegen me praten, dus ik deed alsof ik in slaap viel. Toen we bij Station Zuid aankwamen, de laatste halte, zat hij tegen het raam geleund met zijn ogen dicht. Ik trok aan zijn mouw, om hem te laten weten dat hij moest uitstappen. Maar hij werd niet wakker. Ik riep een conducteur en toen kwamen de politie en een ambulance. Ik moest ze alles vertellen wat ik van hem wist – en dat was bijna niets.' Ik zwijg even. 'Hij heette Murray Wasserman, een volkomen vreemde, en ik was de laatste voor wie hij zong voordat hij stierf.'

Zodra ik uitverteld ben, zie ik dat Zoë oplettend naar me kijkt. Ze werpt even een blik op de deur die nog steeds gesloten is en dan slaat ze haar armen om me heen. 'Die man was een geluksvogel, lijkt mij.'

Ik kijk haar bedenkelijk aan. 'Omdat hij opeens dood was? In een trein van de Amerikaanse Spoorwegen? Op de dag voor Thanksgiving?'

'Nee,' zegt Zoë. 'Omdat jij naast hem zat tijdens de laatste rit van zijn leven.'

Ik buig mijn hoofd. Ik bid nooit, behalve op dit moment. Ik bid in stilte dat als ik aan de beurt ben, Zoë en ik nog steeds reisgenoten zijn.

De dag nadat ik mijn moeder verteld had dat ik lesbisch was, was ze de eerste schok een beetje te boven en bestookte ze me met vragen. Was dit soms weer zo'n fase waar ik doorheen ging? Zoals toen ik met alle geweld mijn haar paars wilde verven, of die keer dat ik per se een wenkbrauwringetje wilde? Toen ik haar zei dat ik écht al heel lang op vrouwen viel, barstte ze in tranen uit en vroeg: 'Wat heb ik verkeerd gedaan?' Ze zei dat ze voor me zou bidden. Elke avond rond de tijd dat ik mijn bed instapte, schoof ze een nieuw pamflet onder mijn slaapkamerdeur door. De katholieke Kerk preekt ook op papier tegen homoseksualiteit, je wilt gewoon niet weten hoeveel bomen daar al voor zijn gesneuveld.

Ik begon een tegenaanval. Op elk foldertje dat ze me toeschoof, schreef ik met viltstift in koeienletters de naam van een beroemdheid die een kind had dat homo, lesbo, bi- of transseksueel was. Cher. Barbra Streisand. Dick Gephardt. Michael Landon. Die schoof ik vervolgens onder háár slaapkamerdeur door.

Moegestreden vroeg mijn moeder of ik samen met haar een keer met een priester wilde gaan praten. Ik zei ja. De priester vroeg me hoe ik dit de vrouw kon aandoen die mij had opgevoed, alsof mijn seksualiteit een persoonlijke aanval op haar betekende. Hij vroeg me of ik overwogen had om non te worden in plaats van lesbisch. Hij vroeg me niet of ik misschien bang was, of eenzaam, of bezorgd over mijn toekomst. Met andere woorden: het ging absoluut niet over mij of mijn geluk.

Onderweg van de kerk naar huis vroeg ik mijn moeder of ze nog steeds van me hield.

'Ik doe mijn best,' zei ze.

Toen mijn eerste vaste vriendin haar moeder vertelde dat ze lesbisch was, had deze schouderophalend gezegd: 'Nou, meisje, dat is voor mij geen nieuws, hoor.' Toch had mijn vriendin wel zo'n idee waarom mijn moeder precies tegenovergesteld reageerde. 'Voor haar is het alsof je gestorven bent,' had ze me uitgelegd. 'Alles waar ze voor jou over gedroomd had, alles waarvan ze dacht dat jij het zou worden of krijgen is nu verloren, denkt zij. Ze zag jou al helemaal voor zich in een riante buitenwijk, getrouwd met een doorsneeman, plus twee komma vier kinderen en een hond. En nu? Nu heb jij die mooie droom aan barrels geslagen door voor mij te kiezen.'

Dus gunde ik mijn moeder de tijd om te rouwen. Ik praatte niet met haar over mijn verliefdheden, ook al wilde ik dolgraag mijn verhaal kwijt. Ik nam nooit een vaste vriendin mee naar ons kerstdiner thuis. Ik zette nooit de naam van mijn geliefde onder de mijne op een vakantiekaart. Niet omdat ik me schaamde, maar simpelweg omdat ik van mijn moeder hield en ik haar geen pijn wilde doen. Toen ze ziek werd en het ziekenhuis in moest, zorgde ik voor haar. Ik hoop dat ze in die periode heeft beseft – voordat ze te zwaar onder de morfine zat – dat het voor haar eigenlijk niet zo belangrijk was dat ik lesbisch ben. Dat ik hoe dan ook een goede dochter voor haar was.

Ik vertel dit nogal uitgebreid, zodat duidelijk is dat mijn comingout niet alleen maar een feest was. En dat mijn wens om dat gedeelte ervan nog eens te herhalen ongeveer even groot is als iemands behoefte aan een tweede wortelkanaalbehandeling. Maar nu ben ik de klos. Zoë heeft me gesmeekt met haar mee te gaan naar haar moeder, zodat ik erbij ben als zij Dara vertelt dat wij samen 'iets' hebben. En voor mij is dit het eerste bewijs dat Zoë, heel misschien, niet alleen maar even een beetje lesbisch is als try-out, om vervolgens pijlsnel terug te keren naar haar vertrouwde, heteroseksuele leven.

'Zenuwachtig?' vraag ik. We staan naast elkaar bij Zoës moeder op de stoep, klaar om aan te bellen.

'Nee. Nou, jawel. Een beetje.' Ze kijkt me aan. 'Het voelt als een grote openbaring. Het ís een grote openbaring, toch?'

'Jouw moeder is een van de ruimdenkendste mensen die ik ooit heb ontmoet.'

'Jaaa… maar zij denkt dat ze mij kent als haar broekzak. Zij en ik, we zijn zo lang met z'n tweeën geweest in de tijd dat ik opgroeide.'

'Ik ben ook opgevoed door een alleenstaande moeder, hoor.'

'Dit is anders, Vanessa. Voorbeeldje: op mijn verjaardag belt mijn moeder me nog steeds 's avonds exact om drie minuten over tien op. Dan brult en hijgt ze door de telefoon om de geboorte-ervaring opnieuw te beleven.'

'Dat is echt bizar.'

Zoë glimlacht. 'Ik weet het. Ze is er een uit duizenden, maar dat is niet altijd een genoegen.' Met een diepe zucht belt ze aan.

Dara doet open met een in tweeën geknipte, metalen kleerhanger in haar handen. 'Zoë!' roept ze uit, blij om haar dochter te zien. 'Kijk eens, deze heb ik zojuist uit de kast gehaald!'

'Wat toepasselijk,' zegt Zoë met gesmoorde stem. 'Hallo, mam.'

Dara omhelst mij ook. 'Hoe gaat het met jou, Vanessa?'

'Uitstekend,' zeg ik. 'Kon niet beter.'

Vanuit de woonkamer klinkt een diepe mannenstem, rustgevend en een beetje monotoon. *Voel het water... Voel hoe het onder jou omhoog borrelt...*

'O, wacht even,' zegt Dara. 'Dan zet ik dat even uit. Kom toch binnen, meiden!' Ze haast zich naar de stereo-installatie, zet de cd-speler uit, neemt de disc uit het apparaat en laat hem in zijn plastic hoesje glijden. 'Ik was bezig met mijn huiswerk voor de wichelroedecursus. Daarom had ik die kleerhanger gepakt. Ik moest hem wel uit elkaar trekken en het onderste staafje doorknippen, maar...'

'Ben je op zoek naar water?'

'Klopt,' zegt Dara. 'Zodra ik het vind, bewegen de stukken van de kleerhanger zich uit zichzelf in mijn handen. Ze kruisen elkaar, als het goed is.'

'Mama, bespaar je de moeite,' zegt Zoë 'Ik weet vrij zeker dat er toch wel water uit de kraan komt, met of zonder kleerhanger.'

'O, gij kleingelovige. Als je maar weet, sceptische dochter van me, dat wichelroedelopen heel lucratief kan zijn. Stel dat je investeert in een stuk grond. Wil jij dan niet weten wat zich onder de oppervlakte bevindt?'

'Ik zou waarschijnlijk een grondboorbedrijf inhuren,' zeg ik. 'Voor bodemonderzoek. Maar ik spreek voor mezelf hoor.'

'Oké, Vanessa, maar wie gaat dat bedrijf dan aanwijzen waar ze moeten boren?' Ze glimlacht naar me. 'Hebben jullie trek in iets lekkers? Ik heb een verrukkelijke cake in de koelkast staan. Een van mijn cliënten probeert te visualiseren hoe hij banketbakker kan worden...'

'Weet je, mam, eigenlijk ben ik hierheen gekomen om je iets heel belangrijks te vertellen,' zegt Zoë. 'Iets heel fijns, vind ik zelf.'

Dara spert haar ogen wijdopen. 'Hier heb ik vannacht van gedroomd. Laat me raden... jij gaat weer een studie volgen!'

'Wat? Nee!' zegt Zoë. 'Waar heb je het over? Ik heb een universitaire masteropleiding afgerond en ik ben gediplomeerd muziektherapeut!'

'Ja maar, je hebt altijd iets laten liggen wat dat betreft. Je had ook nog op het conservatorium kunnen afstuderen in klassieke zang. Vanessa, heb jij haar wel eens horen zingen...'

'Ehm, ja...'

'Mam,' onderbreekt Zoë ons. 'Ik ga niet naar het conservatorium om klassieke zang te studeren. Ik ben volkomen tevreden met mijn baan als muziektherapeut...'

Dara kijkt haar aan. 'Dan wordt het zeker jazzpiano, hè?'

'In hemelsnaam, ik ga helemaal niet studeren. Ik kwam je vertellen dat ik lésbisch ben!

Dat ene woord splijt de ruimte in tweeën.

'Maar,' zegt Dara na een korte stilte, 'maar je bent getrouwd geweest.'

'Weet ik. Ik was samen met Max. Maar nu... nu ben ik samen met Vanessa.'

Dara kijkt me aan met een gekwetste blik, alsof ik haar bij de neus heb genomen door te doen alsof ik Zoës hartsvriendin was, terwijl... Nou ja, ik bén ook Zoës harstvriendin, trouwens.

'Ik weet dat dit heel onverwachts is,' zeg ik.

'Maar Zoë, zo bén jij gewoon niet. Ik ken je toch...'

'Ik ook. En als jij denkt dat ik nu mijn haar in stekeltjes laat knippen en op soldatenkistjes ga lopen, dan kén je mij dus niet. Geloof me, mama, ik was ook heel verrast. Ik had niet verwacht dat dit mij zou overkomen.'

Dara begint te huilen. Ze neemt Zoës gezicht tussen haar handen. 'Lieverd toch. Je kunt toch best met een andere man trouwen?'

'Misschien wel, maar dat wil ik niet, mam.'

'Maar dan krijg ik nooit kleinkinderen!'

'Nou, het is me zelfs mét een man niet gelukt om jou een kleinkind te bezorgen,' brengt Zoë naar voren. Ze grijpt haar moeders hand. 'Ik heb iemand gevonden met wie ik gelukkig ben. Heel gelukkig. Kun je niet blij zijn, voor mij?'

Dara kijkt stilletjes neer op haar dochters hand, die de hare omklemt. Dan trekt ze zich los. 'Sorry, ik moet even naar de keuken,' zegt ze, pakt haar wichelroede en loopt de kamer uit.

Terwijl ze wegloopt, kijkt Zoë me met betraande ogen aan. 'Ja hoor, héél ruimdenkend.'

Ik sla mijn arm om haar heen. 'Gun haar even de tijd. Jij bent zelf nog niet eens helemaal gewend aan je nieuwe gevoelens en we zijn al weken samen. Je kunt niet van haar verwachten dat ze zich binnen vijf seconden aanpast. Voor haar is er zojuist een bom ontploft.'

'Zou alles in orde zijn met haar?'

Kijk, daarom houd ik zoveel van Zoë. Ze zit zelf midden in een benauwd moment en toch maakt ze zich ongerust over haar moeder. 'Ik ga wel even kijken,' zeg ik, en loop richting keuken.

Dara staat tegen het aanrecht geleund. De geïmproviseerde wichelroede ligt naast haar op het granieten blad. 'Het komt door mij, hé?' zegt ze. 'Ik had misschien moeten hertrouwen. Dan hadden we tenminste een man in huis gehad, maar nu...'

'Ik denk niet dat dat iets uitmaakt. Je bent altijd een fantastische moeder geweest voor Zoë. Ze wil jou niet kwijt, dus daarom is ze zo bang dat jij haar zult afkeuren.'

'Haar afkeuren? Doe niet zo gek. Ze zei dat ze lesbisch was, niet dat ze voortaan extreem rechts wil gaan stemmen.' Dara haalt diep adem. 'Het is alleen... ik moet hier echt even aan wennen.'

'Dat kun je gewoon tegen haar zeggen. Dat begrijpt ze heus wel.'

Dara kijkt me aan en knikt. Ze duwt de zwaaideur open en gaat terug de woonkamer in. Ik overweeg even of ik haar achterna zal lopen, maar ik wil Zoë een ogenblik alleen geven met haar moeder. Ik gun hun zo dat deze omschakeling hun moeder-dochterrelatie niet aantast. Mij en mijn moeder is het nooit gelukt, dat acrobatische kunststukje van liefde waarbij alles op zijn kop wordt gezet en beide partijen toch in staat zijn samen hun evenwicht te bewaren.

Dus speel ik de luistervink. Ik duw de deur op een minuscuul kiertje en hoor Dara zeggen: 'Ik zou niet méér van je kunnen houden als je me nu zei dat je toch hetero bent. En ik hou geen greintje minder van je omdat jij me daarstraks verteld hebt dat je dat níét bent.'

Zachtjes trek ik de deur dicht. In de keuken drentel ik wat rond en zie appels en peren op het aanrecht, het kobaltblauwe broodrooster en de elektrische grill. Dara heeft haar wichelroede naast de gootsteen laten liggen. Ik pak de twee gebogen, metalen staafjes op en houd ze losjes vast. Hoewel de kraan en de leidingen zich binnen een halve meter afstand bevinden, gebeurt er niets met de onderdelen van de kleerhanger. Er is geen enkel trillinkje te bespeuren, laat staan dat de uiteinden elkaar kruisen. Ik stel me voor dat ik een zesde zintuig zou hebben, en de zekerheid dat waarnaar ik op zoek ben binnen handbereik ligt, zelfs al is het nog verborgen.

Bioscopen zijn fantastische plaatsen om lesbisch te zijn. Zodra het licht uitgaat kan niemand je meer aanstaren omdat je de hand van je vriendin vasthoudt of omdat je lekker dicht tegen haar aankruipt. In de bioscoop is de aandacht per definitie gericht op het witte doek, en niet op wat er in de zaal gebeurt.

Ik ben niet zo'n demonstratieve vrijkous, althans niet in het openbaar. Ik sta nooit te zoenen op straat. Ik heb gewoon niet dat ongeremde, wat je ziet bij tienerstelletjes. Die lopen onbekommerd te knuffelen en te zoenen zonder zich iets van hun omgeving aan te trekken, of ze staan midden in de stad een etalage te bekijken met hun handen in elkaars broekband. Dat hoeft voor mij niet. Ik zeg dus niet dat ik per se met mijn armen stijf om mijn geliefde heen en mijn hoofd tegen haar schouder gedrukt over straat wil. Maar als ik dat wel deed, zou ik in mijn geval waarschijnlijk een aantal verstoorde blikken moeten incasseren van voorbijgangers die zich geen houding weten te geven. Geen prettig idee, toch? En wat mannen betreft: we zijn geconditioneerd om hen kolossale geweren te zien vasthouden. Maar mannen die hand in hand lopen, dat gaat veel mensen te ver.

Hoe dan ook, bij de laatste aftiteling van de film beginnen de mensen uit hun stoel overeind te komen. Het licht gaat aan terwijl Zoë nog met haar hoofd op mijn schouder ligt. Dan hoor ik: 'Zoë? Hallo!'

Ze schiet overeind alsof ze op heterdaad op iets onbehoorlijks is betrapt en zet haar breedste glimlach op. 'Wanda!' zegt ze enthousiast tegen een vrouw die mij vaag bekend voorkomt. 'Hoe vond jij de film?'

'Ik ben niet zo'n Tarantino-fan, maar eigenlijk vond ik deze niet slecht,' zegt ze. Ze laat haar arm door die van de man naast haar glijden. 'Zoë, heb ik jou ooit aan Stan voorgesteld, mijn man? Nee hè? Zoë werkt als muziektherapeut in Dennenrust,' legt Wanda uit.

Zoë draait zich om naar mij. 'Dit is Vanessa,' zegt ze. 'Mijn... een vriendin.'

Gisteravond hadden Zoë en ik gevierd dat we een maand samen waren. We hadden champagne gedronken, aardbeien met slagroom gegeten en vervolgens had Zoë me verslagen met scrabble. We hadden gevrijd. Toen we vanochtend wakker werden, had ze haar armen en benen om me heen geslagen, als een ranke klimplant.

Een vriendin, dus.

'We hebben elkaar al eens ontmoet,' zeg ik tegen Wanda. Ik ben niet van plan uit de doeken te doen dat ik haar herken van het babyfeest, voor het kindje dat dood geboren werd.

We lopen samen met Wanda en haar man de bioscoop uit, keuvelend over de plot van de film en of dit een kanshebber is voor een Oscar. Zoë houdt heel consequent minimaal dertig centimeter afstand tussen ons. Ze maakt niet eens oogcontact met me, tot we in mijn auto zitten en naar mijn huis terugrijden.

Zoë vult de stilte met een verhaal over de dochter van Wanda en Stan die het leger in wilde, omdat haar vaste vriendje mee was op een militaire missie. Volgens mij heeft ze niet eens door dat ik de hele rit nog geen woord heb gezegd. Zodra we bij mijn huis zijn, doe ik de deur van het slot, loop de gang in en trek mijn jas uit.

'Wil je thee?' vraagt Zoë, die al onderweg is naar de keuken. 'Ik ga water opzetten.'

Ik geef geen antwoord. Ik voel zoveel pijn en verdriet op dit moment dat ik mijn eigen stem niet vertrouw.

Ik laat me op de bank zakken en pak de krant, die ik vandaag nog niet heb kunnen inkijken. Ik hoor Zoë redderen in mijn keuken. Ze haalt theemokken uit de vaatwasser, laat de ketel vollopen, en draait aan de knoppen van het fornuis. Ze weet hier alles te vinden. Ze weet in welke la de lepeltjes liggen en in welke kast de doos met theezakjes staat. Ze loopt door mijn huis alsof ze hier thuishoort.

Ik zit wezenloos naar de krantenkoppen te kijken wanneer ze de woonkamer binnenkomt. Ze buigt zich over de rug van de bank en slaat haar armen om me heen. 'Nog meer ingezonden brieven over het schandaal met die politiecommandant?'

Ik duw haar weg. 'Niet doen.'

Ze doet een stap achteruit. 'Nou, nou, de film heeft je wel aangegrepen.'

'Niet de film.' Ik draai me om en kijk haar aan. 'Jíj.'

'Ik? Wat heb ík gedaan?'

'Het gaat erom wat je níét gedaan hebt, Zoë,' zeg ik. 'Hoe zit dat met jou? Wil je mij alleen maar als er niemand anders in de buurt is? Vind je het leuk om me op te vrijen zolang niemand het ziet?'

'Okééé dan. Jij bent duidelijk in een belazerd slechte bui...'

'Ik vóél me belazerd. Jij wilde niet dat Wanda te weten kwam dat wij een stel zijn. Dat was zo helder als glas.'

'Mijn werkrelaties hoeven toch niet alles te weten over mijn persoonlijke leven?'

'O, nee? Heb je Wanda verteld dat je zwanger was, de laatste keer?' vraag ik.

'Ja, natuurlijk...'

'Zie je wel.' Ik probeer uit alle macht mijn tranen weg te slikken. 'Je zei tegen haar dat ik een vriendin van je was.'

'Ja maar, dat bén je toch ook,' zegt Zoë, een beetje getergd.

'Dus dat is álles wat ik ben? Je vriendin?'

'Hoe moet ik je anders noemen? 'Mijn minnares' soms? Dat klinkt als een slechte jarenzeventigfilm. 'Mijn partner', dan? Ik weet niet eens of we strikt genomen partners zijn. Maar het verschil tussen jou en mij is dat het mij niet kan schelen hoe je het noemt. Ik hoef mezelf geen etiket op te plakken. Dus waarom vind jij dat dan wél nodig?' In de keuken gaat de fluitketel tekeer. 'Luister eens,' zegt Zoë, en ze haalt diep adem. 'Je overdrijft dit schromelijk, echt waar. Ik haal even de ketel van het fornuis en dan ga ik gewoon naar huis. Morgen praten we verder. Laten we hier eerst allebei maar eens een nachtje over slapen.'

Ze loopt naar de keuken, maar ik kan haar niet zomaar laten gaan. Ik ga haar achterna en sla haar bewegingen gade. Met efficiënte, gracieuze bewegingen pakt ze de ketel van het fornuis en zet hem weg.

Wanneer ze zich naar me omdraait, is haar gezicht kalm en uitdruk-kingsloos. 'Slaap lekker.'

Ze loopt langs me heen, maar zodra ze bij de keukendeur is, doe ik mijn mond open. 'Ik ben bang.'

Zoë aarzelt. Ze staat in de deuropening met haar handen aan weerskanten tegen de kozijnen gedrukt, alsof ze gevangenzit tussen twee momenten.

'Ik ben bang dat je genoeg van me krijgt,' beken ik. 'Dat je het zat wordt om een leven te leiden dat nog steeds niet voor de volle hon-derd procent door de maatschappij wordt geaccepteerd. Als ik toe-geef aan wat ik voor je voel, en aan hoe dolgelukkig ik met je ben... Dan ben ik bang dat ik er straks volledig aan onderdoor ga als jij bij me weggaat.'

In een enkele beweging staat Zoë weer midden in de keuken, recht voor me. 'Waarom denk jij dat ik bij je wegga?'

'Dat is me tot nu toe iedere keer overkomen,' zeg ik. 'Plus dat jij volgens mij nog geen idee hebt hoe moeilijk het is. Ik maak me nog steeds dag in dag uit ongerust dat een ouder van een of andere leer-ling naar het schoolbestuur stapt. Dat hij hun vertelt dat ik lesbisch ben en dat ik dan mijn baan kwijtraak. Ik zit naar het nieuws te kij-ken en hoor politici beslissingen nemen over wat ik wel en niet zou mogen doen, ook al weten ze niets van mij af. En waarom is het in-trigerendste aan mij dat ik lesbisch ben, en niet dat mijn sterrenbeeld Leeuw is of dat ik kan tapdansen, of dat ik afgestudeerd ben in on-derwijskunde?'

'Kun jij tapdansen?' vraagt Zoë.

'Het punt is,' zeg ik, 'dat jij veertig jaar lang hetero bent geweest. Dus waarom zou je niet op je schreden terugkeren en de weg van de minste weerstand kiezen?'

Zoë kijkt me aan alsof ik een ongelooflijk uilskuiken ben. 'Gewoon, Vanessa. Omdat jíj nu eenmaal geen kerel bent, maar een vrouw.'

Die avond hebben we geen seks. We drinken de thee die Zoë heeft gezet en we praten over de eerste keer dat iemand mij smalend 'pot' noemde. Dat ik toen in tranen thuiskwam en huilend in slaap viel. We praten over hoe stomvervelend ik het vind dat de automonteur in mijn garage er altijd van uitgaat dat ik precies weet waar hij het over heeft. Gewoon omdat ik lesbisch ben. Ik doe zelfs een bescheiden tapdansje voor haar: stap-bal-wissel, stap-bal-wissel. We liggen lepeltje lepeltje op mijn grote bank.

De laatste gedachte die ik me achteraf herinner voor ik in slaap val, is: *dit is ook heel erg oké.*

Ondanks mijn teleurstelling over de röntgenbril uit de prijzenvoorraad van de Bazooka-strips trapte ik er nog één keer in. Ik spaarde me nogmaals suf voor een hebbeding dat me werd aangeboden op een kauwgomwikkel. Het was een walvistandtalisman aan een sleutelhanger. De beschrijving ervan intrigeerde me enorm:

Garandeert de eigenaar levenslang geluk.

Na de bittere ervaring met mijn röntgenbril was ik wel wat wijzer geworden. Ik ging er niet van uit dat de walvistand van een echte walvis zou zijn, of dat het zelfs maar een echte tand was. Waarschijnlijk zou het iets van plastic zijn, met een gat in de bovenkant waar het aan een metalen sleutelring bevestigd was. Toch wilde ik hem hebben. Ik kocht zo veel mogelijk Bazooka-kauwgom en speurde de vloer van mijn moeders auto af naar rondzwervend kleingeld. Algauw had ik weer één dollar tien (de verzendkosten voor mijn prijs) bij elkaar.

Drie maanden later was ik in het trotse bezit van vijfenzestig Bazooka-strips. Ik stopte ze samen met het geld in een enveloppe en deed die op de post, in afwachting van het cadeautje. Toen de talisman in een doosje arriveerde, was ik verrast. Het leek een echte tand, hoewel ik niet zou kunnen zeggen of hij van een walvis afkomstig was. De zilverkleurige sleutelring waar de tand aan bungelde, was glanzend en zwaar. Ik stopte de gelukstand in het voorvak van mijn schoolrugzak en begon meteen met wensen.

De volgende dag vierden we Valentijnsdag op school. We hadden ieder voor zich kleine 'brievenbussen' gemaakt, van schoenendozen en knutselpapier. Dat was in het tijdperk van *Ik ben oké, jij bent oké,* toen niemand zich ook maar enigszins een buitenstaander mocht voelen. Onze groepsleraar had dan ook een waterdicht plan: elk meisje in de klas zou een kaart sturen aan iedere jongen en vice versa. Op deze manier zou ik geheid veertien valentijnskaarten krijgen, in ruil voor de veertien Tom&Jerry-kaarten die ik aan de jongens van mijn klas had geadresseerd. Zelfs Luuk, een sloom ventje dat in zijn neus pulkte en de groen-witte bolletjes vervolgens opat, kreeg een kaart. Die dag vertrok ik zodra school was afgelopen met mijn schoenendoos naar huis. Ik ging op mijn kamer op bed zitten en legde de kaarten op een rij.

Tot mijn grote verrassing zat er één kaart extra bij. Ja, alle jongens hadden een valentijnskaart in mijn schoenendoos gestopt, in opdracht van onze leraar. Maar de vijftiende kaart kwam van Eileen Connelly, die sprankelende blauwe ogen had en ravenzwart haar. Eileen die me tijdens de gymles een keer met haar armen om me heen had voorgedaan hoe je een slaghout moest vasthouden. FIJNE VALENTIJN! stond er op de kaart, VAN EILEEN. Wat maakte het uit dat de kaart niet was ondertekend met 'Liefs?' Wat maakte het uit dat Eileen misschien alle meisjes in de klas een kaart had gegeven? Het enige wat voor mij telde was dat ze aan mij gedacht had, al was het maar kort. Ik wist zeker dat ik dit te danken had aan mijn gelukswalvistand. Ongelooflijk, wat werkte die snel.

Ik ben de afgelopen jaren diverse keren verhuisd. Eerst ging ik van mijn ouderlijk huis uit op kamers, toen van mijn kamer naar een huurappartementje in het stadscentrum en vervolgens naar dit huis. Iedere keer liep ik al mijn bezittingen na om het kaf van het koren te scheiden. En iedere keer kwam ik weer die walvistand tegen in de la van mijn nachtkastje. Ik kan het nooit echt over mijn hart verkrijgen om hem weg te gooien.

Blijkbaar werkt hij nog steeds.

MAX

In de achtertuin van mijn broer, in de uiterste oostelijke hoek, liggen vier witte, marmeren stenen. Ze zijn rond en plat en te klein om ze aan te zien voor de stapstenen van een paadje. Een paar steentjes zijn zelfs overwoekerd met verstrengelde uitlopers van rozenstruiken, die voor zover ik kan zien nooit gesnoeid worden. De marmeren steentjes zijn gedenktekens, een voor elke miskraam die Liddy heeft gehad.

En nu sta ik hier om de vijfde steen neer te leggen.

Liddy was deze keer nog niet zo lang zwanger, maar ze loopt de hele dag te huilen. Ik zou graag beweren dat ik naar buiten ben gegaan om mijn broer en zijn vrouw gelegenheid te geven om te rouwen, zonder mij als pottenkijker. Maar zo ligt het niet. Ik vind het zelf ook erg, omdat mijn eigen herinneringen me weer parten gaan spelen. Dus ben ik naar het tuincentrum gegaan om een vijfde, bijpassende marmeren steen uit te zoeken. Zodra de dooi invalt, wil ik van deze strook gazon een echt tuintje maken als teken van dank voor alles wat Reid voor mij gedaan heeft. Ik heb al iets in mijn hoofd: een bloeiend kweeboompje, hier en daar een katwilg en een paar veelkleurige kamperfoeliestruiken. In het midden een granieten bankje, met de steentjes in een halvemaanvorm eromheen. Een speciale plek voor Liddy, waar ze kan gaan zitten als ze wil nadenken of bidden. Ik zal de aanplant zo uitkienen dat er altijd wel iets in bloei staat – verschillende soorten blauw en paars, zoals blauwe druifjes, korenbloemen, heliotropen en paarse verbena. En dan de helderwitte soorten: stermagnolia's, een sierpeer en wilde peen.

Ik zit juist een eerste schets te maken van dit toekomstige engelentuintje, wanneer ik voetstappen achter me hoor. Daar staat Reid, met zijn handen in de zakken van zijn jasje. 'Hallo,' zegt hij.

Ik draai me om en knijp mijn ogen tot spleetjes tegen het zonlicht, om mijn broer aan te kunnen kijken. 'Hoe gaat het met haar?'

Reid haalt zijn schouders op. 'Ach, je weet hoe het is.'

Dat klopt. Ik heb me nog nooit zo verloren gevoeld als die keren dat Zoë een miskraam had gehad. In die zin hebben alle aanstaande ouders iets gemeen met de overtuiging van de Eeuwige Gloriekerk; een leven is een leven, hoe klein het ook is. Het is geen klompje cellen, het is je toekomst.

'Dominee Clive is nu bij haar,' zegt Reid.

'Ik leef heel erg met jullie mee, Reid,' zeg ik. 'Al heb je er misschien weinig aan.' Zoë en ik waren samen naar de fertiliteitskliniek gegaan om ons te laten onderzoeken op vruchtbaarheidsproblemen. Ik herinner me weinig over de aandoening waardoor mijn spermagehalte zo laag was en waardoor de zaadcellen die wél kwamen opdagen op het feestje zo traag waren. Maar wat ik nog wel weet, is dat het probleem in mijn genen zat. Dus waarschijnlijk zit Reid in hetzelfde schuitje.

Plotseling bukt hij zich en pakt de steen op die ik heb gekocht. Het is me nog niet gelukt om een passende ruimte in de stijf bevroren grond uit te hakken om de steen in te plaatsen. Ik zie hoe hij de ronde, platte schijf omdraait in zijn handen en hem naar achteren zwaait als een discus. Met kracht smijt hij het ding tegen het bakstenen muurtje rond de barbecue. De steen breekt in tweeën en klettert op de grond. Reid knielt neer op de bevroren aarde en begraaft zijn gezicht in zijn handen.

Je moet weten dat mijn oudere broer normaal gesproken de onverstoorbaarheid zelve is. Hij is mijn rots in de branding. Zodra ik weer eens instort of me in de nesten heb gewerkt, wéét ik dat hij klaarstaat om me uit de puree te halen. Ik ben dan ook verlamd van schrik nu ik voor mijn ogen zie hoe hij zijn zelfbeheersing verliest.

Ik grijp hem bij zijn schouders. 'Reid, man, rustig aan.'

Hij kijkt naar me op. Zijn adem zweeft als een wit wolkje in de ijskoude lucht. 'Dominee Clive zit nu bij Liddy over God praten... hij zit te bídden tot God. Maar weet je wat ik denk, Max? Ik denk dat God allang niet meer met ons is. Het lijkt mij dat het God geen ene moer interesseert dat mijn vrouw zo graag een kind wil!'

Het is nu een paar maanden geleden dat ik gedoopt ben. In die tijd is bij mij de overtuiging gegroeid dat God overal een bedoeling mee heeft. Nogal logisch dus, dat slechteriken en zondaars hun verdiende loon krijgen. Maar waarom zou onze Verlosser die ons liefheeft erachter staan dat ook goede mensen afschuwelijke dingen overkomen? Dat is toch moeilijk te verklaren? Ik heb lang en vurig gebeden om inzicht te krijgen in die dingen, want ik wil het echt heel graag begrijpen allemaal. En nu denk ik dat meestal wanneer God ons zo'n grote beproeving oplegt, dat bedoeld is als een duidelijke hint. Dat Hij ons er op een niet al te subtiele manier op wijst dat wij bezig zijn ons leven te verzieken. Misschien omdat we met de verkeerde vrouw getrouwd zijn. Of omdat we onszelf te belangrijk vinden. Of misschien omdat we zoveel willen hebben in het hier en nu dat we vergeten zijn hoe belangrijk het is om te geven en offers te brengen. Kijk bijvoorbeeld eens naar die lui die een ongeneeslijke ziekte hebben overleefd. Opeens zijn ze superchristelijk en overstelpen ze Jezus met dankgebeden vanwege zijn ingrijpen. Nou ja, wat ik maar wil zeggen: misschien zijn ze wel zo ziek geworden omdat dat de enige manier was waarop Hij hun aandacht kon trekken.

Het is pijnlijk voor me, maar ik zie nu in dat ík de reden ben waarom Zoë en ik geen kind konden krijgen. Dat was duidelijk een actie van Jezus die mij keer op keer op mijn lazer gaf, net zo lang tot ik doorkreeg dat ik het niet waard was om vader te worden. Eerst moest ik de Zoon binnenlaten in mijn hart. Maar Reid en Liddy, tja, dat is een ander verhaal. Zij doen alles goed, en dat doen ze al heel lang. Al dit verdriet verdienen ze beslist niet.

We kijken allebei op als dominee Clive de achterdeur uit komt lopen. Hij gaat voor Reid staan en werpt een schaduw over hem. 'Ze heeft jou er zeker ook uitgegooid,' gist Reid.

'Liddy heeft gewoon een beetje tijd nodig,' zegt de dominee. 'Ik kom vanavond nog even bij jullie langs, Reid.'

Terwijl dominee Clive zichzelf uitlaat door de tuinpoort, wrijft Reid met zijn hand over zijn gezicht. 'Ze wil niets tegen me zeggen. Ze wil niets eten. Ze weigert de pillen te slikken die de dokter heeft voorgeschreven. Ze wil zelfs niet bidden.' Hij kijkt me met bloeddoorlopen ogen aan. 'Weet je, Max, natuurlijk hield ik ook al van dit kindje. Maar ik hou meer van mijn vrouw. Is dat nu een zonde, als ik dat zo voel?'

Ik schud mijn hoofd. Hoeveel keren heb ik al knock-out in de goot gelegen zonder nog een uitweg te zien? En iedere keer stond Reid weer klaar om me op te rapen en op de been te helpen. Eindelijk, eindelijk, kan ik hém nu eens een handreiking doen. 'Reid,' zeg ik tegen hem, 'ik weet iets wat misschien een beetje helpt.'

Het kost me tien uur om heen en weer naar New Jersey te karren. Wanneer ik Reids oprijlaan inrijd, is hun slaapkamerraam donker. Ik tref mijn broer in de keuken aan, bezig met de afwas. Hij heeft Liddy's keukenschort voor waarop staat: NIET STOREN, IK STA TE KOKEN. De schort is roze met ruches langs de randen. 'Hoi, daar ben ik weer,' zeg ik, en hij draait zich om. 'Hoe gaat het nu met haar?'

'Hetzelfde,' antwoordt Reid. Hij kijkt weifelend naar de papieren zak in mijn handen.

'Echt, jongen, dit gaat werken,' zeg ik en pak de doos Orville Redenbacher's Boterpopcorn. De beste die er is, als je het mij vraagt. Ik haal een zakje uit de doos en leg het in de magnetron. 'Is dominee Clive nog hier geweest?'

'Dat wel. Maar ze wilde nog steeds niet met hem praten.'

Omdat ze nu iets anders nodig heeft, denk ik bij mezelf. Praten brengt haar alleen maar terug naar de trieste nachtmerrie van deze zoveelste miskraam. Dat is nu juist waaraan ze heel even moet kunnen ontsnappen.

'Liddy eet geen popcorn uit de magnetron,' zegt Reid.

Eigenlijk zit het zo dat mijn broer Liddy niet tóéstaat popcorn uit de magnetron te eten. Hij is een grote fan van biologisch dit en ecologisch dat, maar soms vraag ik me af waarom. Denkt hij aan zijn gezondheid of koopt hij gewoon graag dure dingen, of het nou pittig geprijsde natuurvoeding is, een Apple-computer of een maatpak? 'Eens moet de eerste keer zijn,' zeg ik. De magnetron piept. Ik pak de opgebolde zak eruit en scheur hem open boven een grote blauwe schaal.

Het is aardedonker in de slaapkamer en het ruikt er naar lavendel. Liddy ligt op haar zij in het enorme hemelbed, met haar gezicht van me afgedraaid. Ze heeft een sprei over zich heen getrokken. Slaapt ze? Ik sta te treuzelen in de deuropening, en dan hoor ik haar stem. 'Ga nou maar weg,' mompelt ze. Ze klinkt alsof ze op de bodem van een mijnschacht zit.

Ik negeer haar en stop een handjevol popcorn in mijn mond.

Het werkt. Liddy hoort de popcorn en ruikt de boter. Ze rolt zich op haar andere zij en gluurt naar me. 'Max,' zegt ze. 'Ik ben niet in de stemming voor gezelschap.'

'Geen probleem,' zeg ik. 'Ik kom hier alleen even binnenvallen om je dvd-speler te lenen.' Ik grijp naar de papieren zak en haal de dvd eruit. Ik doe hem in de speler en zet de tv aan.

Kogels deren hem niet! belooft het promotiefilmpje.

Vuur heeft geen vat op hem!

Hij is niet te stoppen!

De SPIN... *verslindt je levend!*

Liddy gaat rechtop tegen haar kussens zitten. Haar blik zwerft naar het tv-scherm, naar de ongelooflijk nepperige, reusachtige tarantula die een groepje tieners bedreigt. 'Waar heb je díé vandaan?'

'Gewoon, een videotheekje dat ik ken.' Ik ben ervoor naar New Jersey geweest, naar een smartshop in St. Elizabeth waar levendig handel wordt gedreven in waterpijpen en dergelijke. Wat ze ook hebben, is een postorderbedrijf voor alle denkbare cultfilms. Ik heb deze dvd online besteld. Maar ik wilde niet wachten tot hij per post bezorgd werd, want hij was tenslotte niet bestemd voor zomaar iemand. De dvd is speciaal voor Liddy. Ik wil alles op alles zetten om haar uit de put te halen, dus ben ik zelf naar het winkeltje in New Jersey gereden.

'Deze is voor fijnproevers,' zeg ik tegen Liddy. 'Uit 1958.'

'Ik heb nu geen zin in een film,' zegt Liddy.

'Oké, prima,' zeg ik schouderophalend. 'Dan zet ik het geluid wel af.'

Dus ik doe net alsof ik helemaal opga in de film waarin een pubermeisje en haar vriendje, op zoek naar haar vermiste vader, op een gigantisch spinnenweb stuiten. Maar intussen kijk ik af en toe tersluiks naar Liddy. Haar ogen worden naar het scherm toe getrokken, of ze nu wil of niet.

Na een paar minuten grijpt ze naar de popcorn die ik op schoot heb, en ik schuif de hele schaal naar haar toe.

In de film slepen de onverschrokken tieners het levenloze lichaam van de spin mee naar het gymnastieklokaal van hun school om het te onderzoeken. Precies op het moment dat ze erachter komen dat het ondier nog in leven is, steekt Reid zijn hoofd om de deur. Inmiddels lig ik ontspannen achterovergeleund op zijn kant van het bed. Ik steek mijn duim naar hem op. Er verschijnt opluchting op zijn gezicht wanneer hij Liddy rechtop ziet zitten met een geïnteresseerde blik op het tv-scherm gericht. Reid doet een stap terug en sluit de deur geruisloos achter zich.

Een halfuur later zijn we bijna door de popcorn heen. Zodra de reuzenvogelspin eindelijk geëlektrocuteerd wordt en bezwijkt, draai ik mijn hoofd om naar Liddy. Ik zie de tranen over haar wangen stromen.

Ik weet bijna zeker dat ze zelf niet doorheeft dat ze huilt.

'Max,' zegt ze. 'Zullen we de film nog een keer kijken?'

De overduidelijke winst van toetreden tot een gemeente zoals de Eeuwige Gloriekerk is dat je zielenheil gegarandeerd is. Dat ligt voor de hand. Maar er is nog een ander, bijkomend voordeel, waar je niet direct aan zou denken. Anders dan Jezus vinden, wat lijkt op een blikseminslag, wordt dat tweede pluspunt je pas langzamerhand duidelijk. Het is bijvoorbeeld de oudere dame die bij Reid op de stoep staat, de week nadat ik voor het eerst naar de kerk ben geweest. Ze komt zelfgebakken bananenbrood brengen om mij te verwelkomen in de gemeente. Het is mijn naam die op een gebedslijst wordt afgedrukt als ik geveld ben door griep. En dat ik mijn diensten als sneeuwruimer kan aanbieden aan alle gemeenteleden, gewoon door mijn reclamepamflet op het mededelingenbord achter in de kerk te plakken. Vervolgens zie ik dan dat binnen een paar dagen al die strookjes met mijn telefoonnummer afgescheurd zijn, door kerkgangers die graag hun broeders en zusters in Christus willen steunen. Het blijkt dat ik niet alleen wedergeboren ben, maar dat ik er ook een uitgebreide, warme familie- en vriendenkring bij heb gekregen.

Dominee Clive is als een vader voor me. Was hij maar echt mijn vader geweest toen ik nog jong was... Hij weet dat ik in het verleden geblunderd heb, maar toch ziet hij een wereld van mogelijkheden voor mij in de toekomst. Hij zaagt me niet door over alles wat ik fout heb gedaan in mijn leven, hij benadrukt de dingen die ik goed heb gedaan. Vorige week heeft hij me nog meegenomen naar een Italiaans restaurant om te vieren dat ik al drie maanden geen drank heb aangeraakt. Hij heeft me van lieverlee meer taken en verantwoordelijkheden gegeven binnen de kerk. Zo roept hij me bijvoorbeeld naar voren tijdens een kerkdienst om de schriftlezing te doen, maar hij vraagt me ook andere dingen. Vandaar dat ik nu met een medege-meentelid door de supermarkt loop om inkopen te doen voor de jaar-lijkse gezamenlijke kippasteitjesmaaltijd van de kerk.

Het is iets over halfvier en Elkin en ik lopen ieder met een winkel-wagen door de Stop&Shop. In de regel doe ik geen boodschappen in deze supermarkt, maar dominee Clive krijgt hier altijd korting omdat de eigenaar lid is van de Eeuwige Gloriegemeente. Plus dat de winke-lier heeft aangeboden de kip voor de gemeenschappelijke maaltijd niet in rekening te brengen, omdat het voor de kerk is.

We hebben onze wagentjes volgestort met pakken bladerdeegmix en zakken ingevroren erwten en wortelen. Terwijl we in de rij staan bij de slagersafdeling om de kip op te halen die al voor ons klaarligt, hoor ik een bekende stem. Ik draai me om en zie Zoë, die hardop het etiket van een fles saladedressing staat te lezen. 'Volgens mij moet er een nieuwe richtlijn voor productinformatie komen,' zegt ze tegen een andere vrouw die naast haar staat. 'Meer categorieën, dat hebben we nodig. Bijvoorbeeld: vetloos, vetarm, vloeibaar vet, en supervet mét karakter.'

De vrouw met wie ze samen is, trekt Zoë de fles dressing uit haar handen. Ze zet hem terug in het rek en pakt in plaats daarvan een vinaigrette. 'En volgens míj moet pudding een heel aparte categorie worden,' zegt ze. 'Maar ja, we kunnen het niet altijd krijgen zoals we het hebben willen.'

'Ik ben zo terug,' zeg ik tegen Elkin en ik loop naar Zoë. Ze staat met haar rug naar me toe, dus tik ik haar op de schouder. 'Hallo!'

Ze draait zich om en er verschijnt meteen een brede glimlach op haar gezicht. Ze ziet er relaxed en gelukkig uit, alsof ze de laatste tijd heel wat heeft afgelachen. 'Max!' Ze omhelst me.

Ik klop haar een beetje sullig op haar rug. Ik bedoel, is het wel ge-past om degene van wie je onlangs gescheiden bent een knuffel te geven? De vrouw met wie Zoë samen boodschappen doet, is langer en wat jonger dan zij. Ze heeft een jongensachtig kapsel en haar lip-pen zijn vertrokken tot iets wat voor een glimlach moet doorgaan. Ik steek mijn hand uit. 'Hallo. Ik ben Max Baxter.'

'O!' zegt Zoë. 'Max, dit is... Vanessa.'

'Hoi, Vanessa.'

'Moet je jou nu zien. Op en top als een heer gekleed, en dat in de supermarkt.' Zoë trekt even speels aan mijn zwarte stropdas. 'En je bent van je gips verlost.'

'Ja,' zeg ik. 'Alleen nog een bandage, maar die valt niet op.'

'Wat doe je hier eigenlijk?' vraagt Zoë en dan trekt ze een grimas. 'Oké, het is overduidelijk wat je hier doet... waarom gaat iemand naar een supermarkt, ha ha...'

'Neem haar maar niet te serieus,' zegt Vanessa. 'Zo doet ze altijd als ze 's ochtends te veel koffie heeft gedronken.'

'Ja,' zeg ik zachtjes. 'Dat weet ik.'

Vanessa's ogen gaan van Zoë naar mij en dan weer terug naar Zoë. Ik zou niet weten waarom, maar ze kijkt een beetje pissig. Als zij inderdaad een vriendin van Zoë is, dan zal ze toch wel weten dat ik Zoë's ex-man ben. Heb ik iets verkeerds gezegd, waardoor ze ineens de pest in heeft? 'Ik ga even de boodschappenlijst afwerken,' zegt Vanessa en doet een paar stappen achteruit. 'Het was leuk je te ontmoeten.'

'Insgelijks.' Zoë en ik kijken haar na terwijl ze naar de natuurvoedingsafdeling loopt.

'Weet je nog die keer dat jij had besloten om alleen nog maar biologisch te eten? En dat onze geldbesteding in de supermarkt binnen een week verviervoudigd was?' vraag ik.

'Ja... Tegenwoordig houd ik het bij biologische druiven en sla,' antwoordt ze. 'Dat heet voortschrijdend inzicht, toch?'

Vreemd hoor, als je gescheiden bent. Zoë en ik zijn zowat een decennium samen geweest. Ik ben verliefd op haar geworden, heb ontelbare keren met haar gevrijd en ik wilde kinderen met haar. Er was een tijd – zij het lang geleden – dat zij me beter kende dan wie ook ter wereld. Ik heb helemaal geen zin om met haar over etenswaren te praten. Ik wil haar vragen hoe wij op dit punt beland zijn. Van zo close mogelijk dansen op onze bruiloft tot een voorzichtige meter van elkaar afstaan in een supermarkt, pratend over koetjes en kalfjes.

Maar dan verschijnt Elkin met zijn winkelwagen. 'Hé man, we hebben alles. Laten we gaan.' Zijn blik flitst richting Zoë. 'Hallo.'

'Zoë, dit is Elkin. Elkin, Zoë.' Ik kijk haar aan. 'We hebben vanavond een gezamenlijke kerkmaaltijd, met kippasteitjes. Alles uit eigen keuken van de gemeenteleden. Heb je zin om aan te schuiven?'

Haar gezichtsuitdrukking bevriest. 'Ja, nou… misschien.'

'Leuk.' Ik glimlach naar haar. 'Het was fijn om je te zien, Zoë.'

'Vond ik ook, Max.' Ze duwt haar winkelwagen langs me heen en voegt zich bij Vanessa, die naar een bak snijbiet staat te staren. Ik zie dat ze een woordenwisseling hebben, maar de afstand is te groot om te horen wat ze zeggen.

'Kom op, we gaan,' dringt Elkin aan. 'We krijgen de voltallige vrouwenvereniging van de Eeuwige Gloriekerk op ons dak als we niet op tijd hun ingrediënten afleveren.'

Elkin zet de artikelen een voor een op de transportband bij de kassa en al die tijd sta ik in gedachten. Wat was er nou precies aan de hand met Zoë? Ik bedoel, ze zag er goed uit en ze klonk gelukkig. Ze heeft blijkbaar gezelschap gevonden om dingen mee samen te doen, net als ik. En toch was er iets vreemds. Iets waar ik niet de vinger op kon leggen. Terwijl de caissière onze aankopen scant, speur ik over mijn schouder de winkelpaden af om nog een glimp van Zoë op te vangen.

Dan lopen Elkin en ik naar mijn truck en beginnen de boodschappen in de laadruimte te stouwen. Het regent inmiddels pijpenstelen. 'Ik breng de karretjes terug!' schreeuwt Elkin, en hij duwt ze naar de lange rijen winkelwagens die voor de winkel aan elkaar geketend staan. Ik sta op het punt om in mijn truck te stappen wanneer ik Zoë mijn naam hoor roepen.

'Max!' Ze komt de supermarkt uit hollen. Haar haar wappert achter haar aan als de staart van een vlieger. De regen plenst neer op haar gezicht en doorweekt haar trui. 'Ik moet je iets vertellen.'

Ons vijfde afspraakje was een groot avontuur geweest. We gingen kamperen in de White Mountains met een tentje dat ik geleend had van iemand voor wie ik de tuin bijhield. Maar toen we aankwamen was het al donker en we konden de camping niet vinden. Dus werd het wildkamperen. We zetten de tent op in het bos, een stukje van de weg af. Het was ons juist gelukt in het piepkleine tentje te kruipen, alles dicht te ritsen en ons uit te kleden, toen de hele tent instortte.

Zoë was in tranen uitgebarsten. Ze lag met opgetrokken knieën op de modderige grond en ik legde mijn hand op haar schouder. 'Alles is oké,' zei ik, hoewel dat een vierkante leugen was. Ik kon niet zorgen dat het ophield met regenen, ik kon de tent niet meteen in orde maken, aangezien het pikdonker was. Ze rolde naar me toe en keek me aan en toen realiseerde ik me dat ze niet huilde maar lachte. Ze was helemaal buiten adem en lachte zich tranen.

Ik denk dat ik toen pas echt zeker wist dat ik voor altijd met haar samen wilde zijn.

Elke keer als Zoë ontdekte dat ze weer niet zwanger was, huilde ze. Dan keek ik altijd even goed naar haar gezicht, in de hoop dat het voor één keer geen tranen van verdriet waren. Maar ze was wél verdrietig. Al die keren.

Waarom moet ik daar nu opeens aan denken, terwijl de regen haar haar plat tegen haar hoofd drukt en ze me met oplichtende ogen aankijkt?

'Die vrouw met wie ik boodschappen deed,' zegt Zoë, 'Vanessa dus. Zij is mijn nieuwe partner.'

Toen we nog getrouwd waren, beklaagde Zoë zich er soms over dat het zo moeilijk was mensen te overtuigen van het nut van muziektherapie. Ze droomde van een actieve beroepsvereniging van muziektherapeuten met wie ze zou kunnen overleggen, net als vroeger met haar medestudenten op Berklee. 'Wat fijn,' antwoord ik, want ze kijkt me aan alsof ze dat graag wil horen. 'Je wilde altijd al iemand om mee samen te werken.'

'Je begrijpt het niet. Vanessa is mijn lévenspartner.' Ze aarzelt. 'We zijn sámen.'

Ineens weet ik wat er in de supermarkt vreemd had geleken. Zoë en die vrouw liepen samen met één winkelwagen. Wie gaat er nu samen boodschappen doen met één wagentje, tenzij je dezelfde koelkast deelt?

Ongelovig staar ik Zoë aan. Wat moet ik nu zeggen? Achter mijn ogen voel ik een barstende hoofdpijn opkomen, die gepaard gaat met – onuitgesproken – woorden:

De goddelozen zullen het koninkrijk Gods niet beërven. Dwaal niet! Noch ontuchtplegers, afgodendienaars, overspeligen en schandknapen, noch homoseksuele zondaren, dieven, hebzuchtigen, dronkaards, lasteraars of oplichters zullen het koninkrijk Gods beërven.

Zo staat het in 1 Korinthiërs 6, vers 9 en 10. Dus Gods mening over een homoseksuele levensstijl lijkt mij niet mis te verstaan. Ik doe mijn mond open om dit tegen Zoë te zeggen, maar wat eruit komt is: 'Maar je was samen met míj.' Want die twee dingen móéten elkaar uitsluiten, niet dan?

Elkin slaat een paar keer tegen de zijkant van mijn truck. Of ik het autoportier aan zijn kant van het slot wil doen, zodat hij niet langer in de stortregen hoeft te staan. Ik druk op de knop op mijn minitoetsenbord. Ik hoor zijn deur opengaan en weer dicht, maar ik sta nog steeds stokstijf naast de truck, verbijsterd door Zoës onthulling.

Mijn verslagenheid is zo groot dat het even duurt voor ik een beetje kan gaan benoemen wat ik allemaal voel. Om te beginnen ben ik geschokt door haar mededeling. Ik voel ongeloof, omdat het er bij mij niet in wil dat ze me negen jaar lang voor de gek heeft gehouden. En pijn, want ook al zijn we niet meer getrouwd, ik vind het onverdraaglijk dat zij bij Christus' wederkomst zal achterblijven tussen de verdoemden. Dat vreselijke lot zou ik niemand toewensen.

Elkin drukt op de claxon en ik schrik op. 'Nou, dag,' zegt Zoë, met dat kleine glimlachje dat me vroeger iedere dag weer liet voelen hoe smoorverliefd ik op haar was. Ze draait zich om en sprint door de regen terug naar de overkapping voor de supermarkt, waar Vanessa met hun winkelwagen staat te wachten.

Ze rent zo hard dat de riem van haar tasje van haar schouder glijdt en aan haar elleboog blijft hangen. Terwijl Zoë de winkelwagen naar de parkeerplaats begint te duwen, trekt Vanessa het tasje weer recht over Zoës schouder.

Het is een terloops, intiem gebaar. Hetzelfde als ik ook ooit voor Zoë gedaan zou hebben.

Ik kan mijn ogen niet van hen afhouden terwijl ze de boodschappen in de kofferbak van een mij onbekende auto laden. Het is een oldtimercabriolet. Ik blijf maar staren naar mijn nieuwbakken lesbische ex-vrouw, hoewel ik inmiddels kletsnat ben en haar door het regengordijn niet duidelijk meer kan zien.

Omdat de Eeuwige Gloriekerk diensten houdt in de aula van een middelbare school, zit de administratie van de kerk op een andere locatie. Het is een voormalig, klein advocatenkantoor naast een koffietent van Dunkin'Donuts, in een winkelstraatje. In het administratiegebouw van de Eeuwige Gloriekerk is een wachtruimte met een balie waarachter Alva, de secretaresse, zit. Dan een hokje dat tegelijkertijd fungeert als kopieerruimte en koffiekamer; met een tafeltje erin, een koffiezetapparaat en een minikoelkast. Verder zijn er een kleine huiskapel en de werkkamer van dominee Clive.

'Ga maar naar binnen, hoor,' zegt Alva. Ze is klein en haar rug is kromgetrokken als een vraagteken. Haar schedel is bedekt met een dun wit laagje krulspeldkrullen.

Reid grapt altijd dat zij hier al werkt sinds de zondvloed, maar volgens mij zit daar ergens wel een kern van waarheid in.

De werkkamer van dominee Clive is warm en maakt een sleetse, gezellige indruk. Er staan twee zitbanken bekleed met grote bloempatronen, een overvloed aan planten en een boekenkastje vol inspirerende lectuur. Op een lessenaar ligt een reusachtige, opengeslagen bijbel. Achter het bureau hangt een groot schilderij van Jezus, zittend op de rug van een feniks die opstijgt uit een hoopje rokende as. Dominee Clive vertelde me ooit dat Christus aan hem verschenen was in een droom en hem verkondigde dat zijn ambtstermijn als predikant van de Eeuwige Gloriekerk op die mythische vogel zou lijken. Vanuit een poel van zonde en verderf zou de dominee met zijn gemeente opstijgen naar een staat van genade. De volgende ochtend was hij er meteen op uitgegaan om een opdracht te geven voor dit kunstwerk.

De dominee staat gebogen over een graslelie die zijn beste tijd gehad heeft. Alle bladpunten zijn bruin en verschrompeld. 'Een zorgenkindje,' zegt hij. 'Deze plant lijkt altijd op sterven na dood.'

Ik loop op de graslelie af en stop mijn vinger in de aarde om de vochtigheid te controleren. 'Geeft Alva hem water?'

'O ja, heel trouw.'

'Kraanwater, vermoed ik. Graslelies zijn gevoelig voor de chemaliën in het leidingwater. Als u overschakelt op gedistilleerd water en de bruine uiteinden van de bladeren knipt, wordt hij weer helemaal gezond en groen.'

Dominee Clive glimlacht naar me. 'Max, jij bent een geschenk uit de hemel.'

Zodra ik hem dat hoor zeggen, begin ik vanbinnen te gloeien. Ik heb in mijn leven zo vaak iets verknoeid dat lovende woorden voor mij nog steeds zeldzaam zijn. Hij leidt me naar de bank aan het andere eind van de kamer, gebaart dat ik moet gaan zitten en houdt me

een schaaltje drop voor. 'Nu dan,' zegt hij. 'Alva vertelde me dat je tamelijk overstuur klonk door de telefoon.'

Ik weet niet hoe ik moet zeggen wat ik wil zeggen. Ik weet alleen
dat ik het niet langer voor mezelf kan houden. Normaal gesproken
zou ik dit aan Reid toevertrouwen, maar die heeft nu even genoeg aan
zijn eigen problemen. Het gaat beter met Liddy, dat wel. Maar ze is
nog lang niet de oude.

'Ik kan je verzekeren,' zegt dominee Clive vriendelijk, 'dat je broer
en Liddy door deze nieuwe beproeving heen zullen komen. En dat ze
daarna nog sterker zullen zijn dan voorheen. God heeft iets goeds
voor hen in petto, ook al heeft Hij verkozen ons daar nog geen inzicht
in te geven.'

Nu ik de dominee hoor praten over Liddy's miskraam, voel ik me
helemaal opgelaten. Ik zou moeten bidden voor mijn broer in plaats
van zowat te verzuipen in mijn eigen verwarring over een vrouw van
wie ik uit vrije wil ben gescheiden. 'Dit gaat niet over Reid,' zeg ik.
'Gisteren kwam ik mijn ex-vrouw tegen en ze vertelde me dat ze lesbisch is.'

Dominee Clive leunt achterover in zijn stoel. 'Aha.'

'Ik zag haar in de supermarkt samen met een vrouw, haar pártner.
Zo noemde zij het.' Ik kijk neer op mijn schoot. 'Hoe hééft ze dit kunnen doen? Ze hield van mij, dat weet ik zeker. We waren getrouwd.
Zij en ik, we – nou ja, u wéét wat ik bedoel. Ik zou het beslist gemerkt
hebben als ze alleen maar het spelletje meespeelde bij het vrijen. Dat
zou ik geweten hebben.' Ik stop met praten om op adem te komen.
'Toch?'

'Misschien heb je inderdaad iets gemerkt,' zegt dominee Clive peinzend, 'en kwam je daardoor uiteindelijk tot het besef dat je huwelijk
voorbij was.'

Zou dat kunnen? Had Zoë bepaalde seintjes uitgezonden en had ik
die opgevangen en aangevoeld wat ze betekenden, vóór zij het zelf
wist?

'Ik kan me voorstellen dat je voelt dat je tekortgeschoten bent,' zegt
de dominee. 'Zo van, stel dat je een echte man voor haar was geweest,
dan zou dit nooit gebeurd zijn.'

Ik durf hem niet aan te kijken, maar ik voel het bloed naar mijn
wangen stijgen.

'En ik kan me voorstellen dat je boos bent. Je hebt waarschijnlijk het gevoel dat iedereen die dit over haar te horen krijgt jou zal uitlachen, omdat ze je voor gek heeft gezet.'

'Ja!' barst ik los. 'Ik zie gewoon niet in... ik begrijp niet...' De woorden blijven in mijn keel steken. 'Ik begrijp echt niet waarom ze dit doet.'

'Het is voor haar geen keuze,' weerlegt dominee Clive.

'Maar... niemand wordt als homo geboren. Dat hoor ik u voortdurend zeggen!'

'Jij hebt gelijk, maar ik ook. Biologische homoseksuelen bestaan niet. We zijn allemaal hetero. Maar sommigen van ons worstelen met een homoseksueel probleem. Dat kan allerlei redenen hebben, maar niemand kíést ervoor zich aangetrokken te voelen tot iemand van hetzelfde geslacht, Max. Het enige wat we als mens wél kunnen doen, is kiezen hoe we met die gevoelens omgaan.' Hij leunt voorover, met zijn handen tussen zijn knieën. 'Kleine jongetjes worden niet als homo geboren. Ze worden zo gemaakt, door moeders die hen overvoeren met liefde, of die te overheersend zijn. Of door moeders die afhankelijk zijn van hun zoons voor hun eigen emotionele bevrediging. Het kan ook aan de vader liggen, als die zich te afstandelijk opstelt. Daardoor zal een jongen op een andere, foute manier mannelijke acceptatie proberen te krijgen. En ook bij meisjes kan het fout gaan. Bijvoorbeeld als hun moeder te koel of terughoudend is, zodat zij het zonder rolmodel moeten stellen en hun eigen vrouwelijkheid niet kunnen ontwikkelen. In dat geval is de vader doorgaans afwezig.'

'Zoës vader is overleden toen ze nog een klein meisje was,' zeg ik.

Dominee Clive kijkt me aan. 'Ik wil maar zeggen, Max, dat je niet boos op haar moet zijn. Dat mag je haar niet aandoen. Wat zij nodig heeft – en wat ze verdíént – is jouw sympathie en geduld.'

'Ik... ik begrijp het niet.'

'Toen ik nog een jongeman was, werkte ik als hulppredikant voor een aartsconservatieve dominee. Dat was tijdens de aidscrisis en dominee Wallace begon ziekenhuisbezoekjes af te leggen bij homoseksuele patiënten die opgenomen waren met aids. Als zij het prettig vonden bad hij samen met hen en zo niet, dan zat hij gewoon bij hen. Nou, uiteindelijk kreeg een regionale, op homopubliek gerichte radio-omroep lucht van waar dominee Wallace mee bezig was. Ze interviewden hem tijdens een muziekuitzending. Toen ze hem vroegen wat zijn mening over homoseksualiteit was, zei hij ronduit dat het een zonde was. De dj zei dat hij dat niet oké vond, maar dat hij dominee Wallace als mens wél oké vond. De zondag daarop kwamen een paar homoseksuele mannen naar de kerkdienst van Wallace. De week daarna was dat aantal verdubbeld. De gemeenteleden werden een beetje schichtig en vroegen wat ze aan moesten met al die homoseksuelen die opeens in de kerk rondliepen. En dominee Wallace antwoordde: "Nou, ze mogen gewoon een plekje uitzoeken tussen alle andere zondaars: de roddelaars, de echtbrekers, de overspelige vrouwen, de leugenaars en de rest van de mensen die hier zitten."'

Dominee Clive staat op en loopt naar zijn bureau. 'Het is een vreemde wereld, Max. We hebben nu megakerken. We hebben christelijke satelliet-tv en christelijk bands die in de top tien staan. We hebben *De Uitnodiging*, in 's hemelsnaam. Een schitterend boek, hét equivalent van Bunyans *Christenreis naar de eeuwigheid* voor onze tijd. Christus is zichtbaarder dan ooit tevoren, en Hij oefent meer invloed uit dan in welke andere tijd ook. Dus… waarom gedijen abortusklinieken dan nog steeds? Waarom stijgt het aantal echtscheidingen zo schrikbarend? Waarom grijpt porno ongebreideld om zich heen? Hij zwijgt even, maar ik denk niet dat hij een antwoord van mij verwacht. 'Ik zal jou vertellen waarom, Max. het komt doordat het morele verval dat we buiten de kerk zien, ook ín onze kerk is binnengedrongen. Je hoeft maar naar sommigen van onze geestelijk leiders te kijken. Er zijn er die verfoeilijke seksschandalen op hun geweten hebben, en dat binnen onze eigen gemeenschap. Weet je waarom we geen gezaghebbend standpunt meer kunnen innemen wat de kritische thema's van onze tijd betreft? Omdat we moreel gezien onze autoriteit hebben opgegeven.'

Verward frons ik mijn voorhoofd. Ik begrijp niet echt wat dit alles met Zoë te maken heeft.

'Tijdens de bidstonden horen we mensen zeggen dat ze aan kanker lijden of dat ze een baan willen. We horen nooit iemand bekennen dat hij pornosites op het internet heeft bekeken of dat hij homoseksuele fantasieën heeft. Hoe kan dat? De kerk zou een veilige plaats moeten zijn, juist als je in de verleiding bent om een zonde te begaan, wat voor zonde dan ook. Als wij niet die veilige plaats kunnen bieden, zijn we medeverantwoordelijk als mensen in zonde vervallen. Max, als iemand weet hoe het voelt om ergens in een kroeg te zitten en een drankje te nemen zonder dat andere cafégangers daar een oordeel over vellen, dan ben jij dat. Gewoon even helemaal relaxen en niet de schijn op hoeven houden. Waarom kan de kerk niet ook zo'n soort plaats zijn? Waarom zou je niet binnen kunnen komen wandelen en zeggen: "Hé, God. U ook hier? Cool, zeg. Ik kan bij U altijd mezelf zijn". Niet zo dat onze zonden worden genegeerd, maar juist dat we er verantwoordelijkheid voor nemen. Begrijp je waar ik heen wil, Max?'

'Nee, dominee,' beken ik. 'Eigenlijk niet...'

'Weet jij wie jou hier in feite naartoe gebracht heeft, vandaag?' vraagt dominee Clive.

'Zoë?'

'Nee, Jezus Christus.' Er breekt een glimlach door op het gezicht van de dominee. 'Hij heeft jou hierheen gezonden om mij eraan te herinneren dat we zo kunnen opgaan in de strijd dat we vergeten waar de oorlog over gaat. Alcoholisten krijgen een speldje om hen eraan te herinneren hoelang het hun al gelukt is om nuchter te blijven. Wij in onze kerk moeten zélf dat speldje zijn, dat symbool van kracht. Wij moeten homoseksuelen eraan herinneren dat ze kunnen veranderen.'

'Ik weet niet of Zoë wil veranderen...'

'We zijn er al achter dat je een zwangere vrouw niet zomaar kunt verbieden een abortus te laten doen. Nee, je moet haar helpen doen wat juist is door haar met gesprekken te begeleiden en op de mogelijkheid van adoptie te wijzen. Dus we kunnen ook niet gewoon zeggen dat een homo fout zit. We moeten bereid zijn ook die mensen in ons midden op te nemen, zodat we als kerkgemeenschap kunnen laten zien hoe het wél moet.'

Opeens begrijp ik waar de dominee het over heeft. Hij wil dat ik een gids word, een spirituele gids. Alsof Zoë verdwaald geraakt is in de bossen. Het lukt me misschien niet om te zorgen dat ze direct achter me aan loopt als ik zeg dat ik de weg weet, maar ik kan haar wel een landkaart geven. 'Denk u dat ik met haar moet gaan praten?'

'Precies, Max.'

Maar Zoë en ik hebben samen een geschiedenis.

En die hele wedergeboren-in-Christus-toestand, daar zit ik pas sinds kort een beetje in. Niet lang genoeg om iemand anders te kunnen overtuigen.

En.

(Zelfs al doet het me pijn)

(Zelfs al twijfel ik hierdoor zwaar aan mijn mannelijkheid)

(Wie ben ik om te beweren dat zij fout zit?)

Maar die laatste gedachte druk ik onmiddellijk weg, laat staan dat ik hem uitspreek tegen dominee Clive.

'Ik denk niet dat zij erop zit te wachten om te horen wat de kerk vindt.'

'Ik heb niet gezegd dat het voor jou een makkelijk gesprek wordt, Max. Maar dit gaat niet over seksuele ethiek. Wij zijn niet antihomo,' zegt dominee Clive. 'Wij zij vóór Christus.'

Tja als hij het zo stelt, begin ik er wel iets voor te voelen. Ik ga Zoë niet op haar nek zitten omdat ze me heeft gekwetst of omdat ik kwaad ben. Ik probeer alleen maar haar ziel te redden. 'Dus, hoe pak ik het aan?'

'Je moet bidden. Zoë moet tot inkeer komen. En als haar dat niet lukt, blijf jij voor haar bidden tot ze haar zonde inziet. Je kunt haar niet naar de kerk sleuren of haar dwingen tot een pastoraal gesprek. Maar wat je wel kunt, is haar laten zien dat er een alternatief is.' Hij gaat achter zijn bureau zitten en begint door een Rolodex te bladeren. 'Een paar van onze gemeenteleden hebben geworsteld met ongewenste homoseksuele gevoelens. Maar zij hebben er niet aan toegegeven en vastgehouden aan een christelijke levensvisie.'

Ik denk aan de Eeuwige Gloriekerk. Onze gemeente met al die gelukkige gezinnen, die stralende gezichten, die gloed waarvan ik weet dat hij afkomstig is van de Heilige Geest. Deze mensen zijn mijn vrienden, mijn familie. Ik probeer te gissen wie van hen homo of lesbisch is geweest. Misschien Patrick, de kapper wiens zondagse stropdas altijd dezelfde kleur heeft als de blouse van zijn vrouw? Of Neil, die patissier is in een vijfsterrenrestaurant in het stadscentrum?

'Je hebt Pauline Bridgman al eens ontmoet, hè?' vraagt dominee Clive.

Pauline?

Echt waar?

Pauline en ik hebben gisteren samen de wortelen staan snijden voor de kippasteitjesmaaltijd van de kerk. Pauline is een tenger vrouwtje met een wipneus en te dun geëpileerde wenkbrauwen. Wanneer ze praat, gebaart ze constant met haar handen. En volgens mij heb ik haar nooit iets anders zien dragen dan pastelkleurige jurken, rokken en blouses.

Als ik aan lesbiennes denk, krijg ik een beeld voor ogen van vrouwen die er stoer en strijdlustig uitzien. Stekeltjeshaar, leren jassen, slobberige spijkerbroeken en flanellen overhemden, dat werk. Goed, goed, dat is natuurlijk een stereotype. Maar desondanks is er helemaal niets aan Pauline Bridgman wat suggereert dat zij vroeger lesbisch was.

Maar ja, bij Zoë had ik tenslotte ook niets door.

'Pauline heeft hulp gezocht bij Exodus International. Ze heeft regelmatig een praatje gehouden bij Herstel-de-Liefdebijeenkomsten over hoe zij genezen is van haar lesbische neigingen. Ik denk dat als we het Pauline vragen, zij van harte bereid is haar verhaal met Zoë te delen.'

Dominee Clive schrijft Paulines telefoonnummer op een gele post-it, maar ik wil nog een slag om de arm houden. 'Ik zal erover nadenken,' zeg ik.

'Ik zou bijna zeggen: *wat heb je te verliezen?* Maar dat is in dit geval totaal onbelangrijk.' Dominee Clive wacht net zo lang tot ik hem in de ogen kijk. 'Waar het om gaat is wat Zóë te verliezen heeft.'

Haar eeuwige zielenheil.

Zelfs al is ze mijn vrouw niet meer.

Zelfs al heeft ze misschien nooit echt van me gehouden.

Ik neem de post-it aan van dominee Clive, vouw het papiertje dubbel en stop het in mijn portemonnee.

Die nacht droom ik dat ik nog getrouwd ben met Zoë, dat we samen in bed liggen en de liefde bedrijven. Ik laat mijn hand omhoog glijden van haar heup naar haar taille. Ik druk mijn gezicht in haar haar en kus haar mond, haar keel en haar borsten. Dan kijk ik omlaag, naar mijn hand die met gespreide vingers op haar buik ligt.

Het is mijn hand niet.

Ik zie een ring rond de duim – een dun gouden bandje.

En rode nagellak.

'Wat is er?' vraagt Zoë.

'Er klopt iets niet,' zeg ik tegen haar.

Ze grijpt me bij mijn pols en trekt me tegen zich aan. 'Welnee. Alles is in orde.'

Maar ik spring uit bed, beland op de een of andere manier in de badkamer en knip het licht aan. Ik kijk in de badkamerspiegel en zie Vanessa, die vanuit de spiegel naar me terugstaart.

Als ik wakker word, zijn mijn lakens doornat van het zweet. Ik stap uit het logeerbed in Reids souterrain en ga het badkamertje in. (Ik vermijd het angstvallig om in de spiegel te kijken.) Ik gooi handenvol koud water tegen mijn gezicht en houd uiteindelijk mijn hele hoofd onder de stromende kraan. Voorlopig zal ik niet meer in slaap vallen, dat weet ik zeker. Dus loop ik de trap op naar de keuken om iets te eten.

Maar tot mijn verbazing ben ik niet de enige die wakker is om drie uur in de nacht.

Liddy zit aan de keukentafel een papieren servet te versnipperen. Ze draagt een dunne witte katoenen kamerjas over haar nachtpon. Ja echt, Liddy draagt nachtjaponnen. Het soort dat gemaakt is van fijn geweven katoen met geborduurde roosjes langs de kraag en de zoom. Zoë sliep meestal naakt en als ze al iets aanhad, was het een T-shirt van mij en een boxershort.

'Liddy,' zeg ik. Ze krijgt een schokje bij het horen van mijn stem. 'Alles oké?'

'Je laat me schrikken, Max.'

Ze was in mijn ogen altijd al fragiel. Een beetje zoals ik me engelen voorstel; broos, bijna doorzichtig, en te mooi om lang achtereen naar te kijken. Maar op dit moment ziet ze er werkelijk geknakt uit. Ze heeft blauwe kringen onder haar ogen en haar lippen zijn gebarsten. Haar handen trillen zodra ze het papieren servet even met rust laat. 'Zal ik je naar boven helpen, weer naar bed?' vraag ik voorzichtig.

'Nee... het gaat best.'

'Wil je een kop thee?' vraag ik. 'Of zal ik wat soep voor je opwarmen?'

Ze schudt haar hoofd. De waterval van haar goudblonde haar golft heen en weer.

Het lijkt me niet helemaal fatsoenlijk om hier gewoon te gaan zitten. Dit is Liddy's eigen keuken en ze wil duidelijk alleen zijn. Maar het lijkt me ook geen goed idee om haar zomaar aan haar lot over te laten. 'Zal ik Reid gaan halen?' vraag ik.

'O, nee, laat hem maar slapen.' Ze slaakt een diepe zucht en alle papiersnippers van het stapeltje dat ze heeft gemaakt dwarrelen om haar heen en naar de vloer. Liddy buigt zich voorover om ze op te rapen.

'Wacht,' zeg ik, blij dat ik iets voor haar kan doen. 'Ik doe het wel.'

Ik kniel neer voor zij erbij kan, maar ze duwt me opzij. 'Hou op,' zegt ze. 'Hou toch eens óp.' Ze slaat haar handen voor haar gezicht. Ik kan haar niet horen, maar ik zie haar schouders trillen. Ik weet dat ze huilt.

Wat nu? Aarzelend strijk ik met mijn hand over haar rug. 'Liddy?' fluister ik.

'Wanneer houdt iedereen nou eens op met zo verdomde aardig tegen me te doen!'

Mijn mond valt open. In al die jaren dat ik Liddy ken, heb ik haar nog nooit zo horen uitvaren, laat staan vloeken.

Ze wordt onmiddellijk vuurrood. 'Sorry hoor,' zegt ze. 'Ik weet niet... ik weet niet wat me mankeert.'

'Ik wel.' Ik ga op de stoel tegenover haar zitten. 'Je leven. Het loopt anders dan jij het je had voorgesteld.'

Liddy staart me een hele tijd aan, alsof ze me nog nooit echt heeft gezien. Ze legt haar beide handen op mijn hand. 'Ja,' fluistert ze. 'Dat is precies het probleem.' Dan verschijnt er een lichte frons op haar voorhoofd. 'Waarom ben jíj eigenlijk wakker?'

Behoedzaam trek ik mijn hand onder de hare uit. 'Ik had dorst,' zeg ik schouderophalend.

'Denk eraan,' zegt Pauline voor we uit haar Volkswagen Kever stappen, 'vandaag draait alles om liefde en begrip. Zo slaan we haar de wapens uit handen, want zij verwacht ongetwijfeld tegengas en harde oordelen. En dat is nou precies waarom wij uit een heel ander vaatje gaan tappen.'

Ik knik. Eerlijk gezegd was zelfs een afspraak maken met Zoë een zwaardere opgave geweest dan ik had verwacht. Ik wilde haar niet overhalen met een smoes. Dat ze nog een formulier moest onderteke-

nen of dat we nog iets te bespreken hadden over de scheiding of
zoiets. Dus terwijl dominee Clive naast me stond te bidden dat God
me de juiste woorden in de mond zou leggen, belde ik haar nul-zes.
Ik zei dat ik het echt leuk had gevonden om haar tegen te komen in
de supermarkt. Dat ik wel erg verrast was door wat ze me had verteld over haar en Vanessa. En dat, als zij daar even de tijd voor had,
ik echt heel graag bij haar langs wilde komen om bij te praten.

Ik geef toe dat ik niet gezegd heb dat Pauline mee zou komen.

En nu staan we voor dit onbekende huis van rode baksteen met een
grote dakkapel en een indrukwekkend mooie voortuin. Zoë opent de
deur en kijkt fronsend van mij naar Pauline en terug.

'Hoi, Max.' zegt ze, 'Ik wist niet dat je iemand zou meenemen.'

Het lijkt ongerijmd om Zoë te ontmoeten in het huis van iemand
anders. Ze heeft een mok in haar hand die ik ooit als kerstcadeautje
voor haar heb gekocht waarop staat: MIJN ALLERLIEFSTE KLEINE SO-
PRAANTJE. Achter haar, op de vloer onder de kapstok, ligt een samen-
raapsel van schoenen. Sommige herken ik, andere niet. Ik voel me
alsof er een vacuümklem op mijn ribbenkast geschroefd zit. 'Dit is
een kennis van mij, van de kerk,' leg ik uit. 'Pauline, dit is Zoë.'

Ik geloof Pauline wel als ze zegt dat ze niet meer lesbisch is, maar
toch houd ik goed in de gaten hoe ze Zoë precies een hand geeft. Je
weet maar nooit. Zie ik een vonkje in haar ogen of houdt ze Zoës
hand ietsje te lang vast? Maar nee hoor, niets van dat alles.

'Max,' vraagt Zoë, 'wat ben je van plan?'

Ze slaat haar armen over elkaar zoals ze dat altijd deed als er een
huis-aan-huisverkoper aan de deur kwam die ze zo snel mogelijk
wilde lozen, vóór hij van wal kon steken met zijn verkoopbabbel. Dus
ik doe mijn mond open om te proberen het uit te leggen, maar slik
mijn woorden weer in. 'Wat een prachtig huis is dit,' zegt Pauline.

'Dank je,' antwoordt Zoë. 'Het is van Vanessa, mijn vriendin.' Die
laatste woorden klinken mij als zware explosies in de oren, maar Pauline doet net alsof ze niets gehoord heeft. Ze wijst naar een foto aan
de muur achter Zoë. 'Is dat Block Island?'

'Ik geloof van wel.' Zoë draait zich om. 'Vanessa's ouders hadden
daar een zomerhuisje toen zij nog klein was.'

'Dat had mijn tante ook,' zegt Pauline. 'Ik ben iedere keer van plan
om er weer eens naartoe te gaan, maar het komt er nooit van.'

Zoë kijkt me recht aan. 'Max, kom nou. Hou eens op met dat spel-letje. Laat één ding duidelijk zijn: er valt tussen ons niets te bespre-ken. Als jij je wilt laten meeslepen door de hersenkronkels van de Eeuwige Gloriekerk, moet je dat zelf weten. Maar als jij en je zende-lingvriendin bij me binnen komen vallen om mij te bekeren, dan kun je dat wel vergeten.'

'Ik kom niet om je te bekeren. Wat er ook gebeurd is tussen jou en mij, je moet van me aannemen dat ik heel veel om je geef. En ik wil gewoon zeker weten dat je de juiste keuzes maakt.'

Zoës ogen vonken. 'Ga jíj tegen míj preken over de juiste keuzes maken? Wat een grap, Max.'

'Ik heb fouten gemaakt,' geef ik toe. 'En dat doe ik nog steeds, ie-dere dag. Ik ben absoluut niet perfect. Dat zijn we geen van allen, en dat is precies waarom je nu naar mij zou moeten luisteren. Ik wil je alleen maar zeggen dat... hoe jij je nu voelt, dat het niet jouw schuld is. Het is je overkomen. Maar het is niet zoals jij echt bént.'

Ze staat te knipperen met haar ogen, tot ik aan haar zie dat ze plot-seling begrijpt wat ik bedoel. 'O, nu gaat me een licht op. Jij hebt het over Vanessa. Nee máár. Jij komt hier met je onnozele antihomo-kruistocht binnenwalsen in mijn eigen huiskamer.' Paniekerig kijk ik naar Pauline, terwijl Zoë haar armen wijd uitspreidt. 'Kom vooral binnen, Max,' zegt ze sarcastisch. 'Ik sta te popelen om te horen wat jij te zeggen hebt over mijn perverse levensstijl. Ik heb vandaag ten-slotte de hele dag naast stervende kinderen gezeten in het ziekenhuis. Ik kan wel een komische noot gebruiken.'

'Zullen we gaan?' mompel ik tegen Pauline, maar zij loopt langs me heen en gaat op de bank in de woonkamer zitten.

'Vroeger was ik precies zoals jij,' zegt ze tegen Zoë. 'Ik woonde samen met een vrouw, ik hield van haar en ik dacht dat ik lesbisch was. Op een keer waren we samen op vakantie. We zaten in een res-taurant en de serveerster vroeg mijn vriendin wat ze wilde eten. Ver-volgens zei ze tegen mij: "En u, meneer, hebt u al een keuze gemaakt?" Ik moet erbij vertellen dat ik er toen niet uitzag zoals nu. Ik kleedde me als een jongen en ik liep als een jongen. Ik wilde dat iedereen me aanzag voor een jongen, zodat de meisjes op me zouden vallen. Ik was ervan overtuigd dat ik zo geboren was, want het enige wat ik me over mijn jeugd kon herinneren was dat ik me anders voelde dan alle anderen. Die avond deed ik iets wat ik niet meer had gedaan sinds ik een kind was. Ik pakte de Bijbel uit het nachtkastje van onze hotelkamer en begon te lezen. Zuiver toevallig sloeg ik Leviticus op: *Gij zult geen gemeenschap hebben met een man zoals men gemeenschap heeft met een vrouw. Dat is de Heer een gruwel.* Natuurlijk ben ik geen man, maar ik wist dat God het over mij had.'

Zoë richt haar ogen naar het plafond. 'Mijn Bijbelkennis vertoont hier en daar wat slijtage, maar ik weet vrij zeker dat echtscheiding ook niet is toegestaan. En toch ben ik niet bij jou aan de deur gekomen toen we de gerechtelijke uitspraak hadden ontvangen, Max.'

Pauline gaat verder alsof Zoë niets heeft gezegd. 'Ik begon te beseffen dat ik onderscheid kon maken tussen wie ik dacht te zijn, en wat ik dééd. Ik ben niet lesbisch, maar ik was gedoodverfd als lesbienne. Het was mijn identiteit geworden. Ik herlas de onderzoeken en artikelen die zouden aantonen dat ik lesbisch geboren was. En ik vond gaten in de argumentatie, zo groot dat je er wel met een vrachtwagen doorheen kon rijden. Ik was in een leugen verstrikt geraakt. En zodra ik me dat realiseerde, wist ik ook dat ik kon veranderen.'

'Bedoel je...' zegt Zoë ademloos, 'dat het zó makkelijk is? Zo van hé, ik benoem iets, ik doe een gebedje en... klaar is Kees? Ik zeg dat ik in God geloof, en ziedaar, als bij toverslag is mijn ziel gered. Ik zeg dat ik niet lesbisch ben, en halleluja! Ik ben genezen. Ik weet zeker dat als Vanessa hier straks binnenkomt, ik haar absoluut niet leuk of aantrekkelijk meer vind.'

Alsof Zoë haar heeft opgeroepen komt Vanessa de kamer in. Ze is nog bezig haar jasje los te knopen. 'Wat hoor ik, zitten jullie over mij te klessebessen?' vraagt ze. Zoë loopt naar haar toe en geeft haar ter begroeting een vluchtig kusje op haar lippen.

Alsof dat iets is wat ze de hele tijd doen.

Alsof mijn maag daar niet van omkeert.

Alsof het volkomen natuurlijk is.

Zoë kijkt Pauline aan. 'O, jeetje. Volgens mij ben ik helemáál niet genezen.'

Inmiddels heeft Vanessa ons zien zitten. 'Hallo mensen. Ik wist niet eens dat we bezoek zouden krijgen.'

'Dit is Pauline, en Max ken je natuurlijk al,' zegt Zoë. 'Ze komen ons redden van een rechtstreekse hellevaart.'

'Zoë,' zegt Vanessa, en trekt haar terzijde. 'Kunnen we even praten?' Ze neemt Zoë mee naar de aangrenzende keuken. Ik moet me inspannen om mee te kunnen luisteren, maar het lukt me om grotendeels op te vangen wat ze zeggen. 'Lieverd, ik ga jou niet vertellen wie je wel en niet mag uitnodigen in ons huis, maar dit... wat denk je nu helemaal?'

'Dat ze knettergek zijn,' zegt Zoë. 'Maar zeg nou zelf, Vanessa. Iémand moet hen er toch op wijzen dat ze aan waanvoorstellingen lijden? Anders komen ze er nooit achter.'

Ze praten nog wat, maar hun stemmen zijn gedempt. Zenuwachtig kijk ik naar Pauline. 'Maak je geen zorgen,' zegt ze en geeft een klopje op mijn arm. 'Ontkenning is normaal. Christus roept ons op Zijn woord te verspreiden, ook al lijkt het niet in goede aarde te vallen. Maar voor mij is een gesprek als dit zoiets als mahonieolie op een blanke houten vloer. Hoe hard je ook probeert de vlek weg te vegen, hij gaat er nooit meer helemaal uit. Als wij al lang vertrokken zijn, zal Zoë nog denken aan wat wij hebben gezegd.'

Tja, denk ik, maar als je mahonieolie op een blanke houten vloer knoeit, verandert dat alleen hoe het hout eruitziet. Het wordt nooit echt mahoniehout. Zou Pauline daar wel eens aan gedacht hebben?

Zoë komt de kamer binnen, met Vanessa op haar hielen. 'Doe dit nou niet,' smeekt Vanessa. 'Stel dat je was gaan samenwonen met een Afro-Amerikaan, dan zou je toch ook niet de Ku Klux Klan uitnodigen om dat te bespreken?'

'Maar Vanessa toch,' zegt Zoë. 'Laat me nou even.' Ze wendt zich weer tot Pauline. 'Sorry hoor. Waar waren we gebleven?'

Pauline vouwt haar handen in haar schoot. 'Nou, volgens mij zaten we te praten over het moment waarop ík ontdekte wie ik ben,' zegt ze.

Vanessa laat een verachtelijk gesnuif horen.

'... en dat ik besefte dat ik kwetsbaar was voor de aantrekkingskracht van vrouwen,' gaat Pauline onverstoorbaar verder. 'Daar waren verschillende reden voor. Mijn moeder was een boerenmeisje uit Iowa – zo'n vrouw die om vier uur 's nachts opstond en al voor het ontbijt bergen werk had verzet. Zij geloofde dat je handen gemaakt waren om te werken. En als je viel en huilde omdat je pijn had, dan vond ze je een aanstelster. Mijn vader moest veel reizen voor zijn werk en was eigenlijk nooit thuis. Ik was altijd al een wildebras en ik voetbalde liever met mijn broers dan in huis met poppen te spelen. En natuurlijk, ja, ik had ook nog een neef die me seksueel heeft misbruikt.'

'O, natúúrlijk ja,' mompelt Vanessa.

'Nou,' zegt Pauline terwijl ze Vanessa aankijkt, 'iedereen die ik heb ontmoet en die dacht homo of lesbisch te zijn, is ooit slachtoffer geweest van enige vorm van seksueel misbruik.'

Ik kijk benauwd naar Zoë. Zij is nooit seksueel misbruikt. Dat zou ze me verteld hebben.

Hoewel... ze heeft me ook niet verteld dat ze op vrouwen viel.

'Mag ik een gokje wagen?' vraagt Vanessa. 'Klopt het dat jouw ouders je niet direct in hun warme, liefhebbende armen hebben gesloten toen jij hun vertelde dat je lesbisch was?'

Pauline glimlacht. 'Mijn ouders en ik hebben inmiddels een fantastische relatie. We hebben zoveel doorgemaakt samen, lieve help... Het was niet hún schuld dat ik mezelf als lesbisch zag. Er speelden een heleboel factoren mee. Van dat misbruik waarover ik vertelde tot mijn onzekerheid over mijn vrouwelijkheid, plus dat ik het gevoel had dat vrouwen tweederangsburgers waren. Door dat alles begon ik me op een bepaalde manier te gedragen. Een manier die mij vervreemdde van Christus. Ik vraag me af,' zegt ze tegen Zoë, 'hoe het kwam dat jij openstond voor een lesbische relatie. Het is duidelijk dat je niet zo geboren bent, want je was gelukkig getrouwd...'

'Zo gelukkig zelfs,' komt Vanessa ertussen, 'dat het op een echtscheiding is uitgelopen.'

'Dat is waar,' geef ik toe. 'Ik heb jou niet gesteund, Zoë, toen je me zo hard nodig had. En dat kan ik nooit meer goedmaken. Maar ik kan wel zorgen dat jij niet óók in de fout gaat. Ik kan je helpen onder mensen te komen die jou begrijpen. Mensen die je niet veroordelen en die van je houden om wie je bent, en niet om wat je hebt gedaan.'

Zoë laat haar arm door die van Vanessa glijden. 'Dat heb ik allemaal al, Max. Zo iemand over wie jij het hebt staat naast me, pal voor je neus.'

'Maar je kunt niet... jij bent niet...' ik struikel over mijn woorden. 'Jij bént niet lesbisch, Zoë. Echt niet.'

'Wie weet heb je gelijk,' zegt Zoë. 'Misschien ben ik niet door en door lesbisch. Misschien is Vanessa voor mij de enige ware en val ik niet op andere vrouwen. Maar wat ik zeker weet, is dat ik die enige ware nooit meer kwijt wil. Ik hou van Vanessa, en zij is toevallig een vrouw. Als ik daardoor nu ineens lesbisch ben geworden, heb ik daar geen problemen mee.'

Ik begin in stilte te bidden. Ik bid dat God me de kracht geeft niet overeind te springen en te gaan schreeuwen. Ik bid dat Zoë diep ongelukkig zal worden, liefst vandaag nog. Dan zal ze Christus met geen mogelijkheid meer kunnen ontlopen.

'Ik ben ook niet zo dol op etiketten,' zegt Pauline. 'Hemeltjelief, moet je mij nou zien. Ik noem mezelf liever niet eens ex-lesbisch, want dat zou suggereren dat ik lesbisch geboren ben. Stel je voor! Nee, ik ben een normale, heteroseksuele, evangelisch-christelijke vrouw. Ik draag vaker rokken dan broeken. Ik ga nooit de deur uit zonder make-up. En mocht je toevallig een knappe jonge vent tegenkomen, hou hem dan aan de praat tot ik...'

'Heb jij ooit seks gehad met een man?' Vanessa's stem klinkt als een geweerschot.

'Nee,' bekent Pauline blozend. 'Dat zou tegen alles in gaan waar onze Kerk voor staat, want ik ben tenslotte niet getrouwd.'

'Komt dat even goed uit, Pauline.' Vanessa draait zich om naar Zoë en zegt: 'Ik wil er twintig dollar om verwedden dat Angelina Jolie haar zó in bed zou krijgen, nog voor je het Onzevader hebt opgezegd.'

Maar Pauline laat zich niet uit haar tent lokken. Ze kijkt Vanessa medelijdend aan. 'Je kunt over mij zeggen wat je wilt. Ik weet waar jouw woede vandaan komt. En weet je waarom? Omdat ik jou gewéést ben, in een ver verleden. Ik weet hoe het is om een leven te leiden zoals het jouwe. Dan kijk je naar een vrouw als ik en dan denk je: wat een mafketel. Zoals het met mij ging... Echt, er belandden uit het niets bepaalde boeken op mijn nachtkastje, uitgeknipte artikelen onder mijn koffiemok en wat niet al. Mijn ouders hebben me enorm gepusht om mijn lesbische gevoelens op te geven en dat maakte me alleen maar dwarser. Ik dacht zeker te weten dat ik wél lesbisch was. Maar Vanessa, zo benader ik jou helemaal niet. Ik ben niet van plan jou antilesbische boeken en pamfletten te geven of achter je aan te gaan bellen. Ik probeer je niet wijs te maken dat ik jouw nieuwe beste vriendin ben. Ik ben hier maar met één doel gekomen. Zodra jij en Zoë er klaar voor zijn, en ik weet zeker dat dat ooit daadwerkelijk gebeurt, dan moet je weten dat ik jullie kan helpen. Ik kan jullie de middelen aanreiken waar jullie naar op zoek zijn, om te leren Christus' wensen boven die van jezelf te stellen.'

'Dus als ik het goed begrijp,' zegt Zoë, 'dan hoef ik niet acuut te veranderen. Ik kan je aanbod tegoed houden...'

'Natuurlijk,' antwoord ik. 'Ik bedoel, het is een stap in de goede richting, toch?'

'... maar je vindt onze relatie nog steeds zondig en verkeerd.'

'Zo denkt Jezus erover' zegt Pauline. 'Als je de Heilige Schrift bestudeert en tot andere conclusies komt, zit je fout.'

'Weet je, ik heb bijna tien jaar op catechisatie gezeten,' zegt Vanessa. 'Ik herinner me opeens dat er ook in de Bijbel staat dat polygamie een goed idee is. Maar mosselen eten, dat mag dan weer niet.'

'Dat iets in de Bijbel staat, betekent nog niet dat God dat vanaf de schepping tot in de eeuwigheid zo wil...'

'Maar daarnet beweerde je nog dat wat er in de Bijbel staat, de waarheid is!' werpt Vanessa tegen.

Met een rukje gaat Paulines kin omhoog. 'Ik zit hier niet voor een steekspelletje met woorden. Het tegenovergestelde van homoseksualiteit is niet heteroseksualiteit. Het is toewijding aan God. Dáárom zit ik hier – als het levende bewijs dat er een andere weg is. Een betere weg.'

'Pauline, ken je die uitspraak van Jezus: "Wie zonder zonde is, werpe de eerste steen?" Wat vind je daarvan?' wil Vanessa weten.

'Ik veroordeel jullie niet,' legt Pauline uit. 'Ik geef jullie gewoon mijn wereldvisie, gebaseerd op de Bijbel.'

'Enfin,' zegt Vanessa terwijl ze overeind komt. 'Dan zal ik wel blind zijn, want het onderscheid tussen jouw oordelen en je wereldvisie, dat zie ik niet. Hoe durf je me te vertellen dat wat mij tot míj maakt nu juist verkeerd is? Hoe durf je mij te zeggen dat je tolerant bent – zolang ik maar precies hetzelfde ben als jij? Hoe durf je te suggereren dat ik niet zou mogen trouwen met degene die ik liefheb, of een kind adopteren? Of dat homorechten niet hetzelfde zijn als burgerrechten, omdat volgens jou, in tegenstelling tot huidskleur of een handicap, mensen hun seksuele geaardheid kunnen veranderen? En Pauline, zelfs dát argument houdt geen steek. Want je kunt tenslotte wel van religie veranderen, maar toch is vrijheid van godsdienst een wettelijk beschermd recht. En dat is dan ook de enige reden dat ik jou beleefd vraag mijn huis te verlaten, in plaats van je een schop onder je schijn- heilige, evangelische kont te geven.'

Zoë staat ook op. 'Dat zal tijd worden,' zegt ze. 'Nu is het wel mooi geweest.'

Als we op de terugweg naar huis zijn, begint het te regenen. Ik hoor de ruitenwissers ritmisch zwiepen en denk aan Zoë, die altijd met haar hand tegen het dashboardkastje meetrommelde.

'Mag ik je iets persoonlijks vragen?' zeg ik tegen Pauline.

'Natuurlijk.'

'Mis jij niet... je weet wel... mis je het nooit?'

Pauline werpt me van opzij een vluchtige blik toe. 'Nou, je hebt mensen die het missen, ja. Hun worsteling is heel langdurig. Maar het is net als met iedere andere verslaving. Zij hebben begrepen dat het hún favoriete roesmiddel is en ze hebben besloten ermee te stoppen. Als ze geluk hebben, kunnen ze zich uiteindelijk als volkomen gene- zen beschouwen. Dan hebben ze een ware identiteitsverandering on- dergaan. Maar sommigen hebben niet zoveel geluk. Zij staan iedere morgen op met hetzelfde, oude verlangen en bidden God op hun blote knieën dat hij hen de dag door sleept zonder dat ze toegeven aan de verleiding.'

Ik realiseer me dat ze mijn vraag niet echt beantwoord heeft.

'Christenen worden al eeuwen ten strijde geroepen,' zegt Pauline. 'En dit is niets anders.'

Zoë en ik zijn ooit naar een bruiloft van een van haar cliënten ge- weest. Het was een traditionele joodse bruiloft en het was echt mooi, met allerlei rituelen die ik helemaal niet kende. De bruid en bruide- gom stonden buiten onder een baldakijn en de gebeden waren in een vreemde taal. Aan het einde van de ceremonie liet de rabbi de brui- degom op een wijnglas stampen dat in een servet was gewikkeld. 'Moge jullie huwelijk zó lang duren als de tijd die het zou kosten om deze stukken weer aan elkaar te lijmen,' zei hij. Later, toen iedereen in de rij stond om het bruidspaar te feliciteren, kroop ik ongemerkt onder de baldakijn. Ik viste een glasscherfje uit het servet dat nog op het gras lag. Op weg naar huis gooide ik de scherf in zee. Zo zou het glas hoe dan ook nooit meer heel worden en zou het echtpaar voor altijd samenblijven.

'Wat doe je?' had Zoë me gevraagd en ik vertelde het haar. Ze zei: 'Wat ben je toch een schatje. Ik ben echt gek op jou, weet je dat?'

De laatste tijd voelt mijn hart zo'n beetje als dat verbrijzelde wijnglas. Als iets wat heel zou moeten zijn, maar... door toedoen van een of andere dwaas die dacht dat hij bijdehand was, is die kans verkeken.

5

Bruiloft

ZOË

Iedereen wil weten hoe de seks is.

Het is anders dan vrijen met een man, dat ligt voor de hand. Maar daar zijn meer redenen voor dan datgene wat iedereen meteen kan bedenken. Het is emotioneler, vind ik. Plus dat je niets hoeft te bewijzen. Sommige momenten zijn zacht en teder, andere rauw en intens. Er is geen sprake van een man die de dominante rol zou kunnen spelen terwijl de vrouw automatisch passief is. Bij ons neemt nu eens de een het initiatief en dan weer de ander.

Seks met een vrouw is hoe je zou willen dat het met een man is (maar wat zelden gebeurt), namelijk dat het om de reis gaat en niet om de bestemming. Zo werkt het in ieder geval tussen Vanessa en mij. Het is een eeuwig voorspel. Het is de vrijheid om niet je buik in te hoeven houden of aan je cellulitis te denken. Het is de vrijheid om te kunnen zeggen: *ja, dat voelt lekker* en – minstens even belangrijk – *dat niet*. Ik geef toe dat het aanvankelijk vreemd was om tegen Vanessa aan te kruipen, aangezien ik gewend was om me tegen een strakke, gespierde borst te vlijen. Maar het vreemde was niet onaangenaam, alleen ongewoon. Alsof ik plotseling verhuisd was naar het regenwoud na een half leven lang in een berglandschap te hebben doorgebracht. Het is anders mooi, maar wel mooi.

Soms, als een mannelijke collega ontdekt dat Vanessa en ik een stel zijn, zie ik in zijn ogen een soort fantasie opbloeien. Het idee dat het bij ons thuis iedere avond een meidenpornofilm voor mannen is. Maar mijn huidige seksleven lijkt daar net zo weinig op als mijn voormalige seksleven leek op een liefdesscène met Brad Pitt. Ik zou best weer met een man kunnen vrijen. Maar ik betwijfel of ik ervan zou genieten, of me even veilig zou voelen en even ver zou durven gaan.

Dus ook al 'vult' Vanessa mij niet – tenminste niet in de letterlijke zin – zij vervult mijn verlangens volledig, wat stukken beter is.

Het echte verschil tussen mijn huwelijk met Max en mijn relatie met Vanessa heeft eerlijk gezegd niets met seks te maken. Het heeft te maken met balans. Wanneer Max destijds van zijn werk kwam, vroeg ik me automatisch af of hij in een goede bui zou zijn, of dat hij een rotdag had gehad. Vervolgens speelde ik de rol die het best bij zijn stemming paste. Bij Vanessa mag ik thuiskomen en gewoon mezelf zijn.

Wanneer ik naast Vanessa wakker word denk ik: *dit is mijn beste vriendin. Dit is mijn grootste, mooiste schat.* Ik word wakker en denk: *ik heb zoveel meer te verliezen.*

We overleggen elke dag. Vanessa en ik gaan aan tafel zitten met een kop koffie en in plaats van dat zij achter de krant duikt zoals Max altijd deed, bespreken we wat er gedaan moet worden. Nu ik bij haar ben ingetrokken runnen we samen een huishouden. Er is geen man in huis die volgens het geijkte patroon de kapotte gloeilampen vervangt of het vuilnis aan de straat zet. Als er iets zwaars moet worden verplaatst, doen we dat samen. Een van ons maait het gazon, de ander handelt de rekeningen af en we maken samen de goten schoon.

Toen ik nog getrouwd was, vroeg Max me steevast wat we die avond aten, en ik vroeg hem onze kleding van de stomerij op te halen. Nu brengen Vanessa en ik eerst samen onze taken in kaart. Als Vanessa toch al een boodschap moet doen onderweg naar huis, dan kan ze meteen een afhaalmaaltijd meenemen. Als ik de stad inga, neem ik soms haar auto zodat ik voor haar kan tanken. We praten veel, wisselen veel ideeën uit en sluiten goedgemutst allerlei compromissen. Zo gaat dat met twee vrouwen in één huishouden.

Als ik vroeger homoseksuelen hoorde praten over hun pártner, waarmee ze dan hun levensgezel bedoelden, kwam dat vreemd op me over. Als heteroseksueel stel was je toch ook elkaars partner? Maar nu besef ik dat dat niet in alle opzichten zo hoeft te zijn. Het woord 'partner' suggereert echte gelijkwaardigheid. Er bestaat een verschil tussen iemand die jij je 'wederhelft' noemt op een feestje, en iemand die jou werkelijk compleet maakt en vice versa. Dat laatste is gelijkwaardigheid. Vanessa en ik kunnen niet terugvallen op de traditionele rolverdeling tussen man en vrouw. We moeten zélf de dynamiek tussen ons ontdekken en invullen. Dus komt het erop neer dat we constant samen beslissingen nemen. We vragen altijd elkaars mening. We nemen niets als vanzelfsprekend aan. Zo lopen we ook een stuk minder kans dat we teleurgesteld worden in onze verwachtingen, of dat onze gevoelens gekwetst worden.

Je zou misschien denken dat nu we een maand samenwonen, onze liefde wel in wat kalmer vaarwater zou zijn gekomen. Dat ik natuurlijk van Vanessa houd, maar dat ik niet meer zó smoorverliefd op haar ben. Nou, niets is minder waar. Ik popel nog steeds om haar te vertellen wat er nu weer gebeurd is op mijn werk. Ik wil met haar vieren dat er, drie maanden na mijn baarmoederoperatie, nog steeds geen nieuwe uitzaaiingen zijn geconstateerd. Ik wil met haar op de bank hangen op een luie zondag. Er zijn veel weekendklusjes die we zouden kunnen verdelen, maar die we samen doen voor de gezelligheid. Het kost ons twee keer zoveel tijd maar we willen sowieso bij elkaar zijn, dus wat maakt het uit?

Zodoende lopen Vanessa en ik op een zaterdagmiddag in maart samen door de supermarkt. We staan juist etiketten van saladedressings te lezen, wanneer ik Max op me af zie komen. In een reflex sla ik mijn armen om zijn hals, en probeer niet naar zijn zwarte pak en smalle stropdas te kijken. Hij doet me denken aan een middelbare scholier die hoopt dat als hij nu maar coole kleren aantrekt, hij vanzelf bij het populaire groepje gaat horen. Maar zo werkt dat niet helemaal.

Ik voel Vanessa achter me staan, wachtend tot ik haar aan Max voorstel met de bijbehorende informatie over ons. Maar de woorden blijven in mijn keel steken.

Ze schudden elkaar de hand. *Wat een ellende*, denk ik. De man van wie ik hield en de vrouw zonder wie ik niet kan leven. Ik weet wat Vanessa wil, wat ze van me verwacht. Ik heb haar verzekerd dat ik niet van plan ben bij haar weg te gaan, maar nu heb ik de kans om te bewijzen dat het me menens is. Het enige wat ik moet doen is Max vertellen dat Vanessa en ik een stel zijn.

Dus waarom krijg ik dat niet voor elkaar?

Vanessa staart me aan en haar mond wordt een smalle, strakke streep. 'Ik ga even de boodschappenlijst afwerken,' zegt ze. Terwijl ze zich weghaast voel ik iets knappen in mijn borst, als een oude veter die te strak zit.

Max is blijkbaar niet alleen naar de supermarkt gekomen. Naast hem duikt nu een soort kloon van hem op in een gelijksoortig pak, met een stuiterende adamsappel boven zijn stropdas. Ik mompel iets van 'aangenaam', maar kijk intussen spiedend over zijn schouder naar de groenteafdeling. Daar staat Vanessa met haar rug naar me toegekeerd bij de wortelen en snijbiet. Ik hoor Max iets zeggen over dat ik welkom ben bij een etentje van zijn kerk.

Dank je feestelijk, denk ik bij mezelf. Ik zie mij en Vanessa al hand in hand aankomen bij dat malle, homofobe kerkclubje van hem. We zouden waarschijnlijk besmeurd worden met pek en veren. Ik mompel iets onduidelijks als antwoord en loop op een holletje naar Vanessa.

'Je bent kwaad op me,' zeg ik.

Vanessa knijpt verwoed in een mango. 'Niet kwaad. Eerder teleurgesteld.' Ze kijkt me aan. 'Waarom heb je het hem niet verteld?'

'Waarom móést dat per se? Het gaat niemand wat aan, behalve jou en mij. Ik heb zojuist kennisgemaakt met een vriend van Max, en die zei ook niet meteen: *O, trouwens, ik ben hetero.*'

Vanessa legt de mango terug in de bak. 'Je zult mij niet snel met een spandoek zien zwaaien, of meelopen in de Gay Parade,' zegt ze. 'En ik begrijp heus wel dat het geen kleinigheid is om je ex-man te vertellen dat jij inmiddels een ander hebt. Maar als je níét zegt hoe het zit, zullen mensen het zelf invullen met hun eigen, simplistische aannames. Stel dat Max wist dat jij een lesbische relatie hebt. Denk je niet dat hij dan voortaan wel twee keer zou nadenken voor hij tegen homo's gaat demonstreren? Want dan gaat het opeens niet meer over een of andere anonieme nicht of pot, maar over iemand die hij kent.' Ze kijkt even van me weg. 'En ík zie hoe jij jezelf in de gekste bochten wringt om maar niet te hoeven zeggen dat wij bij elkaar horen. Dat vind ik vreselijk, want daardoor ga ik denken dat je me hebt voorgelogen. Dat je nog steeds een slag om de arm houdt.'

'Dat is niet de reden waarom ik...'

'Waarom dan wel? Schaam jij je voor mij?' vraagt Vanessa. 'Of schaam je je voor jezélf?'

Ik sta voor de groene kartonnen bakjes met aardbeien. Ik had ooit een cliënt die botanicus was voor ze in het hospitium terechtkwam met terminale eierstokkanker. Ze kon geen vast voedsel meer eten en ze vertelde me dat ze aardbeien het meest miste. Ze legde uit dat het de enige vruchten zijn met zaden aan de buitenkant en dat ze daarom niet eens tot de bessen worden gerekend. Aardbeien maken deel uit van de rozenfamilie, hoewel je dat op het eerste gezicht niet zou zeggen.

'Ik zie je straks buiten,' zeg ik tegen Vanessa.

Het regent dat het giet terwijl ik me naar Max toe haast, die al bij zijn truck staat. 'Die vrouw met wie ik boodschappen deed,' zeg ik. 'Vanessa, dus. Zij is mijn nieuwe partner.'

Max kijkt me aan alsof ik geschift ben. Waarom zou ik helemaal door deze hoosbui naar hem toe komen hollen om dit te vertellen? Dan begint hij over mijn werk, en het dringt tot me door dat Vanessa gelijk heeft, dat hij het verkeerd begrijpt. Gewoon omdat ik hem niet de doodsimpele waarheid heb verteld. 'Vanessa is mijn lévenspartner,' licht ik toe. 'We zijn sámen.'

Ik weet precies wanneer het tot hem doordringt wat ik hem feitelijk sta te vertellen. Niet vanwege de onzichtbare luiken die dichtklappen voor zijn ogen, maar omdat er iets in mij openbarst. Het voelt heerlijk en vrij. Hoe kwam ik er eigenlijk bij dat ik Max' goedkeuring nodig zou hebben? Ik ben misschien niet de vrouw die hij dacht te kennen, maar dat geldt andersom ook.

Voor ik het weet ben ik op de terugweg naar Vanessa. Ze staat met een winkelwagen vol boodschappen op me te wachten onder de overkapping voor de supermarkt. Ik merk opeens dat ik keihard ren. 'Wat heb je tegen hem gezegd?' vraagt Vanessa.

'Dat ik voor altijd bij jou wil blijven, en liefst nog langer dan dat,' zeg ik haar. 'Ik vat het nu even voor je samen.'

Haar gezicht spreekt boekdelen. Het geeft me hetzelfde gevoel als wanneer ik na de wintermaanden de eerste krokus zie die zijn kopje boven de grond steekt. Eíndelijk.

We trekken onze kragen over ons hoofd en laden snel de boodschappen in Vanessa's auto. Terwijl zij de laatste tasjes in de kofferbak zet, zie ik twee kinderen voorbij slenteren. Ze zijn rond de twaalf jaar oud; een jongen met wat dons op zijn wangen en een meisje dat een bubbel van kauwgom blaast. Ze lopen met hun armen stijf om elkaar heen geslagen en hebben hun handen in elkaars kontzak gestopt.

Ze zien er nauwelijks oud genoeg uit om films voor twaalf jaar en ouder te mogen zien, laat staan dat ze aan een serieuze date toe zouden zijn. Maar niemand knippert zelfs maar met z'n ogen terwijl ze voorbijkomen. 'Hé,' zeg ik, en Vanessa draait zich om, met de laatste papieren tas in haar hand. Ik leg mijn handen aan weerszijden van haar gezicht en ik kus haar. Lang, langzaam en verrukkelijk. Ik hoop dat Max toekijkt. Ik hoop dat de hele wereld toekijkt.

Als ergens iemand begint te gillen, lopen de meeste mensen spoorslags een andere kant op. Ik niet. Ik pak mijn gitaar en ga in looppas in de richting van de herrie.

'Hallo,' zeg ik, terwijl ik binnenval in een kamer op de afdeling pediatrie van het ziekenhuis. 'Kan ik helpen?'

Een verpleegster doet heldhaftige pogingen om een infuus los te koppelen van een wild tegenstribbelend jongetje. Als ze me ziet, slaakt ze een zucht van opluchting. 'Je komt als geroepen, Zoë.'

De moeder van het jongetje, die hem vast probeert te houden, knikt me toe. 'Hij weet dat het pijn deed toen het infuus werd ingebracht, dus denkt hij dat dit ook pijn zal doen.'

Ik maak oogcontact met haar zoon. 'Hoi,' zeg ik. 'Ik ben Zoë. Hoe heet jij?'

Zijn onderlip trilt. 'C-Carl.'

'Carl, hou jij van zingen?'

Verwoed schudt hij zijn hoofd. Ik kijk de kamer rond en zie een verzameling Power Ranger-figuurtjes op zijn nachtkastje. Ik trek mijn gitaar voor me en begin de akkoorden te spelen van: 'De wielen van de bus die draaien rond'. Alleen verander ik de woorden en zing: 'De Power Rangers die trappen raak, trappen raak, trappen raak. 'De Power Rangers die trappen raak... de hele dag!'

Ergens midden in het liedje staakt hij zijn verzet en kijkt me aan. 'Ze kunnen ook springen,' zegt hij.

Dus zingen we het volgende couplet samen. Carl vertelt me wel tien minuten lang wat de Power Rangers allemaal nog meer doen – de rode, de roze en de zwarte. Dan kijkt hij op naar de verpleegkundige. 'Wanneer ga je nou beginnen?' vraagt hij.

Ze lacht naar hem. 'Het is al helemaal klaar, hoor.'

Carls moeder kijkt me opgelucht aan. 'Ontzéttend bedankt...'

'Niets te danken,' zeg ik. 'Carl, fijn dat we samen gezongen hebben.'

Ik stap de deur uit en ben de hoek nog niet om of een andere verpleegster komt op me af. 'Ik heb je overal lopen zoeken. Het gaat om Marisa.'

Ze hoeft me niet te vertellen wat er aan de hand is. Marisa is een peuter van drie die al een jaar veelvuldig in het ziekenhuis ligt omdat ze leukemie heeft. Haar vader is bluegrassmuzikant. Hij is een groot voorstander van muziektherapie voor zijn dochter, omdat hij weet hoe goed muziek iemand naar een andere realiteit kan verplaatsen. Soms ga ik haar kamer binnen als ze helder en vrolijk is. Dan zingen we samen haar lievelingsliedjes: 'Alle eendjes zwemmen in het water', en 'Op een grote paddenstoel'. We zingen 'Ik zag twee beren' en het slaapliedje van haar twee lievelingshondjes op televisie: 'Het land van je ogen dicht'. Soms ga ik naar haar toe terwijl ze chemotherapie ondergaat, waardoor ze het gevoel heeft dat haar handen in brand staan. Dan verzin ik liedjes over ijswater en over iglo's bouwen.

Maar de laatste tijd is Marisa zo ziek dat ze niet meer kan zingen. Haar ouders en ik zingen samen voor haar terwijl zij ligt te slapen in een waas van pijnstillende middelen.

'Volgens de arts nog hooguit een uur,' fluistert de verpleegkundige me toe. Behoedzaam duw ik de deur van Marisa's kamer open. De lampen zijn uit en in het grauwe licht van de late namiddag zie ik het kleine meisje roerloos onder een deken op bed liggen. Ze maakt geen enkel geluid. Haar kale hoofdje is bedekt met een roze gebreide muts en ze heeft glitternagellak op haar vingernagels. Ik was erbij, vorige week, toen Marisa's oudere zusje de nagellak opdeed. We zongen 'Girls Just Wanna Have Fun', ook al lag Marisa te slapen. Ook al merkte Marisa niet dat haar grote zus zorgde dat zij er mooi uitzag.

Marisa's moeder zit zachtjes te huilen. Haar man heeft zijn armen om haar heen geslagen. 'Michael, Louisa,' zeg ik. 'Ik vind dit heel erg.'

Ze geven geen antwoord, maar dat hoeft ook niet. Ziekte kan vreemden tot familie maken.

Naast het bedje zit een ziekenhuismedewerker die een gipsafdruk maakt van Marisa's hand vóór ze overlijdt. Dat is iets wat alle ouders van terminale patiëntjes op de kinderafdeling wordt aangeboden. De lucht voelt zwaar, alsof we allemaal lood inademen.

Ik doe een stap achteruit en ga naast Marisa's zusje Anya staan. Ze kijkt me aan, haar ogen dik en rood van het huilen. Ik pak haar hand en knijp erin, en begin vervolgens te improviseren op mijn gitaar. Ik pas mijn muziek aan bij de verdrietige stemming, met improvisaties in mineur. Onverwachts draait Michael zich naar me om. 'Wil je dat hier alsjeblieft niet spelen?'

Mijn wangen beginnen te gloeien. 'Het... het spijt me. Ik ga al.'

Michael schudt zijn hoofd. 'Nee, we willen graag dat je de liedjes speelt die je altijd voor haar speelt. De muziek waar ze van houdt.'

Dus dat doe ik. Ik speel 'Alle eendjes zwemmen in het water', en een voor een beginnen haar vader, haar zusje en haar moeder mee te zingen. De ziekenhuismedewerker drukt Marisa's hand op het bakje gips en veegt haar handpalm schoon met een doekje.

De monitoren waarop Marisa aangesloten is vertonen een bijna vlakke lijn, maar ik blijf zingen. Ik zing het liedje uit haar favoriete verhaal:

Ga je mee naar het Land van je Ogen Dicht.

Ik zie Michael neerknielen naast het bed van zijn dochter. Louisa houdt Marisa's handje vast. Anya krimpt in elkaar, alsof het verdriet haar verfrommelt als een papiertje.

Je kunt er alles doen, met een lach op je gezicht.

Er klinkt een langgerekt gezoem en dan komt een verpleegster binnen om de monitor uit te zetten. Ze legt zachtjes haar hand op Marisa's voorhoofd terwijl ze het gezin condoleert.

En iedereen speelt er zij aan zij,
ik met jou en jij met mij.
Het is zo mooi in het Land van je Ogen Dicht...

Zodra ik stop met zingen, is het enige geluid in de kamer de afwezigheid van een klein meisje.

'Ik vind dit zo erg,' zeg ik opnieuw.

Michael steekt zijn hand uit. Ik weet niet wat hij wil, maar steek hem instinctief het plectrum toe dat ik zojuist heb gebruikt bij het gitaarspelen. Hij drukt de driehoekige vorm in het bakje gips, vlak boven de handafdruk van Marisa.

Ik houd mezelf goed tot ik de kamer uit ben. Op de gang laat ik mezelf langs de muur op de vloer zakken en begin te snikken. Ik wieg mijn gitaar in mijn armen zoals ik Louisa het lichaam van haar dochtertje heb zien wiegen.

En daarna.

Hoor ik een baby huilen. Dat hoge, schrille gejammer dat steeds hysterischer wordt. Ik sta moeizaam op en ga op het geluid af. Twee deuren verder dan Marisa's kamer zit een huilende moeder met een wild spartelend kindje in haar armen. Er is een verpleegster bij, en een laborant probeert door een hielprik bloed af te nemen bij de baby. Ze kijken allemaal op als ik binnenkom. 'Misschien kan ik helpen,' zeg ik.

Het is een loodzware, drukke dag geweest in het ziekenhuis. Gelukkig kan ik straks met een groot glas wijn instorten op de bank. Dat is alles waar ik nog aan denk, onderweg naar huis. Ik zit er zo doorheen dat ik bijna vergeet mijn mobiele telefoon op te nemen wanneer ik MAX zie oplichten op het schermpje. Zuchtend pak ik de telefoon. Hij vraagt of ik even tijd voor hem heb. Hij zegt niet waar het over gaat, maar ik neem aan dat ik wel weer een of ander formulier zal moeten ondertekenen in verband met de echtscheiding. Zelfs al is de scheiding er al een tijdje doorheen, aan de papierwinkel lijkt geen einde te komen.

Dus ik voel me behoorlijk overvallen als hij opeens op de stoep staat met een vrouw naast zich. Maar ik ben pas echt geschokt wanneer tot me doordringt dat hij haar heeft meegenomen om mij te redden van het nieuwe, ontaarde leven dat ik leid.

Het is eigenlijk om je gek te lachen, ware het niet dat ik op het punt sta in tranen uit te barsten. Ik heb vandaag een driejarig meisje zien sterven en mijn ex-man denkt dat ík het grote probleem vorm in deze wereld. Misschien moet God zijn prioriteiten eens bijstellen. Als het Opperwezen zich niet zo druk zou maken over mensen als mij en Vanessa, had Hij misschien tijd gehad om Marisa te redden. Maar het leven is niet eerlijk. Vandaar dat sommige kleine meisjes niet eens hun vierde verjaardag halen. Vandaar dat ik zoveel miskramen heb gehad. Vandaar dat mensen zoals Max en de gouverneur van Rhode Island schijnen te denken dat ze zich met mijn liefdesleven mogen bemoeien. Goed dan. Als het leven zó hopeloos onredelijk in elkaar zit, hoef ik vanavond ook niet redelijk te zijn. En dus richt ik al mijn woede over dingen waar ik geen macht over heb en die ik niet kan veranderen op Max en Pauline, die tegenover me zitten.

Heeft dominee Clive, die de homopesterij in Rhode Island aanmoedigt als geen ander, zich ooit wel eens afgevraagd wat Jezus zou denken van zijn tactieken? Jezus was in feite een progressieve rabbi die opkwam voor melaatsen, prostituees en anderen die door de maatschappij in een hoek werden gedrukt. Hij gaf mensen de raad dat ze anderen moesten behandelen zoals ze zelf behandeld wilden worden. Iets zegt mij dat iemand als Jezus geen groot bewonderaar zou zijn van de standpunten van de Eeuwige Gloriekerk. Maar dit moet ik hun nageven: ze zijn aalglad. Ze hebben overal hun eigen, unieke cirkelredenering voor waar nauwelijks een speld tussen te krijgen is. Die Pauline is ronduit fascinerend. Ze wil zich niet eens meer ex-lesbienne noemen, omdat ze zichzelf tegenwoordig als onomstotelijk hetero ziet. Is het echt zo simpel om jezelf een rad voor ogen te draaien? Als ik tijdens al die mislukte zwangerschappen bij mezelf had gedacht *en toch ben ik gelukkig*, zou ik dat dan echt gewéést zijn?

Zat het leven maar zo eenvoudig in elkaar als Pauline schijnt te denken.

Ik doe mijn uiterste best haar te verstrikken in haar eigen, kromme logica, en dan komt Vanessa thuis. Ik geef haar een kusje ter begroeting. Dat doe ik altijd, maar nu geniet ik dubbel omdat Pauline en Max dit moeten aanzien. 'Dit is Pauline, en Max ken je natuurlijk al,' zeg ik. 'Ze komen ons redden van een rechtstreekse hellevaart.'

Vanessa kijkt naar me alsof ze twijfelt aan mijn verstand. 'Zoë, kunnen we even praten?' zegt ze, en ze sleurt me zowat de keuken in. 'Liever, ik ga jou niet vertellen wie je wel en niet mag uitnodigen in ons huis, maar dit... wat denk je nu helemaal?'

'Wist jij dat je absoluut niet lesbisch bent?' zeg ik. 'Je hebt alleen een lesbisch probléém.'

'Het enige probleem waar ik op dit moment mee zit, is hoe ik die lui uit mijn woonkamer krijg,' antwoordt Vanessa. Toch gaat ze met me mee terug naar binnen. Ze zit zich te verbijten als Pauline ijskoud beweert dat iedere homo ooit seksueel misbruikt is en dat vrouwelijkheid simpelweg betekent dat je panty's, rokken en make-up draagt. Eindelijk is voor Vanessa de maat vol. Ze gooit Max en Pauline eruit en sluit de deur achter hen. 'Ik hou echt heel veel van je,' zegt ze tegen me. 'Maar als jij ooit je ex-man weer op bezoek krijgt samen met deze pathologische homohaatster, waarschuw me dan even van tevoren. Dan heb ik de tijd om mijn heil ergens anders te zoeken, zo'n vijfduizend kilometer hiervandaan.'

'Max zei door de telefoon alleen dat hij me even wilde spreken,' leg ik uit. 'Ik dacht dat het over de scheiding ging. Ik had geen idee dat hij versterking mee zou brengen.'

Vanessa snuift en schopt haar pumps uit. 'Alleen al het idee dat ze hier op mijn bank hebben gezeten bezorgt me kippenvel. Voor mijn gevoel moeten we de kamer ontsmetten. Of een duivelsuitdrijving doen, of iets dergelijks...'

'Vanessa!'

'Nou ja, ik voelde me nogal overrompeld, daarnet. En dat ze nu juist vanavond moesten komen, terwijl ik...' Ze maakt haar zin niet af.

'Terwijl je... wát?

'Niets.' Ze schudt haar hoofd.

'Ach, je kunt hun eigenlijk niet kwalijk nemen dat ze ons toewensen dat wij ooit inzien hoe verkeerd we bezig zijn.'

'Hoezo niet?'

'Omdat wij hun omgekeerd hetzelfde toewensen.'

Vanessa werpt me een waterig glimlachje toe. 'Dat is echt iets voor jou, om de vinger te leggen op het enige wat ik gemeen heb met dominee Clive en zijn meute onprettig gestoorde hetero's.' Ze loopt naar de keuken. Ik neem aan dat ze een fles wijn uit de koelkast gaat halen. Het is traditie geworden om elkaar 's avonds over onze dag te vertellen onder het genot van een goed glas Pinot Grigio. 'Volgens mij hebben we nog een paar flessen Midlife Crisis,' roep ik haar na. Dat is een Californische wijn die Vanessa en ik alleen maar hebben gekocht vanwege de naam op het etiket. Ik plof op de bank, waar Max zojuist nog gezeten heeft. Ik zap langs de tv-kanalen tot ik op een af-levering van *Ellen* stuit.

Vroeger keken Max en ik keken wel eens samen naar haar show wanneer hij thuiskwam van zijn werk. Hij mocht haar wel. Hij vond haar All Stars leuk, en haar blauwe ogen. Hij zei altijd dat hij nooit in één kamer opgesloten zou willen zitten met Oprah Winfrey, omdat hij haar intimiderend vond. Maar Ellen DeGeneres, dat leek hem iemand met wie je best gezellig een biertje zou kunnen pakken.

Wat ik leuk vind aan Ellen? Dat ze (ja, inderdaad) lesbisch is, maar daar draait het bij haar niet om. Je herinnert je Ellen vanwege haar geestige grappen en haar pittige talkshow, niet omdat ze getrouwd is met Portia de Rossi.

Vanessa komt de woonkamer binnen. In plaats van wijn heeft ze twee glazen champagne in haar handen. 'Het is Dom Pérignon,' zegt ze. 'Omdat jij en ik iets te vieren hebben.'

Ik kijk naar de opstijgende bubbels in de lichte vloeistof. 'Vandaag is een cliëntje van me overleden,' flap ik eruit. 'Ze was pas drie.'

Vanessa zet beide glazen op de grond en slaat haar armen om me heen. Ze zegt niets. Dat is ook niet nodig. Voor de belangrijkste din-gen zijn woorden overbodig, dat is hét teken dat het klikt met iemand.

Ik weet dat huilen Marisa niet terug zal brengen en dat mensen als Max en Pauline geen boodschap hebben aan mijn verdriet. Zij zullen me hoe dan ook blijven veroordelen. Maar toch, nu ik mijn tranen de vrije loop kan laten voel ik me beter. Vanessa streelt mijn haar. We blijven een tijdje zo zitten samen, tot ik uitgehuild ben en me alleen nog maar leeg voel vanbinnen. Dan kijk ik naar haar op. 'Sorry. Jij wilde iets vieren...'

Vanessa krijgt een kleur. 'Een andere keer.'

'Hé, het is waar dat ik een rotdag heb gehad. Maar als jij goed nieuws hebt, mag je me dat gerust vertellen...'

'Echt, Zoë-lief. Het heeft geen haast.'

'Jawel.' Ik draai een kwartslag op de bank en posteer me in kleer-makerszit tegenover haar. 'Ik wil het horen.'

Ze kijkt ongemakkelijk. 'Nee. Slechte timing. Ik vraag je later wel...'

'Vragen, wat dan?'

Vanessa haalt diep adem. 'Of je het meende wat je gisteren zei. Nadat we Max waren tegengekomen in de supermarkt.'

Ik had haar gezegd dat ik voor altijd bij haar wilde blijven. Liefst nog langer dan dat.

En hoewel ik nooit had gedacht dat mijn leven zo zou lopen...

Hoewel er mensen zijn die, terwijl ze mij helemaal niet kennen, me zullen afkeuren om wat ik voel...

Hoewel we pas een paar maanden samen zijn, en nog geen jaren...

Elke ochtend als ik wakker word, voel ik iets van paniek. En dan kijk ik naar Vanessa en denk: *Gelukkig. Ze is er nog.*

'Ja,' zeg ik tegen haar. 'Woord voor woord.'

Vanessa opent haar dichtgeknepen hand. In haar handpalm ligt een gouden ring, rondom versierd met glinsterende diamanten. 'Wat vind je dan van mijn voorstel: Voor de rest van ons leven?'

Ademloos kijk ik haar aan, zonder me te verroeren. Ik denk niet aan de praktische problemen, of hoe mensen zullen reageren op dit nieuws. Het enige wat ik denk is: *Vanessa is van mij. Van mij, en van niemand anders.*

Ik begin weer te huilen, maar nu om een heel andere reden. 'Voor de rest van ons leven,' zeg ik. 'Dat begint erop te lijken.'

Ik ben letterlijk in de wolken. Ze drijven langs de neuzen van mijn gympen en liggen verspreid over de vloer. Ik zou bijna zeggen dat ik in de hemel ben beland. Het enige wat me danig tegenstaat is dat ik een bruidsjurk moet kopen, waardoor dit moment toch ook iets wegheeft van de hel.

Mijn moeder houdt me een mouwloos gewaad voor dat ophoudt vlak boven mijn borsten. Bij de taille loopt het uit in een rok van veren. Het lijkt wel een enorme kip die overreden is door een landbouwmachine. 'Nee,' zeg ik. 'Voor geen goud, mama.'

'Ik heb er ook een zien hangen met Swarovski-kraaltjes op het lijfje geborduurd,' zegt mijn moeder.

'Trek die maar lekker zelf aan,' brom ik binnensmonds.

Het was niet míjn idee om naar deze ultrachique bruidssalon te gaan, maar mijn moeder had in een droom gezien dat wij uitgerekend hier zouden slagen. Toen was er geen ontkomen meer aan. We moes-

ten met spoed naar Priscilla Bruidsmode in Boston, want Dara gelooft heilig in de voorspellende kracht van het onderbewuste.

Het kostte mijn moeder een week om te wennen aan het feit dat
Vanessa en ik een stel waren. Maar de bruiloft, daar was ze meteen
laaiend enthousiast over. Stiekem denk ik dat Dara in Vanessa pas
haar ware droomdochter heeft gevonden, die ik nooit geweest ben.
Vanessa staat met beide benen op de grond. Ze is nuchter, praktisch
en doet niets overhaast. Kortom: ze is heel anders dan ik. Vanessa is
iemand met wie mijn moeder kan praten over pensioenopbouw en
verzekeringen. Vanessa houdt een verjaardagskalender bij, zodat ze
nooit vergeet een kaartje te sturen. Mijn moeder lijkt er oprecht van
overtuigd dat ik het met Vanessa uitstekend heb getroffen, terwijl ze
over Max zo haar twijfels had.

Maar ik voel me ongedurig hier, tussen al die aanstaande bruiden
die een ongecompliceerde bruiloft in het vooruitzicht hebben. Ik heb
het gevoel dat ik langzaam stik in al die tule, kant en satijn. En ik heb
nog niet eens één jurk aangepast.

'Kan ik u helpen?' Er komt een verkoopster op ons af. Mijn moeder doet met een stralende glimlach op haar gezicht een stap naar
voren. 'Mijn lesbische dochter hier, gaat trouwen,' kondigt ze aan.

Ik voel mezelf knalrood worden. 'Waarom ben ik nu opeens je lés-
bische dochter?'

'Nou, zeg. Als iemand dat weet dan ben jij dat, zou ik denken.'

'Je hebt me toch ook nooit aan iemand voorgesteld als je heteroseksuele dochter?'

Met open mond staart mijn moeder me aan. 'Ik dacht dat jij wílde
dat ik trots op je was!'

'Doe nou niet alsof het aan míj ligt.'

De verkoopster kijkt van mij naar mijn moeder. 'U bent nog aan het
overleggen, zie ik. Dan kom ik straks terug.' Als een haas gaat ze ervandoor.

'Hè, wat doe je nu toch raar,' zucht mijn moeder. 'Nu voelt ze zich
door jou ongemakkelijk, dat arme kind.'

'Zíj voelt zich ongemakkelijk? En wat dacht je van mij?' Ik graai
een met lovertjes bezaaide pump van een schoenenplank. 'Halló,'
roep ik door de winkel. 'Hebt u deze schoenen ook in mijn moeders
maat? Ze is sadomasochist en heeft maat 38.'

'In de eerste plaats is SM absoluut niets voor mij. En ten tweede vind ik die schoen foeilelijk.' Ze kijkt me aan. 'Zoë, dat jij sinds kort tot een minderheidsgroep behoort, wil nog niet zeggen dat iedereen opeens tegen je is.'

Ik zak neer op de witte bank, midden in een berg tule. 'Jij hebt makkelijk praten. Jij krijgt niet iedere dag pamfletten op je deurmat van de Eeuwige Gloriekerk. *Tien kleine stapjes naar Jezus*. En: *Hetero's houden van jou*.' Ik kijk naar haar op. 'Jij wilt kennelijk dolgraag mijn relatie van de daken schreeuwen, maar ik niet. Ik wil niemand in verlegenheid brengen.' Ik kijk vluchtig naar de verkoopster, die een bruidsjurk in plastic wikkelt. 'We kennen haar helemaal niet. Wie weet zingt ze wel iedere zondag in het kerkkoor van de Eeuwige Gloriegemeente.'

'Of wie weet is zij ook lesbisch,' kaatst mijn moeder terug. Ze komt naast me zitten. De jurken rond ons bollen even op, om met een zacht 'pfft' weer neer te strijken. 'Meisje toch... wat is er aan de hand?'

Ik schaam me dood, maar opeens ben ik in tranen. 'Ik weet niet wat ik moet aantrekken op mijn eigen bruiloft,' beken ik.

Mijn moeder werpt een blik op mij en grijpt mijn hand. Ze trekt me van de bank, dirigeert me de trap af en de bruidssalon uit. 'Waar heb je het in hemelsnaam over?'

'De bruid staat altijd in het centrum van de aandacht,' breng ik snikkend uit. 'Maar hoe moet dat als je met twee bruiden bent?'

'Nou, wat draagt Vanessa dan?'

'Een broekpak.' Een prachtig, wit pak, dat ze bij Marshall Mode heeft gekocht, en dat zit als gegoten. Maar ik heb van mijn leven nog nooit een broekpak gedragen.

'Dan kun jij toch aantrekken wat je maar wilt?'

'Ik wil niet in het wit,' laat ik me ontvallen.

Mijn moeder trekt een pruimenmondje. 'Omdat je al eerder getrouwd bent geweest?'

'Nee, omdat...' Resoluut klem ik mijn kaken op elkaar, vóór de woorden eruit rollen die ik al wekenlang als een plakkerige laag vers asfalt op mijn hart heb.

'Omdat... wat?' dringt mijn moeder aan.

'Omdat het een hómohuwelijk is,' fluister ik.

Toen Vanessa haar aanzoek deed, heb ik geen moment geaarzeld om ja te zeggen. Maar ik had het prima gevonden om in besloten kring te trouwen in een stadhuis ergens in Massachusetts, terwijl Vanessa iets heel anders in haar hoofd had. Zij wilde een uitgebreide ceremonie, inclusief een receptie. 'Kom nou, Zoë-lief,' had ze gezegd. 'Er zijn maar twee gelegenheden in je leven waarop je iedereen van wie je houdt om je heen hebt – je huwelijk en je begrafenis. En bij dat tweede evenement zal ik bepaald niet zoveel plezier hebben als bij het eerste.' Dus zat ik elke avond met Vanessa achter de computer om trouwlocaties en bands te zoeken voor de grote dag. Maar ik bleef hopen op een ontsnappingsmogelijkheid. Er moest toch een manier zijn om Vanessa over te halen het simpel te houden en daarna lekker samen naar de Bahama's te gaan, in plaats van deze omslachtige bedoening.

Hoewel...

Dit was voor Vanessa de eerste keer dat ze iemand het jawoord zou geven. Het was de eerste keer dat haar bruid haar een hapje bruidstaart zou voeren, en dat ze de kans kreeg op haar eigen bruiloft te dansen tot ze blaren op haar voeten had. Als dat haar grote wens was, wilde ik haar dat niet onthouden.

Wat mij betreft, ik wilde iedereen laten zien hoe gelukkig ik was met Vanessa, maar daar had ik geen spetterende bruiloft voor nodig. Kwam dat doordat alles nog zo nieuw voor me was? Of doordat ik Max domweg had hóren denken dat een homohuwelijk geen echt huwelijk is?

Ik kan niet eens uitleggen waarom mij dat nog iets uitmaakte. Tenslotte zouden we dominee Clive niet gaan vragen of híj ons wilde trouwen. De genodigden op onze bruiloft waren allemaal mensen die van ons hielden en ons accepteerden. Hun kon het niet schelen dat er boven op de bruidstaart twee priegelige bruiden zouden staan in plaats van een bruid plus bruidegom.

Maar om te trouwen moesten we de grens van Rhode Island oversteken naar Massachusetts. We moesten een ambtenaar zoeken die niet afwijzend stond tegenover het homohuwelijk. En ten slotte moesten we ook nog naar een notaris, voor een volmacht over medische beslissingen en om begunstigde te worden van elkaars levensverzekering.

Ik schaam me er absoluut niet voor dat ik mijn leven met Vanessa wil delen. Maar alle extra stappen die ik daarvoor moet zetten vind ik wél gênant. Die geven mij het gevoel dat ik een tweederangsburger ben.

'Ik ben zó gelukkig,' zeg ik tegen mijn moeder, met een stem die schor is van het huilen.

Mijn moeder kijkt me aan. 'Al dat uiterlijk vertoon is niets voor jou,' zegt ze, met een wegwerpgebaar naar de bruidssalon achter ons. 'Jij moet iets elegants hebben, zonder poespas. Dat hoort gewoon bij jou en Vanessa.' We struinen drie modezaken af, en in de vierde is het raak. Ik pas een eenvoudige, nauwsluitende jurk in ivoorkleur die tot op de knie valt. De jurk is sober maar prachtig gemaakt, en geeft me beslist geen assepoesteruitstraling. 'Ik werd verliefd op je vader tijdens een brandoefening,' vertelt mijn moeder terloops terwijl ze de knoopjes op mijn rug vastmaakt. 'We werkten alle twee op een advocatenkantoor, hij als accountant en ik als secretaresse. Toen het brandalarm ging, moesten we allemaal het gebouw verlaten en achter een rood-wit lint gaan staan. Daar stond hij ineens naast me, en bood mij de helft van zijn gevulde koek aan. Toen het gebouw brandveilig werd verklaard zijn wij niet terug naar binnen gegaan.' Ze haalt haar schouders op. 'Na zijn begrafenis beklaagden sommige vriendinnen me. Ze vonden dat ik het slecht getroffen had doordat ik verliefd was geworden op iemand die relatief nog maar zo kort te leven bleek te hebben. Maar zo zag ik het niet. Ik heb altijd gedacht dat ik een geluksvogel was. Ik bedoel, stel dat die brandweeroefening helemaal niet was gehouden? Dan hadden hij en ik elkaar nooit ontmoet. Ik ben heel blij dat we die acht fijne jaren samen hebben gehad. Die periode had ik nooit willen missen.' Ze draait me rond zodat we elkaar aankijken. 'Laat je door niemand vertellen van wie je wel of niet mag houden, Zoë. Ja, het is een homohuwelijk... Maar wat veel belangrijker is: het is jóúw huwelijk.'

Ze geeft me weer een zetje en ik kijk in de spiegel. Aan de voorkant is dit een doorsnee mooie, eenvoudige jurk. Maar op de rug gezien is alles heel anders. Vanaf mijn hals loopt een rij satijnen knoopjes door tot mijn taille, waar de rok uitwaaiert in een overvloed van fijne plooitjes. Alsof de jurk zich aan de achterkant opent als een roos.

Iemand die naar me kijkt terwijl ik wegloop, zou kunnen denken: *hé, dat had ik niet verwacht.*

Ik staar naar mezelf. 'Wat vind jij?'

Misschien heeft mijn moeder het over de jurk of misschien over mijn toekomst. Ze zegt: 'Volgens mij is dit de perfecte keuze.'

Als Lucy het lokaaltje komt binnenlopen zit ik al neuriënd een melodie op mijn gitaar te tokkelen. 'Hé, hallo,' zeg ik, terwijl ik even naar haar opkijk. Haar ongekamde rode haarslierten zitten vandaag een beetje klitterig in elkaar gedraaid. 'Ga je voor dreadlocks?'

Ze haalt haar schouders op.

'Toen ik studeerde was een huisgenote van mij dat ook een tijdje van plan. Maar ze heeft het toch niet gedaan, omdat de enige manier om je te ontdoen van dreadlocks is alles af te laten knippen.'

'Nou, misschien scheer ik mijn hoofd wel gewoon kaal,' zegt Lucy.

'Dat kun je doen,' stem ik in, blij dat er opeens iets tussen ons ontstaat wat op een gesprek lijkt. 'Misschien word je wel de volgende Sinéad O'Connor.'

'Wie?'

Wacht even. Op het moment dat Sinéad, de kale zangeres tijdens *Saturday Night Live* een foto van de paus verscheurde, was het 1992. Toen was Lucy nog niet eens geboren. 'Of Melissa Etheridge. Heb je haar zien optreden tijdens de uitreiking van de Grammy's, helemaal kaal door de chemokuur? Ze zong een nummer van Janis Joplin.'

Ik pak mijn plectrum en begin het intro te spelen van 'Piece of My Heart'. Vanuit mijn ooghoek zie ik Lucy naar mijn vingers kijken, die op en neer bewegen over de frets van mijn gitaar. 'Ik herinner me nog hoe dapper ik haar toen vond,' zeg ik. 'Ze had nog maar juist de kanker overwonnen en daar stond ze alweer op het podium. Plus dat ze het perfecte liedje gekozen had voor dat moment. Opeens ging 'Piece of My Heart' niet meer alléén over een meisje dat zich niet op haar kop laat zitten door een jongen. Het ging over een nieuw begin na welke tegenslag dan ook, en een overwinning op iedereen die dacht jou onderuit te kunnen halen.' Ik speel een fragment en zing: '*I'm gonna show you, baby, that a woman can be tough...*' – *Ik zal jou laten zien, schat, dat een vrouw zich niet laat kisten.*

Ik eindig met een krachtig akkoord. 'Weet je,' zeg ik, alsof ik plotseling een inval krijg. 'Songteksten kunnen echt fantastisch werken als ze aansluiten op de persoonlijke gevoelens van de muzikant, of degene die luistert.' Eigenlijk zit dit al een tijdje in mijn planning, maar nu zie ik mijn kans schoon. Dus begin ik weer dezelfde melodie te spelen, maar nu improviseer ik de tekst:

Soms voel je je down en je komt er niet uit.
Opgesloten in jezelf en compleet onderuit.
Meisje, dat weet ik best.
Steeds denk je weer: o, sukkel die ik ben,
ik zie iemand in de spiegel die ik niet meer herken.
Maar Lucy, je moet weten dat ik hier ben voor jou.
Dat ik wil helpen, Lucy, geef mij die sleutel nou...

Ik begin er net een beetje in te komen als ik Lucy hoor snuiven. 'Dat is de slapste sufkonterij die ik in tijden heb gehoord,' moppert ze.

'Wil jij zelf eens een poging wagen?' vraag ik. Ik zet mijn gitaar neer en pak een notitieblok en een pen. Razendsnel krabbel ik stukjes tekst neer en laat overal plekken open waar Lucy haar eigen gedachten en gevoelens kan invullen.

Soms voel ik me door jou...
Weet jij dan niet dat ik...?

Ik maak een invuloefening van de complete song en leg het vel papier vervolgens op de tafel tussen ons in. Minstens een minuut doet Lucy alsof haar neus bloedt. Maar dan, heel langzaam, steekt ze haar hand uit en trekt het papier naar zich toe.

Lucy heeft een actieve stap gezet naar participatie in de therapie. Ik probeer mijn opwinding te bedwingen en niet te laten merken dat er volgens mij iets bijzonders gebeurt. Ik pak mijn gitaar en doe alsof ik hem zit te stemmen, al heb ik dat al gedaan voor Lucy hier vandaag arriveerde.

Tijdens het schrijven zit ze diep over het papier gebogen, alsof ze met haar hele lijf een geheim afschermt. Ze is linkshandig. Waarom merk ik dat nu pas op? Haar haar valt als een gordijn voor haar gezicht. Haar vingernagels zijn stuk voor stuk in verschillende kleuren gelakt.

Op een gegeven moment schuift haar mouw een stukje omhoog en zie ik de littekens op haar pols.

Uiteindelijk duwt ze het papier naar me toe. 'Hartstikke goed,' zeg ik opgewekt. 'Ik ben heel benieuwd wat jij ervan gemaakt hebt!'

Lucy heeft elk open stuk in de tekst volgeschreven met schuttingtaal. Ze zit te wachten tot ik naar haar kijk. Vervolgens trekt ze met een lichtelijk boosaardige grijns haar wenkbrauwen naar me op.

'Oké dan.' Ik pak mijn gitaar en leg het blad voor me op tafel, zodat ik het al spelend kan lezen. Janis Joplin zal zich vast niet omkeren in haar graf als ze zou weten waarvoor ik haar muziek gebruik. Als iemand angst en woede in alle denkbare vormen kon begrijpen, dan was zij dat wel. Dus begin ik te zingen. *Soms voel ik me door jou een fokking teringwijf,* galm ik, zo hard als ik kan. *Weet je dan niet dat ik... kut, kut...'* Ik breek af en wijs naar een woord dat Lucy heeft geschreven. 'Hier kan ik niet helemaal uitkomen...'

Lucy bloost. 'Ehm... kut, kut, koleretrut.'

Weet jij dan niet dat ik... kut, kut, koleretrut,' zing ik uit volle borst.

De deur naar de gang staat wijd open. Een docent komt voorbijlopen en draait zich om, met opengesperde ogen.

'*Kom op, kom op... kus m'n kloten, neuk m'n kont.... Kom op, kom op, zak jij kutverdomme maar in de stront.'*

Ik laat mijn stem door het lokaal schallen alsof dit een doodnormaal liedje is en de schuine taal me absoluut niet stoort. Ik ga helemaal los met Lucy's schuttingwoordenlied. En ja hoor, wanneer ik het laatste couplet bijna uitgezongen heb, zit zij me aan te staren met iets van een glimlach rond haar lippen.

Helaas heeft zich tegen die tijd ook een aanzienlijk groepje leerlingen verzameld bij de deuropening van het lokaal. Op hun gezichten staat een mengeling van diepe shock en pure verrukking te lezen. Zodra ik stop met zingen beginnen ze te klappen en te schreeuwen, en dan gaat de zoemer.

'Nou, onze tijd is blijkbaar om,' zeg ik. Zwijgend zwaait Lucy haar rugzak over haar schouder en loopt in rap tempo naar de deur. Gelaten grijp ik mijn gitaarkoffer.

Maar op de drempel houdt Lucy stil en draait zich om. 'Tot volgende week,' zegt ze. Voor het eerst geeft ze te kennen dat ze van plan is terug te komen.

Regen op je bruiloft is een gunstig voorteken voor je toekomstige geluk, zo wordt beweerd. Maar een sneeuwjacht op de grote dag... Wat zou dat betekenen? Vandaag gaan Vanessa en ik trouwen. De meteorologen hadden al zware sneeuwval voorspeld, wat uitzonderlijk is voor april, maar het weer is nog slechter dan verwacht. De verkeerspolitie heeft zelfs hele stukken van de snelweg afgezet en onbegaanbaar verklaard.

Wij zijn gisteravond naar Fall River gekomen om alles voor te bereiden. Het merendeel van onze gasten zal vandaag onderweg zijn om de ceremonie bij te wonen die eind deze middag plaatsvindt. Het is vanuit Wilmington een klein uur rijden naar de grens van Massachusetts, maar onder deze desastreuze weersomstandigheden lijkt zelfs dat te ver.

En alsof één ramp nog niet genoeg is, zijn in het restaurant waar we onze trouwreceptie hadden gepland de leidingen gesprongen. Ik kijk naar Vanessa, die haar goede vriend Joël kalmerend toespreekt. Joël is bruiloftsplanner van beroep. Hij heeft aangeboden onze hele trouwerij te regelen en als ceremoniemeester op te treden, bij wijze van huwelijkscadeau aan ons. 'De hele begane grond staat acht centimeter onder water,' jammert hij, en hij laat zijn hoofd in zijn handen zakken. 'Ik geloof dat ik ga hyperventileren.'

'Er is vast wel een andere locatie waar op korte termijn een feest gehouden kan worden,' zegt Vanessa.

'Ja hoor. Waar zit de dichtstbijzijnde McDonald's? Wie weet wil iemand van de bediening wel een officiële toespraak voor jullie houden.' Joël werpt Vanessa een venijnige blik toe. 'Ik heb een reputatie hoog te houden, weet je. Ik accepteer geen, ik herhaal, géén Franse frietjes als hors-d'oeuvre.'

'Misschien moeten we het hele feest dan maar verzetten,' zegt Vanessa.

'Of misschien kunnen we gewoon met z'n tweetjes naar de Dienst Burgerzaken van Fall River. Dan hebben we dat maar gehad,' stel ik voor.

'Lieve schat,' zegt Joël. 'Jij hebt die fantastische peau-de-soie jurk vast niet gekocht om halsoverkop bij het gemeentehuis je boterbriefje af te halen. Dan sta je binnen een kwartier weer buiten, hoor.'

Vanessa laat hem staan en komt naar me toe. 'Ga door.'

'Nou ja,' zeg ik, 'dat hele feest is toch het minst belangrijke van alles?'

Achter me hoor ik Joël naar adem snakken. 'Dat heb ik even niet gehoord,' zegt hij.

'Ik wil niet dat mensen hiernaartoe komen rijden op het gevaar af dat iemand verongelukt, alleen om bij ons huwelijk te zijn,' zeg ik. 'We hebben Joël als getuige, en we kunnen vast wel een tweede vrijwilliger van de straat plukken.'

Vanessa kijkt me aan. 'Maar wil je dan niet dat je moeder erbij is?'

'Ja, natuurlijk wil ik dat. Maar wat ik nog liever wil, is nú trouwen. We hebben huwelijksaangifte gedaan en zijn al drie weken in ondertrouw. We hebben een vergunning, we hebben elkaar. De rest is alleen maar franje.'

'Doe me een lol, alsjeblieft,' smeekt Joël. 'Bel jullie gasten en laat ze zelf beslissen of ze de tocht willen wagen.'

'Moeten we hun dan meteen vragen om zwemkleding mee te brengen voor de receptie?' zegt Vanessa.

'Laat dat gedeelte maar aan mij over,' antwoordt hij. 'Als David Tutera een catastrofale bruiloft kan omzetten in een geslaagde party, dan kan ik dat ook.'

'David Tutera? Wie is dat nou weer?' vraagt Vanessa.

Joël rolt met zijn ogen. 'Ooo, ga je nu opeens de wereldvreemde lesbo uithangen?'

'David Tutera is bruiloftsplanner van allerlei wereldsterren,' sein ik Vanessa in.

Joël pakt Vanessa's mobiele telefoon van de tafel en drukt die in haar hand. 'Begin jij maar met bellen, meisje.'

'Het goede nieuws,' zegt mijn moeder terwijl ze de deur van de toiletruimte achter zich sluit, 'is dat jullie nog steeds in vol ornaat door het middenpad naar voren kunnen lopen.'

Het heeft haar vijf uur gekost, maar ze is erin geslaagd Massachusetts te bereiken, dwars door de sneeuwjacht van de eeuw. En nu houdt ze mij gezelschap tot de grote voorstelling begint. Het ruikt hierbinnen naar popcorn. Ik bekijk mezelf in de enorme, industriële spiegel. Mijn jurk is perfect, maar mijn make-up lijkt een tikkeltje te dramatisch in dit gedempte licht en door de hoge vochtigheidsgraad is mijn lange haar steiler dan ooit.

'De trouwambtenaar is al gearriveerd,' zegt mijn moeder tegen me.

Ik weet het, omdat ze al even naar me toe is gekomen om me te be-groeten. Maggie MacMillan is een trouwambtenaar met een humanis-tische achtergrond. We hebben haar gevonden in de gele gids. Ze is niet lesbisch, maar ze voltrekt veelvuldig homohuwelijken. Vanessa en ik hadden na het bezoekje van Max geen van beiden zin in een huwelijks-plechtigheid met een religieus randje. Toch wilden we iets meer inhoud dan alleen het korte verplichte riedeltje van een gemeenteambtenaar, dus kwamen we bij Maggie terecht. We ontmoetten haar in haar kan-toortje. Ze begon spontaan te juichen toen we vertelden dat we uit Rhode Island kwamen om in Fall River te trouwen, dus waren we meteen verkocht. 'Zo, dat kan de gouverneur van Rhode Island in z'n zak steken,' had Maggie breed grijnzend gezegd. 'Tja, ik vermoed dat de wetgevende macht bang is homo's en lesbiennes normale burger-rechten toe te kennen, want straks gaat iederéén nog denken dat hij of zij rechten heeft...'

Joël steekt zijn hoofd door de deuropening. 'Ben je er klaar voor?' vraagt hij.

Ik haal diep adem. 'Ik denk het wel.'

'Hé, ik had trouwens een homo gestrikt als entertainer op jullie feest, maar hij heeft me laten zitten voor zijn favoriete nicht...'

Ik glimlach dunnetjes, ten teken dat ik zijn grapje heb begrepen.

'Die mop werkt altijd bij een zenuwachtige bruid,' zegt Joël tevreden.

'Is Vanessa ook zover?' vraag ik.

'Jazeker,' zegt hij. 'En ze ziet er bijna net zo fantastisch uit als jij.'

Mijn moeder zoent me op mijn wang. 'Ik zie je zo dadelijk.'

Vanessa en ik hebben besloten naast elkaar door het middenpad naar voren te lopen. We hebben geen van beiden een vader die ons zou kunnen 'weggeven'. Bovendien voelt dit huwelijk voor mij alsof we elkaar in balans houden, niet alsof ik vanaf nu niet meer voor mezelf hoef te zorgen. Dus loop ik achter Joël aan de damestoiletten uit. Samen wachten we tot Vanessa tevoorschijn komt uit de heren-toiletten, de enig andere beschikbare kleedruimte in dit gebouw. Zij draagt haar witte broekpak. 'Wauw,' zegt ze, terwijl ze me met grote stralende ogen opneemt. Ik zie haar slikken wanneer ze woorden pro-beert te vinden die groot genoeg zijn voor wat wij op dit moment voe-len. Uiteindelijk pakt ze mijn handen en leunt met haar voorhoofd tegen het mijne. 'Dit lijkt wel een droom,' fluistert ze.

'Oké, tortelduifjes,' zegt Joël en hij klapt in zijn handen om onze aandacht te trekken. 'Dat doen jullie later maar, waar de gasten bij zijn.'

'Tjonge, álle drie de gasten?' mompel ik, en Vanessa onderdrukt een proestlach.

'Ik heb nog iemand bedacht,' zegt ze. 'Rajasi.'

De afgelopen vier uur hebben we er een sport van gemaakt namen uit te wisselen van mensen van wie we denken dat ze tóch komen. Een aantal is beslist heldhaftig genoeg om de elementen te trotseren en onze bruiloft met ons te komen vieren. Misschien Wanda, uit het verpleeghuis. Zij is opgegroeid in Montana en dus gewend aan extreme sneeuwval. En Alexa, die mijn administratie doet. Haar man werkt voor het ministerie van Verkeer. Waarschijnlijk zou hij voor deze gelegenheid zelfs een sneeuwploeg kunnen ritselen. Van wat ik begrepen heb, is Vanessa's kapster Rajasi ook niet voor een kleintje vervaard. Wie weet zit ze al hier.

Met mijn moeder erbij geteld komen we dan uit op maar liefst vier gasten, sommige met aanhang. Joël leidt ons langs een wirwar van tandwielen, katrollen en vreemdsoortige apparaten naar een deuropening. Aan weerszijden van een volgende deuropening rechts van ons is een kort, met glanzende decoratieparels doorweven kralengordijn aangebracht. Joël sist een laatste aanwijzing: 'Gewoon de witte loper volgen, en pas op dat je niet struikelt over een glijgoot. En dames, denk eraan, jullie zijn mag-ni-fiek.' Hij kust ons op onze wangen en dan neemt Vanessa me bij de hand.

Een strijkkwartet begint te spelen. Samen stappen Vanessa en ik op de witte loper en maken de scherpe bocht naar rechts, langs het kralengordijn. Langzaam lopen we over de middelste bowlingbaan richting beginpunt, zodat de gasten die daar verzameld zijn ons kunnen zien.

Maar... het zijn er geen vier. Het zijn er bijna tachtig. Iedereen die we vandaag hebben opgebeld, iedereen die we geadviseerd hebben thuis te blijven vanwege het verraderlijke weer... Voor zover ik kan zien, hebben ze toch allemaal het risico genomen, om getuige van onze bruiloft te kunnen zijn.

Dat is het eerste wat ik opmerk. Het tweede is dat het Fall River Bowling & Spelcentrum – de enige locatie die Joël op zo'n korte termijn nog kon afhuren – helemaal niet meer op een bowlingbaan lijkt. Wijnranken doorvlochten met lelies sieren de goten aan beide kanten van de baan waarover we lopen. Aan het plafond en langs de wanden zijn feestelijke lichtsnoeren opgehangen. De automatische balreturn is bedekt met witte zijde. Er staan ingelijste portretfoto's op van mijn vader en beide ouders van Vanessa. De flipperkasten opzij van het bowlinggedeelte zijn omwikkeld met fluweel. Bovenop staan dienbladen vol amuses en schalen opgetast met verse garnalen. Op de airhockeytafel is een champagnefontein geïnstalleerd.

'Dit is een lesbische bruiloft bij uitstek,' zegt Vanessa tegen me. 'Welk ander koppel wil de banden nu zó nauw aanhalen in een ruimte vol ballen? Dat heeft toch iets castrerends...'

Nog steeds giebelend bereiken we het einde van de witte loper, waar Maggie staat te wachten. Ze draagt een grote paarse sjaal, afgezet met een reeks kraaltjes in alle kleuren van de regenboog. 'Welkom,' zegt ze. 'Vandaag, op de dag van de grootste sneeuwstorm van 2011, zijn wij hier verzameld voor het huwelijk van Vanessa en Zoë. Ondanks de enorme sneeuw- en onweersbuien die we op ons dak hebben gekregen vandaag, ga ik geen grapjes maken over gelukstreffers. Dat wij hier samenzijn spreekt al voor zich. Vanessa en Zoë zijn gekomen om een verbintenis te sluiten, niet alleen voor nu, maar voor het leven. Wij verheugen ons mét hen... en vóór hen.'

Terwijl Maggies woorden nog naklinken zie ik het gezicht van mijn moeder en de gezichten van onze vrienden. En, jazeker, ook het gezicht van Vanessa's kapster. Dan schraapt Vanessa haar keel en begint een gedicht van Rumi voor te dragen:

Zodra ik mijn eerste liefdesverhaal hoorde, ging ik
op zoek naar jou. Ik besefte niet dat het zinloos was.
Geliefden ontmoeten elkaar niet zomaar ergens.
Hun zielen zijn al samen voor de zoektocht begint.

Vanessa zwijgt en ik hoor mijn moeder haar neus snuiten. Ik trek het lint van woorden tevoorschijn dat ik voor Vanessa in mijn geheugen heb geprent. Het is een gedicht van E.E. Cummings, dat klinkt als muziek.

ik draag jouw hart bij me (ik draag het in mijn hart),
altijd. (overal waar ik ga, mijn liefste, ga jij met me mee;
en wat ik ook tot stand breng is jouw verdienste, mijn schat)
ik vrees
niet het noodlot (want jij bent mijn lot, liefste)
ik wil geen wereld (buiten jouw schoonheid, die mijn ware
wereld is) en jij bent het schijnsel van de maan en
het lied van de zon, voor eeuwig

Dan krijgen we de ringen aangereikt. We lachen en huilen tegelijkertijd.

'Vanessa en Zoë,' zegt Maggie, 'om in de geest van deze locatie te blijven, wens ik jullie toe dat moeizame *splits* jullie bespaard blijven en dat een *perfect game* jullie deel zal zijn. Jullie hebben ten overstaan van familie en vrienden plechtig beloofd om partners te blijven voor het leven. Dus het enige wat mij nog rest te zeggen is wat al duizenden keren gezegd is, bij duizenden huwelijken...'

Vanessa en ik grinniken allebei. Het heeft ons wat tijd gekost om uit te puzzelen hoe we de tekst van de ceremonie wilden laten eindigen. Je kunt moeilijk zeggen: *hierbij verklaar ik jullie tot man en vrouw.* Maar *hierbij verklaar ik jullie tot partners* klinkt op de een of andere manier minder echt, minder getrouwd.

Onze trouwambtenaar glimlacht naar ons.

'Zoë? Vanessa?' zegt ze. 'Jullie mogen de bruid kussen.'

Mocht je eraan twijfelen of de Higland Inn lesbiennevriendelijk is, dan kun je ze gerust even bellen. Ze hebben zoals veel bedrijven in Amerika een telefoonnummer met letters erin verwerkt (877-LES-B-INN). Plus dat op de heuveltop een rij Adirondack-ligstoelen in alle kleuren van de regenboog staat. De locatie van de Highland Inn is ironisch genoeg Bethlehem, New Hampshire. Misschien dat deze onopvallende vrijplaats van tolerantie aan de voet van de White Mountains de geboorteplaats van een nieuwe manier van denken is? Het zou niet voor het eerst zijn dat zoiets juist in een stadje genaamd Bethlehem plaatsvindt...

Wij gaan naar de Highland Inn op huwelijksreis. Vanessa en ik hebben gewacht tot het weer was opgeklaard en zijn vervolgens hierheen gereden. Onderweg praten we na over het feest. Wie weet was onze trouwerij wel de enige ter wereld met zowel Grand Marnier-chocoladetaart – met echt vergulde blaadjes – als een middernachte-lijke, cosmic bowlingparty.

We zijn van plan om te gaan skiën en alle tijd te nemen om in antiekwinkeltjes rond te snuffelen. Maar we besteden nagenoeg de eerste vierentwintig uur van onze huwelijksreis op onze hotelkamer. Niet alleen om te vrijen, al doen we dat onderdeel beslist niet tekort. We zitten ook lang samen voor het haardvuur. We staren in de vlam-men, drinken van de champagne die de hoteleigenaar ons heeft laten brengen en we praten. Na al onze voorafgaande gesprekken lijkt het haast onmogelijk dat we elkaar nog steeds zoveel te vertellen hebben. Maar ieder verhaal loopt uit in weer een volgende herinnering of anekdote. Ik vertel Vanessa dingen die ik zelfs met mijn moeder nooit heb besproken. Bijvoorbeeld hoe mijn vader eruitzag op de ochtend dat hij stierf. Dat ik zijn deodorant uit de badkamer had gestolen en die nog jaren in mijn ondergoedla verstopt hield, zodat ik zijn geur bij de hand had om me te troosten als dat nodig was. Ik vertel haar dat ik vijf jaar geleden een fles jenever vond in het waterreservoir van de wc. Dat ik hem heb weggegooid zonder er ooit iets over te zeggen tegen Max, alsof er niets gebeurd is zolang je je mond maar houdt.

Ik zing het alfabet voor haar, van achteren naar voren.

Vanessa praat over haar eerste jaar als schooldecaan. Een zestien-jarige leerlinge had haar verteld dat haar vader haar stelselmatig ver-krachtte. Het meisje werd uiteindelijk van school gehaald en verhuisde op initiatief van diezelfde vader met het hele gezin naar een andere staat. Af en toe probeert Vanessa haar nog steeds op te sporen via Google, om erachter te komen of ze het overleefd heeft. Ze vertelt me over haar moeder. Over het bittere, harde stukje wrok dat haar zelfs tijdens de begrafenis had dwarsgezeten, omdat haar moeder haar nooit had geaccepteerd zoals ze was.

Ze vertelt me over de eerste en enige keer dat ze probeerde wiet te roken. Ze was eerstejaars op de universiteit en haar poging om high te raken eindigde in een vreetkick. Ze had een gigantische pizza pep-peroni naar binnen gewerkt, plus een heel brood.

Ze vertelt me dat haar grootste nachtmerrie ooit was dat ze een-zaam zou sterven op de vloer van haar woonkamer. Dat het vervolgens weken zou duren voor een willekeurige buurvrouw opeens bedacht dat ze Vanessa al een tijdje niet meer buitenshuis had gezien.

Ze vertelt me over haar eerste huisdier. Een hamster die midden in de nacht uit zijn kooi ontsnapte, in het ventilatiegat van de centrale verwarming was gekropen en die ze nooit meer teruggevonden had.

Terwijl we praten ligt ik soms met mijn hoofd op haar schouder. Soms zit ik tussen haar knieën, met haar armen om me heen. Of we zitten tegenover elkaar, ieder aan een kant van de bank, met onze benen verstrengeld. Toen Vanessa mij aanvankelijk de brochure van dit hotelletje liet zien had ik tegengesputterd. Onze huwelijksreis was toch geen quarantaine, samen met alleen maar andere lesbische koppels? Waarom konden we niet gewoon naar New York City, of het Poconosgebergte, of Parijs, net als andere pasgetrouwde stellen?

'Tja,' had Vanessa gezegd. 'Dat kunnen we doen. Maar dáár zouden we uit de toon vallen tussen die andere pasgetrouwde stellen.'

Hier niet. Hier kijkt niemand ervan op als we hand in hand lopen of inchecken in een kamer met een queensize tweepersoonsbed. We maken uitstapjes naar het Mount Washingtonhotel om te dineren, en naar een bioscoop. En iedere keer als we het hotelterrein af zijn, merk ik dat we automatisch op een halve meter afstand van elkaar gaan lopen. Terug bij de Highland Inn slaan we even vanzelfsprekend weer onze armen om elkaar heen, als het onafscheidelijke echtpaar dat we zijn.

'Het is net zoiets als het indelen van leerlingen naar hun bekwaamheid of aanleg,' zegt Vanessa, terwijl we op een ochtend in het eetzaaltje zitten te ontbijten. Intussen kijkt ze aandachtig naar een eekhoorn die behendig over de ijsrichel op een stenen muurtje trippelt. 'Dat is ook zo'n teer punt. Ik ben in mijn laatste jaar bijna van de universiteit getrapt omdat ik daarover een scriptievoorstel had geschreven. Het leek me een goed idee om leerlingen van middelbare scholen in groepen te zetten op grond van hun individuele vaardigheden. Dat vond mijn hoogleraar pure discriminatie. Maar weet je? Vraag het aan een puber die helemaal gek wordt van te moeilijke wiskundeopdrachten of hij het leuk vindt in een klas met gemengde niveaus. Hij zal je meteen duidelijk maken dat hij zich in zo'n gemengde groep een debiel voelt. En als je het joch met de wiskundeknobbel naar zijn mening vraagt, krijg je geheid te horen dat hij ervan baalt om tijdens de groepsopdrachten opgezadeld te worden met ál het werk. Soms is het beter om soort bij soort te zetten.'

Ik kijk haar even aan. 'Pas maar op, Nessie. Als de Vereniging voor Homorechten en -participatie jóú zou horen praten, zou je subiet je Roze Driehoekspeldje kwijtraken.'

Ze lacht. 'Hé, wacht even. Ik ben echt geen voorvechtster van een homoafscheidingsbeweging. Het is alleen... nou ja, je weet wel. Je kunt het vergelijken met een katholieke opvoeding. Stel dat je een grap maakt over de paus of je praat over de stadia van het kruis. Dan hééft het gewoon iets als je een reactie van herkenning krijgt in plaats van zo'n blik van waar-heb-je-het-over. Soms is het leuk om tussen je eigen incrowd te zitten.'

'Grote onthulling,' zeg ik. 'Ik wist niet dat er kruisstadia bestonden.'

'Ik wil mijn ring terug,' grapt ze.

We worden onderbroken door het gegil van een dreumes die de ontbijtzaal binnen komt rennen en bijna tegen een serveerster op botst. Zijn beide moeders zitten hem op de hielen. 'Travis!' Het jongetje kijkt giechelend over zijn schouder. Dan duikt hij pardoes onder ons tafelkleed, als een menselijke puppy.

'Sorry, hoor,' zegt een van de vrouwen. Ze vist het ukkie onder de tafel uit, wrijft even met haar gezicht over zijn buikje en zet hem met een zwaai in een rugzitje.

Haar partner kijkt breed glimlachend in onze richting. 'We zijn nog steeds op zoek naar zijn aan- en uitschakelaar.'

Terwijl het gezinnetje naar de receptiebalie loopt, kijk ik naar de kleine Travis. Ik probeer me voor te stellen hoe mijn eigen zoontje eruitgezien zou hebben op deze leeftijd. Zou hij ook naar chocolademelk en pepermunt hebben geroken? Zou zijn lach ook geklonken hebben als een klaterend beekje in de zon? Ik vraag me af of hij bang zou zijn geweest voor de monsters onder zijn bedje, en of ik hem genoeg moed in had kunnen zingen om rustig te gaan slapen.

'Misschien is dat wel onze toekomst,' zegt Vanessa.

En op slag voel ik hem weer, die golf van volslagen mislukking die me overspoelt. 'Maar je zei dat jij dat niet belangrijk vond. Dat je altijd nog je leerlingen hebt,' zeg ik dof. 'Je weet toch dat ik geen kinderen meer kan krijgen.'

'Ik vond het niet belangrijk omdat ik geen alleenstaande moeder wilde zijn. Ik heb als kind al gezien hoe loodzwaar dat is. En natuurlijk weet ik dat jij geen baby meer kunt krijgen.' Vanessa vlecht haar vingers door de mijne. 'Maar Zoë,' zegt ze, 'ík wel.'

Een embryo wordt ingevroren in het blastulastadium, wanneer het rond de vijf dagen oud is. Het proces vindt plaats in een afgesloten rietje gevuld met een cryoprotectant, een antivriesmiddel dat menselijke embryonale cellen beschermt. Zo blijven ze intact gedurende de geleidelijke afkoeling tot -196 graden Celsius.

Het rietje wordt opgeslagen in een vaatje vloeibare stikstof. Het kost achthonderd dollar per jaar om het embryo ingevroren te bewaren. Het wordt ontdooid op kamertemperatuur, waarbij de cryoprotectant stap voor stap verdund wordt met water, zodat het embryo zich in de oorspronkelijke staat herstelt. De medici bekijken het op mogelijke schade voordat ze besluiten of het geschikt is om terug te plaatsen. Als het embryo er nog grotendeels gaaf uitziet, is er een goede kans dat de transfer leidt tot een succesvolle zwangerschap. Ook een beperkte celschade hoeft geen probleem te zijn. Sommige embryo's zijn tien jaar ingevroren geweest en hebben zich desondanks tot gezonde kinderen ontwikkeld.

Toen ik ivf onderging, beschouwde ik de extra embryo's die we lieten invriezen als sneeuwvlokken. Minuscule, potentiële baby's – de ene net weer een tikkeltje anders dan de andere.

Drieënvijftig procent van de patiënten die de ingevroren embryo's uiteindelijk niet meer wil gebruiken, weigert ze te doneren aan iemand anders. Dat heb ik ooit gelezen in een artikel uit 2008 in het tijdschrift *Fertiliteit en steriliteit*. Die mensen zijn bang dat hun kinderen op een dag een onbekende broer of zus tegen het lijf lopen, én ze willen niet dat andere ouders hun kind opvoeden. Zesenzestig procent wil de embryo's wel afstaan voor onderzoek, maar niet in alle klinieken kan dat. Twintig procent zegt de embryo's voor eeuwig ingevroren te willen laten. Vaak verschillen man en vrouw van mening over de bestemming van hun embryo's.

Ik heb nog drie ingevroren embryo's, zwevend in vloeibare stikstof in een kliniek in Wilmington, Rhode Island. En nu Vanessa erover begonnen is, kan ik niet meer eten, drinken of slapen, laat staan me concentreren. Het enige wat ik kan, is aan die baby's denken die op me wachten.

Interessant nieuwtje voor alle activisten die proberen een grondwets-wijziging te verhinderen die het homohuwelijk in heel Amerika legaal maakt: er is niets veranderd. Ja, Vanessa en ik hebben nu een trouw-boekje in onze vuurbestendige safe liggen, naast onze paspoorten en BS-nummers. Maar dat is alles. We zijn nog steeds beste vriendinnen. We lezen elkaar nog steeds redactioneel commentaar voor uit de och-tendkrant en we zoenen elkaar welterusten voor we het licht uitdoen. Met andere woorden: een wet kun je tegenhouden, maar de liefde niet.

De bruiloft was een soort spannende hobbel in de weg van ons echte leven. Maar nu we weer thuis zijn, gaat alles zijn gewone gangetje. We staan op, kleden ons aan en gaan naar ons werk. Die regelmaat heb ik hard nodig, want zodra ik alleen ben zit ik voornamelijk te staren naar de map papieren van de fertiliteitskliniek. Vijf jaar lang ben ik daar zo'n beetje kind aan huis geweest, maar nu moet ik alle moed bij elkaar rapen om dat ene telefoontje te plegen.

Het is heel onwaarschijnlijk dat alle medische complicaties waar-mee ik geconfronteerd ben ook Vanessa zullen treffen. Dat weet ik. Zij is jonger dan ik, en ze is kerngezond. Maar alleen al het idee dat zij zou moeten doormaken wat ik zelf heb doorstaan, kan ik niet ver-dragen. En dan bedoel ik niet zozeer de lichamelijke ongemakken, als de psychische ellende. Opeens heb ik een heel nieuw soort respect voor Max. Er is maar één ding erger dan zelf een kind verliezen, en dat is moeten aanzien dat jouw geliefde dat verlies lijdt.

Dus ben ik blij dat ik vandaag mijn aandacht op iets anders kan richten, namelijk de volgende therapiesessie met Lucy. Tenslotte heb ik bij onze laatste ontmoeting succes geboekt. Door haar muzikale scheldkanonnade loeihard ten gehore te brengen heb ik haar aan het glimlachen gekregen.

Maar zodra ze het bekende lokaal binnensjokt, zie ik meteen dat ze alweer in de put zit. Haar beginnende dreadlocks zijn uitgeborsteld en haar haar hangt er futloos en vettig bij. Ze heeft donkere kringen onder haar bloeddoorlopen ogen. Ze draagt een zwarte legging, een ge-scheurd T-shirt en sneakers in verschillende kleuren. Op haar rechterpols zit een verbandgaas, omwikkeld met iets wat lijkt op goedkope klustape.

Lucy maakt geen oogcontact. Ze laat zich op een stoel vallen en draait hem in één beweging zo dat ze van me wegkijkt. Ze legt haar hoofd op het tafeltje voor haar.

Ik sta op en sluit de deur van het lokaal. 'Wil je erover praten?' vraag ik.

Ze schudt haar hoofd, zonder het van tafel op te tillen.

'Wat is er met je pols gebeurd?'

Lucy trekt haar knieën op en maakt zich zo klein mogelijk.

'Weet je wat,' zeg ik, terwijl ik in stilte mijn oorspronkelijke therapie-planning laat varen, 'we gaan vandaag samen muziek luisteren. En als je zin hebt, zeg je gewoon wat er in je opkomt.' Ik loop naar mijn iPod die is aangesloten op een draagbare speaker en bekijk mijn speellijsten. Het eerste nummer dat ik kies is 'Hate on Me' van Jill Scott. *Ik wil me-zelf zijn, ook als jij me erom haat.* Zou dat iets zijn wat aansluit op Lucy's inktzwarte stemming? Iets waardoor ik weer toegang tot haar krijg?

Maar ze reageert niet.

Ik ga verder met meer jachtige, nerveuze songs: de Bangles, Karen O. Een paar spirituals. Zelfs Metallica. Aangekomen bij het zesde nummer, 'Love Is a Battlefield' van Pat Benatar, besluit ik de hand-doek in de ring te gooien. 'Oké dan, Lucy, dat was het voor vandaag.' Ik druk op de pauzeknop van mijn iPod.

'Niet doen.'

Haar stem is iel, nauwelijks hoorbaar. Ze houdt haar hoofd nu tegen haar knieën gedrukt, haar gezicht verstopt.

'Wat zei je?'

'Niet doen,' herhaalt Lucy.

Ik ga op mijn hurken naast haar zitten en wacht tot ze me aankijkt. 'Waarom niet?'

Het puntje van haar tong springt uit haar mond en gaat langs haar droge lippen. 'Dat liedje. Dat is hoe mijn bloed klinkt.'

Ja, die stuwende bas en aanhoudende, indringende percussie... Zou dat de reden zijn dat ze een gelijkenis voelt met iets in zichzelf? 'Als ik pisnijdig ben,' vertel ik haar, 'dan luister ik hiernaar. Ik zet het ge-luid keihard, en ik trommel mee op het ritme.'

'Ik vind het verschrikkelijk om hier te komen.'

Die opmerking gaat als een mes door me heen. 'Wat spijt me dat nou...'

'In het rt-lokaal, bedoel ik. Echt, ik ga af als een gieter. Ik ben toch al de grootste gek van de school, en nu denkt iedereen ook nog dat ik achterlijk ben.'

'Moeilijk lerend,' corrigeer ik automatisch. Lucy werpt me een vernietigende blik toe.

'Wat mij betreft ga jij de percussie-instrumenten uitproberen,' zeg ik.

'En wat mij betreft kun jij de pot op...'

'Ho eens even.' Ik grijp haar bij de pols – de linker, die niet in het verband zit – en trek haar overeind. 'Kom mee. We gaan op excursie.'

In het begin sleur ik haar domweg mee. Maar als we eenmaal de trap aflopen naar beneden, sloft ze gewillig naast me voort. We lopen langs tienerstelletjes die tegen de kluisjes gedrukt staan te zoenen. We passeren rakelings vier giechelende meisjes die over een mobiele telefoon gebogen staan, starend naar het schermpje. We laveren tussen de breedgeschouderde lacrossespelers door, in hun identieke teamsweaters.

Ik weet toevallig waar de kantine is, omdat Vanessa me daar een paar keer op een snelle kop koffie heeft getrakteerd. De ruimte onderscheidt zich in niets van elke andere schoolkantine; een soort kweekvijver van sociaal ongenoegen. De leerlingen hebben zichzelf ingedeeld in diverse groepjes: de Populaire Kids, de Slome Duikelaars, de Sportievelingen, de Alto's, de Gothics. Er staat een rij wachtenden voor de warme hap opgesteld achter een paar tafels. Vastberaden marcheer ik het zaaltje door en om de tafels heen naar de vrouw die bord na bord volkwakt met aardappelpuree. 'Ik moet u vragen deze tafels tijdelijk te ontruimen,' zeg ik.

'O?' zegt ze, met één wenkbrauw opgetrokken. 'En wie breng je daarvoor mee?'

'Ik ben hier schooltherapeut.' Dat is niet helemaal waar. Ik heb geen contract met de school, ik werk volgens individuele afspraken met de decaan, de leerlingen en hun ouders. Dat heeft als voordeel dat ik niet echt in de problemen kan raken door wat ik nu van plan ben. 'Bovendien,' zeg ik, 'gaat het maar om een onderbreking van tien minuten.'

'Ik heb hier geen memo over gekregen...'

'Mevrouw.' Ik neem haar ter zijde en zeg op mijn deftigste op-voedkundigentoon: 'Ik sta hier met een suïcidaal meisje, en ik probeer haar positieve zelfbeeld te versterken. En uiteraard heeft het Wil-mington College het recht van initiatief ter preventie van zelfmoord hoog op de agenda staan... net als iedere andere school in ons land. Stel dat de rector erachter komt dat ú een spaak in het wiel steekt van deze uiterst noodzakelijke suïcidepreventie?'

Ik sta enorm te bluffen. Ik weet niet eens hoe de rector heet. En Vanessa zal me óf mijn nek om willen draaien, óf me feliciteren met mijn actie. Ik heb eigenlijk geen idee wat ze zou doen.

'Ik haal de conrector erbij,' pruttelt de vrouw beledigd. Ik negeer haar verder, ga de aangrenzende open keuken in en begin potten en pannen van de planken te pakken. Een voor een zet ik ze omgekeerd op de tafels. Dan verzamel ik pollepels, lepels, en spatels.

'Wat zul jij op je donder krijgen,' zegt Lucy.

'Van wie dan? Ik werk niet voor de school,' antwoord ik, schouder-ophalend. 'Ik ben een buitenstaander, net zo goed als jij.' Ik zet twee drumstellen op. Een ééndelige hi-hat (een omgekeerde braadpan) en een snaredrum (een omgekeerde platte steelpan). De verticale zij-bladen van de metalen serveertrolley moeten dienen als bassdrum. 'We gaan drummen,' kondig ik aan.

Lucy staart naar de leerlingen in de kantine. Sommigen kijken wat we aan het doen zijn, maar de meesten negeren ons simpelweg. 'Nee, hoor.'

'Lucy, wilde je nou dat afschuwelijke rt-lokaal uit of niet? Hou op met tegenspreken. Hier komen, jij.'

Tot mijn grote verbazing doet ze het nog ook.

'Kijk,' ga ik verder. 'Dit blad op de vloer is onze kickdrum. Vier beats, én regelmatig, denk erom. Je gebruikt je linkervoet. Je bent ten-slotte linkshandig, dus aan die kant zit je meeste kracht.' Terwijl ik aftel, tik ik met mijn laars tegen de zijkant van de serveertrolley. 'Nu jij.'

'Dit is echt lijp,' zegt Lucy, maar desondanks begint ze aarzelend tegen het metaal te trappen.

'Goed zo. Dat is een vierkwartsmaat,' zeg ik tegen haar. 'Rechts van je staat je snaredrum.' Ik geef haar een metalen lepel en wijs naar de omgekeerde platte steelpan. 'Bij iedere tweede tel sla je hierop met deze lepel.'

'We staan vét voor paal,' kreunt Lucy.

Bij wijze van antwoord speel ik de volgende beat voor: acht tikken op de hi-hat: *e-ne, twee-je, drie-je, vie-re*. Lucy blijft in het ritme en doet nu met haar linkerhand de tweede beat na. 'Doorgaan,' commandeer ik. 'Dat is de backbeat, oftewel het achtergrondritme.' Ik pak twee houten spatels. Boven het lawaai van het metalen slagwerk uit doe ik een drumsolo.

Inmiddels zit iedereen in de kantine naar ons te kijken. Een groepje pubers beweegt mee en scandeert een geïmproviseerde raptekst.

Lucy merkt het niet. Ze gaat op in het ritme, dat door haar armen en rug heen trilt. Ik begin 'Love is a Battlefield' te zingen. *Liefde is een slagveld.* De woorden klinken rauw, als scheurende vlaggen in de wind. Lucy kan haar ogen niet van me afhouden. Ik zing een heel refrein, en bij het tweede valt ze in.

No promises. No demands – Geen beloften, geen eisen.

Lucy zit te grijnzen van oor tot oor. Het lijkt me zo dat deze doorbraak zonder meer een aantekening verdient in de annalen van de muziektherapie. En dan komt de conrector de kantine binnen, geflankeerd door de verontwaardigde lunchjuffrouw en Vanessa.

Ik moet erbij vertellen dat mijn echtgenote óók niet bepaald loopt te glunderen.

Ik stop met zingen en drummen.

'Zoë,' zegt Vanessa, 'wat dóé je, in hemelsnaam?'

'Mijn werk.' Ik pak Lucy bij de hand en trek haar voor de tafels waar normaal gesproken het eten wordt uitgedeeld. Zo te zien voelt ze zich op heterdaad betrapt. Ik druk de conrector de spatel in handen die ik voor mijn drumsolo heb gebruikt. Zwijgend dring ik me langs hem heen tot Lucy en ik voor de kantine vol leerlingen staan. Snel hef ik onze ineengeklemde handen omhoog, als een rockband die zijn publiek heeft overweldigd met zijn optreden. 'Mensen van het Wilmington College, dank jullie wel!' schreeuw ik. 'Tot later!' En ik geef ze het V-teken.

Zonder een woord te zeggen stevenen Lucy en ik de kantine uit, onder luid applaus en een hele reeks high fives. Ik voel de ogen van de conrector en Vanessa in mijn rug prikken.

'Zoë,' zegt Lucy.

Ik sleep haar door allerlei onbekende schoolgangen, vastbesloten om zo ver mogelijk uit de buurt van de schoolleiding te blijven.

'Zoë...'

'Dit kost me mijn contract,' mompel ik.

'Zoë,' zegt Lucy. 'Wacht nou even.'

Zuchtend draai ik me naar haar om en begin mijn excuses te maken: 'Ik had je niet zo onder druk mogen zetten.'

Maar dan zie ik dat haar wangen niet rood zijn van schaamte, maar van opwinding. Haar ogen stralen, en haar glimlach is zowaar aanstekelijk. 'Zoë,' fluistert ze verrukt, 'gaan we dit nog een keer doen?'

Wanda heeft me gewaarschuwd. Maar toch schrik ik even wanneer ik meneer Dockers kamer in Dennenrust binnenga en hem bleek en stilletjes in bed aantref. Het lijkt wel alsof hij gekrompen is. Zelfs als hij destijds in een volslagen apathische fase zat, was het anders dan nu. Toen kon het personeel hem altijd nog in zijn leunstoel helpen, of hem naar de gemeenschappelijke zitkamer van het tehuis brengen. Maar volgens Wanda is hij zijn bed niet meer uit geweest sinds veertien dagen geleden, toen ik hem voor het laatst heb opgezocht. En hij heeft ook geen woord meer gezegd.

'Goedemorgen, meneer Docker,' zeg ik, en haal mijn gitaar tevoorschijn. 'Ik ben Zoë, weet u nog wel? Ik kom weer eens bij u langs om samen muziek te maken.'

Ik heb dit eerder gezien, bij andere cliënten van me. Met name mensen in een hospitium. Er bestaat zoiets als een klif aan het einde van iemands leven. De meesten van ons gluren eroverheen en klemmen zich eraan vast. Daarom is het zo ingrijpend zichtbaar als iemand er ten slotte voor kiest los te laten. Het lichaam lijkt dan bijna doorzichtig. De ogen zijn gericht op iets wat verder niemand kan zien.

Ik begin op de snaren te tokkelen en een geïmproviseerd wiegeliedje te neuriën. Het is nu niet meer aan de orde om te proberen meneer Docker bij de wereld te betrekken. Nu moet ik de rol op me nemen van de rattenvanger van Hameln. Meneer Docker vreedzaam meelokken naar het punt waar hij zijn ogen kan sluiten en ons allemaal achter zich laten.

Terwijl ik zit te spelen, voel ik me inwendig verscheurd. Deze oude man was een narrige, verbitterde rotzak. Maar juist die doorn in het vlees laat een pijnlijke wond achter zodra de punt wordt uitgetrokken. Ik zet mijn gitaar weg en pak zijn hand. Zijn vingers voelen aan als een bosje dorre twijgen. Zijn waterig blauwe ogen blijven gericht op het zwarte scherm van de televisie.

'Ik ben getrouwd,' vertel ik hem, hoewel ik zeker weet dat hij niet luistert.

Meneer Docker reageert niet.

'Het is vreemd, vindt u niet, dat we verzeild raken op plaatsen die we ons van tevoren nooit hadden kunnen indenken. Toen u nog in uw grote, mooie kantoor werkte, had u vast nooit gedacht dat u ooit hier zou terechtkomen. Op dit kamertje met uitzicht op een parkeerplaats. Toen u nog een massa personeel bestierde, was het ondenkbaar dat er een dag zou komen dat niemand u meer zou horen praten. Nou, ik weet hoe dat is, meneer Docker.' Ik zoek zijn blik, maar hij blijft dwars door me heen kijken. 'U bent ooit verliefd geworden. Dat weet ik, want u hebt een dochter. Dus u begrijpt wat ik bedoel als ik zeg dat iemand die verliefd wordt volgens mij geen keus heeft. Je wordt onweerstaanbaar door die persoon aangetrokken, zoals een kompas steevast naar het noorden wijst. Of het nu goed voor je is of dat het je hart onherroepelijk zal breken.'

Toen ik nog getrouwd was met Max, was ik lange tijd zijn reddingsboei. Dat verwarde ik met echte liefde. Ik was degene die hem kon helpen, ik kon hem van de drank afhouden. Maar er is een verschil tussen iemand oplappen die is afgeknapt en iemand vinden die jou compleet maakt.

Ik zeg het niet hardop, maar dat is precies waarom ik weet dat Vanessa me nooit pijn zal doen. Ze geeft meer om mijn welzijn dan om zichzelf. Ze zou liever zélf ongelukkig zijn dan mij ook maar iets tekortdoen.

Ik wend me weer naar meneer Docker, en nu kijkt hij me opeens recht in de ogen. 'We krijgen een kindje,' zeg ik.

Mijn glimlach begint diep vanbinnen, als een waakvlammetje. Maar al snel voel ik mezelf gloeien van nieuwe mogelijkheden.

Nu ik het hardop uitspreek, wordt het plotseling echt.

Vanessa en ik staan bij de receptiebalie van de fertiliteitskliniek. 'Baxter,' zeg ik. 'We hebben een afspraak om een embryotransfer te bespreken. Het gaat om ingevroren embryo's.'

De verpleegster zoekt mijn naam in de computer. 'Aha, Baxter. Ik heb u gevonden. Is uw man ook meegekomen, vandaag?'

Ik voel mijn gezicht rood worden. 'Ik ben hertrouwd. Toen ik belde, zei u dat ik mijn partner mee moest nemen.'

De verpleegkundige kijkt van mij naar Vanessa. Als ze verrast is, laat ze daar niets van merken. 'Wacht u hier maar even,' zegt ze en loopt de gang in.

Vanessa kijkt me aan. 'Wat is er aan de hand?'

'Ik weet het niet. Ik hoop dat er niets mis is met de embryo's...'

'Heb je dat artikel gelezen over dat echtpaar dat de verkeerde embryo's had gekregen?' vraagt Vanessa. 'Ik bedoel, allemachtig, kun je het je voorstellen?'

Ik werp haar een vinnige blik toe. 'Hé dat helpt echt, om dat te weten.'

'Zoë?' Ik draai me om en zie dokter Anne Fourchette staan, de directrice van de kliniek. Ze komt naar ons toe en zegt: 'Zullen we dit met z'n drieën in mijn kantoor bespreken?'

We volgen haar de gang door en haar imposante, gelambriseerde kantoor in. Ik moet hier al eens eerder geweest zijn, hoewel ik me er niets van kan herinneren. De meeste keren kwam ik natuurlijk alleen in de wachtruimte en in diverse behandelkamers. 'Is er iets mis, dokter Fourchette? Zijn de embryo's niet meer intact?'

Ze is een opvallende verschijning, met een waterval van vroegtijdig witte, lange krullen. Haar handdruk is zo krachtig dat het pijn doet en ze heeft een deftige, wat lijzige manier van praten waardoor mijn naam twee of drie lettergrepen langer klinkt dan gewoonlijk. 'Ik ben bang dat er sprake is van een misverstand,' zegt ze. 'Je ex-man moet schriftelijk bevestigen dat hij de embryo's afstaat. Zodra dat gebeurd is, kunnen we nieuwe afspraken maken voor een transfer.'

'Maar Max wil ze niet hebben. Hij is van me geschéíden omdat hij geen vader meer wilde worden.'

'Dan gaat het dus puur om een formaliteit,' antwoordt dokter Fourchette op opgeruimde toon. 'Voor ons is die schriftelijke toestemming een juridische vereiste. Maar daarna kunnen we jullie direct inplannen voor een gesprek met een maatschappelijk werker.'

'Een maatschappelijk werker,' echoot Vanessa.

'Dat is ons normale protocol als het partners van hetzelfde geslacht betreft. Er is een aantal problemen te bespreken waaraan jullie misschien nog niet gedacht hebben. Bijvoorbeeld, als jouw partner degene is die de zwangerschap uitdraagt, Zoë, dan moet jij de baby formeel adopteren.'

'Maar we zijn getrouwd...'

'Jullie huwelijk wordt in Rhode Island niet erkend.' Ze schudt haar hoofd. 'Nogmaals, het is niets om je ongerust over te maken. We moeten gewoon de bal aan het rollen zien te krijgen.'

Ik voel de bekende golf van teleurstelling. De weg naar een zwangerschap en een baby blijkt alwéér vol obstakels te zijn.

'Goed dan,' zegt Vanessa kordaat. 'Dus Max moet iets ondertekenen? Een of ander formulier, neem ik aan?'

Dokter Fourchette overhandigt haar een voorgedrukt, dubbel A4'tje. 'Hij kan het gewoon terugsturen naar de kliniek. Zodra we het hebben ontvangen, bellen wij jullie.' Ze glimlacht naar ons. 'En ik ben echt heel blij voor je, Zoë. Ik wil jullie allebei feliciteren.'

Vanessa en ik zwijgen tot we samen in de lift naar beneden staan. 'Je moet met hem gaan praten,' zegt ze.

'Wat moet ik dan zeggen? *Hoi, ik ben nu getrouwd met Vanessa en we willen jou vragen als spermadonor?*'

'Nee, zo is het niet,' betoogt Vanessa. 'De embryo's bestaan immers al. Wat voor plannen zou híj daarmee kunnen hebben?'

We zijn op de begane grond en de liftdeuren schuiven open. Er staat een vrouw te wachten, met een baby in een buggy. Het kindje heeft een witte sweater aan met een capuchon waaruit twee pluchen berenoortjes parmantig schuin omhoogsteken.

'Ik zal het proberen,' zeg ik.

Ik tref Max aan in de tuin van een klant. Hij harkt takjes en rotte bladeren uit de bloembedden ter voorbereiding op de lentetuinaanleg. De sneeuw is even snel weggesmolten als hij gekomen is, en ik ruik het voorjaar in de lucht. Max draagt een overhemd met stropdas. Hij staat te zweten. 'Aardig optrekje,' zeg ik op waarderende toon.

Ik laat mijn blik gaan over het terrein dat bij een kolossaal protserig nieuwbouwhuis hoort. De woning is overladen met nepclassicistische ornamenten.

Max draait zich abrupt om zodra hij mijn stem hoort. 'Zoë! Wat doe jij hier?'

'Liddy heeft verteld waar ik je kon vinden,' antwoord ik. 'Heb je even tijd?'

Hij leunt op de hark, veegt het zweet van zijn voorhoofd en knikt. 'Natuurlijk. Wil je, ehm, ergens gaan zitten?' Hij gebaart naar een stenen bank, midden in de stille tuin in winterslaap. De kou van het graniet dringt door de stof van mijn spijkerbroek.

'Hoe ziet dit eruit?' vraag ik. 'Als alles in bloei staat, bedoel ik?'

'O, tamelijk spectaculair kan ik wel zeggen. Tijgerlelies. Eind april moeten ze opgekomen zijn, tenminste, als ik de kevers bij ze vandaan kan houden.'

'Ik ben blij dat je nog steeds hovenier bent. Ik wist eigenlijk niet of je ermee was doorgegaan.'

'Waarom zou ik geen hovenier meer zijn'

'Ik weet het niet,' zeg ik schouderophalend. 'Ik dacht dat je misschien zou werken voor je nieuwe kerk.'

'Nou, op de maandagen wel, ja,' zegt hij. 'Ze zijn nu vaste klant bij mij.' Hij wrijft met zijn vuist over zijn kaak. 'Ik zag bij een café een bord hangen waarop stond dat jij daar zingt. Je hebt niet meer opgetreden sinds we... nou ja, al heel lang niet meer.'

'Weet ik – ik ben er bij toeval weer in gerold. Ik aarzel. 'Je zat toch niet ín het café...?'

'Nee.' Max lacht. 'Ik sta zo droog als de Sahara tegenwoordig.'

'Goed, zeg. Ik bedoel, dat is echt goed van je. Enne, ja, ik doe zo hier en daar wat optredens in cafeetjes. Akoestische gitaar en zang. Om mijn stem op peil te houden voor de therapiesessies.'

'Dus dat doe je nog steeds?'

'Ja, waarom niet?'

Hij schudt zijn hoofd. 'Ik weet het niet. Er is zoveel aan jou... veranderd.'

Het is zó eigenaardig om je ex te spreken. Alsof je in een buitenlandse film speelt en datgene wat je tegen elkaar zegt niets te maken heeft met de ondertiteling onder in het beeld. We vermijden het angstvallig elkaar aan te raken, hoewel ik ooit dicht tegen hem aan sliep, als korstmos op een steen. Wij zijn elkaar vreemd, maar kennen desondanks elk gênant geheim, elke verborgen moedervlek en elke zwakke plek van de ander.

'Ik ben getrouwd,' zeg ik onverhoeds.

Max betaalde me geen alimentatie, dus de kans is klein dat hij al op de hoogte was. Even kijkt hij totaal verbijsterd. Dan spert hij zijn ogen wijd open. 'Bedoel je, jij en...?'

'Vanessa,' zeg ik. 'Ja.'

'Wel heb ik ooit,' Max gaat verzitten en schuift een tiental centimeters verder bij me vandaan. 'Ik, ehm, ik had niet in de gaten dat het zo... echt was, tussen jullie tweeën.'

'Écht?'

'Zo serieus, bedoel ik. Ik dacht dat het een soort tijdelijke afleiding voor je was. Zodat je daarna je leven weer zou kunnen oppakken.'

'Een tijdelijke afleiding, zoals jij af en toe wel eens een borrel nam?' Zodra ik dat heb gezegd, heb ik er spijt van. Ik ben hier om Max aan mijn kant te krijgen, niet om hem tegen me in het harnas te jagen. 'Het spijt me. Dat was niet netjes van me.'

Max kijkt alsof hij moet kokhalzen. 'Ik ben blij dat je me dit persoonlijk komt vertellen. Ik had het echt rot gevonden als ik dat via via te horen had gekregen.'

Heel even heb ik bijna medelijden met hem. Wat zal hij een onvoorstelbare lading kritiek over zich heen krijgen van zijn nieuwe christenvrienden. En dat allemaal vanwege mij. 'Er is nog iets,' zeg ik haperend. 'Vanessa en ik willen samen kinderen. Zij is jong en gezond, en er is geen reden dat ze geen kind zou kunnen krijgen.'

'Ik kan anders een tamelijk doorslaggevende reden bedenken,' zegt Max.

'Ja, zie je, dat is dus eigenlijk waarom ik hier zit.' Ik haal diep adem. 'Het zou voor ons veel betekenen als Vanessa's kind biologisch gezien ook van mij was. En er zijn nog drie embryo's over uit de tijd dat jij en ik met ivf bezig waren. Ik wil jouw toestemming vragen om die embryo's te gebruiken.'

Max' kin schiet omhoog. 'Wát?'

'Ik weet dat er nu heel veel tegelijk op je afkomt...'

'Maar ik heb je toch gezegd dat ik geen vader meer wil worden?'

'Dat vraag ik ook niet van je, Max. Jij komt nergens aan vast te zitten. Wij zullen alles ondertekenen wat je maar wilt om dat te garanderen. We verwachten niet dat jij ons kind ondersteunt, op wat voor manier dan ook. Onze baby hoeft jouw naam niet te krijgen, en zeker niet je geld. Je hebt geen verplichtingen of verantwoordelijkheden jegens de baby, als Vanessa en ik de mazzel hebben dat we er een krijgen.' Ik kijk hem aan. 'Die embryo's... die bestaan al. Ze liggen te wachten. Hoelang nog? Vijf jaar? Tien? Vijftig? Geen van ons beiden wil dat ze vernietigd worden, en jij hebt al gezegd dat je geen kinderen wilt. Maar ik wel. Ik wil ze zo graag dat het pijn doet.'

'Zoë...'

'Dit is mijn laatste kans. Ik ben te oud voor een nieuwe ivf-behandeling met zaadcellen van een anonieme spermadonor.' Met trillende handen haal ik het formulier van de fertiliteitskliniek uit mijn tas. 'Alsjeblieft, Max. Ik smeek het je.'

Hij pakt het papier van me aan, maar kijkt er niet naar. Hij kijkt ook niet naar míj. 'Ik... wat moet ik nu zeggen? Ik weet het gewoon niet.'

Dat weet je wel, realiseer ik me. *Je wílt het alleen niet zeggen.*

'Denk je erover na?' vraag ik.

Hij knikt, en ik sta op. 'Ik waardeer dit echt, Max. Ik weet dat ik je ermee heb overvallen.' Ik doe een stap achteruit. 'Ik, ehm, ik bel je wel. Of jij belt mij.'

Hij knikt, vouwt het formulier twee keer dubbel en stopt het in zijn achterzak. Ik vraag me af of hij er zelfs maar een blik op zal werpen. Of zal hij het straks in kleine snippers scheuren en onder de modder harken? Of het in de achterzak van zijn spijkerbroek laten zitten en die in de was gooien, zodat de woorden onleesbaar worden?

Ik loop terug naar de stoeprand, waar ik mijn auto heb geparkeerd. Dan hoor ik Max roepen. 'Zoë! Ik blijf voor je bidden, weet je.'

Ik draai me naar hem om. 'Ik heb je gebeden niet nodig, Max,' zeg ik. 'Alleen je toestemming.'

6

Geloof

MAX

Er zijn momenten dat ik God spuugzat ben.

Ik weet best dat ik geen groot licht ben, dus ik zou nooit durven beweren dat ik Zijn plannen doorzie. Maar soms vraag ik me af óf hij eigenlijk wel ergens over nadenkt.

Als je bijvoorbeeld hoort dat een stel kinderen vermoord is bij een schietpartij op een school.

Of dat een orkaan een complete stad heeft weggevaagd.

Of dat Alison Gerhart, een aardig meisje van begin twintig, gediagnosticeerd wordt met longkanker. Ze studeerde aan de Bob Jones Universiteit, had de mooiste sopraan van het hele kerkkoor en ze had nog nooit een sigaret gerookt. Maar binnen een maand was ze dood.

Of dat Ed Emmerly – diaken van de Eeuwige Gloriekerk – zijn baan kwijtraakt, precies op het moment dat zijn zoontje een peperdure rugoperatie moet ondergaan.

Sinds het onverwachtse bezoek van Zoë bid ik continu tot God wat ik moet doen, maar het is geen kwestie van zwart of wit. Over één ding zijn we het eens: het zijn niet zomaar drie klompjes ingevroren cellen daar in die kliniek, het zijn potentiële kinderen. Waarschijnlijk denken we zo om heel verschillende redenen – de mijne religieus en de hare van persoonlijke aard. Maar hoe het ook zij, we willen geen van beiden dat de kliniek die embryo's door de wc spoelt. Ik heb de beslissing op de lange baan geschoven door ermee in te stemmen ze ingevroren te laten. Tussen leven en dood, als het ware. Zoë wil ze een kans geven op leven, een kans die elk ongeboren kind verdient.

Zelfs dominee Clive zou het wat dat betreft met haar eens zijn.

Maar hij zou waarschijnlijk uit zijn vel springen van woede als ik hem vertelde dat de toekomstige baby zou worden opgevoed door twee lesbische moeders.

Enerzijds zegt God me dat ik geen potentieel leven mag vernietigen. Maar wat voor leven krijgt zo'n onschuldig kind in een lesbisch gezin? Ik bedoel, ik heb al die folders en artikelen gelezen die dominee Clive me heeft gegeven. Nou, het blijkt duidelijk (volgens alle geleerden die worden geciteerd) dat homoseksualiteit niet biologisch bepaald is. Een homo wordt gemaakt door zijn omgeving. Je weet hoe homo's zich voortplanten, of niet soms? Ze kunnen het natuurlijk niet op de manier doen die de Bijbel voorschrijft, dus wérven ze kinderen. Dat is precies waarom de Eeuwige Gloriekerk zo'n bikkelharde strijd levert tegen homoseksuele leraren op scholen. Die arme kinderen hebben geen schijn van kans om daar gezond bij te blijven en ze zullen in ieder geval voor hun leven getekend zijn.

'Goedemiddag, Max,' hoor ik. Als ik opkijk, zie ik dominee Clive vanaf het parkeerterrein naar me toe komen. Hij heeft een gebaksdoosje in zijn handen. Hij rookt en drinkt niet, maar hij heeft een groot zwak voor cannolirolletjes. 'Heb je zin om de smaak van het paradijs te proeven, ovenvers uit de Italiaanse buurt?'

'Nee, dank u.' De zon staat laag achter hem en maakt zijn haar tot een stralenkrans. 'Dominee, hebt u even tijd voor me?'

'Jazeker. Loop maar met me mee naar binnen,' zegt hij.

Ik volg hem langs Alva, de secretaresse, die me een negerzoen aanbiedt van een schaal op haar bureau. Zodra we in zijn kantoor zijn zet dominee Clive het gebaksdoosje op zijn bureau. Hij snijdt het lint rond het doosje door met een jachtmes dat aan een lus aan zijn riem hangt. Voorzichtig pakt hij een pasteirolletje op. 'Kan ik je nog steeds niet verleiden?' vraagt hij. Ik schud mijn hoofd en hij begint de crème van de punt van het rolletje te likken. 'Dit,' zegt hij met volle mond, 'geeft mij de zekerheid dat God bestaat.'

'Maar God heeft die cannoli niet gemaakt. Dat heeft Big Mike gedaan in de bakkerij van de Gebroeders Scialo.'

'En God heeft Big Mike geschapen. Het is allemaal een kwestie van perspectief.' Dominee Clive veegt zijn mond af met een servet. 'Wat is er aan de hand, Max?'

'Mijn ex-vrouw heeft me zojuist verteld dat ze getrouwd is met een vrouw, en dat ze ónze embryo's wil gebruiken om een kind te krijgen.' Ik zou mijn mond wel willen spoelen. Schaamte smaakt bitter.

Langzaam legt dominee Clive zijn cannoli neer. 'Zo zo,' zegt hij. 'Ik heb gebeden. Ik weet dat de baby's het verdienen om te leven. Maar niet... niet zó. Ik sla mijn ogen neer. 'Ook al kan ik niet voorkomen dat Zoë naar de hel gaat op de Dag des Oordeels, ik wil niet dat ze mijn kind mee de afgrond in sleurt.'

'Jouw kind,' herhaalt dominee Clive. 'Max, begrijp je het dan niet? Je zegt het zelf al... dit is jóúw kind. Misschien is dit Jezus' manier om jou duidelijk te maken dat jij je verantwoordelijkheid moet nemen, opdat jouw kinderen niet in handen vallen van je ex-vrouw.'

'Dominee,' zeg ik, gealarmeerd. 'Ik ben niet geschikt om vader te worden. Zeg nou zelf. Ik moet nog steeds hard aan mezelf werken.'

'We moeten allemáál hard aan onszelf werken. Maar verantwoordelijkheid nemen voor het leven van die baby betekent niet noodzakelijkerwijs wat jij denkt. Wat zou jij dat kindje het meest toewensen?'

'Dat hij opgroeit bij een moeder en vader die van hem houden, lijkt me. En die hem alles kunnen geven wat hij nodig heeft...'

'... en die goede christenen zijn,' vult dominee Clive aan.

'Ja... dat ook, natuurlijk.' Ik kijk hem aan. 'Een echtpaar zoals Reid en Liddy.'

Dominee Clive komt achter zijn bureau vandaan en gaat op de houten rand zitten. 'Die al jaren gezegend hopen te worden met een eigen kindje. Jij hebt voor je broer en schoonzus gebeden, toch, Max?'

'Ja natuurlijk, ik...'

'Je hebt God gesmeekt om hen te zegenen met een kind.' Ik knik instemmend. 'Nou dan, Max. Als God een deur sluit, dan zal hij nooit nalaten om ergens anders een raam te openen.'

Ik heb maar één keer eerder in mijn leven zo'n intens moment beleefd van het-licht-schijnt-in-de-duisternis, zoals nu. Dat was in het ziekenhuis. Toen had dominee Clive me geholpen de rookgordijnen weg te trekken zodat ik Jezus zag, zo dichtbij dat ik hem bijna had kunnen aanraken. En nu begrijp ik dat Zoë vandaag naar mij toe kwam in het kader van Gods plan met mij.

Al ben ik niet zelf in staat dit kindje op te voeden, ik weet ten-

minste dat er voor hem gezorgd zal worden door mijn naaste bloed-
verwant.

Deze baby is mijn familie, en dat is waar hij thuishoort.

'Ik moet iets met jullie tweeën bespreken,' zeg ik die avond aan tafel
terwijl Reid me een schaal gegratineerde aardappelen doorgeeft. 'Ik
wil jullie iets geven.'

Reid schudt zijn hoofd. 'Max, ik heb het je toch al gezegd. Je bent
ons niets verschuldigd.'

'Jawel. Ik heb mijn leven aan jullie te danken, om precies te zijn.
Maar het gaat nu om iets anders,' zeg ik.

Ik wend me tot Liddy. De miskraam is al weken geleden, maar ze
ziet er nog steeds beroerd slecht uit. Gisteren trof ik haar aan terwijl
ze in haar auto in de garage zat. Ze staarde door de voorruit naar
een rij wandplanken met elektrisch gereedschap en potjes verf. 'Waar
ga je naartoe?' had ik gevraagd, en ze sprong op van schrik, stom-
verbaasd dat ik opeens voor haar stond. 'Ik heb geen idee,' had ze gezegd. Ze had naar zichzelf gekeken alsof ze zich afvroeg hoe ze in
hemelsnaam in haar auto was terechtgekomen.

'Waar het om gaat, is dat jij geen kinderen kunt krijgen,' zeg ik.

Liddy's ogen vullen zich met tranen en Reid onderbreekt me haastig:
'Wij kunnen, en wij zullen een kind krijgen. Wij dachten alleen dat het
zou gaan zoals wij het hadden uitgestippeld, in plaats van rekening te
houden met Gods ondoorgrondelijke wil. Zo is het toch, hè schat?'

'En ík heb een kindje, zogezegd op voorraad, dat ik zelf niet kan
krijgen, vervolg ik. 'Toen Zoë en ik gingen scheiden, hadden we nog
drie ingevroren embryo's over. Ze zijn opgeslagen in de fertiliteitskliniek. Zoë wil ze hebben, omdat zij nog graag een baby wil. Maar
ik denk... ik denk dat jullie ze moeten krijgen.'

'Wat?' fluistert Liddy.

'Ik ben geen type voor het vaderschap. Ik kan amper voor mezelf
zorgen, laat staan voor iemand anders. Maar jullie... jullie verdienen
gewoon een gezin. Ik kan me geen beter leven voorstellen voor een
kind dan hier, bij jullie.' Ik aarzel even. 'Sterker nog, ik weet het uit
eigen ervaring.'

Reid schudt zijn hoofd. 'Nee. Over pakweg vijf jaar sta jij allang
weer op eigen benen. Misschien ben je tegen die tijd zelfs getrouwd.'

'Het is niet zo dat jullie mijn kind van me zouden afpakken,' zeg ik. 'Ik zou tenslotte óóm Max zijn, toch? Ik kan hem meenemen om hem te leren surfen. Ik kan hem met de natuur leren omgaan. Gewoon al die dingen waar ik toevallig wél iets van weet.'

'Max, dit is te gek voor woorden...'

'Nee, dat is niet waar. Jullie zijn al bezig mogelijkheden voor adoptie te onderzoeken,' zeg ik. 'Ik heb de brochures zien liggen op het aanrecht. Dit komt op hetzelfde neer. Embryoadoptie gebeurt heel vaak, zegt dominee Clive. Alleen, dit embryo is ook nog familie van jullie.'

Ik zie dat die laatste opmerking een schot in de roos is, althans wat Reid betreft. We kijken allebei tegelijk naar Liddy.

Er zit iets egoïstisch in mijn voorstel, dat geef ik toe. Liddy is een mooie, slimme en diepgelovige vrouw. Ze is alles wat een man zich zou kunnen wensen; alles wat ik waarschijnlijk nooit zal krijgen. Door de jaren heen is ze altijd voor me opgekomen, zelfs als Reid me helemaal beu was omdat ik mijn talenten niet benutte, of simpelweg omdat ik weer eens lelijk in de nesten zat. Als Liddy zwanger raakt nadat de embryo's bij haar zijn ingebracht, dan wordt het háár kind – van haar en Reid. Maar... niettemin zou ik degene zijn die haar weer blij had gemaakt. En dat wil ik dolgraag.

God weet dat me dat bij mijn eigen vrouw niet is gelukt.

Maar Liddy kijkt beslist niet blij, eerder doodsbang. 'Stel dat ik weer een miskraam krijg?'

Ja, dat kan. Ook bij ivf. Er zijn nu eenmaal geen garanties in het leven. Een baby die kerngezond geboren wordt, kan bezwijken aan wiegendood. Een triatleet kan opeens dood neervallen vanwege een aangeboren hartafwijking waar hij niets vanaf wist. Het meisje van wie je dacht te houden kan verliefd worden op een ander. Tja, en Liddy kan een miskraam krijgen. Maar wat zijn de alternatieven? Dat de baby een ijsblokje blijft, de komende tien of twintig jaar? Of dat hij geboren wordt bij twee vrouwen, die ervoor kiezen in zonde te leven?

Reid kijkt Liddy aan met zoveel hoop in zijn ogen dat ik me verlegen afwend. 'Stel dat je géén miskraam krijgt?' zegt hij.

Opeens sta ik buiten voor een raam naar binnen te kijken. Een voyeur. Een toeschouwer, in plaats van een speler.

Maar die baby... die baby zal het anders vergaan.

Die avond sta ik mijn tanden te poetsen in het badkamertje bij de logeerkamer. Opeens staat Reid in de deuropening. 'Je kunt nog van gedachten veranderen,' zegt hij, en ik doe niet alsof ik niet weet waar hij het over heeft.

Ik spuug de tandpasta uit en veeg mijn mond af. 'Dat zal niet gebeuren.'

Reid is duidelijk niet op zijn gemak. Hij wiebelt van de ene voet op de andere, met zijn handen in zijn broekzakken. Zo ken ik hem nauwelijks. Hij is de man die de situatie altijd onder controle heeft, de man wiens charme alleen wordt geëvenaard door zijn scherpe verstand. Hij is het zondagskind, de ideale man die alles meteen goed doet. Dan dringt met een schok tot me door dat ik zojuist iets heb ontdekt waar Reid níét goed in is.

Dankbaarheid.

Hij staat altijd voor je klaar, maar als hém hulp wordt geboden, weet hij zich geen raad.

'Ik weet niet wat ik moet zeggen,' bekent Reid.

Toen we klein waren, had Reid een geheimtaal verzonnen compleet met een woordenboek en uitleg erbij. Hij leerde mij zijn nieuwe taal. Onder het avondeten zei hij dan zoiets als *Moemoe rabba wollabong* en dan barstte ik in lachen uit. Mijn vader en moeder konden niet anders doen dan ons perplex aankijken. Ze hadden tenslotte geen idee dat Reid zojuist had gezegd dat de gehaktschotel naar apenkont rook. Mijn ouders werden er gek van dat wij met elkaar konden communiceren buiten de grenzen van een normaal gesprek om.

'Je hoeft niets te zeggen,' stel ik hem gerust. 'Ik weet het al.'

Reid knikt, en omhelst me. Ik merk aan zijn ademhaling dat hij vecht tegen zijn tranen. 'Ik hou van je, broertje,' mompelt hij.

Ik sluit mijn ogen. *Ik heb vertrouwen in je. Ik bid voor je. Ik wil je helpen.* Al die dingen heeft Reid in de loop der jaren tegen me gezegd. Maar pas nu besef ik hoelang ik erop gewacht heb hem dít te horen zeggen.

'Dat weet ik ook al,' antwoord ik.

Mevrouw O'Connor heeft donuts gemaakt. Dat doet ze op de ouderwetse manier, door ze te frituren en dan te besprenkelen met een beetje suiker. Ik kijk wekelijks op de inschrijflijst voor vrijwilligers in de hal van ons administratiegebouwtje, op zoek naar haar naam. Zo weet ik precies wanneer zij iets lekkers meeneemt naar de zondagse gezelschapskring. Reken maar dat ik dan na de kerkdienst als eerste de aula uit ben, op weg naar die schaal donuts. Als ik er niet op tijd bij ben, graaien de kinderen van de zondagsschool alle lekkernijen voor mijn neus weg, vandaar.

Ik heb juist mijn bord volgeladen met meer dan de beleefdheid eigenlijk toestaat, als ik de stem van dominee Clive achter me hoor. 'Max,' zegt hij. 'Ik had kunnen weten dat we jou hier zouden aantreffen.'

Ik draai me om met een hele donut in mijn mond. De dominee heeft een nieuwkomer bij zich. Tenminste, ik denk dat deze man hier nieuw is. Hij is nog langer dan dominee Clive en zijn zwarte haar is achterovergekamd en gladgestreken met een soort olie, of schuimversteviger. Zijn stropdas heeft dezelfde kleur als zijn pochet – roze, de kleur van gerookte zalm. Ik heb van mijn leven nog nooit zulke hagelwitte tanden gezien.

'Aha,' zegt hij en steekt me zijn hand toe. 'De beruchte Max Baxter.'

Berucht? Wat heb ik nu weer gedaan?

'Max,' zegt de dominee, 'dit is Wade Preston. Je kent hem waarschijnlijk wel, van de televisie?'

Ik schud mijn hoofd. 'Nee, sorry.'

Wade buldert van het lachen. 'Ik moet op zoek naar een betere prman! Ik ben een oude vriend van Clive. We hebben samen op de predikantenopleiding gezeten.'

Hij heeft een zuidelijk accent, waardoor zijn woorden klinken alsof ze onder water drijven. 'Dus u bent ook dominee?'

'Nee, dat niet. Ik ben advocaat én een goed christen,' zegt Wade. 'Ook al lijkt dat met elkaar in tegenspraak.'

'Wade doet nu bescheiden,' zegt dominee Clive, 'maar hij is de belangrijkste stem van de ongeboren kinderen in Amerika. Hij heeft er zijn levenswerk van gemaakt om hun rechten te waarborgen en hen te beschermen. Hij is bijzonder geïnteresseerd in jouw zaak, Max.'

Welke zaak?

Het dringt pas tot me door dat ik hardop heb gesproken wanneer Wade Preston me antwoord geeft: 'Clive vertelde me dat jij je lesbische ex-vrouw wil aanklagen om te voorkomen dat zij jouw kind in handen krijgt.'

Ik kijk naar dominee Clive en laat mijn blik door de kamer zwerven. Zijn Reid en Liddy al binnengekomen? Nee. Ik sta er alleen voor.

'Max, je moet in ieder geval weten dat je niet alleen staat in deze zaak,' zegt Wade. 'Die homokinderwens grijpt op dit moment als een besmettelijke ziekte om zich heen en dat is een kwalijke ontwikkeling. Homoseksuelen proberen het begrip "gezin" te verdraaien tot iets anders dan een liefdevolle moeder en vader die aan het hoofd staan van een christelijk huisgezin. Je kent de federale wet uit 1996 tegen het homohuwelijk, ter verdediging van dat unieke, heilige sacrament tussen man en vrouw? Nou, ik wil hetzelfde bereiken voor adoptiezaken. Ik wil verhinderen dat weerloze kinderen geslachtofferd worden doordat ze in een homohuishouden terechtkomen.' Hij kijkt even naar het notoire kliekje roddeltantes van de kerk, die zich rond de koffieketel scharen. Hij slaat zijn arm om mijn schouders en leidt me een andere kant op. 'Weet je hoe ik Jezus heb gevonden, Max? Ik was tien jaar en moest in de zomervakantie op bijspijkercursus omdat ik in de vierde klas van de lagere school was blijven zitten. Mijn lerares, mevrouw Percival, vroeg wie er in de pauze bij haar in het lokaal wilden blijven om samen te bidden. Nou, ik kan je dit vertellen, indertijd gaf ik geen cent om godsdienst. Het enige wat ik voor ogen had, was een wit voetje halen bij de juffrouw. Dan zou ik die dag misschien als eerste een tussendoortje mogen halen. We kregen altijd één keer per dag een koekje, weet je, en de chocoladekoekjes waren steevast op als je er te laat bij was. Plus dat de vanillekoekjes – sorry dat ik het zeg – naar poep smaakten. Ik dacht: *als ik nou een paar van die stomme gebedjes met haar opzeg, sta ik straks als eerste in de rij voor de koekjes.*

'Dus ik luisterde braaf naar haar Jezus-dit en Jezus-dat. Ik deed net alsof ik het allemaal prachtig vond, maar de hele tijd dacht ik alleen maar aan die koekjes. Zodra het tijd was voor ons tussendoortje, wees mevrouw Percival mij als eerste aan. Ik rende naar de hapjestafel. Echt waar, ik had het gevoel dat ik vlóóg. Toen keek ik naar het dienblad, en er lag niet één chocoladekoekje op.'

Ik werp een steelse blik op mijn bord vol donuts.

'En nu komt het wonder, Max. Ik pakte zo'n vanillekoekje, dat waarschijnlijk gebakken was van kartonsnippers en geitenkeutels. Ik nam er een grote hap van en... het was het lekkerste wat ik ooit had geproefd. Het smaakte naar chocolade en naar cadeautjes en naar de voetbalpool winnen, en dat allemaal samengebald in één kloddertje deeg. En op dat moment besefte ik dat Jezus met mij was, ook al had ik dat totaal niet verwacht.'

'U bent dus bekeerd door een koekje?' vraag ik.

'Ja, zo is het. En dat weet ik honderd procent zeker, want sinds dat voorval op die bijspijkercursus van mevrouw Percival is me heel wat overkomen. Ik heb een auto-ongeluk overleefd waarbij alle andere betrokkenen zijn omgekomen. Ik heb hersenvliesontsteking gehad en ben genezen. Ik ben afgestudeerd in rechten aan de Universiteit van Mississippi, als beste van mijn jaar. Ik heb mijn leven lang de wind in de zeilen gehad, Max, maar ik weet heel goed dat ík niet de kapitein van mijn schip ben, als je begrijpt wat ik bedoel. God heeft over mij gewaakt. En daarom geloof ik dat het mijn christenplicht is om te waken over degenen die dat zelf niet kunnen,' zegt Wade. 'Ik heb juridische bevoegdheid in negentien Amerikaanse staten. Ik ben actief betrokken bij het Sneeuwvlokjes Adoptieprogramma, dat zich uitsluitend bezighoudt met adoptie van ingevroren embryo's. Ken je dat?'

Alleen omdat dominee Clive er met Reid en Liddy over heeft gepraat, na Liddy's laatste miskraam. Het is een christelijk adoptiebureau dat het traject start lang vóór de baby wordt geboren. Ze zoeken mensen die ivf hebben ondergaan en hun overtollige embryo's willen doneren aan echtparen die ze nodig hebben.

'Wat ik probeer duidelijk te maken,' zegt Wade op vriendschappelijke toon, 'is dat ik de ervaring heb die een plaatselijke advocaat je misschien niet kan bieden. In het hele land zijn er mannen zoals jij, Max. Mannen die proberen te doen wat juist is en die zich niettemin in deze afschuwelijke situatie bevinden. God heeft jouw ziel gered. Nu is het aan jou om je kinderen te redden.' Hij kijkt me recht in de ogen. 'En ik wil je daarbij helpen.'

Ik sta met mijn mond vol tanden. Gisteren nog heeft Zoë een bericht ingesproken op mijn voicemail. Ze vroeg me of ik het formulier al had ondertekend en of ik er misschien verder over wilde praten. Ze stelde voor samen koffie te gaan drinken, als ik nog met vragen zat.

Ik heb haar bericht bewaard. Niet om wat ze me vroeg, maar om haar stem. Ze zong natuurlijk niet, maar het stijgen en dalen van haar stem deed me aan muziek denken.

Het probleem is dat ik het alweer verprutst heb. Ik zit niet te sprin-gen om Zoë te vertellen wat ik besloten heb, maar ik moet wel. En ik heb zo'n donkerbruin vermoeden dat zij het vreselijk vindt om te horen dat háár kinderen zullen worden opgevoed door Liddy en Reid. Net zo vreselijk als ík het zou vinden als mijn kinderen terecht-kwamen bij twee potten.

Wade Preston tast in de binnenzak van zijn colbertje en haalt zijn visitekaartje tevoorschijn. 'Zullen we een afspraak maken voor de ko-mende week?' stelt hij voor. 'We hebben nog heel wat te bespreken om deze bal aan het rollen te krijgen.'

Dominee Clive neemt hem mee om hem voor te stellen aan een paar andere gemeenteleden. Wade werpt me over zijn schouder nog één keer zijn flitsende glimlach toe.

Ik heb nog zes donuts op mijn bord liggen, maar ik hoef ze niet meer. Ik voel me zowaar misselijk.

Want laten we wel wezen: de bal ís al aan het rollen gebracht.

Hij is al halverwege de helling naar beneden.

Ik heb met Wade Preston afgesproken in het kantoor van dominee Clive. De dominee bood het aan omdat hij ons zoveel mogelijk pri-vacy wilde geven. De nacht voor de afspraak droom ik dat Liddy al zwanger is en op het punt staat te bevallen. Maar behalve Reid lopen er tientallen mensen rond in de verloskamer. Ze dragen allemaal ste-riele handschoenen en blauwe maskers en zijn alleen te herkennen aan hun ogen.

Dominee Clive zit tussen Liddy's benen en fungeert als arts. Hij steekt zijn handen uit om de baby op te vangen. 'Goed zo, je doet het fantastisch,' zegt hij tegen Liddy, terwijl zij luid kreunend het bloede-rige kluwentje baby de wereld in perst.

Een assistent-verloskundige neemt de baby over en wikkelt hem in een doek. Plotseling stokt haar adem. Ze roept dominee Clive, die tussen de plooien van het blauwe dekentje gluurt en zegt: 'O, Jezus.'

'Wat is er aan de hand?' vraag ik, terwijl ik me tussen de mensen doorwurm. 'Is er iets mis?'

Maar ze horen me niet. 'Misschien heeft ze het niet door,' fluistert de assistente, en ze legt de baby in Liddy's armen. 'Hier is je zoon,' kirt ze.

Liddy tilt een hoek van het dekentje op dat om de pasgeboren baby is gewikkeld. Ze begint te gillen. Ze laat het kindje bijna vallen en ik schiet naar voren om het op te vangen.

Dan zie ik het: het heeft geen gezicht.

De voorkant van het hoofdje is een gevlekte, knobbelige ovaalvorm, met een naad waar de mond zou moeten zitten.

'Die wil ik niet!' roept Liddy. 'Hij is niet echt van mij!'

Een van de gemaskerde toeschouwers stapt naar voren. Ze neemt de baby van me over en begint het gezichtje te kneden tot er iets van gezichtstrekken ontstaan: een aardappelneusje en twee duimafdrukken als ogen. Alsof het kindje van klei is. Vol bewondering kijkt ze op hem neer. 'Ziezo,' zegt ze. Glimlachend trekt ze haar masker af, en dan zie ik dat het Zoë is.

Als ik dominee Clives kantoor binnenkom voor mijn afspraak met Wade, ben ik drijfnat van het zweet.

Mijn overhemd is nagenoeg doorweekt en vermoedelijk denkt Wade nu dat ik óf niet goed snik ben, óf dat ik een bizarre stofwisselingsstoornis heb. En dat terwijl ik er alleen maar een beetje tegen opzie hem te vertellen wat ik al de hele ochtend loop te denken.

Namelijk dat ik misschien een vergissing bega. Natuurlijk wil ik Liddy en Reid helpen... maar niet ten koste van Zoë.

Wade draagt alweer een perfect zittend maatpak, dit keer met een dun glitterdraadje door de stof, wat een flauw zilveren schijnsel oplevert. Hij ziet eruit zoals Jezus altijd op schilderijen afgebeeld staat. Als een stralende verschijning die net iets meer opvalt dan iedereen om Hem heen.

'Fijn om je te zien, Max,' zegt Wade terwijl hij mijn hand op en neer pompt. 'Ik moet je zeggen: sinds ik je afgelopen zondag sprak ben je constant in mijn gedachten geweest.'

'O,' zeg ik. 'Tjonge.'

'Welnu. We hebben een heleboel te bespreken, want ik wil alle achtergrondinformatie van deze zaak hebben. Dus we doen het zo: ik stel jou een reeks vragen en jij doet je best om ze te beantwoorden.'

'Mag ik eerst?' zeg ik.

Hij kijkt op en knikt. 'Ga je gang.'

'Het is eigenlijk niet echt een vraag, maar een... een statement. Ik bedoel, ik weet dat ik het recht heb om te beslissen over de embryo's, maar Zoë heeft daar net zo goed recht op.'

Wade gaat op de rand van dominee Clives bureau zitten. 'Daar heb je helemaal gelijk in, tenminste, als je deze kwestie oppervlakkig bekijkt. Jij en Zoë kunnen gametisch gezien gelijkwaardig aanspraak maken op de embryo's. Ik bedoel dat de helft ervan jouw genetisch materiaal is en de andere helft van Zoë. Maar nu eerst even een vraagje aan jou. Was het je voornemen om deze ongeboren kinderen groot te brengen binnen een heteroseksuele relatie met je ex-vrouw?'

'Ja.'

'Maar helaas is je huwelijk gestrand.'

'Dat is nou precies het probleem,' barst ik uit. 'Er is helemaal niets gegaan zoals wij dat van plan waren. En nu lijkt ze uiteindelijk toch gelukkig te zijn. Het is misschien niet zoals ík het zou aanpakken, of ú. Maar waarom zou ik haar geluk voor haar verpesten? Ze heeft al genoeg pech gehad. Ik heb altijd heel zeker geweten dat zij een goede moeder zou zijn. En ze heeft me gezegd dat ik geen alimentatie voor het kind hoef te betalen...'

'Ho, ho, rustig aan.' Wade heft zijn hand op. 'Laten we dit stap voor stap bekijken. In de eerste plaats is het zo dat als jij Zoë de ongeboren kinderen zou geven, jij nog steeds de vader bent. Die kleine mensjes, Max, die bestaan al. Je kunt niet zomaar je biologische verantwoordelijkheid voor hen afschuiven. Dus ook als ze in dat lesbische gezin worden opgevoed kan jou gevraagd worden om financieel bij te dragen. Misschien doet Zoë dat niet. Maar dan nog kan er een moment in het leven van zo'n kind komen dat hij zélf bij jou aanklopt voor financiële of emotionele steun. Heeft Zoë je wijsgemaakt dat jij geen relatie met dit kind hoeft te hebben? Nou, het is niet aan haar om dat te beslissen.' Hij slaat zijn armen over elkaar. 'Punt twee. Je zegt dat je ex-vrouw een goede moeder zou zijn, en ik twijfel niet aan je woorden. Maar hoe zit dat dan met je broer en je schoonzus?'

Ik kijk naar dominee Clive. 'Zij zijn de beste ouders die ik me kan voorstellen.'

'En die lesbische minnares van je vrouw, zou dat een goede ouder zijn?'

'Ik weet maar weinig over haar...'

'Behalve dan dat ze het geen probleem vindt om jouw kinderen van je af te pakken,' zegt Wade nadrukkelijk.

Wat ik over Vanessa weet? Dat ik een vrouw had die van me hield en die met me vrijde. En nu ligt ze ineens in bed met háár, met Vanessa, die mijn vrouw heeft versierd en van het rechte pad afgebracht.

Dominee Clive loopt naar de lessenaar met de bovenmaatse bijbel erop en begint hardop voor te lezen:

Daarom heeft God hen prijsgegeven aan onterende hartstochten. Zelfs hun vrouwen hebben de natuurlijke relaties verruild voor tegennatuurlijke. Zo ook hebben de mannen de natuurlijke gemeenschap met vrouwen opgegeven en zijn ze in lust voor elkaar ontbrand. Mannen plegen ontucht met mannen; maar zij zullen hun verdiende loon krijgen voor hun perverse dwaling.

'Dat heeft God te zeggen over homoseksuelen, in Romeinen 1 vers 26 en 27,' zegt de dominee. 'Homoseksualiteit is pervers. Het dient afgestraft te worden.'

'Stel dat je ongeboren kindje een jongen blijkt te zijn, Max?' vraagt Wade. 'Je beseft toch wel dat hij een overgrote kans loopt om zelf homo te worden als jij hem laat opvoeden door twee lesbiennes? Kort en goed, zelfs al is Zoë de Moeder van het Jaar, wie wordt de papa in dat gezin? Van wie moet jouw zoon leren zich als een man te gedragen?'

Ik schud mijn hoofd. Daar heb ik geen antwoord op. Als de baby bij Reid en Liddy opgroeit, krijgt hij een geweldige vaderfiguur. Dezelfde als naar wie ik mijn hele leven heb opgekeken.

'Wat is nu werkelijk het beste voor je kind?' zegt Wade. 'Die vraag moet je uitgangspunt zijn wanneer je als ouder een beslissing neemt. Ook al is het je enige beslissing als ouder, Max.'

Ik sluit mijn ogen.

'Ik heb van dominee Clive begrepen dat jij en Zoë een aantal miskramen hebben meegemaakt in de periode dat jullie kinderen probeerden te krijgen,' zegt Wade. 'En uiteindelijk ook nog een doodgeboren kind, dat bijna volgroeid was.'

Ik krijg een brok in mijn keel. 'Ja.'

'Hoe voelde jij je toen je kindje stierf?'

Ik druk mijn duimen in mijn ooghoeken. Ik wil niet huilen. Ik wil niet dat zij me zien huilen. 'Dat deed ongelooflijk veel pijn.'

'Als je dat voelt bij het verlies van één kind, hoe denk jij dan dat het voelt als je er nog drie verliest?'

Het spijt me, denk ik, zonder te weten aan wie mijn excuses gericht zijn. 'Oké dan,' mompel ik.

'Wat zeg je?'

'Oké,' herhaal ik en kijk op naar Wade. 'Wat doen we nu verder?'

Wanneer ik thuiskom van mijn afspraak met Wade, staat Liddy in de keuken. Ze bakt een bosbessentaart – mijn lievelingsgebak – al is het totaal niet het seizoen voor bosbessen.

Liddy maakt ook zelf de taartkorst. Zoë deed dat nooit. Zij zei altijd dat het geen enkele zin had, aangezien Dokter Oetker al zoveel energie in die voorgebakken taartbodems had gestoken.

'Het heet *pro hac vice*, leg ik uit. 'Het betekent dat ondanks dat Wade Preston een advocaat van buiten deze staat is, hij eenmalig bevoegd is om mij te vertegenwoordigen, vanwege zijn ervaring met deze materie.'

'Dus nu heb je twéé advocaten?' vraagt Liddy.

'Blijkbaar, ja. Ik heb die Ben Benjamin nog niet ontmoet, maar Wade zegt dat hij de rechters in deze staat goed kent. Dus kan hij met de juiste strategie op de proppen komen. Die meneer Benjamin heeft vroeger voor rechter O'Neill gewerkt en hij kan er misschien zelfs voor zorgen dat O'Neill deze zaak krijgt.'

Liddy staat tegen het aanrecht geleund en rolt het deeg uit tussen twee vellen plasticfolie. De bal deeg wordt een perfecte, platte cirkel, die ze met een geroutineerd gebaar in een keramische taartbodem legt. 'Het klinkt best ingewikkeld.'

'Ja, maar die lui weten heel goed wat ze doen.' Ik wil niet dat ze zich hier zorgen over maakt. Ik wil haar laten geloven dat het allemaal gaat gebeuren zoals zij het zich voorstelt. Een positieve gemoedstoestand is even belangrijk als de biologie wanneer het op zwangerschap aankomt. Althans, dat beweerde Zoë's verloskundig arts altijd.

Liddy schept de korst vol met de taartvulling waar een overvloed aan bessen in zit. Die heeft ze met succes bij me vandaan weten te houden, want anders had ik ze allemaal gejat en opgegeten. Ze strooit wat suiker over de vulling en een beetje van dat poederachtige spul dat geen meel is. Ze legt er een paar klontjes boter bovenop. Dan haalt ze de tweede deegbal uit de koelkast om de bovenste korst uit te rollen.

Ze pakt de rol huishoudfolie en trekt er een stuk af. Maar in plaats van het deeg uit te rollen, laat ze haar bovenlichaam op het aanrecht zakken. Ze slaat haar handen voor haar ogen.

Ze snikt het uit.

'Liddy? Wat is er?'

Ze schudt haar hoofd en probeert me weg te wuiven.

Ik voel paniek opkomen. Ik moet Reid bellen. Ik moet het alarm-nummer bellen.

'Het gaat prima, Max,' hikt ze. 'Echt waar.'

'Maar je húílt!'

Ze kijkt naar me op. Haar ogen hebben de kleur van zeeglas, die gepolijste scherfjes die je op het strand vindt en in je zak stopt. 'Omdat ik gelukkig ben. Jij hebt me zo ongelooflijk gelukkig gemaakt.'

Ik begrijp er niets van, maar dat geldt ook voor wat ik voel als ze even kort tegen me aanleunt. Ze omhelst me vlug en gaat verder met deegrollen alsof er niets gebeurd is. Alsof er niet zojuist een aardver-schuiving heeft plaatsgevonden.

Ben Benjamin draagt een bril met ronde glazen en heeft een tuit-mondje dat iets wegheeft van een trechter. Hij zit tegenover me in de kerkenraadkamer in het administratiegebouw van de Eeuwige Glorie-kerk. Vliegensvlug pent hij alles neer wat ik zeg, alsof hij er binnen-kort examen over moet doen. 'Hoe hebt u uw vermogen onderling verdeeld?' vraagt hij.

'We hebben het zo'n beetje samsam gedaan.'

'Wat bedoelt u?'

'Nou, Zoë heeft haar muziekinstrumenten gehouden en ik heb het hoveniersgereedschap, de maaimachines en zo meegenomen. We heb-ben afgesproken dat we allebei verantwoordelijk zijn voor onze eigen schulden. We hadden geen eigen huis of iets dergelijks.'

'Hebt u het probleem van de embryo's aangekaart tijdens de ge-rechtelijke uitspraak inzake uw scheiding?'

'Nou, nee. Dat is toch geen eigendom?'

Wade leunt naar voren met ineengeslagen handen. 'Natuurlijk niet. Het zijn ménsen!'

Ben krabbelt iets op zijn notitieblok.

'Dus omdat jullie geen advocaat hadden tijdens de scheidingsprocedure, hebben jullie in alle eerlijkheid iets over het hoofd gezien. Jullie
zijn vergeten deze kleine... mensjes... in hun ingevroren tijdcapsules
te noemen toen de echtscheiding in de rechtszaal werd behandeld. Zo
zit het, toch?'

'Ja, ik denk het.'

'Nee, nee. Dat moet u zéker weten,' corrigeert Ben me. 'Want dat
wordt onze insteek wat deze zaak betreft. U wist niet dat dit onderwerp aan de orde diende te komen tijdens de echtscheidingszaak. Dus
gaan we ermee terug naar de afdeling Personen- en Familierecht om
een verzoek in te dienen.'

'Stel dat Zoë als eerste een verzoek indient?'

'Je kunt gerust van me aannemen dat de kliniek niets onderneemt
zonder toestemming van jullie beiden,' zegt Wade. 'Tenzij op grond
van een gerechtelijk bevel. Wacht, ik zal de advocaat van de fertiliteitskliniek nú meteen bellen. Dan zijn we daar zeker van.'

'Maar als we naar de rechter stappen, zal die dan niet denken dat
ik een asociale hufter ben omdat ik mijn baby's zomaar wil weggeven? Ik bedoel, Zoë wil ze tenslotte voor zichzelf.'

'Dat is een overtuigend argument,' stemt Ben in. 'Maar vergeet niet
dat u beiden een gelijke biologische claim op de embryo's kunt laten
gelden...'

'Je bedoelt de ongeboren kínderen,' onderbreekt Wade hem.

Ben kijkt even op. 'O, ja. De kinderen. U hebt dus evenveel recht
om te beslissen wat er met hen moet gebeuren als uw ex-vrouw. Zelfs
als u hen zou willen laten vernietigen...'

'Dat wil hij niet,' zegt dominee Clive.

'Nee, maar als u dat zou willen, is de rechter verplicht uw wettelijk
recht in acht te nemen om dat te laten doen.'

'De rechter moet bovenal het *belang van de kinderen* in acht
nemen,' voegt Wade toe. 'Die term ken je toch wel, Max? En de keuze
is in dit geval tussen een traditioneel christelijk gezin of een samenlevingsvorm die niet traditioneel is, en zeker niet christelijk.'

'Uw broer en schoonzus zullen moeten getuigen. Zij zijn van es-
sentieel belang in dit proces,' zegt Ben.

Ik volg met mijn duimnagel een groef in het houten tafelblad. Gister-

avond zaten Liddy en Reid samen te internetten, op zoek naar babynamen. 'Joshua is mooi,' had Reid gezegd, en Liddy zei: 'Of Mason.'

'Te modieus,' had Reid tegengeworpen.

En Liddy had gezegd: 'Nou, wat vindt Max ervan? Hij hoort hier
ook een stem in te hebben.'

Ik leg mijn handen plat voor me op tafel. 'Nog even iets over deze
rechtszaak... Ik had dit waarschijnlijk eerder ter sprake moeten
brengen, maar ik kan me geen advocaat veroorloven. Laat staan twee
advocaten.'

Dominee Clive legt zijn hand op mijn schouder. 'Daar hoef jij je
niet ongerust over te maken, jongen. De kerk zal hier zorg voor dragen. Tenslotte gaat dit ons een heleboel publiciteit opleveren.'

Wade leunt breed glimlachend achterover. 'Publiciteit,' zegt hij.
'Dat is een van mijn sterkste kanten.'

ZOË

Ik vind Ava leuk. En Eke. En Anna.

'Moet elke babynaam per se een palindroom zijn?' vraagt Vanessa.

'Nee, dat niet,' antwoord ik. We liggen uitgestrekt op de vloer van de woonkamer, omringd door boeken met babynamen. We hebben alles gekocht wat de plaatselijke boekhandel in voorraad had.

'Bloemennamen?' oppert Vanessa. 'Roos? Margriet of Madelief? Of Erica. Ik heb Erica altijd een heel mooie naam gevonden.'

'Mandolientje?' Ik wacht even tot de grap tot haar doordringt.

Vanessa grijnst. 'Nou, het klinkt ietsje beter dan Tuba of Banjo...'

'En meisjesnamen die evengoed jongensnamen kunnen zijn?' zeg ik. 'Zoals Marijn.Of Alex.'

'Dat zou ons de helft van het werk besparen,' stemt Vanessa in.

Ik ben drie keer zwanger geweest. Maar wat we nu doen, heb ik in die periodes juist geprobeerd te vermijden: hoop koesteren. Vooruitdenken. Het is een stuk makkelijker om niet teleurgesteld te worden als je geen verwachtingen hebt. Maar deze keer kan ik mezelf gewoon niet inhouden. Ik heb Max vrijgelaten in zijn keuze, en misschien ben ik juist daarom positief gestemd.

Wie weet? Hij heeft immers niet meteen nee gezegd, zoals ik aanvankelijk had gevreesd.

Dat betekent dat hij er nog steeds over nadenkt.

En dat moet wel in ons voordeel werken, of niet soms?

'Joey,' stelt Vanessa voor. 'Dat heeft iets schattigs.'

'Misschien voor een kangoeroe...' Ik rol op mijn rug en kijk naar het plafond. 'Sterren.'

'Sterre, ja. Leuk,' zegt Vanessa geanimeerd.

'En wolkjes...' vervolg ik dromerig.

'Wolkje? Nee zeg, dat vind ik te soft. Zo hippieachtig. Daar doe je een kind echt geen plezier mee. Ik bedoel, stel dat "Wolkje" straks negentig is en in een verpleeghuis zit?'

'O, maar ik had het nu even niet over namen. Ik lag aan de baby-kamer te denken. Stel dat je als kind naar boven kijkt en een sterren-hemel met hier en daar een wolkje op het plafond geschilderd ziet. Ik heb altijd zo'n idee gehad dat je daar lekker rustig bij in slaap zou kunnen vallen.'

'O, bedoel je dat. Ja, een plafondschildering is wel gaaf. Wat denk je, zou Michelangelo in de Gouden Gids staan?'

Terwijl ik een kussen naar haar hoofd gooi, gaat de deurbel. 'Ver-wacht jij iemand?' vraag ik.

Vanessa schudt haar hoofd. 'Jij?'

Er staat een man op de stoep. Hij draagt een rode honkbalpet en een Red Sox-sweatshirt en hij kijkt me glimlachend aan. Hij ziet er niet di-rect uit als een seriemoordenaar, dus zwaai ik de deur voor hem open.

'Bent u Zoë Baxter?' vraagt hij.

'Ja...'

Hij trekt een bundeltje blauwe papieren uit zijn achterzak. 'Deze zijn voor u,' zegt hij. 'U bent gedagvaard.'

Ik vouw het document open en de woorden springen van de pagina op me af:

Verzoek aan de hooggeachte leden van deze rechtbank...

... hem de volledige beschikking en voogdij over zijn ongeboren kinderen toe te wijzen...

... wenst dat ze geplaatst worden in een passend twee-oudergezin...

Ik zak neer op de vloer en lees verder.

Ter ondersteuning hiervan wordt bij dezen het volgende formeel vast-gesteld:
l. De eiser is de biologische vader van deze ongeboren kinderen. Zij werden verwekt in een heteroseksueel, door God voorgestaan con-stitutioneel huwelijksverband, met als doel dat zij zouden worden opgevoed door de partners binnen een heteroseksueel, door God voorgestaan wettig huwelijk.

2. *Sinds deze ongeboren kinderen verwekt werden, zijn de huwelijks-partners van elkaar gescheiden.*

3. *Na het echtscheidingsvonnis heeft de gedaagde een ontuchtige, af-wijkende, homoseksuele levensstijl aanvaard.*

4. *De gedaagde heeft contact opgenomen met de kliniek waar de on-geboren kinderen zich bevinden. Zij wil over hen beschikken, met als doel hen terug te plaatsen bij haar lesbische minnares.*

'Zoë?'

Vanessa klinkt alsof ze tweeduizend kilometer van me verwijderd is. Ik hoor haar wel, maar ik kan me niet bewegen.

'Zoë?' herhaalt ze en pakt de papieren uit mijn hand. Ik doe mijn mond open, maar er komt geen woord uit. Er bestaat geen taal waar-mee je zo'n vreselijk verraad als dit kunt verwoorden.

Vanessa bladert zo razendsnel door de pagina's dat ik half en half verwacht dat ze spontaan in brand zullen vliegen. 'Wat is dit voor lul-koek?'

Evenwicht is een illusie. Soms krijg je een stomp in je maag die je onmogelijk kunt opvangen. 'Het is van Max,' zeg ik. 'Hij probeert ons kind van ons af te nemen.'

VANESSA

In 2008, vlak na Thanksgiving, bekende een vrouw op haar sterfbed dat ze tweeënveertig jaar geleden twee meisjes had vermoord. De meisjes hadden haar doorlopend gepest omdat ze lesbisch was. Op een dag was Sharon Smith naar de cafetaria toe gegaan waar ze alle drie werkten. Ze kwam alleen maar zeggen dat ze de volgende dag vrij zou nemen. Volgens het politierapport ontstond er een ruzie die uit de hand liep, en Sharon schoot de twee andere meisjes neer.

Ik weet niet waarom ze een .25-kaliber automatisch pistool bij zich had gestoken toen ze naar de cafetaria ging, maar haar motief begrijp ik wel. Vooral nu ik met deze idiote, juridische aantijging van Zoë's ex-man in mijn handen sta.

Een document waarin ik voor ontuchtig en afwijkend word uitgemaakt.

Ik krijg weer dat oude gevoel uit mijn eerste studiejaar, die keer dat ik me omkleedde in het studentensportcentrum en een paar andere meisjes in de kleedkamer me uitgescholden voor vuile pot. Dezelfde meisjes die zich daarna expres helemaal aan de andere kant van de kleedruimte gingen verkleden, omdat ze ervan overtuigd waren dat ik hen begluurde. En die keer dat ik op een studentenfeest in een donkere hoek werd gedrukt door een of andere klootzak van het rugbyteam. Hij betastte me uitgebreid, omdat hij met zijn vrienden een wedje had afgesloten dat hij van mij een 'echte' vrouw kon maken. Ik werd gestraft omdat ik was zoals ik was. Ik had hun allemaal willen toeschreeuwen: *Wat maakt het jullie uit hoe ik ben? Bemoei je met je eigen zaken!* Maar ik hield mijn mond, tot mijn keel pijn deed van de inspanning om te blijven zwijgen.

Ik ben geen voorstander van geweld. Net zomin als ik ontuchtig ben, of afwijkend. Desondanks zou ik nu heel eventjes willen dat ik het lef had van Sharon Smith.

'Ik ga die eikel meteen bellen,' kondigt Zoë aan.

Ik heb haar nog nooit zo over haar toeren gezien. Haar gezicht is vlekkerig en donkerrood aangelopen. Ze huilt en tegelijkertijd is ze razend. Ze drukt zo hard op de toetsen van de handset dat hij uit haar trillende handen valt. Ik pak de telefoon op, druk de knop in voor de speaker en zet hem op het aanrecht, zodat we allebei kunnen luisteren.

Het verbaast me eerlijk gezegd dat Max opneemt.

'Ik mag niet met je praten. Dat heeft mijn advocaat gezegd...'

'Waarom?' onderbreekt Zoë hem. 'Waarom doe je mij dit aan?'

Er valt een lange stilte, zo lang dat ik ga denken dat Max al heeft opgehangen. 'Ik wil jou niets aandoen, Zoë. Ik doe dit voor onze kinderen.'

Dan horen we de kiestoon aan de andere kant van de lijn. Zoë pakt de telefoon en keilt het toestel door de keuken. 'Hij wíl niet eens kinderen!' roept ze. 'Wat gaat hij dan met de embryo's uitvoeren?'

'Ik weet het niet.' Maar het is me wel duidelijk dat dit voor Max niet echt om de baby's draait. Dat het om Zoë draait, en om haar 'levensstijl'.

Met andere woorden, dat hij haar wil straffen, gewoon omdat ze is zoals ze is.

Ik krijg een plotselinge flashback van mijn moeder die me meeneemt naar het consultatiebureau voor vaccinaties. Ik was ongeveer vijf en ik was kennelijk doodsbang voor naalden. Ik was de hele ochtend al op voorhand aan het hyperventileren, in afwachting van de vreselijke pijn. Zodra het moment was aangebroken, wrong ik mijn kleine lijfje in de gekste bochten om uit handen van de wijkverpleegkundige te blijven. Toen hoorde ik mijn moeder snikken. Onmiddellijk zat ik stil. Zij zou toch geen prik krijgen? Ik begreep er niets van.

'Het doet me pijn,' probeerde ze uit te leggen, 'als jij pijn hebt.'

Ik was destijds te jong en nam alles nog te letterlijk op om het te begrijpen. Bovendien heb ik tot op dit moment nog nooit zoveel van iemand gehouden dat ik écht zou kunnen weten waar ze het toen over had. Maar nu zie ik hoe Zoë eraan toe is. Ik zie dat wat zij het allerliefst ter wereld wil haar uit handen wordt gerukt, en... nou ja, dat beneemt me de adem. Ik krijg een vlammend rood waas voor mijn ogen.

Dus laat ik haar achter in de keuken en ga naar onze slaapkamer. Ik zak op mijn knieën voor mijn nachtkastje en begin door ongelezen, oude tijdschriftafleveringen van *De schooldecaan* te rommelen. Ik stuit op uitgeknipte recepten voor maaltijden die ik ooit van plan was te maken, zonder dat het er ooit van gekomen is. Bijna helemaal onder op de stapel vind ik een nummer van *Gay*, een maandblad voor lesbiennes, homo's, biseksuelen, transgenderisten en twijfelaars. Achterin staan de advertentierubrieken.

Daar is het: RHL. Rechten voor homo's en lesbiennes. Een gespecialiseerde firma advocaten en strafpleiters voor holebi's in nood. Ze zijn gevestigd aan Winter Street in Boston.

Ik gris het blad naar me toe en loop ermee naar de keuken, waar Zoë met hangend hoofd aan tafel zit. De telefoon ligt nog steeds op de vloer. Ik pak de handset op en toets het nummer dat in de advertentie wordt vermeld.

'Hallo,' zeg ik kortaf. 'U spreekt met Vanessa Shaw. Mijn vrouw is zojuist voor de rechter gedaagd door haar ex-man. Hij probeer de uitsluitende zeggenschap te krijgen over de ingevroren embryo's waarvan wij hadden gehoopt gebruik te kunnen maken om een gezin te stichten. Hij maakt er een evangelisch-christelijke, rechts-conservatieve potenrammersaffaire van. Hij schijnt een precedent te willen scheppen. Kunt u ons helpen?' De furieuze woordenstroom rolt in één keer uit mijn mond, zonder noemenswaardige adempauze. Dan zie ik dat Zoë haar hoofd optilt van de tafel en me met grote ogen aanstaart. 'Ja,' zeg ik tegen de receptioniste. 'Ik blijf even aan de lijn.'

Er klinkt muzak uit de telefoon. Zoë vertelde me onlangs dat het bedrijf dat al die afgrijselijke liftmuziek had samengesteld en bewerkt in 2009 failliet was gegaan. Ze noemde het muzikaal karma.

Ze loopt naar me toe, pakt het tijdschrift uit mijn hand en bekijkt de advertentie van het advocatenkantoor.

'Als Max strijd wil,' zeg ik tegen haar, 'dan kan hij het krijgen.'

Op mijn vierentwintigste, de dag na kerst, brak ik mijn enkel bij een ijshockeywedstrijd. Mijn kuitbeen was finaal in tweeën geknapt. Een chirurg bracht een metalen plaatje aan op het bot, zodat het weer aan elkaar kon groeien. Mijn teamgenoten hadden me naar de Spoedeisende Hulp gebracht. Maar ook na de operatie was ik vrijwel uitgeschakeld, dus kwam mijn moeder bij me in mijn appartement logeren. Ik kon rondstrompelen op krukken, maar wat ik bijvoorbeeld niet kon, was zelfstandig op de wc gaan zitten en er weer af komen. Ik kon mezelf niet ophijsen uit de badkuip. Ik kon ook niet naar buiten, omdat mijn krukken onder me uit glibberden zodra ik op de met ijzel bedekte stoep stapte.

Als mijn moeder er toen niet was geweest zou ik waarschijnlijk zijn weggekwijnd door een wekenlang dieet van borrelnootjes en leidingwater, plus overmatige blootstelling aan oerslechte televisiesoaps.

Maar dat liet mijn moeder niet gebeuren. Stoïcijns hielp ze me de wc op en af. Ze waste mijn haar in de badkuip, zodat ik niet staande zou omkukelen. Ze reed me met haar auto heen en weer naar doktersafspraken, deed boodschappen voor me en maakte mijn huis schoon.

En... als dank zeurde en klaagde ik tegen haar, omdat ik eigenlijk woedend was op mezelf. Ten slotte ging ik te ver. Spinnijdig smeet ze een bord met eten op de grond dat ze voor me had klaargemaakt, en liep de deur uit. Ik weet het nog precies van dat eten, omdat ik had gemopperd dat er gewone geraspte kaas op zat en geen Zwitserse.

Mij best, dacht ik bij mezelf. *Ik heb haar niet nodig.*

En dat was ook zo, tenminste, de eerste drie uur. En toen moest ik ontzettend nodig plassen.

Eerst strompelde ik zelf op mijn krukken naar de badkamer. Maar ik durfde de krukken niet los te laten en mezelf te laten zakken, uit angst dat ik zou vallen. Het liep erop uit dat ik op één voet balancerend in een lege koffiemok plaste. Vervolgens stortte ik in elkaar op mijn bed en belde mijn moeder.

Het spijt me, snikte ik. *Ik ben compleet hulpeloos.*

Dat heb je mis, meisje, zei ze. *Je bent niet hulpeloos. Je hebt hulp nodig. Dat is een hemelsbreed verschil.*

Op het bureau van Angela Moretti staat een afgesloten glazen pot, waarin iets drijft wat eruitziet als een verschrompelde pruim.

'O,' zegt ze, wanneer ze me ernaar ziet kijken. 'Dat is een aandenken, van mijn vorige zaak.'

Zoë en ik hebben vandaag allebei vrij genomen van ons werk voor deze afspraak. Nu zitten we in Angela's kantoor in het centrum van Boston. Zij doet me denken aan een elfje dat aan de ecstasy is. Ze is klein en tenger en spreekt razendsnel, waarbij haar zwarte krullen wild op en neer springen. Ze pakt de glazen pot en schuift hem naar me toe.

'Wat ís dit?'

'Een testikel,' zegt Angela.

Geen wonder dat ik het ding niet herkende. Naast me hoor ik dat Zoë zich verslikt en begint te hoesten.

'Een of andere malloot begon een knokpartij in een kroeg, en hupsaké, zijn tegenstander beet hem een van zijn ballen af.'

'En toen heeft hij hem bewáárd?' vraag ik ongelovig.

'In formaline.' Angela haalt haar schouders op. 'Het is een kerel, hè,' zegt ze, alsof dat iets zou verklaren. 'Ik vertegenwoordigde zijn ex-vrouw. Zij is nu getrouwd met een partner van hetzelfde geslacht, maar die smeerlap van wie ze gescheiden was wilde haar bij haar kinderen weghouden. Ze gaf mij dit ding in bewaring, want volgens haar was dat het allerbelangrijkste ter wereld voor hem. Dus had zij het gehouden als onderpand. Ik heb het hier laten staan omdat ik het idee wel leuk vond dat ik de gedaagde letterlijk bij zijn ballen had.'

Ik mag Angela Moretti nu al – en niet alleen omdat ze een voortplantingsorgaan op haar bureau heeft staan. Ik mag haar omdat ze geen spier vertrok toen Zoë en ik hier hand in hand kwamen binnenlopen. Meestal lopen we er niet zo close bij in het openbaar, maar vandaag zoeken we gewoon steun bij elkaar. We zijn allebei op van de zenuwen. Ik mag Angela ook omdat ze aan onze kant staat, terwijl ik niet eens mijn best hoefde te doen om haar te overtuigen.

'Ik heb echt de schrik te pakken,' zegt Zoë. 'Niet te geloven gewoon, dat Max dit zomaar doet.'

Angela haalt een schrijfblok tevoorschijn en een duur uitziende vulpen. 'Weet je, mensen kunnen door hun leven heen sterk veranderen. Neem nu mijn neef Eddie. Hij was echt de grootste schoft ten noorden van New Jersey, tot hij ging meevechten in de Golfoorlog. Ik bedoel, hij was niet zomaar een beetje een chagrijn. Hij was zo'n type dat probeert een konijn dat de weg oversteekt te ráken in plaats van te ontwijken. Nou, ik weet niet wat hij meegemaakt heeft daar in de woestijn... maar toen Eddie thuiskwam, is hij het klooster ingegaan. Echt waar.'

'Kunt u ons helpen?' vraag ik.

'Zeg maar "je",' zegt Angela.

Zoë bijt op haar lip. 'En kun je ons een schatting geven van hoeveel het gaat kosten?'

'Geen cent,' zegt Angela. 'En dan bedoel ik daadwerkelijk nul komma niks. RHL is een non-profitorganisatie. Wij beschermen al ruim dertig jaar de burgerrechten van mensen die homo, lesbisch, transgenderist, biseksueel, of ambigu zijn. Die laatsten noemen we ook wel twijfelaars. We hebben de precedentscheppende zaak Goodridge contra het ministerie van Volksgezondheid en Welzijn voor de rechter gebracht. Onze stelling was dat het tegen de grondwet was om homohuwelijken te verbieden. Het gevolg was dat Massachusetts de eerste Noord-Amerikaanse staat werd die het homohuwelijk toestond, vanaf 2004. We hebben ons enorm ingezet voor de rechten van homo's en lesbiennes om te mogen adopteren. Ook zodat de ongetrouwde partner van een biologische ouder zijn of haar kind kan adopteren en een tweede, legale ouder wordt. Uiteraard zonder dat de biologische ouder haar rechten opgeeft. We hebben de federale wet uit 1996 aangevochten, die het huwelijk verklaart tot uitsluitend een verbintenis tussen man en vrouw. Kortom,' besluit Angela, jullie zaak past precies in onze agenda. Overigens net als de eis van jouw ex-man naadloos past in Wade Prestons agenda.'

'Ken je Max' advocaat?' vraag ik.

Ze snuift. 'Weet jij het verschil tussen Wade Preston en een aasgier? Dat Preston meer vlieguren maakt. Hij is een homofobe mafkees die heel Amerika rondreist om de individuele staten zover te krijgen dat ze hun wetten aanpassen. Zijn doel is dat homostellen nergens meer kunnen trouwen. Hij is dé grote homohater van dit millennium, zo reactionair en discriminerend als je maar kunt bedenken. Antihomo, anti-abortus, seksistisch en bij vlagen racistisch... En dat allemaal samengeperst in een Armani-pak. Maar als jurist speelt hij het keihard en hij geeft nooit op. Hij schrikt niet terug voor vuil spel. Ik geef je op een briefje dat hij er zo veel mogelijk media bijsleept en dat hij het gerechtsgebouw in rep en roer zal brengen om het publiek aan zijn kant te krijgen. Hij zal jullie afschilderen als een stel ongetrouwde randfiguren, compleet van god los en absoluut ongeschikt om een kind op te voeden.' Angela kijkt van mij naar Zoë. 'Ik moet wel van jullie weten of jullie dat aankunnen. Ook op de lange termijn.'

Ik grijp Zoës hand. 'Ja. Dat kunnen we.'

'Maar wij zíjn getrouwd,' brengt Zoë in het midden.

'Niet volgens de staat Rhode Island. Als jullie zaak voor een rechtbank in Massachusetts zou komen, stonden jullie veel sterker dan in je thuisstaat.'

'Maar al die miljoenen ongetrouwde héteroseksuele stellen dan, die wel kinderen krijgen? Waarom zet niemand vraagtekens bij hún geschiktheid om kinderen groot te brengen?'

'Omdat Wade Preston dit gaat voorstellen als een voogdijzaak. Onzinnig, want wettelijk gezien gaat het helemaal niet over kinderen, maar over eigendom. Maar hij weet donders goed dat bij een voogdijzaak de deugdzaamheid van de ouders én van hun relatie volop in de schijnwerpers komt te staan.'

Zoë schudt haar hoofd. 'Biologisch gezien zíjn het míjn kinderen.'

'Dat klopt, maar hetzelfde geldt voor Max. Juridisch beschouwd heeft hij evenveel recht op de embryo's als jij, Zoë. En Preston zal aanvoeren dat Max die ongeboren kinderen in moreel opzicht iets veel beters kan bieden.'

'Nou, Max is anders niet direct het prototype van een strikt christelijke vader,' zeg ik. 'Hij is niet getrouwd en hij is alcoholist, al drinkt hij kennelijk op dit moment niet.'

'Mooi zo,' prevelt Angela, en ze maakt een notitie. 'Dat zou kunnen helpen. Maar we weten nog niet wat Max met de embryo's van plan is. Wat wij om te beginnen kunnen doen, is laten zien dat jullie een liefhebbend, toegewijd echtpaar zijn. Dat jullie met beide benen in de maatschappij staan, en zeer gerespecteerd worden in jullie beroep.'

'Zou dat voldoende zijn?' vraagt Zoë.

'Ik weet het niet. We hebben geen controle over de wilde achtbaanmanoeuvres die Wade Preston ongetwijfeld gaat maken. Maar we hebben een sterke zaak, en we laten hem beslist niet over ons heen walsen. En nu wil ik graag nog wat achtergrondinformatie van jullie. Wanneer zijn jullie getrouwd?'

'Afgelopen april, in Fall River,' zeg ik.

'En waar wonen jullie nu?'

'Wilmington, Rhode Island.'

Angela schrijft het op. 'Jullie wonen in hetzelfde huis?'

'Ja,' zeg ik. 'Zoë is bij mij ingetrokken.'

'Is dat jouw eigen huis, Vanessa?'

Ik knik. 'Ja, met drie slaapkamers. We hebben genoeg ruimte voor kinderen.'

'Zoë,' zegt Angela, 'ik weet dat je hebt geworsteld met vruchtbaarheidsproblemen, en dat je kinderloos bent. Maar Vanessa, hoe zit het met jou? Ben jij ooit zwanger geweest?'

'Nee...'

'Maar ze heeft geen vruchtbaarheidsproblemen,' voegt Zoë eraan toe.

'Nou ja, ik neem aan van niet. Maar lesbiennes schieten nu eenmaal altijd met losse flodders, dus eigenlijk weet ik het niet.'

Angela grinnikt. 'Laten we het nog even over Max hebben. Dronk hij in de periode dat hij met jou getrouwd was, Zoë?'

Zoë kijkt neer op haar schoot. 'Ik heb een aantal keren een fles gevonden die hij had verstopt. Die liet ik dan leeglopen in de gootsteen. Dat wist hij. Max was degene die altijd de lege flessen naar de glasbak bracht. Maar we hebben er nooit over gesproken. Het ging eigenlijk volgens een vast patroon: ik vond een verstopplek met een fles drank. Ik spoelde het spul door de gootsteen en vervolgens begon Max zich te gedragen als de volmaakte echtgenoot. Opeens wilde hij mijn rug masseren, of me mee uit eten nemen. Dat duurde tot ik de volgende halflege fles vond, onder de stofzuigerzakken of achter de voorraad nieuwe gloeilampen in de berging. Het was alsof we een heel gesprek voerden over hoe hij probeerde de regels op te rekken en vervolgens weer terugkrabbelde, zonder dat er ooit een woord over werd gesproken.'

'Heeft Max je wel eens mishandeld?'

'Nee,' zegt Zoë. 'We zijn door een hel gegaan tijdens de ivf-periode, maar ik heb er nooit aan getwijfeld dat hij van me hield. Wat ik nu allemaal van hem hoor, dat klinkt niet als de Max die ik ken. Meer als iets wat zijn broer zou kunnen zeggen.'

'Zijn broer?'

'Reid heeft Max opgevangen voordat ik hem ontmoette. Hij heeft Max zover gekregen dat hij naar de AA ging. Reid is lid van de Eeuwige Gloriekerk, waar Max nu ook naartoe gaat. En Max woont tegenwoordig bij hem in huis.

'Aha,' zegt Angela. 'Is Reid getrouwd?'

'Ja...'

'Je hebt dus een schoonzus, Zoë,' zegt Angela. Ze laat haar ogen over de dagvaarding gaan die ik naar haar kantoor heb gefaxt, direct na mijn eerste telefoontje. 'Is zij een beetje te pruimen, of is het zo'n type dat op een bezemsteel rondcirkelt?'

Naast me hoor ik Zoë lachen.

'Goed zo,' zegt Angela. 'Zolang jullie nog kunnen lachen, is er hoop voor de wereld. En ik heb nog een miljoen andere flauwe grappen in voorraad, niet over heksen, maar over juristen des te meer.'

Ze legt het faxpapier voor zich op haar bureau. 'Deze dagvaarding bevat nogal wat religieuze taal. Zou Reid iets te maken kunnen hebben met Max' beslissing om een rechtszaak aan te spannen?'

'Of Clive Lincoln,' oppert Zoë. 'Hij is de dominee van die kerk.'

'O, dominee Lincoln. Ja, die ken ik,' antwoordt Angela, en ze rolt met haar ogen. 'Oók zo'n fijne man. Hij heeft ooit een emmer verf over me heen gegooid, op de trappen van het Statenhuis van Massachusetts. Trouwens, is Max altijd zo godsdienstig geweest?'

'Nee, in de tijd dat we getrouwd waren, zijn we zelfs min of meer gestopt met langsgaan bij Reid en Liddy. Het stond ons tegen dat ze geen gelegenheid voorbij lieten gaan om een of andere preek tegen ons af te steken.'

'Hoe keek Max in die tijd aan tegen homoseksualiteit?' vraagt Angela.

Zoë knippert met haar ogen. 'Voor zover ik me herinner hebben we het daar nooit echt over gehad. Ik bedoel, hij was zeker niet openlijk intolerant. Maar hij was ook geen warm voorvechter van homorechten.'

'Heeft Max nu een vriendin?'

'Ik weet het niet.'

'Toen je hem vertelde dat je de embryo's wilde gebruiken, liet hij toen doorschemeren dat hij ze misschien zelf nodig had?'

'Nee, hij zei dat hij erover na zou denken,' zegt Zoë. 'Toen ik thuiskwam was ik behoorlijk optimistisch. Ik zei nog tegen Vanessa dat ik dacht dat we een goede kans maakten.'

'Tja, we kennen mensen nooit zo goed als we denken.' Angela legt haar schrijfblok neer. 'Nu nog even over hoe wij deze zaak gaan aanpakken, en wat jullie kunnen verwachten. Zoë, je weet dat je zult moeten getuigen. En jij ook, Vanessa. Je zult heel open en eerlijk over jullie relatie moeten spreken. En als gevolg daarvan zullen jullie misschien een heleboel vuilspuiterij over je heen krijgen. Zelfs nu, in de eenentwintigste eeuw. Ik heb de griffier vanmorgen gebeld, en hij informeerde me dat de zaak is toegewezen aan rechter O'Neill.'

'Is dat gunstig?' vraag ik.

'Nee,' antwoordt Angela ronduit. 'Je weet toch hoe ze een jurist noemen met een IQ van onder de vijftig? Edel-ácht-bare. Hij is dus niet al te scherpzinnig, wil ik maar zeggen.' Ze fronst haar wenkbrauwen. 'Padraic O'Neill staat op het punt om met pensioen te gaan, iets wat voor mij minstens tien jaar eerder had mogen gebeuren. De man heeft een uiterst traditionele, conservatieve kijk op de dingen.'

'Kunnen we geen ander krijgen?' vraagt Zoë.

'Helaas niet, nee. Als rechtbanken ons zelf de rechters bij onze zaken zouden laten kiezen, dan was het einde zoek. Maar hoe conservatief O'Neill ook is, hij heeft zich nog steeds te houden aan de wet. En juridisch gezien hebben jullie een sterke zaak.'

'Wat was de uitkomst bij eerdere zaken zoals deze, hier in Rhode Island?'

Angela kijkt me aan. 'Dit is de eerste keer dat een dergelijke zaak hier voor de rechter komt. We gaan geschiedenis schrijven.'

'Dus,' mompelt Zoë, 'het kan echt alle kanten op gaan.'

'Hoor eens,' zegt Angela, 'rechter O'Neill is niet de man die ik zou hebben gekozen. Maar we moeten het nu eenmaal met hem doen. We zullen onze zaak zodanig uitgekiend voor het voetlicht brengen dat zelfs híj moet inzien dat jullie tweeën de beste optie zijn voor het gebruik van de embryo's. Het hele betoog van Wade Preston is gebaseerd op een tamelijk achterhaald model; het traditionele, christelijke twee-oudergezin. Maar Max is single. Hij heeft niet eens een eigen dak boven zijn hoofd waar zijn kind zou kunnen opgroeien. En aan de andere kant staan jullie, hét plaatje van het toegewijde, stabiele en intelligente echtpaar. Jullie waren de eersten die het gebruik van de embryo's bij de kliniek hebben aangekaart. Uiteindelijk komt dit proces neer op een keuze voor jullie tweeën óf voor Max. En zelfs een rechter als Padraic O'Neill zal wat Max betreft de bui wel zien hangen.'

Er klinkt een zacht klopje achter ons, en een secretaresse opent de deur. 'Ange? Je afspraak voor elf uur is gearriveerd.'

'Hartstikke leuk joch is dat. Die zou je moeten leren kennen. Hij is transgenderist, maar heeft zijn operatie nog niet gehad. Hij zit in het voetbalteam van zijn middelbare school. Ze spelen binnenkort een aantal uitwedstrijden en nu beweert hun coach dat ze zich geen aparte extra hotelkamer kunnen veroorloven. Die zaak win ik op mijn sloffen.' Angela staat op. 'Ik bel jullie zodra ik meer informatie heb,' zegt ze. 'Tenzij jullie nog vragen hebben, op dit moment?'

'Ja, ik wel,' zegt Zoë. 'Maar het is nogal persoonlijk.'

'Wil je misschien weten of ik lesbisch ben?'

Zoë bloost. 'Ja, dat vroeg ik me af. Maar je hoeft er geen antwoord op te geven, natuurlijk.'

'Ik ben rechttoe rechtaan hetero. Mijn man en ik hebben thuis drie kleine koters rondlopen, dus het is nogal een chaotisch huishouden.'

'Maar toch...' Zoë aarzelt. 'Toch werk je hier?'

'Ik ben verzot op kung-paokip, maar ik weet vrijwel zeker dat er geen druppel Aziatisch bloed door mijn aderen stroomt. Ik hou van de romans van Toni Morrison en films met Denzel Washington, hoewel ik niet zwart ben.' Angela lacht. 'Ik ben hetero, Zoë, en ik ben gelukkig getrouwd. Ik werk hier omdat ik ervan overtuigd ben dat jij dat laatste ook verdient.'

Ik weet niet precies hoe ik ervan overtuigd ben geraakt dat ik nooit kinderen zou krijgen. Natuurlijk, ik ben nog jong. Maar je opties liggen toch duidelijk anders als je lesbisch bent. Er zijn minder mensen met wie je eventueel kunt daten, dus de kans bestaat dat je uiteindelijk uitgaat met iemand die degene kent die jou onlangs aan de kant heeft gezet. Kortom, het is een relatief klein wereldje. En ja, van hetero's wordt gewoon verwácht dat ze in een soort traject terechtkomen dat leidt tot trouwen en een gezin. Maar een homostel moet ontzettend veel moeite doen om een kind te krijgen. Het kost veel tijd, is peperduur en je moet supergemotiveerd zijn. Lesbiennes hebben een spermadonor nodig en homo's een draagmoeder. Of anders moeten we ons in de woelige, onzekere adoptiewereld storten, waarbij een homopaar vaak op voorhand wordt afgewezen als potentiële ouders.

Ik was nooit zo'n soort meisje dat van baby'tjes droomde en oefende door mijn teddyberen een luier om te doen. Ik was enig kind, dus had ik niet de kans te helpen zorgen voor een jongere broer of zus. Vóór Zoë had ik in geen jaren meer een vaste vriendin gehad. Ik was in principe al heel blij geweest met een fijne relatie, dan maar zonder kinderen.

Bovendien, zei ik vaak bij mezelf, had ik al kinderen om voor te zorgen. Ongeveer zeshonderd, op het Wilmington College. Ik luisterde naar hen als ze bij me kwamen uithuilen. Ik vertelde hun dat ze nooit de moed moesten opgeven, en dat morgen er vast beter zou uitzien dan vandaag. Zelfs na hun eindexamen blijven ze nog lang in mijn gedachten. Met sommigen houd ik contact via Facebook. Ik vind het heerlijk als blijkt dat alles tenslotte in orde is gekomen, zoals ik hun voorspeld had.

Maar de laatste tijd heb ik veel nagedacht.

Stel dat ik niet alleen de surrogaatmoeder van al die zeshonderd pubers was tijdens schooluren van acht tot drie? Stel dat ik zelf écht moeder zou zijn? Dat ik bij een ouderavond aanwezig was, niet als spreker maar als toehoorder? Stel dat ik ooit aan de andere kant van het bureau van de schooldecaan terecht zou komen om voor míjn dochter te pleiten, die zo graag de cursus Engels wilde doen die al overvol was?

Ik heb nog nooit dat vlinderachtige gefladder van nieuw leven gevoeld in mijn buik. Nog niet. Maar ik wil wedden dat het een beetje lijkt op hoop. Zodra je het voelt, weet je ook wat het is om het te moeten missen.

Zoë en ik hebben ons kindje nog niet gekregen, maar we hebben onszelf toegestaan te hopen. En ik kan je dit vertellen: vanaf dat moment ging ik voorgoed voor de bijl.

Het is een vreselijke ochtend geweest. De rector heeft zojuist een vijftienjarige geschorst, die een paar flesjes hoestdrank achterover had geslagen om high te worden. Gelukkig is het nu even rustig. Normaal gesproken zou ik Zoë opbellen, maar ik weet dat ze aan het werk is. Ze had gisteren haar werkdag met jonge brandwondenslachtoffers in het ziekenhuis verzuimd om met mij naar RHL Advocaten te gaan. Die dag haalt ze nu in. En dát betekent weer dat ze de muziektherapie van Lucy een week heeft moeten verzetten. Het is mei. Dat is altijd een drukke maand op een middelbare school, dus ik zit niet echt om werk verlegen. Maar in plaats van aan de slag te gaan, ga ik naar de startpagina van Google en tik 'zwangerschap' in.

Ik klik op de eerste website. *Week 3 en 4,* lees ik. *Je baby is zo groot als een papaverzaadje.*

Week 7. Je baby is zo groot als een bosbes.

Week 9. Je baby is zo groot als een groene olijf.

Week 19. Je baby is zo groot als een mango.

Week 26. Je baby is zo groot als een aubergine.

Bij de geboorte is je baby zo groot als een watermeloen.

Ik druk mijn hand tegen mijn buik. Onvoorstelbaar dat hier misschien al heel binnenkort iemand in zal zitten. Een wezentje zo groot als een groene olijf, nota bene. Waarom beschrijven ze op deze site alles in termen van voedsel? Geen wonder dat veel zwangere vrouwen voortdurend trek hebben.

Opeens komt Lucy mijn kantoor instuiven. 'Wat een kutstreek!' roept ze.

'Let op je taalgebruik, Lucy,' antwoord ik.

Ze rolt met haar ogen. 'Ja maar, ik sloof me uit om hier op tijd te zijn voor die afspraak met haar. Dan kan ze toch op z'n minst zo beleefd zijn om te komen opdagen?'

Ik begrijp Lucy wel. Ze doet boos, maar eigenlijk is ze teleurgesteld omdat haar therapiesessie is verzet. Ze zou waarschijnlijk liever doodvallen dan het toegeven, maar ze vindt het blijkbaar écht leuk om met Zoë te werken.

'Ik had een briefje op je kluisje geplakt,' zeg ik. 'Heb je dat niet gelezen?' Zo geven we hier op school berichten door aan individuele leerlingen, door post-its op hun kluisjes te plakken. Het kan gaan om een afspraak met de decaan, om een studievoortgangsgesprek, om een aankondiging over een hockeytoernooi; van alles en nog wat, dus.

'En jij denkt dat ik in de buurt van mijn kluisje kom? Vorig jaar had iemand er een keer een dode muis in gelegd. Gewoon, weet je, om te zien wat ik zou doen.'

Dat is absoluut weerzinwekkend, maar eigenlijk sta ik er niet echt versteld van. Tieners zijn ongelooflijk inventief in het bedenken van wreedheden, daar heb ik gedurende mijn loopbaan sterke staaltjes van meegemaakt. 'Zoë had een stampvol werkrooster deze week, en daarom moest ze jouw afspraak verzetten. Volgende week is ze er weer voor je.'

Lucy vraagt mij niet hoe ik dat weet. Ze weet niet dat ik getrouwd ben met haar muziektherapeute. Maar ze leeft zichtbaar op zodra ze hoort dat Zoë haar niet voorgoed in de steek heeft gelaten. 'Dus ze komt weer terug,' zegt ze.

Ik houd mijn hoofd schuin en kijk haar aan. 'Dat zie jij wel zitten, begrijp ik?'

'Nou, als ze mij zou dumpen, zou dat natuurlijk wel passen in het patroon van mijn leven. Vertrouw iemand, en hij of zij verneukt je.' Lucy kijkt me aan. 'Let op je taalgebruik,' Lucy, zegt ze, precies tegelijk met mij.

'Jullie drumsessie was... heel interessant,' zeg ik, terugdenkend aan het geïmproviseerde rockconcert in de kantine. Na dat akkevietje had ik een uur achter gesloten deuren doorgebracht met de conrector. Het kostte nogal wat moeite hem uit te leggen hoe heilzaam muziektherapie kan zijn voor suïcidale jongeren. En dat het feit dat de gebruikte schalen, pannen en soeplepels opnieuw gesteriliseerd moesten worden, echt maar een heel kleine prijs betekende voor geestelijke gezondheid.

'Dat had nog nooit iemand voor mij gedaan,' bekent Lucy.

'Wat bedoel je?'

'Ze wist dat ze er last mee zou krijgen. Maar het kon haar niet schelen. In plaats van dat ze mij wilde dwingen normaal te doen, of te zijn zoals iedereen wil dat ik ben, deed zij iets totaal waanzinnigs. Dat was...' Lucy begint te stotteren, en probeert de juiste woorden te vinden. 'Het was verdomd dapper, echt waar.'

'Misschien helpt Zoë jou om jezélf te durven zijn.'

'Misschien probeer jij het uur dat ik anders muziektherapie zou hebben, te vullen door Freud te spelen.'

Ik grijns naar haar. 'Jij kent ook al mijn trucjes, hè?'

'En jij bent ongeveer net zo moeilijk te doorzien als Elmo van *Sesamstraat*.'

'Weet je, Lucy,' zeg ik. 'Binnen twee maanden is het zomervakantie. Dan is de school twee maanden gesloten.'

'Vertel mij wat. Ik tel de dagen af.'

'Tja... maar als jij wilt dat je muziektherapie doorloopt deze zomer, moeten we daar van tevoren iets voor zien te regelen.'

Lucy kijkt me geschrokken aan. Het is duidelijk dat ze hier nog niet over heeft nagedacht. Wanneer eind juni de zomervakantie begint, stoppen ook alle nevenactiviteiten, zoals de therapie die op school wordt gegeven.

'Ik weet zeker dat Zoë akkoord gaat als we haar voorstellen jouw muziektherapie deze zomer door te laten lopen,' zeg ik geruststellend. 'En ik wil jullie met alle plezier het gebouw in- en uitlaten voor de therapiesessies, ook als er verder niemand is.'

Haar kin gaat met een ruk omhoog. 'We zien nog wel. Het maakt mij eigenlijk geen bal uit, hoor.'

Maar het maakt haar wel uit, heel veel zelfs. Ze wil het alleen niet laten merken. 'Maar Lucy,' zeg ik, 'je zult toch moeten toegeven dat je al een hoop vorderingen hebt gemaakt. Weet je nog dat je het niet kon uithouden in het rt-lokaal, die eerste sessie met Zoë? En moet je nu eens kijken. Je bent boos omdat ze één keer jullie afspraak moest afzeggen.'

Lucy's ogen vonken. Even ben ik bang dat ze me gaat vertellen dat ik kan opvliegen, of erger. Dan haalt ze haar schouders op. 'Ze heeft me soort van... beslopen. Maar niet op een foute manier. Het was een beetje zoals op het strand staan, vlak bij de waterlijn. Je denkt dat je niet nat wil worden, maar dan, als je weer naar beneden kijkt, zie je opeens dat het water al tot je heupen staat. En voordat je begint te flippen bedenk je opeens dat je eigenlijk best zin hebt om te zwemmen.'

Onder mijn bureau, onzichtbaar voor Lucy, schuift mijn hand weer naar mijn buik. Onze baby zal zo groot worden als een pruim, een nectarine, en een mango. Een hele oogst aan verrukkelijke, zoete dingen. Opeens verlang ik ernaar Zoë's stem te horen, terwijl ze me voor de duizendste keer vraagt of yoghurtverpakkingen al dan niet gerecycled kunnen worden. Of ik haar blauwe zijden blouse die ik de vorige week geleend had, naar de stomerij heb gebracht. Ik wil tienduizend gewone dagen met haar. En ik wil onze baby, als bewijs dat we zo vurig van elkaar hielden dat er een wonder is gebeurd. 'Ja,' zeg ik instemmend, 'zo is ze.'

Angela Moretti had gezegd dat ze ons zou bellen zodra ze meer nieuws had. We hadden niet verwacht dat dat al een paar dagen na ons eerste gesprek zou zijn. Ze zei dat ze deze keer naar ons toe zou komen, om ons de reis te besparen.

Dus staan Zoë en ik nu een vegetarische lasagne te maken en beginnen uit nervositeit alvast aan de fles wijn. 'Misschien lust ze niet eens lasagne,' verzucht Zoë, terwijl ze de salade door elkaar husselt.

'Maar ze heet Moretti!'

'Wat zegt dat nou...'

'Oké, maar wie houdt er nu niet van lasagne?' vraag ik.

'Ik weet niet. Een heleboel mensen.'

'Zoë, liefje. Of ze nu wel of niet van pastagerechten houdt, dat maakt voor onze zaak toch niets uit.'

Ze draait zich naar me om, met haar armen over elkaar geslagen. 'Het zint me niet. Als het iets simpels was, had ze ons dat wel door de telefoon verteld.'

'Of misschien heeft ze wel gehoord dat jij een overheerlijke lasagne kunt maken.'

Zoë laat het saladebestek vallen. 'Ik ben nu al een zenuwwrak,' zegt ze. 'Ik ben hier niet tegen opgewassen.'

'Het wordt nog een stuk slechter voordat het beter wordt.'

Ze leunt tegen me aan en ik sla mijn armen om haar heen. Zo staan we een tijdje, in elkaars armen in de keuken. 'Vandaag in het verpleeghuis, tijdens de groepstherapie, speelden we op de handbellen,' vertelt Zoë. 'Opeens stond mevrouw Greaves op en ging de kring uit om naar de wc te gaan. Maar ze vergat terug te komen. Ze was mijn F en ze had haar handbel meegenomen. Heb je enig idee hoe lastig het is om "Genade zo oneindig groot" te spelen zonder F?'

'Waar ging mevrouw Greaves heen?'

'Het verplegend personeel vond haar in de garage. Ze zat in het busje waarmee de bewoners op donderdag naar de supermarkt worden gebracht. Ongeveer een uur later hebben ze de handbel gevonden, in de oven.'

'Stond hij aan?'

'Wat?'

'De oven.'

'Nee, gelukkig niet.'

'En de moraal van dit verhaal is dat jou en mij een godsgruwelijke rechtszaak te wachten staat, maar dat onze set handbellen in ieder geval nog compleet is.'

Ik voel Zoë's glimlach tegen mijn sleutelbeen. 'Ik wist wel dat jij me op dat ene lichtpuntje zou wijzen,' zegt ze.

De voordeurbel gaat. Angela loopt al druk te praten terwijl ze de drempel amper gepasseerd is. 'Weet jij wat Wade Preston gemeen heeft met een zaadcel? Een op de drie miljoen kans dat hij zich ontwikkelt tot een mens.' Ze overhandigt me een dikke stapel papieren. 'Raadsel opgelost. We weten nu wat Max van plan is met de embryo's. Hij wil ze aan zijn broer geven.'

'Wat?' Zoë's stem klinkt als een zweepslag.

'Ik begrijp het niet.' Ik blader door de papieren, maar ze staan vol juridisch jargon. 'Hij kan ze toch niet zomaar weggeven, alsof het een ruilfeestje is?'

'Nou, dat gaat hij wel degelijk proberen,' zegt Angela. 'Vandaag kreeg ik een kopie binnen van een aanvullend verzoek van Ben Benjamin. Dat is een plaatselijke advocaat die samenwerkt met Wade Preston. Ze willen Reid en Liddy Baxter bij de rechtszaak betrekken als derde partij – maar dan wel aan de kant van de eerste eiser. Max sluit zich bij hun verzoekschrift aan. Hij zegt dat zijn broer en schoonzus de door hem beoogde begunstigden zijn wat de embryo's betreft.' Ze snuift. 'Drie keer raden wie de vette rekening van Wade Preston betaalt.'

'Dus zij kópen de embryo's?'

'Ze zullen het nooit zo noemen, natuurlijk. Maar... ja. In feite komt het daarop neer. Reid en Liddy financieren de rechtszaak, geven zichzelf op als de potentiële ouders en voilà, Wade heeft zijn voorschot in zijn zak. Plus dat hij een bij uitstek traditioneel christelijk echtpaar naar voren schuift om rechter O'Neill mee te paaien.'

Heel langzaam vallen de puzzelstukjes in mijn hoofd op hun plaats. 'Dus je bedoelt dat Liddy een kind van Zoë krijgt?'

'Dat is wat zij voor ogen hebben, ja,' zegt Angela.

Ik sta letterlijk te schudden van kwaadheid. 'Nee, ík krijg het kind Zoë.'

Maar Angela luistert niet. Ze kijkt naar Zoë, die er als verlamd bij zit. 'Zoë? Gaat het?'

Wat ik over mijn echtgenote weet, is dat als ze staat te schreeuwen, haar woede vrij snel overwaait. Wanneer ze net iets harder spreekt dan op fluistertoon is het erger; dan is ze echt des duivels. Op dit moment zijn Zoë's woorden praktisch onhoorbaar. 'Ik wil mijn kind laten voldragen door mijn eigen vrouw, en het vervolgens zelf opvoeden... Maar nu zeg jij dat onze baby voldragen en opgevoed zal worden door iemand die ik niet uit kan staan? En daar heb ik geen zeggenschap over?'

Angela pakt mijn glas wijn uit mijn hand en leegt het in één teug. 'Ze vragen de rechter om de embryo's aan Max te geven. Die kan vervolgens feitelijk met ze doen wat hij wil. Maar wat ze al tijdens het proces naar voren willen brengen, is dat Max de embryo's aan Reid en Liddy wil geven. Want ze weten verdomd goed dat juist dát de beslissing van de rechter zal beïnvloeden.'

'Wat moeten Reid en Liddy eigenlijk met die embryo's? Waarom krijgen ze niet hun eigen, stomme rotkinderen?' vraag ik.

Zoë draait zich naar me toe. 'Omdat Reid dezelfde vruchtbaarheidsproblemen heeft als Max. Het is genetisch. Alleen, wij zijn naar een fertiliteitskliniek gegaan om dat uit te laten zoeken. Reid en Liddy gingen te rade bij Clive Lincoln.'

'Maar de embryo's zijn tot stand gekomen in de periode dat Max en Zoë getrouwd waren. Als Zoë ze nog steeds wil, kan een rechter ze toch niet weggeven aan vreemden?'

'Max gelooft blijkbaar dat de beste plaats voor deze potentiële kinderen een heteroseksueel, welgesteld twee-oudergezin is. En Reid en Liddy zijn geen vreemden. Ze zijn genetisch verwant aan die embryo's. Véél te verwant, als je het mij vraagt. Reid is de oom van de embryo's, en zijn vrouw zal dus uiteindelijk bevallen van zijn nichtje of neef. Dat riekt naar inteelt, vind je niet?'

'Maar Reid en Liddy kunnen toch zelf een spermadonor zoeken. Of ivf ondergaan, net als Max en Zoë gedaan hebben. Dit zijn Zoës laatste levensvatbare eicellen. Dit is voor haar de enige kans om biologisch verwant te zijn met ons eigen kind,' zeg ik.

'En dát ga ik ook tegen de rechter zeggen,' benadrukt Angela. 'Zoë heeft als biologische moeder het sterkste, meest voor de hand liggende recht op de embryo's. Ze is van plan de kinderen op te voeden in een stabiel gezin, dat niets gemeen heeft met die ontuchtige poel van zonde waar Wade Preston het zo graag over heeft.'

'Dus wat doen we nu?' vraagt Zoë.

'Vanavond gaan we om de tafel zitten en vertellen jullie mij alles was jullie weten over Reid en Liddy Baxter. Ik ga een verzoekschrift indienen bij de rechtbank om die twee buiten dit proces te houden. Maar ik heb het akelige voorgevoel dat zij zich er hoe dan ook in zullen weten te mengen,' zegt Angela. 'We gaan zonder meer de strijd aan. We zullen alleen een beetje harder moeten vechten.'

Op dat moment rinkelt de kookwekker van de oven. We hebben lasagne met zelfgemaakte saus. We hebben versgebakken knoflookbrood en een salade besprenkeld met stukjes peer, brie en gekonfijte walnoten. Tien minuten geleden waren Zoë en ik er nog op gebrand een onvergetelijke maaltijd te bereiden. Angela Moretti moest immers uit de eerste hand ervaren hoeveel zorg en koestering wij te bieden hadden. Dan zou ze zich zéker met hart en ziel in de strijd om de embryo's zou storten. Tien minuten geleden rook het eten nog om te watertanden.

Nu heeft niemand meer trek.

MAX

Stel je eens voor. Je bent de noordpool van een magneet, en je mag onder geen beding de zuidpool van een andere magneet aanraken, al word je ernaartoe gezogen als naar een zwart gat. Of, je komt half-dood de woestijn uit gestrompeld, en voor je neus staat een vrouw met een kan ijswater die ze net buiten je bereik houdt. Of je bent zojuist van een gebouw af gesprongen, en je krijgt te horen dat je niet mag vallen.

Zo voelt het als je een borrel wilt.

En dat gevoel overvalt me zodra Zoë me opbelt nadat ze de dagvaarding heeft ontvangen.

Dominee Clive had al zo'n idee dat ze zou bellen. Daarom had hij Reid opgedragen niet van mijn zijde te wijken op de dag dat de gerechtsdeurwaarder naar haar toe zou gaan. Reid heeft vandaag vrij genomen van zijn werk, en we zijn met zijn boot de zee op gegaan om op zwarte zeebaars te vissen. Reid heeft een mooie Boston Whaler, die hij speciaal heeft aangeschaft om samen met klanten een middagje te gaan vissen op gestreepte zeebaars of makreel. Maar zwarte zeebaars is een heel ander soort vis. Die houdt zich schuil in onderwatergrotten en tussen stenen, waar je vislijn geheid vast komt te zitten. En áls je al een keer beet hebt, dan is de buit nog lang niet binnen. De kunst is om af te wachten tot de vis de complete strandkrab heeft opgeslokt die jij als aas hebt uitgeworpen. Als je te vroeg of te snel aan de werp-molen draait, sta je vervolgens tien tegen een naar een lege haak te kijken.

We dobberen nu al urenlang op open zee en hebben tot dusver nog niets gevangen. Het is begin mei. Warm genoeg om onze sweatshirts uit te trekken en zonnebrand op te lopen. Mijn gezicht voelt strak en pijnlijk. Maar dat heeft misschien minder met de zon te maken dan met het beeld dat ik alsmaar voor me zie van Zoë, die de deur opendoet voor de gerechtsdeurwaarder.

Reid haalt twee koude Canada Dry ginger ales tevoorschijn uit de koeltas. 'De vissen willen niet bijten, vandaag,' zegt hij.

'Blijkbaar niet.'

'Misschien moeten we maar een smoes verzinnen om aan Liddy te vertellen,' zegt Reid. 'Om onszelf een buitensporige vernedering van ons mannelijk ego te besparen.'

Ik kijk met een schuin oog naar hem op. 'Ik denk niet dat het haar kan schelen of wij met zwarte zeebaars thuiskomen of niet,' zeg ik.

'Oké, maar het is wel een beetje een afgang als zo'n stel glibberige, zwarte holbewoners je te slim af is, toch?'

Reid haalt zijn vislijn in en spietst nog een strandkrab aan zijn haak. Hij heeft mij ooit geleerd hoe je een worm aan een vishaak doet, maar de eerste keer dat ik het zelf probeerde, moest ik kotsen. Reid was erbij toen ik mijn eerste meerforel ving. Hij was er zo laaiend enthousiast over dat je zou denken dat ik de hoofdprijs in de loterij had gewonnen.

Hij zal een goede vader zijn.

Alsof hij mijn gedachten kan lezen kijkt hij me aan, met een grote glimlach op zijn gezicht. 'Weet je nog dat ik je geleerd heb om een werphengel uit te gooien? En hoe je vishaak ooit verstrikt kwam te zitten in mama's strooien zonnehoed, zodat die midden in het meer terechtkwam?'

Daar heb ik in geen jaren meer aan gedacht. Ik schud mijn hoofd. 'Misschien is je eigen zoon straks een betere leerling.'

'Of dochter,' zegt Reid. 'Een meisje kan ook uitgroeien tot een meesterlijke sportvisser, hoor.' Hij is zo opgetogen over die mogelijkheid dat ik maar naar zijn gezicht hoef te kijken om zijn toekomst scherp voor me te zien. De eerste balletles, een foto van het eindexamenfeest, een vader die met zijn dochter danst op haar bruiloft. Ik heb hem onderschat. Ik dacht altijd dat hij alleen maar een kick kreeg als er een zakelijke deal in het geding was. Maar nu denk ik dat hij zich misschien zo op zijn werk heeft gestort omdat hij een gezin wilde, wat niet lukte. Dat het hem te veel pijn deed om dat dag in dag uit te moeten voelen.

'Hé, Max?' zegt Reid vragend, en ik kijk op. 'Denk jij dat mijn kind... denk je dat hij of zij me aardig zal vinden?'

Ik heb Reid zelden anders gezien dan volkomen overtuigd van zichzelf. 'Wat is dat nou voor een vraag?' zeg ik. 'Natuurlijk wel.'

Reid masseert zijn onderste nekwervels. Zijn kwetsbaarheid maakt hem, nou ja, menselijker. 'Dat kun je nu wel zeggen,' voert hij aan, 'maar wij hadden niet zo'n hoge pet op van onze eigen vader.'

'Dat was iets heel anders, zeg ik. 'Jij bent niet hetzelfde als pa.'

'Hoezo niet?'

Daar moet ik even over nadenken. 'Jij blijft altijd betrokken,' zeg ik dan. 'En hij is dat om te beginnen al nooit geweest.'

Reid laat mijn woorden bezinken. Dan glimlacht hij naar me. 'Bedankt,' zegt hij. 'Het betekent heel veel voor me dat jij het me toevertrouwt om dit te doen.'

Nou ja, natuurlijk vertrouw ik hem dat toe. In theorie lijkt er geen beter stel ouders dan Reid en Liddy. Opeens herinner ik me dat ik midden in de nacht rechtop in bed zat met een rekenmachine in mijn hand. Ik probeerde uit te pluizen hoe diep Zoë en ik in de schulden zouden komen als we naast de ivf-behandeling óók nog de verzorging van een baby moesten betalen. De doktersbezoeken, de luiers, de voeding en de kleding. Zoë had mijn pessimistische berekeningen direct weggewuifd. 'Dat het in theorie niet uitkomt,' had ze gezegd, 'betekent niet dat we er in het echte leven geen mouw aan kunnen passen.'

'Maar het is normaal, toch? Om een beetje bang te zijn voor het vaderschap?'

'Je wordt niet iemands rolmodel omdat je zo slim bent dat je voor alles de goede oplossing paraat hebt,' zeg ik langzaam. Ik probeer voor mezelf onder woorden te brengen waarom ik altijd zo tegen Reid heb opgekeken. 'Je wordt iemands rolmodel omdat je slim genoeg bent om altijd de juiste vragen te blijven stellen.'

Reid kijkt me aandachtig aan. 'Jij bent veranderd, weet je dat? Je manier van praten, en de beslissingen die je neemt. Ik meen het, Max. Vergeleken met vroeger ben je een ander mens geworden.'

Mijn hele leven heb ik zó verlangd naar Reids goedkeuring. Dus waarom voel ik me nu opeens misselijk?

Wanneer de telefoon gaat, wordt het echt bizar. Niet alleen omdat we voor de kust van Rhode Island drijven, in feite vlak bij Zoë in de buurt, maar ook omdat we allebei al weten dat zíj belt. 'Denk eraan wat Wade heeft gezegd,' waarschuwt Reid, terwijl ik de rinkelende mobiele telefoon in mijn hand houd.

Zoë begint te schreeuwen, nog voordat ik het mobieltje tegen mijn oor heb gedrukt. 'Ik mag niet met je praten,' onderbreek ik haar. 'Dat heeft mijn advocaat gezegd...'

'Waarom? Waarom doe je mij dit aan?' Zoë huilt. Dat weet ik, omdat haar stem klinkt alsof hij in een badstof washandje verstopt zit. God weet dat ik dit vaak genoeg gehoord heb door de telefoon, als ze me belde om te zeggen dat ze alweer niet zwanger was, of een miskraam had gehad. En dan probeerde ze me ook nog te overtuigen dat het best redelijk ging met haar. Wat duidelijk niet het geval was.

Reid legt zijn hand op mijn schouder. Om me te steunen, neem ik aan. Ik sluit mijn ogen. 'Ik wil jou niets aandoen, Zoë. Ik doe dit voor onze kinderen.'

Ik voel dat Reid de mobiel van me overneemt. Hij drukt een toets in om het gesprek te beëindigen.

'Je hebt het héél goed gedaan,' zegt hij.

Als het waar is dat ik veranderd ben, waarom heb ik het dan nodig dat Reid mij dit op het hart drukt?

Tegen mijn ene knie staat de emmer vol strandkrabben die we als aas gebruiken. Niemand houdt van strandkrabben. Ze bungelen onder aan de voedselketen. Ze scharrelen rond in kringetjes en lopen elkaar alleen maar in de weg. Ik krijg een onbedwingbare neiging ze allemaal overboord te gooien, om ze een tweede kans te geven.

'Gaat het een beetje?' vraagt Reid, terwijl hij me behoedzaam opneemt. 'Hoe voel je je?'

Ik heb dorst.

'Je zult het niet geloven, maar ik ben een beetje zeeziek. Ik denk dat we maar eens moeten opkrassen, hier.' Een kwartier later arriveren we bij de ligplaats. 'Ik heb ook nog aan dominee Clive beloofd dat ik bij hem thuis een paar struiken kom snoeien, vandaag,' zeg ik tegen Reid.

'Jammer dat het niet zo wilde lukken met vissen,' zegt Reid. 'Volgende keer beter, hè?'

'Veel slechter kan het niet.'

Ik help hem de boot op de trailer te laden en schoon te spoelen.
Dan wuif ik hem na terwijl hij naar huis rijdt, naar Liddy.

Maar ik heb dominee Clive helemaal niet beloofd struiken te komen
snoeien. Ik spring in mijn truck en begin te rijden. Ik zou mezelf op een
board hijsen en net zo lang surfen tot de golven alle gedachten uit mijn
hoofd hadden gebeukt, maar er staat geen zuchtje wind. Er is geen
deining, en dat is een kwelling voor me. Intussen voelt mijn tong alsof
hij opgezwollen is tot twee keer de normale grootte. Mijn keel zit zo
dicht dat ik de lucht nauwelijks mijn strot uit kan persen.

Ik heb dorst.

Wat maakt het uit, één neutje? Reid heeft het tenslotte zojuist nog
tegen me gezegd: ik ben een totaal ander mens. Ik heb Jezus gevonden. Ik weet dat Hij me de kracht zal geven om het bij één borrel te
laten. En laten we eerlijk zijn, als Jezus op dit moment in mijn schoenen stond, zou Hij ook wel behoefte hebben aan een opkikkertje. Ik
wil geen café induiken, want de muren hebben hier oren. Je weet maar
nooit wat er doorgekletst wordt.

Reid heeft toegezegd dat hij het overgrote deel van Wade Prestons
honorarium zal betalen ('Voor mijn kleine broertje doe ik alles,' zei
hij). De kerk draagt de rest bij. Dus... het laatste wat ik wil is dat een
of ander gemeentelid van de Eeuwige Gloriekerk me verklikt vanwege
één uitglijdertje. Niet naar de kroeg, dus. In plaats daarvan rijd ik
naar een drankwinkel helemaal in Woonsocket. Daar ken ik niemand,
en niemand kent mij.

Ik heb gehoord dat ik in de nabije toekomst heel wat verklaringen
zal moeten afleggen. Nou, hier is alvast een beginnetje:

1. Ik koop maar één fles Jack Daniel's.
2. Ik neem me voor een paar slokken te nemen, en de rest weg te
   gooien.
3. Als verder bewijs dat ik helder van geest ben en dit geen terugval
   betekent (of een nieuwe, persoonlijke zondeval, of zoiets), laat ik
   het zegel van de fles intact tot ik weer in Newport ben. Nu hoef ik
   nog maar zo'n zeven kilometer te rijden, en dan ben ik al thuis.

Al het bovenstaande toont aan, edelachtbare, dat Max Baxter zichzelf, zijn leven en zijn drinkgedrag volledig onder controle heeft.

Maar als ik een parkeerplaats oprijd en de fles opendraai, trillen mijn handen. De eerste, gouden slok streelt mijn tong en mijn keel. Ik zou durven zweren dat ik Gods aangezicht zie.

De eerste keer dat ik Liddy ontmoette, vond ik haar niet leuk. Reid had haar leren kennen op een zakenreis door Mississippi; ze was de dochter van een van zijn beleggingsportefeuilleklanten. Ze stak me een slap handje toe, er verschenen kuiltjes in haar wangen en ze zei: 'Ik ben zó blij om eindelijk kennis te maken met Reids kleine broertje.' Ze zag eruit als een pop. Ze had lange, blonde krullen, een petieterige taille en kleine handen en voeten. Ze droeg een kuisheidsring als teken dat ze nog maagd was, en van plan was dat tot haar huwelijk te blijven.

Trouwens, Reid en ik hadden het daar nog even over gehad, over wat die ring betekende. Ik wist dat Reid geen heilige was. Hij had in het verleden een heel rijtje relaties gehad. En ikzelf kon me niet voorstellen dat ik een voorraad ijs zou kopen waar ik mijn leven lang mee moest doen zonder er eerst van te proeven, hoe lekker het er ook uitzag. Maar goed, het was Reids eigen leven. Het was beslist niet aan mij om hem de les te lezen. Als hij niets anders dan het (slappe) handje van zijn verloofde wilde vasthouden tot zijn huwelijksnacht, was dat zijn probleem, niet het mijne.

Liddy was drie jaar eerder afgestudeerd aan een hbo-opleiding theologie. Sindsdien had ze maar één klein baantje: ze was zondagschooljuffrouw in de kerk van haar vader. Ze had niet eens een rijbewijs. Soms zocht ik gewoon ruzie met haar, alleen omdat het zo makkelijk was om haar op de kast te krijgen. 'Maar hoe pak je dat dan aan als je iets voor jezelf wilt kopen?' vroeg ik haar bijvoorbeeld. 'Of stel dat je een keer een biertje wilt pakken?'

'Papa betaalt mijn onkosten,' antwoordde ze dan. En: 'Ik ga nooit naar een café.' Ze was niet gewoon lief, nee, ze was suikerzoet. *Al sla je me dood*, dacht ik, *ik snap niet waarom Reid niet inziet dat Liddy gewoon te mooi is om waar te zijn.* Niemand was alléén maar lief en goed. Niemand had de Bijbel van kaft tot kaft gelezen. Niemand barstte spontaan in tranen uit wanneer op tv beelden werden vertoond van uitgemergelde kinderen in Ethiopië. Ik had zo'n vermoeden dat ze iets te verbergen had. Misschien had ze wel een duister ver-

leden als Hells Angels-groupie. Of had ze al tien kinderen, die ze verstopt had ergens in een achterlijke, dunbevolkte staat. Maar Reid
lachte me in mijn gezicht uit. 'Max toch,' zei hij. 'Er zit niet altíjd een
addertje onder het gras. Waarom ben je zo achterdochtig?'

Liddy was opgegroeid in het Amerikaanse zuiden, als het enige, ver-
wende kind van de dominee van een pinkstergemeente. Het zou voor
haar een gigantische verandering betekenen om naar zo'n griezelig
wereldse, noordelijke staat te verhuizen. Dus stond haar vader erop
dat ze de proef op de som nam. Zij en haar nichtje Martine verhuis-
den tijdelijk naar Providence, de hoofdstad van Rhode Island. Ze
trokken in een piepklein appartementje op College Hill, dat Reid
voor hen had gevonden. Martine was achttien en dolblij dat ze van
huis weg was. Ze begon korte rokjes en hoge hakken te dragen, stortte
zich in het uitgaansleven en flirtte bij het leven met studenten van de
Brown Universiteit. Liddy pakte het anders aan. Zij werd vrijwilligster bij de plaatselijke voedselbank. 'Wat heb ik je gezegd? Ze is een
engel,' zei Reid voldaan tegen me.

Maar ik deed er het zwijgen toe en hij begreep dat ik zijn verloofde
nog steeds niet zag zitten. Reid hield niet van dat soort wrijving binnen de familie. Dus besloot hij dat ik gewoon veel tijd met Liddy
moest doorbrengen, dan zou ik haar ongetwijfeld aardig gaan vinden.
Hij begon smoesjes te verzinnen, bijvoorbeeld dat hij moest overwer-
ken. En of ík Liddy dan iedere dag van het centrum van Providence
naar Newport wilde rijden, waar hij met haar uit eten ging of naar de
film.

Ik vond het moeilijk dat te weigeren, maar ik deed het aanvankelijk zeker niet van harte. Zodra Liddy bij me in de truck stapte voor
haar dagelijkse lift, begon ze aan de knoppen van mijn radio te draai-
en en stemde af op een klassieke zender. Van Liddy heb ik geleerd dat
de oude componisten hun stukken altijd lieten eindigen in majeur,
ook al was het muziekstuk voornamelijk geschreven in mineur. Dat
was omdat men ooit geloofde dat eindigen in mineur een bepaalde
link had met de duivel. Ze kon zo goed blokfluiten dat ze bij een landelijk symfonieorkest had gespeeld, en ze was voorzitter geweest van
de studievereniging van haar theologieopleiding.

Soms zat ik te vloeken op een chauffeur die me sneed, en dan kromp
ze in elkaar alsof ik haar had geslagen.

Als ze me iets vroeg over mij, probeerde ik haar te choqueren. Zo vertelde ik haar dat ik soms in het donker surfte, gewoon om te kijken of ik een golf kon berijden zonder tegen de rotsen te pletter te slaan. Ik vertelde haar dat mijn voormalige vriendin een stripper was. (Dat klopte ergens wel, maar er kwam geen hitsige paaldans aan te pas. Ze was gewoon behanger, maar dat laatste zei ik dus niet tegen Liddy.)

Op een steenkoude dag, toen we in de file stonden, vroeg ze me de verwarming in de cabine hoger te zetten. Dat deed ik, en vijf seconden later klaagde ze dat ze het zo warm had. 'Wel verdomme,' zei ik. 'Wat wíl je nou eigenlijk?'

Ik dacht dat ze me ervan langs zou geven vanwege mijn gevloek, maar nee. Ze draaide haar gezicht naar me toe en vroeg: 'Waarom vind je mij niet aardig?'

'Zeg, je gaat met mijn broer trouwen hoor,' antwoordde ik. 'Het lijkt me belangrijker dat híj jou aardig vindt.'

'Dat is geen antwoord op mijn vraag.'

Ik rolde met mijn ogen. 'Jij en ik zijn gewoon heel verschillend, dat is alles.'

Ze tuitte haar lippen. 'Nou ík denk van niet.'

'O nee?' zei ik. 'Ben jij ooit dronken geweest?'

Liddy schudde haar hoofd.

'Ooit een sigaret van iemand gebietst?'

Nee, dus.

'Heb je ooit wel eens een pakje kauwgom gejat?'

Stel je voor. Nog nooit.

'Heb je ooit een vriendje van je belazerd?'

Nee.

'Ha. Wedden dat jij nooit zó serieus hebt liggen rollebollen dat je het niet droog hield,' mompelde ik.

Liddy bloosde zo diep dat het voelde alsof mijn eigen gezicht in brand stond. 'Wachten tot je getrouwd bent, is geen schande,' zei ze. 'Het is het mooiste cadeau dat je degene van wie je houdt kunt geven. En trouwens, ik ben niet het eerste meisje dat het zo aanpakt.'

Maar jij kon wel eens de eerste zijn die het echt zo lang volhoudt, dacht ik. 'Heb je ooit gelogen?' vervolgde ik mijn ondervraging.

'Ehm, ja. Maar alleen om papa's surpriseparty voor zijn verjaardag geheim te houden.'

'Heb je ooit iets gedaan waarvan je later spijt hebt gekregen?'

'Nee,' zei ze, precies zoals ik had verwacht.

Ik liet mijn polsen losjes op het stuur rusten en keek opzij, naar haar profiel. 'Heb je dat ooit wel eens gewíld?'

We moesten stoppen voor een rood licht. Liddy keek me aan. En, misschien voor de allereerste keer, keek ik echt, écht naar haar. Die blauwe ogen, waarvan ik had gedacht dat ze zo leeg en glazig waren, straalden van nieuwsgierigheid en verlangen.

'Natuurlijk,' fluisterde ze.

Achter ons toeterde een bestuurder. Het verkeerslicht was op groen gesprongen. Ik keek door de voorruit en besefte dat het inmiddels sneeuwde. Dat betekende dat mijn dienst als Liddy's chauffeur er nog lang niet op zat. 'Kalm aan een beetje,' mompelde ik binnensmonds tegen de bestuurder achter me.

Op hetzelfde moment kreeg Liddy door dat het weer was omgeslagen. 'O, dolletjes!' riep ze. (Wie zei er nu in dit millennium nog 'dolletjes?') En nog voor ik opnieuw tot stilstand kon komen was ze uit de truck gesprongen. Ze rende naar het midden van het kruispunt, met uitgestrekte armen en gesloten ogen. Sneeuwvlokken dwarrelden neer op haar gezicht en haar.

Ik drukte driftig op de claxon, maar ze reageerde niet. Ze was bezig een grote verkeersopstopping te veroorzaken. Zacht vloekend stapte ik uit mijn truck. 'Liddy,' brulde ik. 'Kom terug in de wagen, jij!'

Ze bleef rondwervelen op het kruispunt, met een uitdrukking van opperste verrukking. 'Ik heb nog nooit sneeuw gezien!' zei ze. 'Dit gebeurt nooit in Mississippi! O, wat is dit prachtig!'

Het was niet prachtig. Niet hier, langs een groezelige doorgaande weg in Providence, waar op de eerstvolgende straathoek een drugshandelaar stond te dealen. Maar cynici gaan altijd uit van het slechtste, en ik moet wel cynicus in het kwadraat zijn geweest. Want op dat moment realiseerde ik me waarom ik Liddy principieel niet vertrouwde. Ik was bang dat er misschien wél iemand als Liddy moest bestaan in dit universum, als tegenwicht voor iemand zoals ik. Een vrouw die niets verkeerds kon doen compenseerde allicht een lummel als ik, die nooit iets goed kon doen.

Samen waren we twee helften van één geheel.

En ik begreep waarom Reid voor haar was gevallen. Niet ondánks het feit dat ze zo beschermd was opgegroeid, maar juist daarom. Alles wat voor haar de eerste keer was, daar zou hij bij zijn. Haar eerste eigen bankrekening. Haar eerste seksuele ervaring. Haar eerste, echte baan. Ik was nog nooit iemands eerste – nou ja, wat dan ook, geweest. Behalve als je *eerste vergissing* meetelde.

Intussen begonnen andere auto's zich in het toeterconcert te mengen. Liddy greep mijn handen en draaide me snel een keer rond.

Het lukte me haar mee te tronen naar de truck, maar ergens vond ik dat spijtig. Ik had best nog heel lang met haar op dat kruispunt willen rondwervelen.

Toen we weer begonnen te rijden, waren haar wangen roze en was ze buiten adem.

Ik weet nog dat ik dacht: *Reid zal al die andere dingen krijgen. Maar Liddy's eerste sneeuw? Dat is iets van mij alleen.*

Eén slok is bijna niets, als je het zou afmeten. Hooguit een theelepel vol. Je proeft het wel even, maar het is niet genoeg om je keel te smeren. Vandaar dat de eerste teug leidt tot een heel, heel klein tweede slokje. En nog eentje, eigenlijk alleen om mijn lippen nat te maken. Maar dan begin ik te denken aan Zoë's stem en aan die van Liddy. Ze versmelten met elkaar en ik móét wel een fikse teug nemen om de twee stemmen weer uit elkaar te halen.

Ik heb echt niet veel gedronken. Maar het is gewoon zo lang geleden, en daarom verspreidt de kick zich razendsnel door mijn lichaam. Ik krijg een adrenalinestoot iedere keer als ik met mijn voet op de rem sta, en die golf spoelt alle gedachten weg die op dat moment in mijn hoofd zitten.

En dat voelt heel erg goed.

Ik grijp weer naar de fles, maar tot mijn verbazing zit er niets meer in.

Ik moet aanzienlijk gemorst hebben onder het rijden, want ik heb heus geen driekwart liter whisky naar binnen geklokt.

Ik bedoel, dat kan toch niet?

In mijn achteruitkijkspiegel zie ik een feestelijk verlichte kerstboom. Dat vind ik zo fascinerend dat mijn blik er gewoon aan vast blijft kleven, ook al weet ik dat ik mijn aandacht bij de weg moet houden. Dan komt de boom in beweging en begint er een sirene te loeien.

Het is mei, en er staan helemaal geen versierde kerstbomen in de stad. Een politieagent klopt op mijn raampje.

Ik moet het wel omlaag draaien, anders krijg ik zeker een bekeuring. Kom op Max, alles onder controle, zeg ik tegen mezelf. Gewoon aardig en beleefd zijn. Natuurlijk kan ik die smeris overtuigen dat ik niet gedronken heb, dat heb ik de godganse wereld tenslotte jarenlang wijsgemaakt.

Hij komt me bekend voor. Ik denk dat hij lid is van onze kerk. 'O, lieve help,' zeg ik met een brede, schaapachtige grijns. 'Je gaat me toch niet vertellen dat ik zeventig reed in een vijftigkilometerzone?'

'Sorry Max, maar ik moet je vragen uit de auto te...'

'Max!' De agent en ik draaien ons allebei tegelijk om. We horen een autoportier dichtklappen, en zien Liddy met haastige passen op ons afkomen.

De politieman doet een stap terug, terwijl Liddy haar hoofd door mijn autoraampje steekt. 'Hoe kóm je erbij om zelf naar de Spoedeisende Hulp te rijden?' Ze wendt zich tot de agent. 'O, Grant, wat ben ik blij dat jij hem gevonden hebt...'

'Maar ik...'

'Hij is van een ladder gevallen terwijl hij bezig was de goten schoon te maken. Hij viel met zijn hoofd tegen de muur, dus ging ik naar binnen, een ijskompres halen. En wat denk je? Ik kom terug en zie hem wegknorren in zijn truck.' Fronsend kijkt ze me aan. 'Max, je had jezelf wel dood kunnen rijden! Of erger nog – je had iemand anders dood kunnen rijden! Je hebt me daarnet nog verteld dat je dubbel ziet, toch?'

Ik heb geen flauw idee hoe ik moet reageren. Ik vraag me af of zíj misschien op haar hoofd gevallen is.

Liddy opent de deur van mijn truck aan de bestuurderskant. 'Schuif eens op, Max,' zegt ze. Ik maak mijn veiligheidsgordel los en schuif over de brede voorbank naar de bijrijdersstoel. 'Grant, ontzéttend bedankt. Wat zijn we toch gezegend met een politieman als jij, die over onze veiligheid waakt. En dan heb ik het nog niet eens over je toewijding aan onze kerk.' Glimlachend kijkt ze naar hem op. 'Wil je zo lief zijn ervoor te zorgen dat mijn eigen auto straks weer bij me voor de deur staat?'

Ze zwaait even naar hem en rijdt weg.

'Ik heb mijn hoofd niet gestoten...'

'Dat weet ik ook wel,' zegt Libby vinnig. 'Ik was naar je op zoek. Reid vertelde me dat je na het vissen niet met hem meegereden was naar huis, omdat je iets zou doen voor dominee Clive.'

'Ja, dat klopt.'

Ze kijkt me aan. 'Maar het gekke is dat ík de hele middag bij dominee Clive was, en ik heb jou daar niet gezien.'

'Heb je het aan Reid verteld?'

Liddy zucht. 'Nee.'

'Ik kan het uitleggen...'

Ze heft één handje op. 'Alsjeblieft, Max... láát maar.' Ze trekt haar neus op en zegt: 'Whisky.'

Ik sluit mijn ogen. Stomme idioot die ik ben, om te denken dat ik me hier wel even uit kan lullen. Ik zie er dronken uit. Ik ruik dronken. 'Hoe weet jij dat nou, als je zelf nog nooit hebt gedronken?'

'Omdat mijn vader dat wél deed. Elke dag, zolang ik thuis heb gewoond,' zegt Liddy.

Iets aan haar toon zet me aan het denken. Zou haar vader, de predikant, net als ik geprobeerd hebben zijn eigen demonen weg te drinken?

Ze rijdt de afslag voorbij die naar ons huis leidt. 'Geen denken aan dat ik jou in deze toestand mee naar huis neem.'

'Waarom geef je me geen knal voor mijn kop, dan kun je me alsnog naar het ziekenhuis brengen,' brom ik zachtjes.

Liddy perst haar lippen op elkaar. 'Denk maar niet dat ik dat niet heb overwogen,' zegt ze.

De ergste ruzie die ik ooit met Zoë heb gehad, was na een etentje op kerstavond bij Reid en Liddy thuis. We waren toen denk ik ongeveer vijf jaar getrouwd, en hadden al een hele partij zwangerschapsdrama's achter de rug. Hoe dan ook, het is geen geheim dat Zoë geen grote fan was van mijn broer en zijn vrouw. Ze had de hele dag naar het weerkanaal zitten kijken, in de hoop dat er zoveel sneeuw zou worden voorspeld dat we wel thuis moesten blijven.

Liddy was dol op Kerstmis. Ze versierde altijd hun hele huis. Niet op een goedkope of ordinaire manier, met opblaaskerstmannen en zo, maar echt stijlvol. Ze drapeerde guirlandes rond de trapleuningen en hing mistletoe in sierlijke bogen aan de kroonluchters. Ze had een verzameling antieke, uit hout gesneden kerststalfiguren. Daarmee richtte ze een indrukwekkende kerststal in op een wandtafel in de woonkamer. Een dag voor kerst verdween haar gewone servies de kast in. Dan kwam er een compleet kerstservies tevoorschijn met handgeschilderde hulsttakjes en rode bessen langs de porseleinen randen. Reid had me verteld dat het haar ruim een dag kostte om het huis voor te bereiden op de feestdagen, en ik hoefde alleen maar om me heen te kijken om te beseffen dat dat niet overdreven was.

'Alle mensen,' mompelde Zoë, terwijl we in de hal stonden en Liddy onze jassen in de garderobekast hing. 'Is Anton Pieck hier langs geweest?'

Op dat moment kwam Reid de hal in, met twee mokken warme, alcoholvrije cider. Hij dronk nooit als ik erbij was. 'Zalig kerstfeest,' zei hij, klopte me op mijn rug en gaf Zoë een zoen op haar wang. 'Hoe was het op de weg?'

'Niet zo best,' antwoordde ik. 'En het wordt alleen maar slechter.'

'We kunnen waarschijnlijk niet al te lang blijven,' had Zoë eraan toegevoegd.

'Wij zagen een auto van de weg af raken toen we terugkwamen uit de kerk,' zei Reid. 'Gelukkig waren er geen gewonden.'

Elk jaar op de middag voor kerst regisseerde Liddy het kerstpel van de kinderen, dat ze al weken met hen had ingestudeerd. 'En, was het leuk vanmiddag? vroeg ik haar. 'Gaan jullie dit keer op tournee?'

'Het was weer onvergetelijk,' zei Reid, en Liddy gaf hem een speelse mep op zijn hoofd.

'We hadden een sanitair probleem met een ezel,' vertelde Liddy. 'Een van de kinderen van de zondagsschool heeft een oom die een kinderboerderij beheert. Hij was zo vriendelijk ons een ezel uit te lenen.

'Een ezel?' herhaalde ik. 'Een echte?'

'Ja, maar hij was erg tam. Hij verroerde zich zelfs niet toen het meisje dat Maria speelde op zijn rug klom. Maar toen...' Liddy huiverde zichtbaar. 'Toen stond hij halverwege het middenpad stil en... liet een jeweetwel vallen.'

Ik barstte in lachen uit. 'Stond hij midden in de kerk te poepen?'

'Pal naast de vaste zitplaats van dominee Clives vrouw,' zei Liddy. 'Wat heb je toen gedaan?'

'Ik heb een van de herders opgedragen het op te ruimen, en de moeder van twee kerstengelen is naar huis gerend om tapijtreiniger te halen. Nou ja, wat had ik anders moeten doen? Ik heb de school waar we onze samenkomsten houden nooit officieel gevraagd of ik beesten mee naar binnen mocht nemen.'

'Ach, het zou niet de eerste keer zijn dat een ezel naar de kerk ging,' zei Zoë met een uitgestreken gezicht.

Ik greep haar bij haar elleboog. 'Zoë, kom mee. We gaan alvast kijken of we iets kunnen doen in de keuken.' Ik duwde haar langs de klapdeur. Het rook verrukkelijk in de keuken, naar gembercake en vanille. 'Geen antikerkgrappen, en geen politiek. Dat heb je me beloofd.'

'Maar ik laat echt niet alles over me heen komen wat hij...'

'Wat bedóél je?' vroeg ik. 'Reid heeft helemaal niets gedaan, of gezegd. Jíj kwam uit de hoek met een hatelijke opmerking!'

Stuurs keek Zoë van me weg. Haar blik bleef rusten op de koelkast, waaraan op de zijkant een magneet kleefde in de vorm van een foetus die op zijn duim zuigt. IK BEN EEN KIND, vermeldde het onderschrift, GEEN KEUZE.

Ik legde mijn handen op haar onderarmen. 'Reid is de enige familie die ik heb. En oké, hij heeft rechtse opvattingen. Ik ben het ook niet altijd met hem eens. Maar hij blijft mijn broer, en het is kérst, verdorie. Het enige wat ik van jou vraag is dat je een uurtje glimlacht en knikt op de juiste momenten, en dat je geen politiek ter sprake brengt.'

'En als híj er nou over begint?'

'Zoë,' smeekte ik. 'Toe nou.'

En ongeveer een uur lang leek het erop dat we het kerstdiner zonder ongelukken zouden doorkomen. Liddy diende aardappelkroketjes met varkensfricandeau op en een ovenschotel met sperziebonen, champignonsaus en gesnipperde uien. Ze vertelde ons over haar kerstboomversiering, een antieke collectie die afkomstig was van haar grootmoeder. Ze vroeg of Zoë het leuk vond om zelf taarten en koekjes te bakken, en Zoë zei dat haar moeder vaak een heel lekkere citroentaart maakte toen zij nog klein was. Reid en ik bespraken de uitslagen van de rugbycompetitie.

Toen 'De herdertjes lagen bij nachte' uit de cd-speler klonk, neuriede Liddy mee: "Dááár hoorden zij engelen zingen…" Dit liedje heb ik de kinderen dit jaar geleerd in het kader van het kerstspel. Sommigen van hen kenden het helemaal niet. Gek hè?'

'Het kerstconcert op sommige basisscholen heet tegenwoordig vakántieconcert,' zei Reid. Een stel ouders heeft blijkbaar de koppen bij elkaar gestoken en een klacht ingediend. En nu wordt op die scholen helemaal niets meer gezongen of opgevoerd wat ook maar íéts van een religieuze ondertoon heeft.'

'Maar dan heb je het over openbare scholen,' had Zoë gezegd.

Reid sneed een heel keurig klein driehoekje van zijn fricandeau af. 'Vrijheid van meningsuiting, daar hoort geloof toch ook bij? Het staat gewoon in de Grondwet!'

'Dat geldt ook voor vrijheid van godsdienst,' antwoordde Zoë. 'Inclusief het recht om níét godsdienstig te zijn.'

Reid grinnikte. 'Schat, je kunt zeggen wat je wilt. Maar het kerstverhaal zonder Christuskind, dat zal moeilijk worden.'

'Zoë, liefje…' zei ik haastig.

'Hij begon er zelf over,' mopperde Zoë.

'Weet je wat, volgens mij zijn we toe aan het nagerecht,' zei Liddy, die altijd de lieve vrede wilde bewaren. Ze sprong op en verdween met een stapel borden en bestek naar de keuken.

'Mag ik mijn excuses aanbieden namens mijn vrouw…' zei ik tegen Reid. Maar voor ik mijn zin af kon maken, draaide Zoë zich ziedend van woede om naar mij.

'Allereerst ben ik heel goed in staat om voor mezelf te spreken. En ten tweede, ik ben niet van plan om hier als een etalagepop op mijn stoel te zitten en net te doen alsof ik geen mening heb over…'

'Nee, Zoë, jíj staat gewoon te trappelen om te gaan bekvechten,' wierp ik tegen.

'Nou, dan kondig ik bij dezen een wapenstilstand af,' zei Reid met een stroef glimlachje. 'Het is kerstfeest, Zoë. We zijn het oneens, maar soms moet dat toch kunnen? Laten we het gewoon gezellig houden, en over het weer praten of zo.'

'Wie heeft er zin in een toetje?' De klapdeur naar de keuken zwaaide open en Liddy stapte de eetkamer in, met een zelfgebakken cake op een platte schaal in haar handen. Boven op het witte suikerglazuur stond met roze letters: WEES WELKOM, KINDEKE JEZUS.

'Mijn god,' kermde Zoë zacht.

Liddy glimlachte. 'Het is ook míjn God, lieverd!'

'Ik geef het op.' Zoë schoof haar stoel achteruit van de eettafel. 'Liddy en Reid, het heeft me heerlijk gesmaakt, dank je wel. Ik wens jullie een heel fijne kerst. Max? Blijf jij hier maar rustig zitten, zo lang als je wilt. We zien elkaar thuis wel weer.' Ze glimlachte beleefd en verdween de hal in om haar laarzen en jas te pakken.

'Wat doe je nou, wil je soms gaan lopen?' riep ik haar achterna. 'Sorry, ik moet gaan,' mompelde ik, bedankte Reid en kuste Liddy ten afscheid.

Toen ik buiten kwam zag ik dat Zoë al bijna de straat uit geploeterd was. De sneeuw was niet geruimd, en reikte tot haar knieën. Mijn truck kwam er met gemak doorheen en al snel stopte ik naast haar. Ik leunde opzij en opende het portier naast de bijrijdersstoel. 'Instappen,' snauwde ik.

Ze stond even te aarzelen, maar toen klom ze in de cabine. Een paar kilometer lang zat ik zwijgend achter het stuur. Ik kon gewoon niets tegen haar zeggen, want ik was waarachtig bang dat ik zou ontploffen van woede. Toen we uiteindelijk op de snelweg reden – die sneeuwvrij was gemaakt – zei ik tegen Zoë: 'Snap je nou niet dat dit voor mij een enorme áfgang was? Kun je het echt niet opbrengen één keer bij mijn broer en zijn vrouw te eten zonder dat je de sarcastische haaibaai uithangt?'

'O, dat is een mooie boel, Max. Dus nu ben ik een haaibaai omdat ik me niet wil laten hersenspoelen door een stel rechtse christenen.'

'Het was verdorie een familie-etentje, Zoë. Geen evangelische revivalbijeenkomst!'

Ze draaide zich naar me toe, met de veiligheidsgordel tegen haar keel gedrukt. 'Het spijt me voor je dat ik niet méér op Liddy lijk,' zei ze. 'Misschien dat de Kerstman zo'n mooie, ouderwetse lobotomie in mijn rode kerstkous kan stoppen, vannacht. Een hersenoperatie, Max! Met een paar hersenkwabben minder ben ik straks niet meer te onderscheiden van je schoonzus.'

'Hou toch verdomme je kop dicht! Wat heeft Liddy jou ooit aangedaan?'

'Niets, want ze zou niet eens iets kunnen verzinnen,' zei Zoë.

Ik had zelf heel wat af gekletst met Liddy. Bijvoorbeeld over de vraag of beroemde acteurs als Jack Nicholson en Jonathan Demme hun succes te danken hadden aan B-films, en hoe groot de impact van *Psycho* was op de filmcensuur. 'Je weet niets over haar,' betoogde ik. 'Ze is... ze is een...'

Ik gierde door de bocht van onze oprit, en mijn stem verflauwde.

Zoë sprong de truck uit, op de parkeerstrook bij ons appartement. Het sneeuwde inmiddels zo hard dat zich een wit gordijn achter haar vormde. 'Een heilige?' vulde ze me ongevraagd aan. 'Is dat het woord dat je zoekt? Nou, Max, dat ben ik dus niet. Ik ben een gewone vrouw van vlees en bloed en zelfs dát gaat me niet al te best af, zoals we gemerkt hebben.'

Ze sloeg het portier dicht en stampte naar het appartementengebouw. Ik was witheet en zette de truck in zijn achteruit. Slippend reed ik de straat uit.

Het was kerstavond, plus dat er een felle sneeuwstorm woedde. Vandaar waarschijnlijk dat ik de enige op de weg leek te zijn. Alles was gesloten, zelfs de McDonald's. Het was gemakkelijk om me voor te stellen dat ik als laatste achtergebleven was in dit universum. Ik vóélde me in ieder geval moederziel alleen, zoveel was zeker.

Andere mannen waren nu bezig fietsjes of klimrekken in elkaar te zetten, zodat dat felbegeerde cadeau kant-en-klaar op hun kinderen stond te wachten zodra zij wakker werden op kerstochtend. Maar ik? Ik slaagde er zelfs niet in een kínd te maken.

Ik reed een leeg parkeerterrein van een winkelcentrum op en zag een sneeuwschuiver voorbijkomen. Ik herinnerde me de eerste keer dat Liddy sneeuw had gezien.

Ik pakte mijn mobiele telefoon en belde het huis van mijn broer, omdat ik wist dat zij zou opnemen. Ik wilde haar alleen maar hallo horen zeggen, en dan zou ik ophangen.

'Max?' zei ze, en ik trok een grimas. Ze hadden een nummermelder, dat was ik even vergeten.

'Hoi,' zei ik.

'Alles in orde met jullie?'

Het was tien uur 's avonds, het was pikdonker en we waren vertrokken tijdens een zware sneeuwjacht. Natuurlijk was ze bezorgd.

'Ik wil je iets vragen,' zei ik.

Weet je wel dat de hele kamer oplicht zodra jij binnenkomt?

Denk je ooit wel eens aan mij?

Toen hoorde ik Reids stem op de achtergrond: 'Kom gauw terug naar bed, liefste. Wie belt er eigenlijk, zo laat op de avond?'

En Liddy's antwoord: 'Het is Max maar.'

Het is Max maar.

'Wat wilde je vragen?' zei Liddy.

Ik sloot mijn ogen. 'Heb... heb ik mijn sjaal bij jullie laten liggen?'

Ze riep naar Reid: 'Schat? Heb jij Max' sjaal gevonden?' Ik hoorde wat gemompel over en weer, waar ik niets van kon verstaan. 'Sorry Max, we hebben je sjaal niet gezien. Maar ik zal morgen nog eens goed rondkijken.'

Een halfuur later liet ik mezelf binnen in ons appartement. De lamp boven het fornuis brandde nog. De lichtjes van het kerstboompje dat Zoë gekocht en zelf versierd had, gloeiden op in de hoek van de woonkamer. Ze had erop gestaan een echte boom in een pot te kopen, ook al moesten we die twee trappen omhoog sjouwen. Dit jaar had ze witte satijnen strikjes om de uiteinden van de grotere takken gebonden. Ze zei dat ieder strikje stond voor een wens die zij had voor het nieuwe jaar.

Het enige verschil tussen een wens en een gebed is dat je in het eerste geval compleet aan de grillen van het universum bent overgeleverd, terwijl je in het tweede geval wat extra hulp krijgt.

Zoë lag te slapen op de bank, ineengerold onder een plaid. Ze droeg een pyjama met sneeuwvlokken op de stof geprint. Ze zag eruit alsof ze had liggen huilen.

Ik kuste haar wakker. 'Het spijt me,' fluisterde ze met haar lippen tegen de mijne. 'Ik had niet moeten...'

'Ik ook niet,' zei ik.

Ik bleef haar zoenen en liet mijn handen onder haar pyjamajasje glijden. Haar huid was zo warm dat mijn handpalmen begonnen te gloeien. Ze woelde met haar vingers door mijn haar en sloeg haar benen om me heen. Ik liet me op de vloer zakken en trok haar met me mee. Ik kende elk littekentje op haar lichaam, ieder sproetje, elke welving. Dat waren mijn wegwijzers op een reis die ik al ontelbaar vaak had gemaakt.

Onze vrijpartij die nacht was zó intens. Ik herinner me dat ik dacht: *deze keer moet toch wel een soort permanent aandenken hebben achtergelaten, zoals een minuscuul begin van een baby.* Maar dat was niet zo.

Ik herinner me dat mijn dromen vol wensen waren. Maar toen ik wakker werd kon ik me er niets concreets meer van herinneren.

Tegen de tijd dat Liddy parkeert op de plek waar ze kennelijk heen wilde, is mijn roes afgezakt. Ik ben behoorlijk pissig op mezelf en de rest van de wereld. Zodra Reid erachter komt dat ik aangehouden ben voor rijden onder invloed, ben ik de pineut. Hij zal het dominee Clive vertellen, die het op zijn beurt zal doorbrieven aan Wade Preston. En die zal me ongetwijfeld een forse uitbrander geven, plus een preek houden over hoe gemakkelijk het is een proces te verliezen. Terwijl ik alleen maar mijn ergste dorst wilde lessen, anders niets.

Ik heb met gesloten ogen naast Liddy in de rijdende truck gezeten, want ik was ineens ontzettend moe. Ik kon mezelf nauwelijks overeind houden. Liddy zet de motor af. 'We zijn er,' kondigt ze aan.

We staan op het parkeerterrein bij het administratiegebouwtje van de Eeuwige Gloriekerk.

Het is na vijven, dus dominee Clive zal niet meer op kantoor zijn. Maar daarom voel ik me nog niet minder schuldig. De alcohol heeft mijn eigen leven al volledig verziekt, en wat doe ik? Ik begin weer te drinken en nu verknoei ik het leven van een hele hoop andere mensen.

'Liddy, ik beloof het je,' zeg ik, 'het zal nooit meer gebeuren...'

'Max, hou je mond. Vangen.' Ze gooit me de sleutels van het administratiegebouw toe. Die heeft ze omdat zij de coördinator van het zondagsschoolprogramma is.

Dominee Clive heeft hier een noodkapelletje ingericht, voor het geval dat iemand wil komen bidden op een ander tijdstip dan gedurende onze wekelijkse kerkdienst in de aula van de school. Er staan een paar korte rijtjes klapstoelen en een lessenaar, met daarachter een schilderij van Jezus aan het kruis. Ik volg Liddy langs de receptiebalie de kapel in. In plaats van het licht aan te doen strijkt ze een lucifer af en steekt de kaars aan die op de lessenaar staat. Door de schaduwen ziet Jezus' gezicht eruit als dat van Freddy Krueger in *A Nightmare on Elm Street*.

Ik ga naast haar zitten, wachtend tot ze hardop gaat bidden. Dat is de gewoonte bij ons in de Eeuwige Gloriekerk. Alleen is het dan dominee Clive die een gesprek voert met Jezus, terwijl wij luisteren.

Maar vanavond vouwt Liddy haar handen in haar schoot, alsof ze erop wacht dat ík iets ga zeggen.

'Wat nu? Zeg je helemaal niets?' vraag ik.

Liddy kijkt op naar het kruisigingsschilderij achter de lessenaar. 'Weet je wat mijn favoriete Bijbelpassage is? Het begin van Johannes 20, waarin Maria Magdalena rouwt om de dood van Jezus. Voor haar was hij niet zomaar Jézus, begrijp je. Hij was haar vriend en haar leermeester, die haar heel na aan het hart lag. Ze ging naar het graf omdat ze zo dicht mogelijk bij Zijn lichaam wilde zijn, want dat was het enige wat er nog van Hem over was. Tenminste, zo dacht zij erover. Maar toen ze daar aankwam, was ook Zijn lichaam verdwenen. Kun jij je voorstellen hoe eenzaam ze zich toen voelde? Ze begon te huilen, en opeens stond er een vreemdeling naast haar die vroeg wat haar scheelde. Hij noemde haar bij haar naam. En op dat moment besefte ze dat het Jezus zelf was die tegen haar stond te praten.' Liddy kijkt me even van opzij aan. 'Ik heb heel vaak gedacht dat God me in de steek had gelaten. Maar dan ineens bleek dat ik op de verkeerde plaats naar Hem had gezocht.'

Ik weet niet waarover ik me meer schaam: dat ik gefaald heb in de ogen van Jezus, of in de ogen van Liddy.

'Je zult God niet vinden op de bodem van een fles sterkedrank. En rechter O'Neill zal alles in de gaten houden wat wij doen. Dat geldt voor mij en Reid, en voor jou.' Liddy sluit haar ogen. 'Max, ik wil zó graag jouw kind.'

Mijn lichaam prikt, alsof er een elektrische stroom doorheen gaat.

Lieve Heer, bid ik in stilte, *toon mij mezelf zoals U mij ziet. Herinner mij eraan dat niemand van ons volmaakt is, tot wij Uw aangezicht zien.*

Maar het enige wat ik zie, is het gezicht van Liddy.

'Als het een jongetje is,' zegt ze, 'dan noem ik hem Max.'

Ik slik. Mijn mond is opeens kurkdroog. 'Dat hoeft echt niet.'

'Weet ik. Maar zo wil ik het.' Liddy wendt zich naar mij. 'Heb jij ooit iets zó vurig gewenst dat je dacht dat alleen al erop hopen ongeluk zou brengen?'

Tussen de regels door hoor ik woorden die ze niet hardop heeft gezegd. Dus grijp ik haar hoofd van achteren vast, buig me naar voren en kus haar.

God is liefde. Dat heb ik dominee Clive al zeker duizend keer horen zeggen. Maar nu begrijp ik het pas.

Liddy wurmt haar armen tussen ons omhoog. Met meer kracht dan ik van haar zou verwachten, geeft ze me een zet zodat ik naar achteren schuif. De poten van mijn stoel krassen over de vloer. Haar wangen zijn vuurrood, en ze bedekt haar mond met één hand.

'Liddy, zeg ik, geschrokken. 'Ik wilde niet...'

'Je hoeft je niet te verontschuldigen, Max.' Plotseling staat er een muur tussen ons in. Ik kan hem weliswaar niet zien, maar ik voel dat hij er is. 'Dat doet de alcohol met je.' Ze blaast de kaars uit. 'Kom, we gaan.'

Liddy loopt de kapel uit, maar ik blijf zitten. Minstens een minuut lang blijf ik alleen zitten wachten, in volledige duisternis gehuld.

Na mijn auto-ongeluk, toen ik Jezus toeliet in mijn hart, kwam ook Clive Lincoln in mijn leven. We ontmoetten elkaar in zijn kantoor. We spraken over mij, en waarom ik dronk.

Ik vertelde hem dat het voelde alsof er een gat in mijn binnenste zat, en dat ik dat probeerde op te vullen.

Hij zei dat het gat drijfzand was en dat ik erin zou zinken als een baksteen.

Hij vroeg me alle dingen op te noemen die dat gat groter maakten.

'Dat ik blut ben,' zei ik.

'Dat ik aan de drank ben.

Dat ik klanten ben kwijtgeraakt.

Dat ik Zoë ben kwijtgeraakt.

Dat we ons kind zijn kwijtgeraakt.'

Toen begon hij dingen op te sommen waarmee ik dat gat in mij zou kunnen repareren.

'God. Vrienden. Familie.'

'O, ja,' zei ik met mijn blik strak op de vloer gericht. 'Reid is een regelrecht godsgeschenk.'

Maar dominee Clive heeft het meteen door als je niet helemaal meent wat je zegt. Hij leunde achterover in zijn stoel en zei: 'Dit is niet de eerste keer dat Reid jou uit de penarie heeft geholpen, hè?'

'Nee.'

'Hoe voelt dat voor jou?'

'Hoe denkt u dat het voor mij voelt?' barstte ik uit. 'Alsof ik een kolossale sufkloot ben. Alsof Reid alles komt aanwaaien, terwijl ik nauwelijks mijn hoofd boven water kan houden. Zo voelt het.'

'Dat komt doordat Reid zich heeft overgegeven aan Jezus. Hij laat toe dat God hem door de hachelijke draaikolken van het leven heen helpt, Max. Maar jij... jij probeert nog steeds tegen de stroom in te zwemmen.'

Ik keek hem meesmuilend aan. 'Dus ik hoef alleen maar los te laten, en dan zorgt God wel dat het in orde komt?'

'Waarom niet? Jij hebt er de laatste tijd zelf ook bitter weinig van terechtgebracht.'

Dominee Clive kwam achter mijn stoel staan. 'Spreek nu eens tegen Jezus uit wat je werkelijk wilt. Wat heeft Reid allemaal wat jij ook zou willen hebben?'

'Ik ga hier niet hardop zitten praten tegen Jezus...'

'Dacht je soms dat Hij je gedachten niet kan lezen, of jij ze nu hardop uitspreekt of niet?'

'Goed dan.' Ik zuchtte. 'Ik ben jaloers op mijn broer. Ik zou willen dat ik zijn huis had, en zijn bankrekening. Zelfs zijn geloof, denk ik.'

Dat alles zomaar uitspreken gaf me een wanhopig rotgevoel. Mijn broer had me altijd alleen maar geholpen, en hier zat ik, te hunkeren naar alles was hij bezat. Ik voelde me zó'n stuk vuil. Alsof ik een laagje huid had afgekrabd en daaronder een smerige infectie had ontdekt.

En, o god, ik wilde zo graag genezen.

Misschien heb ik toen wel gehuild, ik weet het niet meer. Wat ik weet, is dat dit de eerste keer was dat ik mezelf echt zag, met al mijn laffe, verachtelijke kanten. En het ergste was nog dat ik altijd te trots was geweest om mijn fouten toe te geven.

Toch heb ik toen één ding weggelaten van de lijst met dingen waarop ik jaloers was. Ik heb de dominee niet verteld dat ik verlangde naar Reids vrouw.

Dat hield ik voor mezelf.

Opzettelijk.

Onderweg naar huis zeg ik nog minstens vijftig keer sorry tegen Liddy. Maar ze blijft zwijgend en onaangedaan voor zich uit kijken. 'Het spijt me zo,' zeg ik nog eens, terwijl zij de oprijlaan in rijdt.

'Hoezo?' vraagt Liddy. 'Er is niets gebeurd.'

Ze draait de sleutel om in het slot van de voordeur, tilt mijn arm op en trekt die over haar schouder. Zo lijkt het alsof ze mij ondersteunt. 'Gewoon met me meepraten,' zegt ze.

Ik voel me nog steeds een beetje wankel, dus laat ik me min of meer door haar naar binnen zeulen. Reid staat in de hal. 'Godzijdank. Waar heb je hem gevonden, Liddy?'

'Hij zat over te geven in de berm langs de weg,' antwoordt Liddy. 'Hij heeft een gemene voedselvergiftiging opgelopen, zeiden ze op de Spoedeisende Hulp.'

'Broertje toch, wat voor rotzooi heb jij gegeten?' vraagt Reid. Hij slaat een arm om mijn middel zodat hij ook iets van mijn gewicht kan helpen dragen. Halfslachtig strompelend en struikelend laat ik me door hem meenemen de trap af, naar de logeerkamer in het souterrain. Reid helpt me in bed en Liddy trekt mijn schoenen uit. Haar handen voelen warm rond mijn enkels.

Zelfs in het donker zie ik het plafond boven mijn hoofd tollen. Of is dat de plafondventilator? 'Volgens de dokter moet hij gewoon uitzieken, en veel slapen,' zegt Liddy. Door mijn oogharen zie ik dat mijn broer zijn arm om haar heen heeft geslagen.

'Ik bel dominee Clive wel even, om hem te zeggen dat Max veilig thuisgekomen is,' zegt Reid, en hij vertrekt.

Was dominee Clive ook al op zoek naar mij? Een nieuwe golf schuldgevoel gaat door me heen. Ondertussen loopt Liddy naar de garderobekast en pakt een extra deken van de bovenste plank. Zorgzaam dekt ze me toe. Ik overweeg om nog een keer sorry te zeggen, maar bij nader inzien houd ik me slapend.

Het bed zakt een stukje in onder Liddy's gewicht. Ze zit dicht genoeg bij me om me aan te raken, en ik houd mijn adem in. Dan voel ik haar hand, die mijn haar uit mijn gezicht strijkt.

Ze murmelt iets voor zich uit, zo zacht dat ik me moet inspannen om haar te verstaan.

Ze zit te bidden. Ik luister naar de klank van haar stem en stel me voor dat ze, in plaats van God om hulp te vragen, iets heel anders vraagt. Dat ze God vraagt om míj.

De ochtend van de eerste dag dat we in de rechtszaal moeten verschijnen staat Wade Preston op de stoep van Reids huis. Hij houdt een kleerhanger met een kostuum in zijn hand. 'Ik heb zelf een pak,' zeg ik.

'Ja,' zegt hij, 'maar is dat wel het júíste pak, Max? De eerste indruk is van cruciaal belang. Dat kun je nooit meer overdoen.'

'Ik was van plan om in mijn zwarte pak te gaan,' zeg ik. Dat is het enige kostuum dat ik bezit. Het komt uit de opslag van tweedehands spullen voor liefdadigheidsdoeleinden van de Eeuwige Gloriekerk. Ik vond het pak heel geschikt om te dragen naar de zondagse kerkdienst, of wanneer ik evangelisatiewerk doe in opdracht van dominee Clive.

Het kostuum dat Preston gekocht heeft is antracietgrijs. Er zit ook een gloednieuw, keurig gestreken wit overhemd bij, plus een blauwe stropdas. 'Ik heb een mooie rode stropdas klaarliggen,' zeg ik. 'Geleend van Reid.'

'Daar komt niets van in. Jij mag niet in het oog vallen. Je moet bescheiden en stabiel overkomen, en door en door betrouwbaar. Jouw kleding moet uitstralen dat je ervoor klaarstaat naar een ouderavond op de basisschool te gaan, voor je vierjarige zoon.'

'Maar dat gaat Reid toch doen, als het zover is?'

Wade legt me met een handgebaar het zwijgen op. 'Zeg Max, even je kop erbij houden, graag. Je weet best wat ik bedoel. Een rode das, die schreeuwt de mensen als het ware toe: *Zie mij!*'

Ik aarzel. Wade draagt het perfectste maatpak dat ik ooit heb gezien. Op de dubbele manchetten van zijn overhemd zijn zijn initialen geborduurd. Het pochet in zijn borstzakje is van zijde. 'Jíj hebt wel een rode stropdas om,' zeg ik.

'Juist. En daar heb ik zo mijn redenen voor,' antwoordt Wade. 'Ga je nu maar omkleden.'

Een uur later zitten we op een kluitje aan een tafel voor in de rechtszaal: Liddy, Reid, Ben Benjamin, Wade, en ik. Ik heb de hele ochtend nog niet met Liddy gesproken. Zij is waarschijnlijk de enige die mij zou kunnen kalmeren. Maar iedere keer als ik probeer haar aandacht te trekken, komt Wade ertussen met de zoveelste instructie

over hoe ik me in de rechtszaal moet gedragen. *Rechtop zitten, Max.*
Niet friemelen met je handen. Geen gezichten trekken naar de rech-
ter. Níét reageren op wat de tegenpartij zegt, ook al zit je je inwendig
op te vreten van ergernis. Zoals hij het brengt, zou je denken dat ik
mijn debuut in een groot toneelstuk ga maken. Terwijl we hier alleen
maar zitten om de reactie van de rechter te horen op een aanvullend
juridisch verzoek.

Mijn stropdas zit veel te strak. Maar steeds als ik er een ruk aan
geef, stoot Wade of Reid me aan, ze dwingen ze me met hun ogen om
stil te zitten.

'De show gaat beginnen,' mompelt Wade en ik draai me om zodat
ik kan zien waar hij naar kijkt. Zoë komt juist de rechtszaal binnenlopen, samen met Vanessa en een heel klein vrouwtje met een enorme
springerige bos zwarte krullen.

'We zijn in de minderheid,' zegt Vanessa zacht, maar ik kan haar
toch wel horen. Wel een geruststellend idee dat Wade hun nu al een
stap voor is. Zoë gaat zitten zonder in mijn richting te kijken. Ik wil
wedden dat die kleine advocate haar ook een heel zootje regels heeft
gegeven hoe ze zich moet gedragen.

Wade toetst onopvallend een nummer op zijn mobiel in. Even later
zwaaien de dubbele deuren achter in de rechtszaal open, en er verschijnt een jong ventje dat dat als juridisch assistent voor Ben Benjamin werkt. Hij duwt een steekwagen vol boeken door het middenpad
naar voren en stapelt ze op onze tafel, vlak voor Wade. Zoë, Vanessa
en hun advocate kijken toe. Het zijn boeken met onderzoeksresultaten
en wetboeken van andere staten van Amerika. Ik begin de titels op de
boekruggen te lezen: *Het traditionele huwelijk. Het behoud van ge-*
zinswaarden.

Het bovenste boek op de stapel is de Bijbel.

'Hé, Zoë,' zegt de zwartharige advocate. 'Weet jij het verschil tussen Wade Preston en een meerval? De een is een slijmerig onder-
kruipsel dat tussen het afval neust, en de ander is gewoon een vis.'

Een man komt overeind. 'De voorzitter van deze rechtbank, de
edelachtbare Padraic O'Neill,' kondigt hij aan. 'Gaat u allen staan,
alstublieft.'

De rechter komt binnen door een deur voor in de zaal. Hij is lang
en heeft een dikke, witte haardos. Alleen rond zijn kruin zit een

klein, zwart driehoekje. Er lopen diepe groeven aan weerszijden van zijn mond, alsof zijn strenge blik nog niet afschrikwekkend genoeg is.

Zodra hij gaat zitten, doen wij dat ook. 'Baxter contra Baxter,' leest de griffier voor.

De rechter zet een leesbril op. 'Van wie gaat dit aanvullend verzoek uit?'

Ben Benjamin staat op. 'Edelachtbare, ik sta hier vandaag namens Reid en Liddy Baxter. Zij willen als derde partij bij deze zaak betrokken worden, ten gunste van de eiser. Mijn cliënt sluit zich aan bij hun verzoek. Zowel mijn collega, raadsman Preston, als ik wil graag gehoord worden in deze kwestie.'

Het gezicht van de rechter plooit zich tot een glimlach. 'Wel wel, Benny Benjamin! Het is me altijd een waar genoegen jou in de rechtszaal te ontmoeten. Dan kan ik met eigen ogen zien of je alles nog steeds doet zoals ik het je al die jaren geleden heb geleerd.' Hij kijkt vluchtig naar de papieren in zijn map. 'Welnu, waar gaat dit verzoek precies over?'

'Meneer de rechter, het betreft een meningsverschil inzake de zeggenschap over drie ingevroren embryo's. Zij zijn overgebleven na de echtscheiding van Max en Zoë Baxter. Reid en Liddy Baxter zijn de broer en schoonzus van mijn cliënt, en het is hun wens – en ook die van Max – de beschikking over deze embryo's te krijgen. Max wil ze aan zijn broer en schoonzus geven, met als doel een zwangerschap te bewerkstelligen en uit te dragen. Na de geboorte willen Reid en Liddy Baxter de kinderen officieel adopteren en opvoeden.'

Rechter O'Neill knijpt zijn zware wenkbrauwen samen. 'U vertelt mij dus dat het een aanvullend vonnis betreft inzake de boedelverdeling bij een echtscheiding, over bezit dat tijdens de scheidingsprocedure niet ter sprake is gebracht?'

Naast me komt Wade overeind. Zijn aftershave ruikt naar limoenen. 'Edelachtbare, met alle respect,' zegt hij, 'we praten hier over kínderen. Over ongeboren kínderen...'

Aan de andere kant van het gangpad komt Zoë's advocaat van haar stoel. 'Ik maak bezwaar, edelachtbare. Dit is belachelijk. Kan iemand meneer Preston misschien inlichten dat we ons hier in het moderne Amerika van de eenentwintigste eeuw bevinden?'

Rechter O'Neill priemt met zijn wijsvinger richting Wade. 'U daar! Gaat u onmiddellijk zitten.'

'Edelachtbare,' zegt Zoë's advocaat, 'Max Baxter gebruikt zijn biologische verwantschap als troefkaart om drie ingevroren embryo's af te nemen van mijn cliënte, die zelf een van de beoogde ouders is. Zij en haar wettige partner zijn voornemens de kinderen in een stabiel, liefdevol gezin op te voeden.'

'Waar is haar wettige partner?' informeert O'Neill. 'Ik zie hem niet naast haar zitten.'

'Mijn cliënte is volgens de wet getrouwd met haar echtgenote, Vanessa Shaw, in de staat Massachusetts.'

'Tja, mevrouw Moretti,' antwoordt de rechter, 'maar in Rhode Island is ze níét getrouwd volgens de wet. En dat is waar we ons op dit moment bevinden. Dus, om dit van de juiste kant te kunnen bekijken...'

Achter me laat Vanessa een gesmoord gesnuif horen. 'Maar wij zijn van de verkéérde kant, daarom zitten we hier,' mompelt ze.

'... probeer ik het conflict kort te verwoorden. U wilt de embryo's hebben,' zegt hij wijzend op Zoë. 'En ú wilt ze hebben,' zegt hij wijzend naar mij. Ten slotte zwaait hij met zijn wijsvinger richting Reid en Liddy. 'En nu willen zíj ze ook nog hebben?'

'Het zit eigenlijk zo, edelachtbare,' zegt Zoë's advocaat, 'dat Max Baxter de embryo's helemaal niet wil hebben. Hij is van plan ze weg te geven.'

Wade staat op. 'Integendeel, edelachtbare. Max wil dat zijn kinderen opgroeien in een traditioneel gezin, en niet in een seksueel afwijkende samenlevingsvorm.'

'Een man die erop uit is zijn embryo's weg te geven aan iemand anders,' zegt de rechter samenvattend. 'Is dat volgens u een traditionele manier van doen? Dan houdt u er mijns inziens vreemde ideeën op na.'

'Staat u mij toe, meneer de rechter, dit is een gecompliceerde zaak,' zegt Zoë's advocaat. 'Voor zover ik weet, is dit braakliggend juridisch terrein. Er is althans in Rhode Island nooit een wettelijk besluit vastgelegd wat deze specifieke materie betreft. Maar vandaag zijn we alleen maar bijeengeroepen vanwege het aanvullende verzoek dat was ingediend om Reid en Liddy Baxter bij dit proces te betrekken. En ik wil er krachtig bezwaar tegen aantekenen dat zij een derde partij in deze rechtszaak worden. Ik heb vanmorgen een memo ingediend, waarin ik mijn stellingname uiteenzet. Mocht u ervoor kiezen de potentiële draagmoeder en haar echtgenoot hierbij te betrekken, dan moet Vanessa Shaw eveneens een aparte, belanghebbende partij worden in deze zaak. En ik zal dan ook onmiddellijk een verzoek indienen tot...'

'Bezwaar,' edelachtbare,' zegt Wade. 'U hebt al geconcludeerd dat dit geen wettig huwelijk is. Mevrouw Moretti is nu met een afleidingsmanoeuvre bezig, terwijl u haar al bij voorbaat de pas hebt afgesneden.'

De rechter staart hem indringend aan. 'Meneer Preston, als u mevrouw Moretti nog één keer onderbreekt, dan wordt u geschorst wegens minachting van het hof. Dit is geen reality-tv en u bent geen televisie-evangelist. Dit is míjn rechtszaal en ik sta niet toe dat u van dit proces een soort circusvertoning maakt. Na deze zaak ga ik met pensioen. Ik laat mijn afscheid niet ontaarden in schreeuwerig, religieus geharrewar.' Hij geeft een klap met zijn hamer op de balie. 'Het verzoek om bij dit proces een derde partij te betrekken, is afgewezen. Deze zaak gaat tussen Max Baxter en Zoë Baxter, en zal behandeld worden volgens het normale protocol. Meneer Benjamin, het staat u vrij om wie u maar wenst als getuige op te roepen, maar ik wil niets meer horen over een derde partij. Niet Reid en Liddy Baxter,' zegt hij, en draait zich vervolgens om naar de andere advocaat, 'en ook niet Vanessa Shaw. Dus bespaart u zich de moeite om daarover nog een verzoekschrift in te dienen.'

Tot slot richt hij zich tot Wade. 'En u, meneer Preston. Voor alle duidelijkheid, denk er nog maar eens goed over na hoever u wilt gaan met het publiek te bespelen. Wat u ook van zins bent, u mag hier geen soloact opvoeren. Ik ben hier de baas.'

Hij staat op van de rechtersstoel, en wij springen ook allemaal overeind. In de rechtszaal gaat het niet veel anders toe dan in de kerk. Je staat op, je gaat weer zitten. Je richt je op de persoon voor in de ruimte, om te horen wat wel en niet mag.

Zoë's advocaat komt naar onze tafel toe lopen. 'Angela,' zegt Wade. 'Kon ik maar zeggen dat het een genoegen is je hier te zien... Maar liegen is een zonde, nietwaar?'

'Pech voor jou dat je eerste plannetje al meteen mislukt is,' antwoordt ze.

'Mislukt? Dat vond ik niet, hoor.'

'Misschien denken jullie allemaal zo in het achterland van Amerika. Maar geloof me, híér ben je zojuist compleet ingemaakt,' zegt de advocaat.

Wade leunt op de stapel boeken die de juridisch assistent heeft aangesleept. 'De rechter zal uiteindelijk kleur moeten bekennen, schattebout,' zegt hij. 'En geloof me maar... hij heeft een afkeer van roze.'

7

Zeemeermin

ZOË

Lucy tekent een zeemeermin met lang, golvend haar. De staart is opgekruld in een hoek van het dikke bruinkartonnen tekenpapier. Ik
heb 'Angel' gezongen, van Sarah McLachlan. Ik zet mijn gitaar neer,
maar Lucy is nog niet klaar met tekenen. Ze blijft kleine details toe-
voegen – een haarlint van zeewier, de weerkaatsing van de zon. 'Wat
kun jij mooi tekenen, Lucy,' zeg ik tegen haar.

Ze haalt haar schouders op. 'Ik ontwerp mijn eigen tatoeages.'

'Heb jij tatoeages dan?'

'Als ik die had, gooiden mijn ouders mij het huis uit,' zegt Lucy.
'Nog één jaar, zes maanden en vier dagen.'

'En dan krijg jij je tatoeages?'

Ze kijkt me aan. 'Dat is het exacte moment waarop ik achttien
word.'

Na onze drumsessie heb ik me heilig voorgenomen om nooit meer
met Lucy af te spreken in het rt-lokaal. Nu laat ik me door Vanessa
inseinen welke lokalen en kamers er niet bezet zijn tijdens onze the-
rapie-uren. Zo zijn de leerlingen Frans een keer een week op excursie.
Een andere keer vindt CKV – culturele en kunstzinnige vorming –
plaats in de aula, omdat de docent daar een film wil vertonen. En
vandaag zitten we in het lokaal waar doorgaans het vak verzorging
wordt gegeven. We zijn omgeven door waarschuwende posters: GEEN
DRUGS, WEL LEVEN. En: KOM EENS BIJ ME LIEFJE, BEN JE EEN BEETJE VAN
DE COKE? En: ALCOHOL ONDER DE 16, NATUURLIJK NIET! Recht tegenover me hangt een affiche van een zwangere tiener en profil: TIENER-
MOEDER ZIJN IS GEEN SPELLETJE.

We hebben gewerkt aan songtekstanalyse. Dat heb ik al eerder gedaan, maar dan met groepen in verzorgings- en verpleeghuizen. Het

is een ideale manier om mensen onderling aan de praat te krijgen. Meestal begin ik door de titel van een liedje te noemen, vaak iets wat ze niet kennen, en dan mogen ze raden waarover het zou kunnen gaan. Vervolgens zing ik het hele nummer en vraag hun welke woorden en zinnen er voor hen uitspringen. We praten over hun persoonlijke reacties op de songteksten, en tot slot vraag ik welke emoties het liedje bij hen teweeg heeft gebracht.

Ik had zo'n idee dat Lucy moeite zou hebben zich verbaal te uiten over liedteksten. Dus heb ik haar gevraagd om haar reacties op de muziek en de tekst te tekenen. 'Het valt me op dat je een zeemeermin hebt getekend,' zei ik. 'Engelen worden eigenlijk nooit onder water afgebeeld.'

Lucy zet meteen haar stekels op. 'Jij zei dat er geen foute manier was om te tekenen wat je voelt en denkt bij muziek.'

'Dat klopt.'

'Ik had zeker net zo goed die zielige hondjes kunnen tekenen van de reclame voor de dierenbescherming...'

Die tv-reclame is al een paar jaar in de omloop. Het is een montage van allerlei beelden van een puppy met droevige ogen, met 'Angel' als soundtrack.

'Weet je, Sarah McLachlan heeft verteld dat het liedje gaat over de keyboardspeler van de Smashing Pumpkins, die aan een overdosis heroïne is overleden,' zeg ik. Ik had dit nummer gekozen omdat ik hoopte dat Lucy iets zou loslaten over haar zelfmoordpogingen.

'Dûh. Daarom heb ik nou juist die zeemeermin getekend. Die zweeft en verdrinkt tegelijkertijd.'

Lucy kan soms onthutsend rake opmerkingen maken. Hoe hebben Vanessa en haar collega's ooit kunnen denken dat Lucy zich afzijdig houdt van de wereld? Ze heeft de wereld scherper in het vizier dan wij.

'Heb jij je ooit zo gevoeld?' vraag ik.

Lucy kijkt op. 'Alsof ik een overdosis heroïne had genomen, of wilde nemen?'

'Ja, bijvoorbeeld.'

Ze kleurt het haar van de zeemeermin in en negeert mijn vraag. 'Stel dat jij kon kiezen Zoë, hoe zou jij dan dood willen gaan?'

'In mijn slaap.'

'Dat zegt iedereen.' Lucy rolt met haar ogen. 'Maar als dat niet kon, hoe dan?'

'Dit is een nogal morbide gesprek...'

'Dat geldt ook voor praten over zelfmoord.'

Daar valt weinig tegen in te brengen. Ik knik haar toe en zeg dan: 'Snel. Zoals een executie door een vuurpeloton. Ik zou er niets van willen voelen.'

'Of een vliegtuigongeluk,' oppert Lucy. 'Dan verdampt je lichaam min of meer, daar voel je vast niets van.'

'Ja... maar stel je voor hoe dat die paar seconden van tevoren moet zijn, wanneer je weet dat je gaat crashen.' Vroeger was het idee van zo'n vliegtuigcrash een nachtmerrie voor me. Stel dat ik niet snel genoeg mijn telefoon zou kunnen intoetsen of verbinding krijgen, zodat ik geen bericht voor Max kon achterlaten. Dat ik niet meer kon inspreken dat ik van hem hield. Ik zag hem voor me na mijn begrafenis, zittend naast het zwijgende antwoordapparaat, terwijl hij zich afvroeg wat ik hem nog had willen zeggen.

'Ik heb gehoord dat verdrinking niet zo erg hoeft te zijn. Je bent al bewusteloos doordat je al die tijd je adem hebt ingehouden, vóór al die rottige dingen met je lichaam gebeuren.' Lucy kijkt neer op het vel tekenpapier, naar haar zeemeermin. 'Maar ja, ik ben niet zo'n mazzelkont. Waarschijnlijk kan ik water inademen. Dat zul je net zien.'

Ik kijk haar aan. 'Waarom zou dat zo erg zijn?'

'Hoe plegen zeemeerminnen zelfmoord?' mijmert Lucy. 'Door een overdosis zuurstof misschien?'

'Lucy,' zeg ik, wachtend tot ze me aankijkt, 'overweeg je nog steeds af en toe om zelfmoord te plegen?'

Zo te zien neemt ze mijn vraag serieus. Maar ze geeft geen antwoord. Ze begint gebogen lijntjes te tekenen op de staart van de zeemeermin, een weelderig schubbenpatroon. 'Je weet toch dat ik soms helemaal over de rooie ben van woede?' zegt ze. 'Dat is omdat ik dan tenminste nog iets voel. En ik moet mezelf wel testen, om zeker te weten dat ik nog echt besta.'

Muziektherapie is een veelzijdig beroep. Soms ben ik entertainer, soms genezer. Soms ben ik psycholoog, en soms gewoon een vertroweling. Bij mijn werk is het de kunst om te weten op welk moment je welke rol moet aannemen. 'Misschien zijn er andere manieren om jezelf te testen,' zeg ik. 'Om je gevoel terug te krijgen.'

'Zoals?'

'Je kunt proberen muziek te schrijven,' zeg ik. 'Veel muzikanten uiten in hun songs iets over de moeilijke momenten waar ze doorheen gaan.'

'Ik kan niet eens op een plastic speelgoedblokfluit spelen.'

'Dat kan ik je leren. En het hoeft geen speelgoedblokfluit te zijn. Ik kan je leren gitaarspelen, of drummen, of pianospelen. Wat je maar wilt.'

Ze schudt haar hoofd en trekt zich alweer een beetje terug. 'Laten we dan maar Russische roulette spelen,' zegt ze, en pakt mijn iPod. 'Ik druk op *shuffle* en het eerste nummer dat we te horen krijgen ga ik tekenen.' Ze schuift me de tekening van de zeemeermin toe en pakt een nieuw vel papier.

Rudolf, dat is een rendier,

met een glim-mend rode neus, klinkt het uit de speaker.

We kijken allebei op en schieten in de lach. 'Wát? zegt Lucy. 'Heb jij dit op een speellijst staan?'

'Ik werk met heel jonge kinderen. Dit is echt een peuterhit.'

Ze buigt zich over het papier en begint weer te tekenen. 'Mijn zusjes kijken elk jaar naar die animatiefilm over Rudolf. En iedere keer vind ik het weer doodeng.'

'Vind je Rúdolf eng?'

'Niet Rudolf. De plaats waar hij naartoe gaat.' Ze tekent een kleurige trein met vierkante wielen, en een gestippelde olifant.

'Je bedoelt het Eiland van het Mislukte Speelgoed?' vraag ik.

'Ja,' zegt Lucy, opkijkend van haar tekening. 'Daar krijg ik de rillingen van.'

'Ik heb nooit begrepen wat er eigenlijk mis met hen was,' beken ik. 'Neem nou Charlie, de bewaker van het eiland. Dat kerstmannetje dat steeds uit zijn doosje springt, weet je wel? Wat maakt het uit dat hij er iedere keer bij roept: *Halt! Wie knijpt ertussenuit?* Ik vindt hem juist wel grappig. Die Elmopoppen die de speelgoedwinkels uitvliegen, brabbelen ook je reinste onzin. Maar die zijn razend populair. En ík heb altijd gedacht dat een waterpistool dat gelatine spuit best eens de grote opvolger kan worden van die plastic Transformerrobots.'

'En de gestippelde olifant dan?' zegt Lucy, terwijl er een glimlach rond haar lippen speelt. 'Dat is toch een typische kneus.'

'Helemaal niet. Om juist die olifant op dat eiland vast te zetten, dat is ronduit racistisch. Misschien heeft zijn moeder een keer een slippertje gemaakt met een jachtluipaard. Dan is de stippelolifant een halfbloed, nou en?'

'De pop vind ik pas echt griezelig...'

'Wat is er mis met haar?'

'Ze is depressief,' zegt Lucy. 'Omdat geen enkel kind haar wil hebben.'

'Blijkt dat uit de film?'

'Nee, maar wat zou het anders kunnen zijn?' Opeens begint ze te grinniken. 'Tenzij zij een híj is, misschien...'

'Een travestiet,' zeggen we in koor.

We lachen allebei, waarop Lucy zich weer over haar kunstwerk buigt. Ze zit een tijdje stil te tekenen en voorziet die arme, onbegrepen olifant van nog meer stippen. 'Dat stomme eiland zou waarschijnlijk de ideale plek voor mij zijn,' zegt ze. 'Want eigenlijk is het de bedoeling dat ik onzichtbaar ben, maar iedereen kan me nog steeds zien.'

'Misschien hoef je niet onzichtbaar te zijn alleen omdat je – wie weet – ánders bent dan iedereen denkt.'

Zodra ik dat zeg, denk ik aan Angela Moretti, Vanessa en de ingevroren embryo's. Ik denk aan Wade Preston, met zijn nepchique Hongkongmaatpak en glimmende, achterovergekamde haar. Een man die naar me kijkt alsof ik een rotte appel ben, en een misdaad tegen de menselijke soort.

Als ik het me goed herinner, springen al die zogenaamd mislukte speeltjes uiteindelijk in de slee van de Kerstman. Daarna worden ze opnieuw verdeeld en onder kerstbomen gelegd, overal ter wereld. Als dat écht zou gebeuren, zou ik graag onder de kerstboom van Wade Preston terechtkomen. Dat zou hem leren.

Opeens merk ik dat Lucy naar me zit te kijken. 'Er zijn ook nog andere momenten dat ik dingen voel,' bekent ze. 'Dat is als ik hier zit met jou.'

Na de therapiesessie met Lucy ga ik meestal naar het kantoor van Vanessa. Daarna lunchen we samen in de kantine – echt waar, aardappelkroketjes zijn een onderschatte delicatesse. Maar vandaag is ze in Boston, naar een studievoorlichtingsbeurs van verschillende universiteiten. Dus ik ga meteen op weg naar mijn auto. Al lopend luister ik naar de berichten op mijn voicemail. Een is er van Vanessa, die me vertelt over een functionaris van de toelatingscommissie van het Emerson College, een kleine privé-universiteit. De vrouw zag er met haar gigantische bos oranje, getoupeerde haar uit alsof ze van de cd-hoes van een punkrockband af was gesprongen, aldus Vanessa. En dan nog een berichtje van haar, alleen om me te laten weten dat ze me lief vindt. Plus een boodschap van mijn moeder, die me vraagt of ik haar kan komen helpen met meubels verplaatsen deze middag.

Ik ben halverwege de parkeerplaats wanneer ik Angela Moretti zie, die tegen mijn gele jeep geleund staat te wachten. 'Is er iets mis?' vraag ik meteen. Als je advocaat een uur in de auto zit alleen om jou iets mee te delen, voorspelt dat weinig goeds.

'Ik was in de buurt. Nou ja, in Fall River, om precies te zijn. Dus ik dacht, ik wip even langs. Er is iets wat je moet weten.'

'Dat klinkt niet zo best...'

'Vanmorgen kreeg ik wéér een aanvullend verzoek om een gerechtelijke uitspraak voor mijn neus, met dank aan Wade Preston,' vertelt Angela. 'Hij wil een voogd ad litem benoemen in de rechtszaak.'

'Een wat?'

'Dat is gangbaar bij voogdijzaken. Zo'n voogd ad litem heeft de taak om vast te stellen waarmee het belang van het kind het best gediend is. Dat moet hij dan doorgeven aan de rechter.' Ze schudt haar hoofd. 'Preston wil er nu een benoemen voor de ongeboren kinderen.'

'Hoe zou hij...' Mijn stem sterft weg.

'Dit is een foefje van hem,' legt Angela uit. 'Zijn manier om een politieke agenda te formuleren, meer niet. In de rechtszaal wordt dit direct van de hand gewezen, nog voor we op onze stoel zitten.' Ze kijkt me aan. 'Maar er is nog iets. Gisteravond was Preston te gast bij Joe Hoffman.'

'Wie is Joe Hoffman?'

'Een aartsconservatief die aan het hoofd staat van de Stem van de Vrijheid, een radio-omroep. Het mekka voor bekrompen geesten, zou je kunnen zeggen.'

'Waar heeft hij over gesproken?'

Angela kijkt me recht in de ogen. 'Over de teloorgang van gezins-waarden. Hij heeft jou en Vanessa met naam en toenaam genoemd. Hij deed het voorkomen alsof jullie in de voorhoede van de homo-beweging vechten, met als doel Amerika in de afgrond te storten. Ont-vangen jullie tweeën je post thuis? Want in dat geval moet ik jullie sterk aanraden een postbusadres te nemen. En ik ga ervan uit dat jullie een alarmsysteem hebben...'

'Bedoel je dat we gevaar lopen?'

'Ik weet het niet,' zegt Angela. 'Maar laten we het zekere voor het onzekere nemen. Die regionale talkshow van Hoffmann stelt weinig voor. Preston wil het hogerop zoeken, dat is duidelijk. Hij lonkt naar de grote, landelijke talkshows en nieuwsuitzendingen, zoals *O'Reilly*, de *Tea Party Talkshow* en Fox News. Kortom, de rechts-conservatieve sensatiemedia. Hij heeft deze zaak niet op zich genomen uit omdat hij zulke warme vriendschappelijke gevoelens voor Max koestert. Hij gebruikt deze zaak als springplank naar diverse podia waar hij zijn preken kan spuien. Voor hem is dit proces een actueel lokkertje dat ervoor zorgt dat die mediashows hem graag te gast willen hebben. Als wij eindelijk voor de rechter staan, heeft Preston het allang voor el-kaar dat zodra je de televisie aanzet, zijn gezicht in beeld is.'

Angela had ons gewaarschuwd dat dit hard tegen hard zou gaan. Dat we daarop voorbereid moesten zijn. Maar ik had gedacht dat louter mijn kans om moeder te worden op het spel stond, niet dat ik ook mijn privacy en anonimiteit zou verliezen.

'Als je bedenkt hoe hij zich het vuur uit de sloffen loopt... Dat is toch gewoon lachwekkend,' zegt Angela.

Maar ik kan er niet om lachen. De tranen springen me in de ogen en Angela slaat haar armen om me heen. 'Blijft dit zo doorgaan?' vraag ik.

'Het wordt alleen maar erger,' voorspelt ze. 'Maar denk je eens in wat voor spannende verhalen jíj in de toekomst aan je kind kunt ver-tellen.'

Ze wacht tot ik wat gekalmeerd ben. Dan zegt ze: 'Morgen ver-wacht ik je in de rechtszaal, Zoë. We moeten dit nieuwe verzoek aan-vechten, het is niet anders.'

Terwijl ik in mijn auto stap, gaat mijn mobiele telefoon.

'Hé, waarom ben jij nog niet thuis?' vraagt Vanessa.

Ik zou haar moeten vertellen dat ik Angela heb gesproken, en dat Wade Preston op oorlogspad is. Maar als je van iemand houdt, wil je haar beschermen. Ik loop het gevaar mijn goede naam, mijn beroepsreputatie en mijn carrière kwijt te raken, maar het is dan ook míjn strijd. Het is míjn ex-man die tegenover me staat in de rechtszaal. Het gaat over de embryo's uit míjn voormalige huwelijk. Vanessa is er alleen maar bij betrokken geraakt omdat ze de pech had verliefd op mij te worden.

'Ik werd opgehouden,' zeg ik. 'Vertel eens verder over die dame met die suikerspin op haar hoofd.'

Maar daar trapt Vanessa niet in. 'Wat is er aan de hand? Je klinkt alsof je huilt.'

Ik sluit mijn ogen. 'Ik ben verkouden aan het worden.'

Dit is de eerste keer, besef ik, dat ik tegen haar lieg.

Mijn moeder en ik zijn twee uur bezig alle meubels uit mijn vroegere slaapkamer te sjouwen en er haar eigen slaapkamermeubilair voor in de plaats te zetten. Ze vindt dat ze een nieuw perspectief nodig heeft, om te beginnen 's morgens, zodra ze haar ogen opendoet.

'Daar komt bij,' zegt Dara, 'dat jouw oude kamer een raam op het westen heeft. Ik ben het beu om wakker te worden terwijl de zon pal in mijn ogen schijnt.'

Ik laat mijn blik gaan langs hetzelfde beddengoed, hetzelfde slaapkamermeubilair. 'Dus in principe ben jij je eigen levenscoach?'

'Hoe kan ik nu van mijn cliënten verwachten dat ze mijn advies ter harte nemen, als ik dat zelf niet doe?'

'En nu heb jij je bed krap vijf meter verplaatst. Geloof je echt dat dát een ommekeer in je leven teweeg zal brengen?'

'Overtuigingen zijn de wegen die we kiezen om onze dromen te realiseren. Geloof jij dat je iets kunt – of niet kunt? Nou, dan zul je altijd gelijk krijgen.'

Hoofdschuddend kijk ik haar aan. Ik herinner me vaag dat er niet al te lang geleden een zelfhulptrend bestond die dezelfde formule hanteerde. Ik weet nog dat in een artikel in een opinieblad een middelbare scholiere geciteerd werd die had besloten níét te gaan blokken voor haar toelatingsexamen voor de universiteit. Volgens haar hoefde ze alleen maar te visualiseren dat zij de hoogste cijfers zou scoren. Uiteindelijk kreeg ze het advies zich in te schrijven voor een praktijkgerichte hbo-opleiding. Later beklaagde ze zich in een televisietalkshow en zei dat visualiseren klinkklare nonsens was.

Ik kijk nogmaals de kamer rond, naar het oude beddengoed en het doorleefde nachtkastje van mijn moeder. 'Maar je wilt een nieuwe start maken, toch? Kan dat wel met spullen die je al decennia om je heen hebt staan?'

'Zoë, wat kún jij toch depri doen,' verzucht mijn moeder. Ik wil je dolgraag wat levenscoaching geven, gratis en voor niets.'

'Bedankt. Een andere keer misschien.'

'Zoals je wilt.' Ze leunt met haar rug tegen de wand en glijdt omlaag tot ze op de vloer zit. Ik laat me achterover op het matras zakken. Omhoogkijkend zie ik opeens een zwak spikkelpatroon. Het zijn de fosforescerende sterren die mijn moeder ooit tegen het plafond heeft geplakt.

'Die was ik helemaal vergeten,' zeg ik.

Nadat mijn vader was overleden, raakte ik geobsedeerd door spoken en geesten. Ik wilde zó graag dat mijn vaders geest op een nacht op de rand van mijn bed zou komen zitten. Of dat ik zijn fluisterstem zou voelen, die als een briesje langs mijn nek streek. Dus leende ik allerlei boeken uit de bibliotheek over paranormale verschijnselen. Ik probeerde séances te houden in mijn slaapkamer. Ik sloop 's avonds laat naar beneden en keek naar horrorfilms terwijl ik allang had moeten slapen. Mijn groepsleerkracht kreeg in de gaten dat ik me anders gedroeg dan anders. Ze zei tegen mijn moeder dat ik misschien extra hulp nodig had. De psychiater met wie ik na de dood van mijn vader heel af en toe een afspraak had, was het daarmee eens.

Maar mijn moeder niet. Als ik wilde dat mijn vader me als geest zou komen bezoeken, dan had ik daar vast een goede reden voor. Dat was haar argumentatie.

Op een avond toen we aan tafel zaten zei ze: 'Ik denk niet dat hij een geest is, lieverd. Ik denk dat hij een ster is en iedere nacht op ons neerkijkt.'

'Wat dom. Een ster is gewoon een bol gas,' schimpte ik.

'En een geest is…?' zei mijn moeder. 'Iedere exacte wetenschapper kan jou vertellen dat er van minuut tot minuut nieuwe sterren ontstaan.'

'Mensen die doodgaan worden geen sterren.'

'Sommige indianenstammen zouden het niet met je eens zijn.'

Daar moest ik over nadenken. 'Waar gaan de sterren heen als het dag is?'

'Dat is het nu juist,' zei mijn moeder. 'Ze gaan nergens heen. Ze zijn er nog steeds om over ons te waken. Ook overdag, als wij het te druk hebben om naar ze te kijken.'

De volgende dag toen ik op school was, had mijn moeder fluorescerende plastic sterretjes op mijn plafond geplakt. Die nacht lagen we samen op mijn bed, met mijn dekbed over ons heen. Ik ging niet stiekem uit bed om een griezelfilm te kijken. In plaats daarvan viel ik in slaap, in de armen van mijn moeder.

En nu kijk ik haar aan. 'Denk je dat ik anders geworden was als papa er nog was geweest toen ik opgroeide?'

'Ja, vast wel,' zegt mijn moeder. Ze komt naast me op bed zitten. 'Maar hij zou hoe dan ook heel trots zijn geweest op de vrouw die je geworden bent.'

Na Angela's vertrek was ik even langs mijn eigen huis gereden. Ik had de podcast van Joe Hoffmans radioprogramma gedownload van het internet. Ik had geluisterd hoe hij en Wade Preston eensgezind statistieken opdreunden. Kinderen die door homoseksuele ouders waren opgevoed hadden meer kans zelf ook een homoseksuele relatie uit te proberen. Kinderen van homoseksuele ouders schaamden zich als hun vriendjes erachter kwamen dat zij thuis twee moeders of twee vaders hadden. Lesbische moeders deugden niet als rolmodel. Ze voedden hun dochters te mannelijk op en hun zoons juist te vrouwelijk en te week.

'Mijn rechtszaak was op de *Joe Hoffman Radioshow*,' zeg ik.

'Ik weet het,' zegt mijn moeder. 'Ik heb zitten luisteren.'

'Luister jíj naar Hoffman?'

'O ja, ik ben een trouwe fan van Joe... Nee hoor, grapje. Ik zoek altijd de Stem van de Vrijheid op de radio voor ik op de loopband stap. Weet je wat ik ontdekt heb? Hoe bozer ik ben, hoe harder ik loop.' Ze lacht. 'En Rush Limbaugh, die continu Barack Obama probeert te schofferen, reserveer ik speciaal voor mijn loeizware sit-ups.'

'Maar stel dat Hoffman ergens gelijk heeft? Stel dat we een zoon krijgen? Ik weet niets van jongens opvoeden. Ik heb geen verstand van dinosaurussen of bouwmachines. En ik heb geen flauw benul van sport...'

'Lieverd, je krijgt nooit een baby met een gebruiksaanwijzing erbij. Wat ik nu van je hoor, valt allemaal te leren. Dat doet iedereen. Je leest wat over dino's, je googelt info over bulldozers en graafmachines bij elkaar. En je hoeft echt geen penis te hebben om in een sportzaak een honkbalhandschoen te gaan kopen.' Mijn moeder schudt haar hoofd. 'Waag het niet je door iemand anders wijs te laten maken wat jij wel of niet kunt zijn, Zoë.'

'Je moet toch toegeven dat alles gemakkelijker was geweest als papa was blijven leven,' zeg ik.

'Jazeker. Ik ben het in één opzicht roerend met Wade Preston eens: elk kind verdient een hecht stel ouders. Dat is de ideale opvoedingssituatie.' Ze glimlacht breed. 'En ook dáárom moet het homohuwelijk in het hele land legaal worden.'

'Sinds wanneer ben jij zo'n fervente homoactivist?'

'Dat ben ik niet. Ik ben eerder een Zoë-activist. Stel dat jij strikt vegetariër was geworden. Dan zou ik je niet kunnen beloven dat ik zou stoppen met vlees eten. Maar ik zou me wél inzetten voor jouw recht om geen vlees te eten. Als jij me vertelde dat je het klooster inging, zou ik me niet direct bekeren. Ik zou wel de Bijbel gaan lezen, gewoon om er met jou over te kunnen praten. Dus nu ik weet dat je lesbisch bent, heb ik uitgezocht wat de Amerikaanse Vereniging voor Psychologen te melden heeft over kinderen binnen een homohuwelijk. Zij hebben daar gedegen onderzoek naar gedaan. Nou, kinderen die opgevoed werden door een homopaar hebben percentueel gezien precies dezelfde seksuele voorkeuren als kinderen van heteroseksuele ouders. En er is géén wetenschappelijke basis voor de bewering dat homoseksuelen minder goede ouders zouden zijn dan heteroseksuelen. Sterker nog, er zitten bepaalde voordelen aan om opgevoed te worden door twee mama's of twee papa's. De kinderen kunnen zich vaak beter inleven in anderen, om maar iets te noemen. Plus dat meisjes zich veel minder aantrekken van een beperkend vrouwelijke stereotype in hun gedrag en manier van kleden. Jongens tonen meer warmte en doen minder vaak aan puur oppervlakkige seks. En kinderen die door een homostel zijn opgevoed kunnen zich later beter aanpassen aan allerlei uiteenlopende, afwijkende situaties. Daar zijn ze waarschijnlijk voor toegerust omdat ze hun hele leven al met lastige vragen zijn geconfronteerd.'

Mijn mond valt open. 'Waar heb je dat allemaal vandaan?'

'Van internet. Want na mijn fitnessoefeningen gebruik ik iedere vrije minuut om uit te vogelen wat ik Wade Preston precies onder zijn neus ga wrijven, zodra ik hem in een hoek heb gedreven.'

Wat Joe Hoffman en Wade Preston ook voor praatjes rondstrooien, sekse zegt niets over wat mensen tot een gezin maakt. Het gaat om liefde. Je hebt niet per se een moeder en een vader nodig. Je hebt ook niet per se twee ouders nodig. Wat je wél nodig hebt is iemand die je steunt, door dik en dun.

Ik zie al voor me hoe mijn moeder Wade Preston inmaakt, en ik kan een glimlach niet onderdrukken. 'Ik hoop dat ik dan in de buurt ben, mama. Dat wil ik niet missen.'

Mijn moeder geeft me een kneepje in mijn hand. Ze kijkt omhoog naar de sterren aan het plafond. 'Wat dacht je dan?' zegt ze. 'Jij bent mijn belangrijkste publiek.'

Ik sta achter Lucy's stoel, buig me over haar heen en plaats de gitaar in de juiste positie in haar armen. 'Je moet hem vasthouden als een baby,' zeg ik. 'Met je linkerhand ondersteun je de hals.'

'Bedoel je zo?' Ze draait zich om op haar stoel en kijkt me vragend aan.

'Nou, als jij je oppaskind zó de keel dichtknijpt, is babysitten misschien niet het ideale baantje...'

'O.' Ze laat haar wurggreep op de gitaarhals verslappen.

'Nu zet je je linkerwijsvinger op de vijfde snaar, tweede fret. En je linkermiddelvinger op de vierde snaar, tweede fret.'

'Mijn vingers raken helemaal in de knoop.'

'Gitaarspelen lijkt op een spelletje Twister met je handen. Het is in feite pure acrobatiek. Je went er wel aan. Neem het plectrum tussen je rechterduim en -wijsvinger. Met je linkerhand in die positie druk je op de snaren, en met rechts haal je voorzichtig het plectrum over het klankgat.'

Er klinkt een gitaarakkoord door het kleine hokje van de schoolverpleegkundige, dat we vandaag mogen gebruiken voor de muziektherapie. Lucy kijkt op, glimmend van trots. 'Het is me gelukt!'

'Dat is de e-mineur. Dat akkoord heb ik ook als eerste geleerd.' Ik sla haar een tijdje gade terwijl ze hetzelfde akkoord zit te spelen. 'Volgens mij ben je heel muzikaal,' zeg ik.

Lucy buigt zich over mijn gitaar heen. 'Dat zit vast in mijn genen. Bij ons thuis klinken er constant "blijde galmen", weet je.'

Ik denk er bijna nooit aan dat Lucy's complete familie lid is van dezelfde kerk als Max.

Vanessa heeft het me maanden geleden verteld, toen Lucy en ik met muziektherapie van start gingen. Hoogstwaarschijnlijk kennen Lucy's ouders zowel Max als Wade Preston, maar blijkbaar is bij hen het kwartje nog niet gevallen. Ze beseffen ongetwijfeld niet dat hun dierbare dochter een wekelijkse afspraak heeft met de baarlijke duivel.

'Mag ik een liedje spelen?' vraagt Lucy opgewonden.

'Nou, als je er nog één akkoord bij leert, kun je "Naamloos Paard" spelen.' Ik neem de gitaar van haar over en zet hem op mijn knie. Dan speel ik de e-mineur en vervolgens een D add6/add9.

'Wacht,' zegt Lucy. Ze legt haar hand op de mijne, zodat haar vingers op precies dezelfde plaats boven de snaren zweven. Dan tilt ze mijn hand van de gitaarhals en draait even aan mijn trouwring. 'Wat een mooie,' zegt ze bewonderend.

'Dank je.'

'Die was me nog nooit eerder opgevallen. Is het je trouwring?'

Ik sla mijn armen rond de gitaar. Waarom is zo'n eenvoudige vraag niet zo simpel te beantwoorden? 'Hé, we zitten hier niet om over mij te praten, toch?'

'Maar ik weet niets over jou. Ik weet niet of je getrouwd bent, of je kinderen hebt, of dat je misschien een seriemoordenaar bent...'

Bij het woord 'kinderen' maakt mijn maag een salto. 'Wees gerust, ik ben geen seriemoordenaar.'

'Nou, fijn om te weten.'

'Lucy, ik wil gewoon niets van de tijd die wij voor de muziektherapie hebben verspillen door...'

'Maar het is toch geen tijdverspilling als ík het aan jou vraag?'

Ik ken Lucy goed genoeg om te weten dat ze zich niet zomaar laat afwimpelen. Als ze eenmaal iets in haar hoofd heeft, is ze niet te stuiten. Daarom pikt ze ook zo snel iedere muzikale uitdaging op die ik haar aanbied. Van songtekstanalyse tot een instrument leren bespelen. Ik heb vaak gedacht dat ze zich juist daarom aanvankelijk zo sterk voor haar omgeving afsloot. Niet omdat het haar allemaal niets kon schelen, maar omdat het haar te véél kon schelen. Zodra ze zich ergens mee inliet, moest ze wel uitgeput raken door de grote impact die het op haar had.

Wat ik ook over Lucy weet is dat haar ouders uiterst traditioneel zijn ingesteld, hoewel ik daar bij Lucy zelf nog niets van gemerkt heb. Maar vooral vanwege die ouders denk ik: *wat niet weet, wat niet deert*. Als zij er per ongeluk tegen haar moeder uitflapt dat ik getrouwd ben met Vanessa, is het subiet afgelopen met onze therapiesessies. Ik moet er niet aan denken dat mijn eigen situatie Lucy's leven op de een of andere manier negatief zou beïnvloeden.

'Het lijkt wel staatsgeheim,' zegt Lucy. 'Waarom doe je zo geheimzinnig?'

Ik haal mijn schouders op. 'Je vraagt de schoolpsycholoog toch ook niet naar haar privéleven?'

'De schoolpsycholoog is niet mijn vriendin.'

'Maar ik ben óók niet jouw vriendin,' wijs ik haar terecht. 'Ik ben je muziektherapeut.'

Als door een wesp gestoken stapt ze bij me vandaan. Het lijkt alsof een onzichtbaar luik voor haar ogen neerklapt.

'Lucy, je begrijpt me verkeerd...'

'Nee. Ik begrijp je juist heel goed,' zegt ze. 'Natúúrlijk zijn wij geen vriendinnen. Ik ben jouw verdomde proefschrift. Jouw eigen experimentje met het monster van Frankenstein. Jij loopt hier straks de deur uit, gaat naar huis en je geeft geen reet om mij. Voor jou ben ik een manier om centjes te verdienen. Mij best. De boodschap is overgekomen.'

Met een zucht zeg ik: 'Ik begrijp dat het pijnlijk voor je is, Lucy. Maar het is mijn werk om met jou te praten over jóú. Om me op jóú te concentreren. En natuurlijk geef ik wél om je en denk ik aan je, ook wanneer we niet bij elkaar zijn. Maar uiteindelijk heb jij er het meest aan om mij te zien als je muziektherapeut, en niet als je maatje.'

Met een ruk draait Lucy haar stoel van me weg en staart uit het raam. De sessie duurt nog veertig minuten. Al die tijd vertoont ze geen enkele reactie, of ik nu zing, gitaar speel of haar vraag wat voor muziek ze wil horen op mijn iPod. Dan gaat eindelijk de zoemer. Ze schiet overeind en stormt het kamertje uit, als een wilde merrie die haar leidsel heeft doorgebeten. Ze loopt al op de gang wanneer ik haar naroep: 'Tot vrijdag.' Ik heb geen idee of ze me überhaupt heeft gehoord.

'Hou op met dat gewiebel,' fluistert Vanessa me van achteren toe. Ik zit in de rechtszaal naast Angela Moretti te wachten tot de rechter zijn entree maakt. Hij zal vandaag uitspraak doen over Wade Prestons verzoek om een voogd ad litem te benoemen.

'Sorry,' mompel ik. 'Ik kan het niet helpen.'

Vanessa zit vlak achter ons. Mijn moeder, die naast haar zit, zegt: 'Angst lijkt op een schommelstoel. Het houdt je in beweging, maar je komt er nergens mee.'

Vanessa kijkt haar aan. 'Wie zei dat?'

'Ik, dat hoorde je toch.'

'Maar wie citeerde je?'

'Mezelf,' zegt ze, vol trots.

'Goh, wat een goede slagzin. Die moet ik onthouden voor een van de overambitieuze zenuwpezen uit onze speciale plusklas. Hij heeft een T-shirt laten bedrukken met: NAAR HARVARD, OF DOOD.'

Ik word afgeleid door de binnenkomst van Max en zijn advocaten. Wade Preston loopt voorop door het middenpad van de rechtszaal, op de voet gevolgd door Ben Benjamin en Reid. Max loopt een paar stappen achter zijn broer. Hij draagt alweer een gloednieuw pak, dat Reid voor hem gekocht moet hebben. Zijn haar krult over zijn oren. Vroeger plaagde ik hem altijd als het zo lang werd, om hem naar de kapper te krijgen. Dan vroeg ik hem of hij soms streefde naar een Shelley Long-look.

Er zit een fysieke component aan verliefdheid, dat is bekend. De vlinders in je buik, de achtbaan van gevoelens die je lichaam ineens is geworden. Maar er is evengoed een lichamelijke component aan níet meer verliefd zijn. Je longen voelen als theezeefjes, zodat je niet genoeg lucht kunt krijgen. Je ingewanden lijken stijf bevroren. En je hart schrompelt ineen tot een wrang, keihard kraaltje, als chemische reactie op de blootstelling aan de bittere waarheid. De laatste in de hofstoet van Preston is Liddy. Ze ziet er vandaag uit als de wederopstanding van Jackie Kennedy. 'Heeft ze een dwangneurose?' fluistert Vanessa. 'Of zijn die handschoentjes een modestatement?'

Voor ik antwoord kan geven, zien we een juridisch assistent verschijnen die met een gekwelde uitdrukking de bekende steekwagen vol loodzware naslagwerken duwt. Hij stapelt de boeken op voor Wade Preston, net als de vorige keer. Ik weet best dat het allemaal uiterlijk vertoon is, maar het werkt wel. Ik voel me geïntimideerd.

'Hé, Zoë,' zegt Angela, zonder op te kijken van de blocnote waarop ze aantekeningen maakt. 'Wist jij dat het postbedrijf bijna het gezicht van Wade Preston op een serie postzegels had laten drukken? Maar het ging niet door, omdat de mensen niet wisten op welke kant ze moesten spugen.'

Gehuld in zijn wapperende, zwarte toga komt rechter O'Neill binnen. 'Zeg, meneer Preston. U krijgt géén speciale onkostenvergoeding voor al die extra kilometers die u maakt om maar zo vaak mogelijk in mijn rechtszaal op te duiken.' Hij bladert door het schriftelijke verzoek dat voor hem ligt. 'Lees ik dit goed, raadsman? Vraagt u nu om een voogd ad litem te benoemen voor een kind dat nog helemaal niet bestaat, en misschien nooit zál bestaan?'

'Edelachtbare,' zegt Preston, terwijl hij overeind komt, 'de essentie van deze zaak is dat het om een kínd gaat. U hebt het daarstraks zelf zo genoemd! En zodra dit ongeboren kind daadwerkelijk ter wereld komt, zal uw beslissing bepalen waar hij of zij wordt opgevoed. Vandaar dat het mij van wezenlijk belang lijkt dat er enige inbreng is van een bevoegd deskundige. Die kan een gesprek voeren met de potentiële aanstaande ouders, en u een handvat bieden om de juiste beslissing te nemen.'

De rechter tuurt over zijn bril naar Angela. 'Mevrouw Moretti, ik heb zo'n vermoeden dat u wellicht een ander standpunt inneemt.'

'Edelachtbare, bij de taken van een voogd ad litem hoort een gesprek met het kind dat centraal staat in het bestaande meningsverschil. Hoe moet je in hemelsnaam een gesprek voeren met een embryo?'

Wade Preston schudt zijn hoofd. 'Niemand suggereert dat deze voogd een praatje moet gaan maken met een petrischaal, meneer de rechter. Maar we vinden dat een gedachtewisseling met de potentiële ouders goed in beeld kan brengen welke levensstijl meer geschikt is voor een kind.'

'Rietje,' fluister ik.

Afwezig buigt Angela zich naar mij toe. 'Wat zeg je nu?'

Zwijgend schud ik mijn hoofd. Laat ook maar. De embryo's worden bewaard in rietjes, niet in petrischalen. Als Preston zijn huiswerk had gedaan, had hij dat geweten. Maar voor hem draait dit allemaal niet om diepgravend of accuraat onderzoek. Hij wil alleen maar voor circusdirecteur spelen.

'Met alle respect, edelachtbare, maar op dit punt is de wet in Rhode Island glashelder,' zegt Angela. 'Als wij bespreken waarmee het belang van het kind het best gediend is, dan zou dit een voogdijzaak zijn, die uiteraard gaat over levende kinderen. Meneer Preston probeert nu om van de ingevroren embryo's iets te maken wat ze in dit stadium niet zijn, namelijk menselijke wezens.'

De rechter richt zich tot Wade Preston. 'U roert een interessant punt aan, raadsman. 'Ik zou uw ideeën hierover best eens nader willen overdenken. Maar mevrouw Moretti heeft gelijk wat de wetgeving betreft. Benoeming van een voogd ad litem gaat uit van het bestaan van een minderjarig kind, dus zal ik uw verzoek moeten afwijzen. Echter, dit hof acht het van groot belang onschuldige slachtoffers te beschermen. Daarom zal ik alle getuigen met grote oplettendheid aanhoren, waarbij ik zélf de rol van voogd ad litem op me neem.' Hij kijkt op van zijn papieren. 'Kunnen we nu een datum vaststellen voor het proces?'

'Edelachtbare,' zegt Angela, 'mijn cliënte is eenenveertig jaar oud en haar echtgenote is bijna vijfendertig. De embryo's worden al langer dan een jaar bewaard met behulp van een cryoprotectant. Wij willen deze zaak graag zo snel mogelijk opgelost zien, om verzekerd te zijn van een goede kans op een levensvatbare zwangerschap.'

'Het lijkt erop dat mevrouw Moretti en ik het voor één keer eens zijn,' voegt Wade Preston toe. 'Hoewel óns motief om deze zaak spoedig af te willen handelen is dat deze kinderen zo snel mogelijk in een liefdevol, traditioneel christelijk gezin geplaatst dienen te worden.'

'Er is een nog een derde reden om de zaak tijdig in te plannen,' zegt rechter O'Neill. 'Eind juni ga ik met pensioen en dan wil ik deze puinhoop op orde hebben, want ik wil de rommel niet laten liggen voor een collega. Over vijftien dagen zal de zitting plaatsvinden. Ik ga ervan uit dat beide partijen dan volledig voorbereid zullen zijn.'

Zodra de rechter naar de raadkamer vertrekt, draai ik me om naar Angela. 'Dit is een goede uitkomst, toch? Het verzoek is afgewezen, dus dat hebben wij alvast gewonnen.'

Maar ze is niet zo enthousiast als ik zou verwachten. 'Formeel wel,' geeft ze toe. 'Maar wat O'Neill zei over "onschuldige slachtoffers", beviel me niet. Het klonk mij niet bepaald onbevooroordeeld in de oren.'

We zwijgen allebei als Wade Preston op ons afkomt en Angela een vel papier overhandigt. 'Jouw getuigenlijst?' zegt ze, terwijl ze haar blik eroverheen laat glijden. 'Is dat niet erg voorbarig?'

Hij grijnst, als een haai. 'Een goede algemene voorbereiding is alles, snoepje,' zegt hij. 'Je zult nog versteld van me staan, dat kan ik je beloven.'

Die vrijdag is Lucy een kwartier te laat voor de therapie. Ik besluit haar het voordeel van de twijfel te geven. We hebben dit keer de fotostudio op de derde verdieping toegewezen gekregen, een ruimte waarvan ík niet eens wist dat die bestond, hier op school. 'Hoi,' zeg ik, als ze binnen komt lopen. 'Had jij ook al moeite om deze kamer te vinden?'

Lucy geeft geen antwoord. Ze gaat achter een tafeltje zitten, haalt een boek uit haar tas en verstopt haar gezicht erachter.

'Oké. Je bent nog steeds boos op me, dat is duidelijk. Dus laten we erover praten.' Ik leun naar voren, mijn handen tussen mijn knieën geklemd. 'Het is volkomen normaal dat een cliënt haar relatie met haar therapeut verkeerd interpreteert. Freud zegt zelfs dat dát nou juist de sleutel is om iets uit je verleden te ontdekken – iets wat jou nog steeds enorm dwarszit. Dus misschien moeten we ons gewoon eens afvragen waarom jij zou willen dat ik jouw vriendin was. Wat zegt dat over wie jij bent, en over waar jij op dit moment behoefte aan hebt?'

Met een stalen gezicht draait ze een bladzijde om.

Het boek is een verzameling korte verhalen van Anton Tsjechov.

'Doe jij een vak Russische literatuur?' probeer ik. 'Indrukwekkend, zeg.'

Lucy negeert me.

'Ik heb nooit een keuzevak Russische literatuur gevolgd. Dat was voor mij te hoog gegrepen. Ik vind literatuur al lastig genoeg te begrijpen als het in het Engels is.'

Ik pak mijn gitaar en begin een Slavisch klinkende improvisatie in mineur te tokkelen. 'Als ik zou proberen muziek te maken van Russische verhalen, zou het een beetje zo klinken,' zeg ik peinzend. 'Maar eigenlijk heb ik er een viool bij nodig.'

Lucy klapt haar boek dicht, werpt me een woedende blik toe en legt haar hoofd op het bureau.

Ik schuif mijn stoel dichter naar haar toe. 'Misschien wil je me niet vertellen wat je op je hart hebt, maar zou je het dan willen spelen?'

Geen reactie.

Ik pak mijn djembé en klem hem in gekantelde positie tussen mijn knieën, zodat zij erop kan trommelen.

'Hoe boos ben je?' vraag ik, terwijl ik een tikje op de djembé geef. 'Zo boos? Of komt dit dichter in de buurt?' Ik sla hard met mijn hand op het instrument.

Lucy blijft hardnekkig de andere kant op kijken. Ik begin een ritme te drummen: tik-tik-tik-tik-BOEM, tik-tik-tik-tik-BOEM. Ten slotte houd ik het voor gezien. 'Als je vandaag geen zin hebt om te praten, kunnen we misschien muziek luisteren.'

Ik bevestig mijn iPod aan het draagbare speakerssysteem. Ik speel muziek af waarop Lucy in het verleden heeft gereageerd – positief dan wel negatief. Op dit moment wil ik alleen maar iets uit haar krijgen, wat dan ook. Even denk ik dat ik haar eindelijk uit haar tent heb gelokt. Ze gaat rechtop zitten, draait zich om op haar stoel en graaft in haar rugzak. Ze haalt een rafelig, verfrommeld papieren zakdoekje tevoorschijn en scheurt er twee kleine stukjes af. Ze rolt ze tot bolletjes en stopt ze in haar oren.

Ik zet de muziek uit.

Toen ik met Lucy begon te werken en ze zich zo gedroeg, zag ik dat als een uitdaging. Iets waar ik doorheen moest zien te breken, net als bij sommige andere cliënten die ik heb behandeld.

Maar na al die maanden vooruitgang... voelt dit als een persoonlijke belediging.

Freud zou dit tegenoverdracht noemen. Dat is wat er gebeurt als de gevoelens van de therapeut verstrengeld raken met die van een cliënt. Ik hoor nu een stap terug te doen en me af te vragen waarom Lucy mij boos zou willen maken. Zo krijg ik weer controle over de gevoelens die in onze therapeutische relatie spelen. En wat belangrijker is, ik zou een ontbrekend stukje kunnen ontdekken van de puzzel die Lucy heet.

Het probleem is dat Freud het mis had.

Toen Max en ik voor het eerst samen een dagje uitgingen, nam hij me mee uit vissen. Dat had ik nog nooit gedaan. Ik vond het onbegrijpelijk dat mensen hele dagen kunnen doorbrengen op zee. Dobberend in een bootje, starend naar hun vislijn en wachtend tot ze beet hadden, wat volgens mij nauwelijks ooit gebeurde. Het leek me volslagen zinloos. Maar die dag viel midden in de voorjaarstrek van de gestreepte zeebaars; hét moment om er eentje te verschalken. Max deed het aas aan mijn vishaak, gooide de lijn uit en liet me zien hoe ik de hengel moest vasthouden. Na ongeveer een kwartier voelde ik een ruk aan mijn hengel. 'Ik heb er een,' zei ik, opeens helemaal hyper. Ik luisterde aandachtig naar Max' instructies. Ritmisch en geleidelijk je vangst binnenhalen. Nooit je grip verliezen op je hengel als er voortdurend aan wordt getrokken. Maar toen, plotseling, hing de vislijn slap. Ik draaide verder aan de werpmolen, en toen ik de lijn had ingehaald was het aas verdwenen en de vis ook. Wat een enorme domper. Op dat moment begreep ik waarom vissers bereid zijn de hele dag te wachten tot ze iets vangen. Je moet eerst inzien wat je misloopt voor je daadwerkelijk je verlies kunt voelen.

Daarom kwetst Lucy's boycot van deze sessie me nu veel meer dan in het begin. Nu ken ik haar. Nu ben ik een band met haar aangegaan. Dus dat ze zich van me afkeert is nu geen uitdaging meer, het voelt eerder als een nederlaag.

Na een paar minuten zet ik de muziek af. De rest van de sessie zitten we uit in stilte.

Toen ik getrouwd was met Max en zwanger probeerde te worden, hadden we een verplicht gesprek met een maatschappelijk werkster van de fertiliteitskliniek. Maar ik herinner me niet dat de vragen ook maar enigszins leken op wat Vanessa en ik nu op ons afgevuurd krijgen.

De maatschappelijk werkster heet Felicity Grimes. Ze ziet eruit alsof het haar ontgaan is dat de jaren tachtig al een tijdje voorbij zijn.

Ze draagt een rood broekpak met een asymmetrisch jasje en kanjers van schoudervullingen. Haar haar is zo hoog opgestoken dat het als windzeil zou kunnen dienen. 'Denkt u dat u echt bij elkaar zult blijven?' vraagt ze.

'We zijn getrouwd,' zeg ik. 'Volgens mij is dat een goede aanwijzing dat we onze verbintenis serieus nemen.'

'Vijftig procent van de huwelijken eindigt in een scheiding,' zegt Felicity.

Was Max en mij destijds ook gevraagd of onze relatie de tand des tijds wel zou kunnen doorstaan? Ik weet bijna zeker van niet.

'Dat percentage gaat op voor heterohuwelijken,' zegt Vanessa. 'Wat het homohuwelijk betreft, moet dat nog blijken. Er zijn nog geen statistieken van. Maar wij moesten bergen verzetten om alleen maar te kunnen tróúwen. Dus ligt het in de lijn der verwachting dat wij ons huwelijk nog veel serieuzer nemen dan het gemiddelde heteropaar.'

Ik knijp waarschuwend in Vanessa's hand. Ik heb geprobeerd haar uit te leggen dat, ongeacht hoe dom de vragen klinken, wij gewoon kalm moeten blijven en braaf antwoord geven. Ons doel is nu even niet om op de barricade te springen voor homorechten. Het gaat erom dat deze mevrouw haar paraaf krabbelt achter onze namen, zodat wij de volgende stap kunnen zetten. 'Ze bedoelt dat wij samen voor de lange termijn gaan,' zeg ik met een poging tot een glimlachje.

We hebben de directrice van de kliniek zover gekregen dat we met de psychologische voorbereiding op de ivf-behandeling mogen beginnen. Het gerechtelijk bevel luidt dat de ingevroren embryo's opgesloten moeten worden gehouden in hun rietjes. Maar zodra de rechter in ons voordeel beslist, kan Vanessa direct met de hormoonbehandeling starten. De directrice heeft wel benadrukt dat zij Reid en Liddy hetzelfde zal moeten toestaan, als Max dat zou willen.

We hebben Felicity al verteld hoe we elkaar ontmoet hebben en hoelang we samen zijn. 'Dat u ouders van hetzelfde geslacht wordt, heeft juridische consequenties. Hebt u die al overwogen?'

'Ja,' zeg ik. 'Ik adopteer de baby direct nadat Vanessa bevallen is.'

'Ik neem aan dat u elkaar een volmacht hebt gegeven?'

We kijken elkaar aan. Omdat ons huwelijk niet in heel Amerika wordt erkend, moeten we door allerlei extra juridische hoepels springen om dezelfde rechten te krijgen als heterokoppels. Stel dat ik een auto-ongeluk zou krijgen en stervende was. Dan zou Vanessa niet vanzelfsprekend het recht hebben om als mijn echtgenote aan mijn sterfbed te zitten in het ziekenhuis. Ze zou ook niet mogen beslissen de apparaten uit te laten zetten die mij in dat geval kunstmatig in leven hielden. Ik heb het uitgerekend: het gaat om 1138 verschillende rechten die een heteropaar door te trouwen automatisch verwerft, maar wij niet.

Vanessa en ik waren van plan om er een avond voor te gaan zitten met een fles whisky erbij. Die heb je wel nodig als je vragen moet bespreken die niemand ooit wil beantwoorden – over orgaandonatie, en of we in een hospitium op ons einde wilden wachten, en over hersendood. Maar toen werd ik voor de rechter gedaagd. En daardoor is het er ironisch genoeg bij ingeschoten om naar een notaris te stappen en hem te vragen een volmacht op te stellen. 'We zijn ermee bezig dat in orde te maken,' zeg ik dus maar. Het is niet echt een leugen, toch? We zijn het tenslotte wél van plan.

'Waarom wilt u een kind?' vraagt Felicity.

'Ik kan niet voor Vanessa spreken,' zeg ik, 'maar ik heb altijd al een kind gewild. Ik heb bijna tien jaar samen met mijn ex-man geprobeerd zwanger te worden. Ik denk niet dat ik me ooit echt compleet zal voelen zonder moeder te mogen zijn.'

De maatschappelijk werkster kijkt Vanessa aan. 'Ik werk met kinderen,' zegt Vanessa. 'Ik praat iedere dag met hen, op het Wilmington College, waar ik decaan ben. Sommigen zijn verlegen, of grappig, of het zijn uitgesproken lastposten. Maar ze zijn er hoe dan ook het levende bewijs van dat hun ouders ooit overtuigd waren dat zij samen een toekomst hadden. Ik wil een baby van Zoë. Een kind dat opgroeit met twee moeders die hemel en aarde hebben moeten bewegen om haar of hem op deze wereld te mogen zetten.'

'Maar hoe voelt het voor u om het ouderschap aan te gaan?'

'Prima. Dat lijkt me wel duidelijk,' zegt Vanessa.

'Maar u hebt nooit een uitgesproken kinderwens gehad, tot op dit moment...'

'Omdat ik nog nooit een partner heb gehad met wie ik dolgraag kinderen wilde.'

'Doet u dit dan voor Zoë, of voor uzelf?'

'Hoe kan ik dat nu van elkaar scheiden?' zegt Vanessa geïrriteerd. 'Natuurlijk doe ik het voor Zoë. Maar ik doe het ook voor mezelf.'

Felicity schrijft iets op haar notitieblok. Ik word er nerveus van. 'Waarom denken jullie dat jullie goede ouders zouden zijn?'

'Ik ben geduldig,' antwoord ik. 'Ik heb veel ervaring met hulpverlening aan mensen die allemaal op een heel eigen manier uiting geven aan hun problemen. Ik kan goed luisteren.'

'En ze heeft heel veel liefde te geven,' zegt Vanessa. 'Meer dan wie ook die ik ooit heb gekend. Echt, ze zou alles doen voor haar kind. En wat mij betreft, nou ja, ik ben schóóldecaan. Dat zal ongetwijfeld van pas komen, ook bij de opvoeding van mijn eigen kind.'

'Vanessa is heel zelfverzekerd. En intelligent, en ongelooflijk invoelend,' zeg ik. 'Een beter rolmodel kan ik niet bedenken.'

'Dus u werkt met pubers, mevrouw Shaw. Hebt u ooit een baantje gehad als babysitter, bijvoorbeeld in uw studietijd? Hebt u voor jongere broers of zusjes gezorgd in het verleden?'

'Nee,' zegt Vanessa. 'Maar ik weet vrij zeker dat ik via Google kan vinden hoe ik een luier moet verschonen als ik met mijn handen in het haar zit.'

'Ze is ook erg grappig,' kom ik tussenbeide. 'Een fantastisch gevoel voor humor!'

'Weet u, ik ben een aantal tienermoeders tegengekomen gedurende mijn loopbaan,' zegt Vanessa. 'Ze staan nog dicht genoeg bij hun eigen kindertijd om zich alle details van de verzorging te herinneren. Maar ik zou niet willen zeggen dat zíj daardoor zo geweldig geschikt zijn voor het ouderschap...'

Felicity kijkt haar aan. 'Bent u altijd zo lichtgeraakt?'

'Alleen als ik met iemand moet praten die...'

'Hebt u verder nog vragen?' zeg ik snel. 'U wilt vast nog meer van ons weten, toch?'

'Hoe gaat u uw kind uitleggen waarom ze twee moeders heeft en geen vader?' vraagt Felicity.

Die vraag had ik verwacht. 'Ik zou haar om te beginnen vertellen dat er een heleboel verschillende soorten gezinnen zijn, en dat het ene niet beter is dan het andere.'

'Kinderen kunnen behoorlijk wreed zijn, zoals u weet. Stel dat een klasgenootje jullie kind gaat pesten omdat het twee moeders heeft?'

Vanessa slaat haar ene been over het andere. 'Ik zou er meteen op afstappen en het kind dat haar getreiterd had in elkaar slaan.'

Ik staar haar aan. 'Dat méén je niet.'

'O, oké. Ja, dat zouden we natuurlijk heel verstandig aanpakken. We zouden met ons kind praten, het troosten en moed inspreken. En dán pas zou ik die pestkop in elkaar gaan slaan.'

Knarsetandend zeg ik: 'Wat ze bedóélt is dat we zouden gaan praten met de ouders van het kind dat gepest had. En dat we hun misschien wat tips zouden kunnen geven, zodat hun kind wat toleranter zou worden...'

De telefoon gaat, en de maatschappelijk werkster neemt op. 'Het spijt me,' zegt ze tegen ons. 'Wilt u mij even excuseren?'

Zodra Felicity Grimes haar kantoor uit stapt, wend ik me tot Vanessa. 'Echt, Vanessa. Ik kon mijn oren niet geloven. Dat je zoiets zégt tegen iemand van de kliniek, iemand die gaat bepalen of wij die embryo's mogen gebruiken.'

'Dat bepaalt zij niet, maar rechter O'Neill. En bovendien, die vragen van haar slaan nergens op! Er zijn massa's váders op de wereld die geen knip voor hun neus waard zijn. Al die kerels die er niets van terechtbrengen, die er niet eens zíjn voor hun kind, zijn reden te meer om de loftrompet te steken op het lesbisch ouderschap.'

'Maar deze vrouw moet ons het groene licht geven voor de kliniek de behandeling opstart,' voer ik aan. 'Je weet blijkbaar niet hoe je dit spelletje moet spelen, Vanessa, maar ik wel. Je zegt simpelweg alles en je doet alles om haar zover te krijgen dat ze haar handtekening voor ons zet.'

'Ik pas ervoor iemand me extra zwaar te laten beoordelen, alleen omdat ik lesbisch ben. Het is al erg genoeg dat onze relatie in de rechtszaal breed wordt uitgemeten, alsof wíj geen rechten hebben. Moet ik hier dan ook nog gaan zitten knikken en glimlachen terwijl die *Dallas*-trut voor mij bepaalt dat ik niet én lesbisch én een goede ouder kan zijn?'

'Dat heeft ze helemaal niet gezegd,' werp ik tegen. 'Dat is wat jij hebt gehóórd.'

In mijn verbeelding zie ik Felicity Grimes aan de andere kant van de deur staan luisteren, terwijl ze een groot rood kruis zet op onze dossiermap. *Echtpaar krijgt tijdens het vraaggesprek al binnen een uur ruzie. Ongeschikt als opvoeders.*

Vanessa schudt haar hoofd. 'Sorry, maar ik kan dit spelletje niet meespelen zoals Max dat deed. Ik kan me niet voordoen als iemand die ik niet ben, Zoë. Dat heb ik mijn halve leven al geprobeerd. Ik dóé het gewoon niet meer.'

Op dat moment voel ik mijn woede op Max branden als blaren op mijn tong. Dat hij me mijn recht om onze embryo's te gebruiken probeert af te pakken, is één ding. Maar het is iets heel anders dat hij nu misschien van me afpakt wat mij gelukkig maakt.

'Vanessa,' zeg ik. 'Ik wil graag een kind. Maar niet als dat betekent dat ik jou kwijtraak.'

Ze kijkt me aan, juist wanneer Felicity Grimes weer binnenkomt. 'Nogmaals mijn excuses. Nou, wat mij betreft; ik zie geen reden waarom u beiden geen kind zou kunnen opvoeden.'

Vanessa en ik kijken elkaar aan. 'Bedoelt u dat we klaar zijn?' vraag ik. 'Zijn we geslaagd?'

Felicity glimlacht. 'Het is geen examen, hoor. We verwachten echt niet dat u alle juiste antwoorden paraat heeft. We willen gewoon antwoorden van u, meer niet.'

Vanessa staat op en schudt de maatschappelijk werkster de hand. 'Dank u wel.'

'En u veel succes.'

Ik pak mijn jas en tas en we lopen het kantoortje uit. Na een paar passen staan we naast elkaar stil in de gang. Vanessa grijpt me vast, slaat haar armen om me heen en drukt me zó heftig tegen zich aan dat mijn voeten loskomen van de grond. 'Ik voel me net alsof ik zojuist de Super Bowl gewonnen heb.'

'Misschien meer zoiets als de eerste wedstrijd van het seizoen,' zeg ik voorzichtig.

'Maar dan nog. Het voelt zó fijn om iemand ja te horen zeggen in plaats van nee.' Ze houdt haar arm om mijn schouders geslagen terwijl we door de gang lopen.

'Ik wil nog even iets kwijt over dat hypothetische pestkind,' zeg ik. 'Ik vond dat mevrouw Grimes het niet hoefde te horen, maar... als jij die treiterkop in elkaar zou gaan beuken dan stond ik pal achter je, hoor.'

'Daarom hou ik nou zoveel van je.'

We zijn aangekomen bij de lift, en ik druk op de knop. Wanneer het

belletje gaat en de lift gearriveerd is, wijken Vanessa en ik uit elkaar.
Het is een reflex.
Zodat we niet de kans lopen dat mensen ons aangapen.

Op dinsdagochtend werk ik gewoonlijk in een hospitium. Daar doe
ik muziektherapie met terminale patiënten die ik iedere week verder
zie aftakelen, tot het einde. Het is beestachtig zwaar, geestelijk uit-
puttend werk. Maar toch zou ik liever daar zijn dan waar ik nu zit:
alweer naast Angela Moretti in de rechtszaal. Dit keer vanwege een
hoorzitting over een urgent verzoek dat Wade Preston heeft ingediend,
gisterenmiddag vlak voor vijf uur. Angela is zo kwaad dat ze zelfs geen
advocatengrappen ten koste van Preston maakt.

Rechter O'Neill werpt Preston een grimmige blik toe. 'Ik heb hier
een urgentieverzoek voor me liggen van u, waarin u vraagt om Angela
Moretti te diskwalificeren als advocaat van Zoë Baxter. Plús een artikel 11-motie van mevrouw Moretti om uw verzoek op voorhand te
schrappen wegens lichtzinnig gebruik van het recht om moties in te
dienen. Kortom, een waar migraineprogramma, en dat alles nog voor
tienen in de ochtend. Raadsman, wat hebt u ditmaal op uw lever?'

'Meneer de rechter, ik schep er waarachtig geen plezier in om deze
informatie aan het hof te moeten meedelen. Maar kijkt u eens naar
de bij het verzoekschrift gevoegde foto, die ik graag als bewijsstuk A
wil overleggen. U ziet hier dat mevrouw Moretti niet alleen een sym-
pathisant is van lesbiennes... ze hangt zelf ook deze ontaarde levensstijl aan.'

Hij houdt een uitvergrote, korrelige foto omhoog waarop Angela
en ik met onze armen om elkaar heen staan. Ingespannen tuur ik naar
het onduidelijke beeld. Waar is dit kiekje in hemelsnaam genomen?
Dan zie ik het harmonicagaas en de lantaarnpaal op de achtergrond,
en realiseer me welke locatie dit is: de parkeerplaats van het Wilmington College.

Maar Angela en ik hadden geen afspraak gepland, die dag.

Wat betekent dat Preston mij laat schaduwen.

Wade Preston haalt zijn schouders op. 'Een foto zegt meer dan duizend woorden.'

'Hij heeft gelijk,' zegt Angela. 'En deze armzalige, amateuristische
foto spreekt voor zichzelf.'

'Als ze bereid zijn dit in het openbaar met elkaar te doen, stelt u zich dan eens voor wat ze achter gesloten deuren uitvoeren, samen...'

'O, mijn god,' mompelt Angela.

'Voor bidden is het nu te laat, mevrouw. Het is duidelijk dat de gedagvaarde en haar advocate verwikkeld zijn in een onbetamelijke relatie, die in strijd is met de ethische regels voor advocaten in Rhode Island,' zegt Preston triomfantelijk.

Ben Benjamin komt langzaam van zijn stoel. 'Ehm, zeg Wade... Hier in Rhode Island is het wel degelijk toegestaan een seksuele relatie te hebben met je cliënt.'

Als door een adder gebeten, draait Preston zich om en kijkt hem aan. 'Echt wáár?'

Beduusd kijk ik naar Angela. 'Echt wáár?'

Benjamin knikt. 'Zolang het niet dient als honorarium voor juridische diensten.'

Preston is nog niet uit het veld geslagen, en richt zich opnieuw tot de rechter. 'Edelachtbare, dat kan formeel dan wel zo zijn, maar we weten toch allemaal dat er ethische normen bestaan bij de uitoefening van ons beroep. Welke raadsman of -vrouw zou een affaire met een cliënt onderhouden die de grenzen van het fatsoen zover overschrijden, zoals blijkt uit bewijsstuk A? Dan moet de jurist in kwestie wel volslagen immoreel zijn. Het staat vast dat mevrouw Moretti niet bekwaam is om haar cliënte in deze zaak op onpartijdige wijze te vertegenwoordigen.'

De rechter wendt zich tot Angela. 'Ik neem aan dat u hier iets aan toe te voegen heeft?'

'Ik wil hierbij absoluut en ondubbelzinnig ontkennen dat ik een affaire zou hebben met mijn cliënte. Haar eigen vróúw zit hier vlak achter me, nota bene! De paparazzi van meneer Preston waren getuige van een compleet onschuldige omhelzing die plaatsvond tijdens een gesprek met mijn cliënt. Zij was radeloos omdat ik haar moest vertellen over Wade Prestons poging om de rechtsgang wederom te verstoren. Ditmaal doordat hij een voorstel had ingediend een voogd ad litem te benoemen voor zygoten, die zoals u weet niet meer dan een eicel versmolten met een zaadcel zijn. Ik begrijp dat meneer Preston geen gangbaar menselijk gebaar van warmte en medeleven zou herkennen, ook al struikelde hij erover. Dat zou immers betekenen dat hij zelf ook een normaal voelend mens is. En dat verklaart tevens waarom hij deze situatie volledig verkeerd heeft geïnterpreteerd. Maar, edelachtbare, deze onverkwikkelijke verdachtmaking roept tegelijkertijd de vraag op waaróm daar iemand ter plaatse was om een foto van mijn cliënte te maken.'

'Ze bevond zich in een openbare ruimte, op een parkeerplaats, in het volle zicht van iedereen,' zegt Preston.

'Is dat een trouwring, die u draagt?' vraagt de rechter aan Angela.

'Ja.'

'Bent u getrouwd, mevrouw Moretti?'

Ze knijpt haar ogen tot spleetjes. 'Inderdaad.'

'Met een man of een vrouw?' interrumpeert Wade Preston.

Angela ontploft bijna: 'Ik maak bezwaar! Dit gedrag valt absoluut niet te verdedigen, edelachtbare. Het is laster, eerroof, smaad...'

'Zo is het genoeg,' buldert rechter O'Neill. 'Het verzoek is afgewezen. Ik ken geen extra procureursvergoeding toe, noch voor de ene, noch voor de andere motie. En strafsancties, daar begin ik ook niet aan. Maar ik waarschuw u beiden: hou ermee op mijn tijd te verspillen.'

Zodra de rechter de zaal heeft verlaten, steekt Angela over naar de tafel van de eiser. Ze begint te tieren tegen Wade Preston, die minstens twintig centimeter boven haar uitsteekt: 'Als jij nog één keer probeert mijn reputatie te beschadigen, doe ik je een proces aan. Jouw gluiperige methodes gaan alle perken te buiten!'

'Uw reputatie beschadigen? Maar mevrouw Moretti, wilt u daarmee beweren dat het beledigend is om voor homoseksueel te worden aangezien?' Hij klakt met zijn tong. 'Nee toch. Als de Vereniging voor Homorechten dat ter ore komt, dan zeggen ze waarschijnlijk acuut uw levenslange lidmaatschap op.'

'Daar gáát het helemaal niet om, opgeblazen lefgozer.' Angela prikt een vinger in zijn dunne revers. Ze ziet eruit alsof ze op het punt staat vuur te spuwen, maar plotseling doet ze een stap terug met haar handpalmen naar boven gekeerd. 'Weet je wat? Ik wilde zeggen "zak in de stront, jij", maar dat gaat tijdens dit proces toch wel gebeuren. Dus ík maak hier geen woorden meer aan vuil.'

Ze draait zich met een ruk om en marcheert het geopende hek door, het middenpad af en de rechtszaal uit. Vanessa kijkt me aan. 'Ik ga even checken of ze niet bezig is zijn auto in de fik te steken,' zegt ze, en ze haast zich achter Angela aan. Intussen draait Wade Preston zich om naar zijn gevolg. 'Dat hebben we weer voor elkaar, beste vrienden. Zolang we hen in de verdediging drukken, hebben ze geen tijd om een aanvalstactiek uit te stippelen.'

Hij en Ben Benjamin lopen zachtjes pratend de rechtszaal uit. Ze laten de stapel boeken liggen die elke keer op hun tafel verschijnt zodra Wade Preston daar zit. Max is de enige die achterblijft, vooroverbogen en met zijn hoofd in zijn handen.

Wanneer ik opsta, doet Max dat ook. Er is nog ergens een griffier in de rechtszaal, en er lopen een paar parketwachters rond. Maar als Max en ik tegenover elkaar staan, merken we hun aanwezigheid niet meer op. Ik zie de eerste spoortjes grijs in zijn baardstoppels. Zijn ogen staan somber. 'Zoë, dat gedoe over die foto, dat spijt me.'

Ik probeer me te herinneren wat Max tegen me zei, de dag dat we onze zoon hadden verloren. Misschien zat ik te veel onder de pijnstillers of was ik buiten mezelf van verdriet, maar ik kan me geen enkel woord van troost herinneren. Sterker nog, ik kan me niets concreets herinneren dat hij ooit tegen me heeft gezegd, zelfs niet 'ik hou van je'. Het lijkt alsof ieder gesprek uit ons gezamenlijk verleden gemummificeerd is. Oeroude relikwieën die verkruimelen tot stof als je er te dichtbij komt.

'Weet je, Max,' zeg ik, 'Daar geloof ik eigenlijk niets van.'

Bij haar volgende twee therapiesessies komt Lucy te laat, negeert me, en vertrekt weer. De derde keer heb ik er genoeg van. We zitten in een wiskundelokaal; het smartboard staat vol onbegrijpelijke tekens waar ik duizelig van word, en zelfs een beetje misselijk. Zodra Lucy arriveert, vraag ik haar zoals gewoonlijk hoe haar dag is geweest. En zoals gewoonlijk geeft ze geen antwoord. Maar deze keer pak ik direct daarna mijn gitaar en begin 'All out of love', te spelen, gevolgd door de toegift 'My heart will go on'.

Voor zover ik Lucy's smaak ken, zijn er bij deze nummers en de volgende die ik speel maar twee opties. Óf ze valt uiteindelijk flauw van verveling, óf ze zal mijn gitaar uit mijn handen rukken van ergernis. En zoals het er nu voorstaat, zou ik dat zien als een geslaagde interactie. Maar Lucy blijft onverschillig.

'Sorry hoor,' zeg ik ten slotte, 'maar je laat me geen keus. Ik ga nu met grof geschut beginnen.'

Ik leg mijn gitaar terug in de koffer, haal een ukelele tevoorschijn en zing het intro van *Barney en zijn knuffelvriendjes*. Ik pluk verwoed aan de vier snaren van het instrumentje, dat een blikkerig geluid voortbrengt.

De eerste drie coupletten blijft Lucy me negeren. En dan, eindelijk, grijpt ze met een snelle beweging de hals van de ukelele. Ze klemt haar vingers om de snaren, zodat ik niet verder kan spelen. 'Laat me nou eens met rust!' schreeuwt ze. 'Dat is wel zo makkelijk voor jou, toch?'

'Ga jij doen alsof je weet wat ík denk? Dan zal ik jou eens duidelijk vertellen wat er volgens mij in jóú omgaat. Ik weet waar je mee bezig bent, en ik weet waarom. Ik besef heus wel dat je kwaad bent.'

'Jemig, ben jij soms helderziend?' mompelt Lucy sarcastisch.

'Maar je bent niet boos op mij. Je bent boos op jezelf. Jij dacht zo verrekte zeker te weten dat je een hartgrondige hekel aan mij én aan de muziektherapie zou hebben. Je dacht dat het allemaal waardeloze shit was. Maar het wérkt, Lucy, tegen al jouw verwachtingen in. En je vindt het leuk om hier te komen.' Ik leg de ukelele op het bureautje naast me en kijk naar Lucy's gebogen hoofd. 'Je vindt het leuk om bij míj in de buurt te zijn.'

Ze kijkt naar me op. Haar gezicht is zo kwetsbaar en open dat ik bijna van mijn à propos raak.

'Dus wat doe je? Je saboteert de therapeutische relatie die we hebben opgebouwd, want op die manier kun je jezelf wijsmaken dat je gelijk had. Dat dit allemaal bullshit is. Dat je er niets aan hebt. Het maakt niet uit hoe je het precies doet en welke reden jij verzint waarom we ruzie hebben. Je verpest het enige leuke wat je op dit moment hebt. Want als jíj het nú verpest, dan weet je zeker dat je later geen teleurstelling hoeft te verwerken.'

Abrupt staat Lucy op. Haar armen hangen slap langs haar lichaam. Haar vuisten zijn gebald, haar mond is een strakke, vuurrode streep. 'Waarom heb jij zo'n enorm bord voor je kop? Wat doe je hier nog, verdomme?'

'Jij kunt niets zeggen of doen waardoor ik weg zou gaan, Lucy. Ik laat jou niet in de steek.'

Ze verstijft. 'Nóóit?' Het woord klinkt als gehard glas, gebroken en toch prachtig.

Ik weet hoe moeilijk het voor haar is zich bloot te geven. Om de zachte, kwetsbare kern te laten zien die onder die harde buitenkant schuilgaat. Dus ik beloof het haar. En dan komen de tranen, wat me niet verbaast. Ze krimpt in elkaar, tegen me aan. Ik doe wat ieder ander in deze situatie zou doen, ik houd haar vast tot ze zichzelf weer een beetje in de hand heeft.

De zoemer gaat, maar Lucy maakt geen aanstalten om te vertrekken. Het schiet door mijn hoofd dat iemand anders dit lokaal het volgende lesuur zal willen gebruiken. En inderdaad komt er een docente binnen, zo jong dat ze nog stagiaire zou kunnen zijn. Ze ziet Lucy zitten met haar hoofd op een tafeltje, terwijl ik zachtjes over haar rug streel. We kijken elkaar even aan, en de docente glipt geluidloos het lokaal uit.

'Zoë?' Lucy's stem klinkt traag en gedempt, alsof ze zich onder water beweegt. 'Je moet me beloven...'

'Dat heb ik zojuist gedaan.'

'Ik bedoel, dat je nooit meer *Barney* speelt op dat maffe speelgoedgitaartje.'

Ze kijkt me van opzij aan. Haar ogen zijn rood en gezwollen, het water loopt uit haar neus, maar ik zie een glimlach. Die heb ik haar teruggegeven, denk ik bij mezelf.

Ik doe net alsof ik diep moet nadenken over haar verzoek. 'Dát noem ik nog eens keihard onderhandelen,' zeg ik.

8

Wat is normaal?

MAX

Als je in een crisis zit, zet onze kerk zijn beste beentje voor. Of er nu een familielid op sterven ligt, een kind geopereerd moet worden of dat er kanker bij je is geconstateerd, wat hulp en aandacht betreft zit je gebeiteld. Je treft complete ovenschotels op je stoep aan. Je ziet je eigen naam staan op de gebedslijst in het kerkblaadje. Vriendelijke dames komen opdagen om je huis schoon te maken of op je kinderen te passen. Door welke afgrijselijke hel je ook heen gaat, je weet dat je er niet alleen voor staat.

Neem mij nu. Al wekenlang gedenkt de voltallige Eeuwige Glorie-gemeente me dagelijks in haar gebeden. Dus wanneer ik straks voor de rechter sta, is God volledig bijgepraat over mijn situatie door zo'n kleine honderd kerkgangers. Vandaag is het zondag. Ik zit op een klap-stoel in de aula van de school en dominee Clive begint zijn preek.

De jongere kinderen zitten aan de andere kant van de hal in het handenarbeidlokaal. Ze kleuren dierenplaatjes in en knippen ze uit, om ze vervolgens op een fotokopie van de ark van Noach te plakken. Dat weet ik, omdat ik Liddy gisteravond heb geholpen met giraffes, nijlpaarden, eekhoorns en olifanten tekenen voor de kleintjes. En het is maar goed dat zij niet hier zijn, want de preek van vandaag gaat over seks.

'Broeders en zusters in Christus,' begint dominee Clive. 'Ik wil jullie iets voorleggen. Jullie kennen dat wel, dat sommige dingen naadloos met elkaar verbonden zijn, als één geheel, nietwaar? Je kunt het ene niet uitspreken zonder automatisch te denken aan de andere, vanzelf-sprekende helft. Zoals zout en peper. Vitamines en mineralen. *Rock* en *roll*. Sneeuw en ijs. Als je het met één van die twee begrippen moet stellen, voelt dat als zitten op een kruk waar een poot aan ontbreekt, wat jullie? Onvolledig. Onaf. Maar stel nu dat je een ander woord te horen krijgt dan je verwacht? Stel dat ik "honden en papegaaien" zou zeggen, in plaats van "honden en katten"?' Dat klinkt nergens naar, toch? Als ik bijvoorbeeld "moeder" zeg, dan zeggen jullie...'

'Vader,' murmel ik, in koor met de rest van de gemeente.

'Man?'

'Vrouw.'

Dominee Clive knikt. 'Jullie hebben vast wel gemerkt dat ik niet heb gezegd "moeder en moeder". Ik heb niet gezegd "man en man", of "vrouw en vrouw". Die combinaties heb ik niet genoemd, want zodra we ze horen, wéten we gewoon diep vanbinnen dat het niet klopt. En ik ben ervan overtuigd dat deze intuïtieve redenering vóór alles opgaat als wij willen begrijpen waarom God ons geen homoseksuele levensstijl toestaat.'

Hij laat zijn blik gaan over de groep gelovigen. 'Je hebt mensen die beweren dat de Bijbel ons niets heeft mee te delen over homoseksualiteit. Maar dat is niet waar! Lees er Romeinen 1 vers 26 en 27 maar op na: *Daarom heeft God hen prijsgegeven aan onterende hartstochten. Hun vrouwen hebben de natuurlijke relaties verruild voor tegennatuurlijke. Zo ook hebben de mannen de natuurlijke gemeenschap met vrouwen opgegeven en zijn ze in lust voor elkaar ontbrand. Mannen plegen ontucht met mannen; maar zij zullen hun verdiende loon krijgen voor hun perverse dwaling.* Nu zijn er de zogenaamde neezeggers, volgens wie God geen mening heeft over homoseksualiteit. Die zullen je voorhouden dat Paulus hier alleen beschrijft hoe het eraan toeging in de heidense Griekse tempels, destijds. Die neezeggers zullen erop wijzen dat wij het grote geheel niet zien. Maar vrienden, ik zeg jullie dat wij, de ware gelovigen, het grote geheel juist wél zien. Hij zwijgt even en maakt oogcontact met ons allemaal. 'Homoseksualiteit is een gruwel in Gods ogen,' zegt hij.

Dominee Clive citeert het Bijbelvers dat in de liturgie voor vandaag staat afgedrukt. Het is uit 1 Korinthiërs 6, vers 9 en 10: *Noch ontuchtplegers, afgodendienaars, overspeligen en schandknapen, noch homoseksuele zondaren, dieven, hebzuchtigen, dronkaards, lasteraars of oplichters zullen het koninkrijk Gods beërven.* Nu vraag ik jullie, lieve vrienden. Had God nóg duidelijker kunnen zijn? Het hemels paradijs is niet weggelegd voor mensen met een ontaarde levensstijl. Maar de neezeggers geven voor dat het probleem zit in de Bijbelvertáling. Dat met "homoseksuele zondaren" niet gewoon homoseksuelen worden aangeduid, maar dat in het Grieks gedoeld wordt op verwijfde, mannelijke prostitués. De neezeggers betogen dat pas in 1958 een of andere Bijbelvertaler de willekeurige beslissing nam om "homoseksuele zondaren" op deze plaats in te typen.

'Nou, ik kan jullie dit vertellen: dat besluit was helemaal niet willekeurig. Deze Bijbelpassages beschrijven een maatschappij die geen goed van kwaad meer kan onderscheiden. En bovendien, iedere keer als homoseksualiteit in de Heilige Schrift ter sprake komt, wordt het veroordeeld.'

Liddy laat zich op de klapstoel naast me glijden. Zij doet de voorbespreking met de groepsleidsters, start de verschillende groepen van de zondagsschool op en komt daarna hierheen om de preek te horen. Ik voel de warmte van haar huid, die maar een tiental centimeters van mijn arm verwijderd is.

'Morgen staat de ex-vrouw van Max voor de rechter. Zij zal op de Bijbel zweren dat haar levensstijl normaal, gezond en vol liefde is. Maar ík zeg dat, hoewel volgens Hebreeën 11 vers 25 de geneugten die de zonde biedt inderdaad korte tijd voortduren, Galaten 6 het laatste woord heeft. Daar staat geschreven dat wie op de akker van zijn zondige natuur zaait, dood en verderf zal oogsten. Morgen staat de ex-vrouw van Max voor de rechter, en zij zal op de Bijbel zweren dat homoseksualiteit wijdverbreid is. Maar ík zeg, dat mag dan zo zijn, maar dat vergoelijkt dit zondige gedrag nog niet in Gods ogen. Ik zou liever in de minderheid zijn en het bij het rechte eind hebben dan dat ik bij de meerderheid hoor die helemaal fout zit.'

Er stijgt een instemmend gemompel op uit de gemeente.

'Morgen staat de ex-vrouw van Max voor de rechter en zal zij op de Bijbel zweren dat ze lesbisch gebóren is. Daarop zeg ík dat geen enkele wetenschappelijke studie dat tot op heden heeft bewezen, en dat zij simpelweg een néíging vertoont tot deze levensstijl. Maar dat is iets anders. Ik kan wel zeggen dat ik zwemmen leuk vind... maar daarom ben ik nog geen vis, nietwaar?'

Dominee Clive loopt het trapje van het podium af, het middenpad door, en stopt bij de rij waar ik zit. 'Max,' zegt hij, 'kom mee met mij, het podium op.' Ik geneer me dood en blijf zitten zonder een vin te verroeren, maar dan legt Liddy haar hand op mijn arm. 'Ga maar,' dringt ze aan, en ik ga.

Ik volg dominee Clive naar het podium, terwijl een van zijn assistenten daar een stoel klaarzet. 'Max is meer dan alleen onze broeder. Hij is een christenstrijder in de frontlinie, die zich volledig inzet opdat Gods waarheid zal zegevieren. En daarom bid ik voor hem.'

'Amen,' roept iemand.

De dominee verheft zijn stem: 'Wie willen hier samen met mij komen bidden?'

Minstens tien mensen komen overeind, stommelen het podium op en leggen hun handen op mij. De stem van dominee Clive weergalmt boven mijn hoofd, als het klapwieken van honderd kraaien: 'Heer, ik smeek U dat U naast Max zult staan in de rechtszaal. Dat U zijn ex-vrouw tot inkeer laat komen en haar laat beseffen dat haar zonde niet groter is dan de mijne, of die van ons allen. Ja, dat ook zij nog steeds welkom is in het koninkrijk Gods. Dat U de kinderen van Max Baxter zult helpen hun weg te vinden naar U.'

Bijna de hele gemeente stroomt nu naar het podium om voor me te bidden en me aan te raken. Hun handen voelen als vlinders die heel even op me neerstrijken en dan weer wegfladderen. Ik hoor hun gefluisterde woorden opstijgen naar God. Als je niet gelooft in de helende kracht van het gebed, moet je beslist eens naar een kerk als de mijne komen. Dan voel je de stoot energie die uitgaat van een groep, die jou naar de overwinning draagt.

Vanaf het parkeerterrein leidt een overdekte loopbrug tot in het gerechtsgebouw van Kent County. In deze lange gang krioelt het van leden van de Eeuwige Gloriekerk. Er lopen een paar politieagenten rond om zo nodig de orde te handhaven, maar de steunbetuigingen verlopen heel georganiseerd. Dominee Clive heeft de mensen opgesteld in twee rijen, aan weerzijden van het pad over de loopbrug. De gemeenteleden zingen psalmen en andere geestelijke liederen. Nou ja, je kunt moeilijk iemand arresteren omdat hij staat te zingen, toch?

We naderen de ingang van de rechtbank. Met 'we' bedoel ik mezelf, geflankeerd door Wade en Ben, en direct achter ons Reid en Liddy. Dan zie ik dominee Clive uit de rij stappen en met plechtige passen op ons afkomen, midden over de loopbrug. Hij is gekleed in een wit linnen pak met een roze overhemd en een gestreepte stropdas. Je kunt onmogelijk langs hem heen kijken, al zou je het willen. Maar goed, hij zou waarschijnlijk hetzelfde effect bereiken als hij een jutezak aantrok. 'Max,' zegt hij terwijl hij me omarmt. 'Trek je het een beetje, jongen?'

Vanmorgen had Liddy een uitgebreid ontbijt voor me gemaakt, om me een hart onder de riem te steken. Ik heb er zo veel mogelijk van gegeten en moest prompt daarna overgeven. Zó nerveus ben ik. Maar voor ik dat aan dominee Clive kan toevertrouwen, buigt Wade zich naar ons toe. 'Even naar links kijken, mensen.'

Ik doe wat hij zegt, en dan pas zie ik de camera's. 'Laten we bidden,' zegt dominee Clive.

Ons kleine groepje staat precies tussen de twee rijen zingende mensen. Met z'n allen vormen we een langwerpig hoefijzer dat de ingang van de rechtbank blokkeert. Wade houdt mijn rechterhand vast en dominee Clive mijn linkerhand. Terwijl de journalisten ons allerlei vragen toeschreeuwen, bazuint dominee Clive er luid en onverstoorbaar doorheen: 'Almachtige Vader, in naam van Jezus... Het staat geschreven in Uw Woord dat als wij op U vertrouwen, U ons grootse en wonderbaarlijke dingen zult tonen. Daarom smeken wij U, geef Max en zijn raadslieden de kracht om onwrikbaar te staan voor hun zaak, zodat hun zege niet kan uitblijven. Bescherm Max tegen de boze tongen die hem in diskrediet willen brengen en tegen valse getuigen die leugens rondstrooien. Max zal daarbinnen geen angst kennen, Heer, omdat U hem terzijde staat. Hij weet, en wij weten, dat de Heilige Geest hem de juiste woorden zal ingeven.'

'Tuut tuut,' hoor ik, en mijn ogen floepen open. Angela Moretti, de advocaat van Zoë, staat op ongeveer een meter afstand, gevangen in onze gebedskring. 'Sorry dat ik uw tv-domineemoment onderbreek, maar mijn cliënt en ik zouden graag het gerechtsgebouw in willen.'

'Mevrouw Moretti,' zegt Wade, 'vrijheid van samenkomst, vrijheid van godsdienst... die voortreffelijke grondrechten van ons mooie land zou u deze beste mensen toch niet willen ontnemen?'

'Maar natuurlijk niet, meneer Preston. Dat zou me vreselijk tegen de borst stuiten. Net als bijvoorbeeld een advocaat die voorafgaande aan een rechtszaak de media inseint, wetende dat er een gedwongen confrontatie tussen zijn cliënt en de tegenpartij aan zit te komen.'

Zoë staat te wachten achter Angela Moretti, met haar moeder en Vanessa.

Ik vraag me af wie van ons het eerst met zijn ogen zal knipperen. En dan doet Liddy iets waar ik totaal niet op berekend ben. Ze stapt naar voren en slaat haar armen om Zoë heen. Met een stralende glimlach zegt ze: 'Jezus houdt van jou, weet je.'

'Wij bidden voor je, Zoë,' voegt iemand anders eraan toe.

Nu is het hek van de dam. Zoë wordt overstelpt met gemompelde teksten over geloof, hoop en liefde. Het doet me denken aan vliegen vangen met stroop, of iemand doodknuffelen.

Maar de confrontatie is hoe dan ook ten einde. Angela Morettti maakt gebruik van de plotselinge wending door Zoë's arm te grijpen en haar snel mee te sleuren naar de deuren van het gerechtsgebouw. Wade laat mijn hand los zodat ze zich langs ons kunnen wringen. Op dat moment kijkt Zoë me recht in de ogen.

Even staat de hele wereld stil. 'God vergeeft je,' zeg ik tegen haar.

Zoës ogen zijn helder en wijd open, en hebben de kleur van een onweersbui. 'God zou moeten weten dat er niets te vergeven valt,' zegt ze.

Dit keer is het anders.

Ik ben nu al een paar keer in deze rechtszaal geweest, door al die aanvullende verzoekschriften van Wade. En aanvankelijk gaat alles hetzelfde als hiervoor; we lopen door het middenpad van de rechtszaal en nemen plaats aan de tafel van de eiser. Wades loopjongen zet een stapel boeken voor hem neer die hij eigenlijk nooit inkijkt. De bode draagt ons op te gaan staan en rechter O'Neill komt binnen met de gebruikelijke bombarie.

Maar ditmaal zijn we niet de enigen in de rechtszaal. Er zijn journalisten en schetstekenaars. Er is een zware delegatie van de baptistenkerk uit Westboro, een fanatieke club, dat is bekend. Ze zijn tegen van alles en nog wat. Ze dragen gele T-shirts bedrukt met zwarte blokletters: GOD GRUWT VAN DIE MIETJES. FLIKKERS GAAN NAAR DE HEL. Maar ook: GOD HAAT AMERIKA: VIEZE POT, OPGEROT. Ik heb foto's gezien van hen terwijl ze stonden te protesteren bij begrafenissen van gesneuvelde militairen. Zij geloven dat God soldaten die in het Amerikaanse leger dienen expres laat sneuvelen, om Amerika te straffen voor alle homoseksuelen die hier huizen. Nu ik deze meute zie, vraag ik me opeens af hoever Wade eigenlijk gegaan is in zijn pogingen om media-aandacht te krijgen. Hoe hebben die Westboro-gasten lucht gekregen van deze rechtszaak – míjn rechtszaak?

Maar zij zijn niet de enige belangstellenden. Er zitten ook leden van mijn eigen kerk op de publieke tribune, en daardoor raak ik weer iets meer relaxed.

En dan heb je nog de achterban van de tegenpartij. Mannen die dicht naast elkaar zitten, hand in hand. Twee vrouwen die om beurten een baby vasthouden. Bekenden van Zoë misschien. Of van haar vreemdsoortige pottenadvocate.

Rechter O'Neill neemt plaats. 'Het doek gaat op,' mompelt Wade.

'Voor we van start gaan,' zegt de rechter, 'wil ik iedereen hier aanwezig nog één ding op het hart drukken. Dit geldt voor de raadslieden, de beide betrokken partijen, media en belangstellenden. Luister goed: hier in de rechtszaal ben ík God. Als iemand het waagt de orde van dit hof te verstoren, zal hij of zij worden verwijderd. Vandaar dat al die lieden in gele T-shirts ze ofwel nú uitdoen, ofwel binnenstebuiten keren. Zo niet, dan wordt u linea recta door de parketwachters uitgeleide gedaan. En meneer Preston, ik wens geen redevoering van u over me heen te krijgen aangaande de vrijheid van meningsuiting. Ik kan het niet genoeg benadrukken: voor wie verstórend aanwezig is, is het met rechter O'Neill verduiveld kwaad kersen eten.'

De Westboro-clan trekt en bloc sweatshirts aan over hun T-shirts. Ik krijg het gevoel dat ze dit al eerder bij de hand hebben gehad.

'Zijn er vooraf nog bepaalde kwesties te bespreken?' vraagt de rechter, en Angela Moretti staat op.

'Edelachtbare, ik wil graag een verzoek indienen om voor we beginnen de getuigen uit de rechtszaal te verwijderen.'

'Wie zijn uw getuigen, raadsman Preston?' vraagt de rechter. Wade haalt een lijst tevoorschijn en loopt ermee naar de balie van de rechter. Angela Moretti doet vervolgens hetzelfde. O'Neill knikt. 'Iedereen die op de getuigenlijst staat, gelieve de rechtszaal te verlaten.'

'Wat?' roept Liddy achter me. 'Maar hoe moet ik dan...'

'Ik wil hier blijven, voor jou,' zegt Vanessa tegen Zoë.

Rechter O'Neill kijkt beide vrouwen beurtelings aan. 'Ver-stó-rend,' zegt hij bot.

Met duidelijke tegenzin komen Vanessa, Reid en Liddy overeind. 'Hou je haaks, broertje,' zegt Reid, en hij geeft me een schouderklopje. Dan slaat hij zijn arm om Liddy heen en leidt haar de rechtszaal uit. Waar zouden ze naartoe gaan? vraag ik me af. Wat gaan ze nu doen? 'Wil één van de raadslieden een openingsbetoog houden?' vraagt rechter O'Neill. Beide advocaten knikken, en de rechter kijkt naar Wade. 'Raadsman Preston, u mag de spits afbijten.'

Dit proces valt onder Personen- en Familierecht, dus doet de rechter uitspraak en is er geen jury bij betrokken. Niettemin behandelt Wade de complete rechtszaal als zijn persoonlijke publiek. Hij staat op, trekt zijn smaragdgroene stropdas recht en richt zich met een minzaam glimlachje tot de publieke tribune. 'We zijn vandaag bijeengekomen om te rouwen over het verlies van iets wat ons allen na aan het hart ligt: het traditionele gezin. O, het zal u vast nog levendig voor de geest staan, vlak voordat het vroegtijdig ter ziele ging. Een man, een vrouw en twee kinderen. Een wit geschilderd hek. Een gezinsauto. Misschien een goeiige hond erbij. Een gezin dat iedere zondag naar de kerk ging, en dat Jezus hoog in het vaandel had staan. Een moeder die zelf chocoladekoekjes bakte voor haar gezin en die zaterdags kabouter- of welpenleidster was bij de plaatselijke padvinderij. Een vader die vangbal speelde met zijn kinderen en die zijn dochter naar het altaar begeleidde op haar trouwdag. Het is vrij lang geleden dat dit de norm was in onze maatschappij. Maar wij hebben onszelf wijsgemaakt dat zo'n sterk instituut als het traditionele gezin het heus wel zou overleven. Helaas, doordat we het als vanzelfsprekend beschouwden, hebben we niets gedaan om de definitieve ondergang ervan te verhinderen.' Wade vouwt zijn handen voor zijn borst. 'Rust in vrede.

'Dit is niet zomaar een voogdijzaak, edelachtbare. Dit is een klop op de deur. Een aanmaning om die onmisbare hoeksteen van onze samenleving – het traditionele christelijke gezin – te behouden. Want zowel wetenschappelijk onderzoek als ons gezonde boerenverstand zegt ons dat kinderen mannelijke én vrouwelijke rolmodellen nodig hebben. En dat de afwezigheid daarvan schrijnende gevolgen kan hebben, van leer- en ontwikkelingsproblemen tot armoede en risicogedrag. Als de traditionele gezinswaarden uiteenvallen, zijn de kinderen daar doorgaans de dupe van. Max Baxter, mijn cliënt, weet dat, edelachtbare. En daarom is hij vandaag hier, om zijn ongeboren kinderen te beschermen die verwekt werden gedurende zijn huwelijk met de gedaagde, Zoë Baxter. Het enige wat mijn cliënt het hof vraagt, is hem toe te staan het oorspronkelijke doel van beide partijen in vervulling te laten gaan. Namelijk, dat deze kinderen opgevoed worden door een getrouwd, heteroseksueel ouderpaar. Dat ze in voorspoed opgroeien, edelachtbare, in een traditioneel christelijk gezin.'

Wade heft een wijsvinger op, terwijl hij die laatste woorden met kracht op de zaal afvuurt. 'Een traditioneel gezin,' herhaalt hij. 'Dat hadden Max en Zoë voor ogen toen ze gebruikmaakten van de voortschrijdende wetenschap om deze godsgeschenken te verkrijgen, deze ongeboren kinderen. Helaas is het huwelijk van Max en Zoë niet meer intact. En Max is nog niet zover dat hij hertrouwd is. Maar hij ziet wel in dat hij zijn ongeboren kinderen iets verschuldigd is. Dus heeft hij een keuze gemaakt in het belang van de kinderen, en niet uit eigenbelang. Hij heeft zijn broer Reid en zijn schoonzus Liddy aangewezen als de toekomstige ouders van zijn ongeboren kinderen. Reid is een hoogstaande, integere man, van wie u nog een en ander zult vernemen. En zijn vrouw Liddy vertegenwoordigt zonder meer het toonbeeld van christelijke deugd in onze gemeenschap.'

'Amen,' zegt iemand achter me.

'Edelachtbare, u hebt de partijen en raadslieden duidelijk gemaakt dat dit uw laatste zaak is na uw lange, onderscheiden carrière als rechter. En wat een passend afscheid is dit... U bent nog eenmaal in de positie om het traditionele, christelijke gezin te beschermen in Rhode Island. Deze mooie staat is gesticht door Roger Williams, die naar de koloniën uitweek om zijn godsdienst in alle vrijheid te kunnen uitoefenen. En nu is Rhode Island een van de laatste bastions in New England waar de christelijke gezinswaarden nog van kracht zijn. Laat ik tot slot nog even voor advocaat van de duivel spelen en het alternatief tegen het licht houden. Max heeft niets tegen zijn ex-vrouw. Maar Zoë leeft nu in zonde met haar lesbische minnares...'

'Bezwaar,' zegt Angela Moretti.

'Gaat u zitten, raadsvrouw,' antwoordt de rechter. 'Uw kans komt nog.'

'Deze twee vrouwen zijn getrouwd in de staat Massachusetts, omdat in hun thuisstaat, Rhode Island, hun homohuwelijk niet legaal is.

Noch de regering, noch God ziet hun verbintenis als geldig. Welnu, stelt u zich eens voor dat de ongeboren kinderen terechtkomen in het huis van deze vrouwen, edelachtbare. Stelt u zich een klein jongetje voor met twee mama's. Een jongetje dat blootgesteld wordt aan een homoseksuele levensstijl. Hoe zal het hem vergaan op school als hij ongenadig gepest wordt omdat hij twee moeders heeft? Hoe zal het hem vergaan als hij, zoals onderzoek aantoont, zelf homo wordt, puur als gevolg van zijn opvoeding? Meneer de rechter, u bent opgegroeid met een vader. U bent ook zélf vader. U weet wat die twee rollen voor u betekenen, en hebben betekend. Namens Max Baxters ongeboren kinderen verzoek ik u dringend hun diezelfde, prachtige kansen niet te ontnemen.' Hij wendt zich weer tot de publieke tribune. 'Zodra wij die laatste nagel in de doodskist van de traditionele gezinswaarden drijven, is het afgelopen,' zegt Wade. 'We zullen ze nooit meer tot leven kunnen wekken.'

Hij gaat zitten, en Angela Moretti staat op.

'Als het eruitziet als een gezin, met elkaar praat als een gezin en functioneert als een gezin,' zegt ze, 'dan ís het een gezin. Mijn cliënte, Zoë Baxter is de levenspartner van Vanessa Shaw. Ze zijn niet zomaar huis- of kamergenoten, ze zijn getróúwd. Echtgenoten voor het leven. Ze houden van elkaar, zijn elkaar toegewijd en functioneren als eenheid, niet alleen als afzonderlijke individuen. En voor zover mijn informatie strekt, is dat een geldige definitie van een gezin.

Meneer Preston is erop gespitst u om de tuin leiden met verhalen over de ondergang van het traditionele gezin. Hij voerde aan dat de staat Rhode Island is opgericht op basis van de vrijheid van godsdienst, en dat is een waarheid als een koe. We weten echter ook dat lang niet iedere inwoner van Rhode lsland dezelfde overtuiging aanhangt als meneer Preston en zijn cliënt.' Ze wendt zich tot de publieke tribune. 'Bovendien, Rhode Island erkent de relatie tussen de Zoë en Vanessa wel degelijk. Al vijftien jaar garandeert deze staat twee homopartners die één huishouden voeren een aantal wettelijke rechten. Uitgerekend deze rechtbank kent stelselmatig adoptierechten toe aan de tweede ouder in homoseksuele en lesbische gezinnen. Sterker nog, Rhode lsland was een van de eerste staten in Noord-Amerika die een genderneutrale geboorteakte hebben ingevoerd waarop niet "moeder en vader" staat voorgedrukt, maar "eerste ouder en tweede ouder".

'En, in tegenstelling tot meneer Preston, denk ik niet dat deze zaak om algemene gezinswaarden draait. Ik denk dat het om één specifiek gezin draait.' Ze kijkt even naar Zoë. 'De embryo's waar het vandaag om gaat, zijn tot stand gekomen tijdens het huwelijk van Zoë en haar ex-man, Max Baxter. Deze embryo's zijn wettelijk gezien eigendom, waarvan de verdeling echter niet is opgenomen in het echtscheidingsconvenant. Er zijn twee biologische ouders van deze embryo's, de eiser en de gedaagde. Ze hebben allebei evenveel recht op de embryo's. Maar het verschil tussen de partijen is dat Max Baxter helemaal geen baby meer wil. Hij gebruikt zijn biologisch recht als troefkaart om de embryo's af te nemen van een beoogde ouder en haar wettige partner. Edelachtbare, stel dat u zou beslissen ten gunste van mijn cliënte. In dat geval zouden wij er alles aan doen om Max, de andere biologische ouder van de embryo's, deel uit te laten maken van dit gezin. Wij zijn ervan overtuigd dat er nooit té veel mensen kunnen zijn die van een kind houden. Maar, edelachtbare, als u de eiser in het gelijk stelt, dan zal Zoë worden verhinderd haar eigen, biologische kinderen op te voeden.'

Ze gebaart naar Zoë. 'U zult tijdens de getuigenverklaringen horen, edelachtbare, dat er medische complicaties zijn opgetreden waardoor Zoë niet meer in staat is haar eigen embryo's te voldragen. En op haar leeftijd zullen er waarschijnlijk niet meer voldoende eitjes tijdens één cyclus kunnen rijpen, wat een vereiste is voor een nieuwe ivf-behandeling... ook als het louter om eicelpunctie gaat. Dus Zoë, die een vurige kinderwens koestert, wordt van haar laatste kans beroofd door haar ex-man die niet eens een kind wíl. Hij zit hier niet om te vechten voor het recht om vader te worden. Hij probeert alleen te voorkómen dat Zoë moeder wordt!'

Angela Moretti kijkt de rechter aan. 'Meneer Baxters advocaat heeft een heleboel vragen opgeworpen over God en Gods wil en wat voor gezin God al dan niet zou goedkeuren. Maar Max Baxter zit hier niet omdat hij door God gezegend wil worden met een kind. Hij vraagt God óók niet wat eigenlijk het beste voor deze embryo's zou zijn.'

Ze kijkt me aan, en mijn adem stokt. 'Nee, Max Baxter vraagt ú om voor God te spelen,' zegt ze.

In de getuigenbank zitten lijkt op geloofs- of schuldbelijdenis doen in de kerk. Tenminste, dat zegt dominee Clive. Je gaat gewoon het podium op en doet je verhaal. Het geeft niet als het om dingen gaat die moeilijk zijn om aan terug te denken. Je hoeft je niet te generen. Het enig belangrijke is dat je voor de volle honderd procent eerlijk bent, want dat is de manier om mensen te overtuigen.

Dominee Clive moet ook getuigen. Dus zit hij nu ergens buiten de rechtszaal te wachten, in een of ander zweetkamertje misschien. Ik vind het een ramp dat hij is weggestuurd. Ik heb grote behoefte aan zijn steun, al was het alleen maar om me op hem te kunnen richten terwijl ik in de getuigenbank zit. Ik heb het zo benauwd dat het zweet in straaltjes langs mijn rug en armen gutst. Ik veeg doorlopend mijn natte handen af aan mijn broek.

Toch kalmeer ik een beetje zodra de bode naar me toe komt met een bijbel. Eerst denk ik dat hij me gaat vragen om een tekst voor te lezen. Maar dan bedenk ik opeens dat iedere rechtszaak zo begint: 'Zweert u de waarheid te zeggen, en niets dan de waarheid?' Ik leg mijn hand op het versleten leren omslag en onmiddellijk houdt mijn hart op als een pneumatische boormachine te kloppen. 'Je zit daar niet in je eentje,' had dominee Clive gezegd. En waarachtig, hij heeft gelijk.

Wade en ik hebben mijn verhaal zeker tien keer geoefend. Ik weet precies wat hij me gaat vragen, dus daar maak ik me geen zorgen over. Ik sta alleen stijf van de zenuwen vanwege Angela Moretti. Die is na Wade aan de beurt, en zíj zal me meedogenloos in de pan hakken.

'Max,' begint Wade, 'waarom heb je het hof verzocht om de beschikking te krijgen over deze ongeboren kinderen?'

'Bezwaar,' zegt Angela Moretti. 'Het is één ding om dat aan te moeten horen tijdens zijn openingspleidooi, maar die drie ingevroren klompjes cellen zijn stuk voor stuk niet groter dan een speldenpunt. Het gaat toch te ver om die minuscule embryootjes het hele verdere proces als "ongeboren kinderen" te betitelen?'

'Afgewezen,' antwoordt de rechter. 'Ik ben niet in de stemming voor gekibbel over een enkel woord, mevrouw Moretti. Als het beestje maar een naam heeft, bij wijze van spreken. Meneer Baxter, beantwoordt u de vraag, alstublieft.'

Ik haal diep adem. 'Ik wil ervoor zorgen dat ze een goed leven krijgen bij mijn broer Reid en zijn vrouw, Liddy.'

Zijn vrouw, Liddy. Die woorden prikken op mijn tong.

'Waarom hebt u deze kwestie niet besproken tijdens de voorbereiding op uw echtscheidingsconvenant?'

'We hadden geen van beiden een advocaat. We hebben zelf afspraken gemaakt, en dat is uiteindelijk ons echtscheidingsconvenant geworden. Ik wist dat het de bedoeling was dat we onze bezittingen zouden verdelen. Maar dit... dit zijn kinderen.'

'Onder welke omstandigheden zijn deze ongeboren kinderen verwekt?' vraagt Wade.

'Toen Zoë en ik nog getrouwd waren, wilden we graag kinderen. Het draaide erop uit dat we vijf keer een ivf-behandeling hebben ondergaan.'

'Wie van jullie tweeën is verminderd vruchtbaar?'

'Wij allebei,' zeg ik.

'Wat was de medische procedure bij jullie ivf-behandeling?'

Terwijl Wade me door onze medische geschiedenis loodst, voel ik een trieste leegte in mijn maag. Is dat nou waar negen jaar huwelijk ten slotte op neerkomt? Twee miskramen en een doodgeboren kind? Bijna onvoorstelbaar, dat de herinnering aan onze jaren samen is gereduceerd tot een pakket juridische documenten en een spoor van bloed.

'Kun je jouw reactie omschrijven toen jullie kindje dood geboren werd?' vraagt Wade.

Het klinkt misschien vreselijk, maar ik denk dat als een baby sterft, de moeder het makkelijker heeft. Zij mag openlijk verdrietig zijn. Iedereen kan zien wat zij verloren heeft, gewoon aan haar voortijdig platte buik. Maar ik moest het verlies inwendig verwerken. Het vrat aan me vanbinnen, zo erg dat ik mezelf een tijdlang alleen nog maar wilde volgooien.

God weet dat ik geprobeerd heb het gat te vullen, met alcohol.

Ik voel de tranen opkomen en dat brengt me in verlegenheid. Ik buig mijn hoofd. 'Ik heb het niet zo duidelijk laten merken als Zoë,' zeg ik. 'Maar ik was er helemaal kapot van. Ik wist dat ik dát niet nog een keer aankon, ook al wilde zij het wel.' Ik kijk op en zie dat Zoë me aanstaart. 'Dus heb ik gezegd dat ik wilde scheiden.'

'Hoe is je leven daarna verlopen, Max?'

Zomaar ineens voelt mijn tong aan als een uitgedroogde lap leer.

Daar heb je het weer, dat oude gevoel: als ik nu geen borrel neem, ga ik dood. Ik dwing mezelf aan Liddy te denken, die avond toen ze op de rand van mijn bed voor me zat te bidden. 'Ik heb een heel slechte periode gehad. Ik kon mijn werk niet volhouden en ik begon weer te drinken. Mijn broer heeft me onderdak gegeven, maar toch kwam ik steeds dieper in de problemen. Tot ik op een dag met mijn truck tegen een boom botste en in het ziekenhuis terechtkwam.'

'Zijn er daarna dingen veranderd?'

'Ja,' zeg ik. 'Ik heb Jezus gevonden.'

'Bezwaar,' zegt Angela Moretti. 'We zijn in de rechtszaal, niet op een revivalbijeenkomst.'

'Ik sta deze vraag toe,' antwoordt rechter O'Neill.

'Dus je hebt je tot God bekeerd,' helpt Wade me verder.

Ik knik. 'Terwijl ik nog herstellende was, ging ik al wekelijks naar de diensten van de Eeuwige Gloriekerk en ik heb veel gepraat met de dominee, Clive Lincoln. Hij heeft mijn leven gered. Ik bedoel, ik zat aan alle kanten klem. Mijn privéleven was een puinhoop en ik was aan de drank. Ik wist niets over godsdienst. Toen ik voor het eerst naar de kerk ging, dacht ik dat iedereen me zou veroordelen. Maar ik was er totaal ondersteboven van, zo aardig als iedereen voor me was. Het kon de mensen van mijn kerk niet schelen wie ik was, zij zagen wie ik zou kúnnen zijn. Dus ik ging naar een bijbelstudiekring. Ik ging naar kerkmaaltijden waar iedereen zelf iets te eten meebracht, en naar de gezelschapskring op zondag na de kerkdienst. Ze hebben allemaal voor me gebeden – Reid, Liddy, dominee Clive en de andere gemeenteleden. Ze hebben mij onvoorwaardelijke liefde gegeven. Toen op een dag ben ik neergeknield voor mijn bed en heb Jezus gevraagd om mijn Heer en Verlosser te worden. Hij verhoorde mijn gebed, en plantte de kiem van de Heilige Geest in mijn hart.'

Wanneer ik uitgepraat ben, voelt het alsof ik licht uitstraal. Ik kijk naar Zoë. Ze kijkt terug met ogen zo groot als schoteltjes, alsof ze me nog nooit eerder gezien heeft.

'Edelachtbare,' zegt Angela Moretti. 'Kennelijk heeft meneer Preston iets gemist wat betreft de scheiding van Kerk en Staat...'

'Mijn cliënt heeft het recht om getuigenis af te leggen over de veranderingen in zijn leven,' antwoordt Wade. 'Juist zijn godsdienstige overtuiging heeft meneer Baxter ertoe gebracht deze rechtszaak aan te spannen.'

'In dit specifieke geval ben ik het met u eens,' zegt rechter O'Neill. 'De spirituele ommekeer van meneer Baxter is van wezenlijk belang in deze kwestie.'

'Niet te geloven,' bromt Angela Moretti, nauwelijks hoorbaar. 'In álle opzichten.' Ze gaat weer zitten, met haar armen over elkaar.

'Gewoon even voor de duidelijkheid, Max,' zegt Wade, 'drink je nog alcohol?'

Ik heb een eed afgelegd met mijn hand op de bijbel. Maar ik denk aan Liddy, die zo vreselijk naar een baby verlangt.

'Geen druppel,' lieg ik.

'Hoelang ben je inmiddels gescheiden?'

'Sinds drie maanden is het definitief.'

'En na je echtscheiding, wanneer dacht je toen voor het eerst weer aan je ongeboren kinderen?'

'Bezwaar! Als hij die embryo's kinderen blijft noemen, edelachtbare, dan blijf ik bezwaar maken...'

'En ík zal uw bezwaar blijven afwijzen,' zegt rechter O'Neill.

Toen Wade en ik het antwoord op deze vraag instudeerden, vond hij dat ik moest zeggen: iedere dag, van begin af aan.

Maar ik heb al gelogen dat ik van de drank af ben, en ik voel Jezus, vlak achter mij. Hij weet het precies wanneer je jezelf en Hem niet volkomen trouw bent. Dus zodra de rechter me aankijkt in afwachting van mijn antwoord zeg ik: 'Pas toen Zoë er met mij over kwam praten, een maand geleden.'

Heel even denk ik dat Wade Preston spontaan een hartaanval krijgt. Maar al snel is zijn gezicht weer even glad als altijd. 'En wat zei ze?'

'Ze wilde de embryo's gebruiken om een kind te krijgen met haar... met Vanessa.'

'Hoe reageerde jij?'

'Ik was geschokt. Vooral door het idee dat mijn eigen kind zou opgroeien in zo'n zondige omgeving...'

'Bezwaar, edelachtbare!'

'Mee eens,' zegt de rechter.

Naadloos gaat Wade over op de volgende vraag: 'Wat heb je tegen haar gezegd?'

'Dat ik tijd nodig had om erover na te denken.'

'En tot welke slotsom ben je gekomen?'

'Dat het niet juist was. Het is niet volgens Gods wil dat twee vrouwen samen een baby grootbrengen. Ieder kind hoort een vader en een moeder te hebben. Dat is de natuurlijke gang van zaken, zegt de Bijbel.' Ik denk opeens aan de dieren die Liddy en ik hadden getekend voor de kinderen van de zondagschool. 'Ik bedoel, toen de dieren twee aan twee de ark van Noach ingingen, zag je toch ook geen twee vrouwtjesdieren samen over de loopplank gaan?'

'Bezwaar,' zegt Angela Moretti. 'Wat is de relevantie?'

'Mee eens.'

'Max,' zegt Wade, 'wanneer kwam je erachter dat je ex-vrouw een lesbische levensstijl had aanvaard?'

Ik kijk snel naar Zoë. Het valt me zwaar om me voor te stellen hoe zij en Vanessa elkaar aanraken en met elkaar vrijen. Voor mij voelt dit nieuwe leven van haar als een schijnvertoning, of anders moet ons huwelijk dat geweest zijn. En daar wil ik gewoon niet over nadenken. 'Een tijdje nadat we uit elkaar waren.'

'Hoe voelde jij je toen?'

Alsof ik een blik teer had ingeslikt. Alsof ik mijn ogen opendeed en zag dat de wereld alleen nog maar zwart-wit was, hoe hard ik ook over mijn ogen wreef om nog een spatje kleur te ontdekken. 'Alsof er iets mis was met mij,' zeg ik met gespannen kaken. 'Alsof ik voor haar niet goed genoeg was.'

'Denk je nu anders over Zoë, omdat ze er een homoseksuele levensstijl op nahoudt?'

'Nou, ik heb veel voor haar gebeden, omdat ze in zonde leeft.'

'Zie jij jezelf als homohater, Max?' vraagt Wade.

'Nee,' antwoord ik, 'absoluut niet. Ik doe dit niet om Zoë te kwetsen. Ik heb van haar gehouden en ik kan die negen jaar dat wij getrouwd waren niet uitwissen. Dat zou ik ook niet wíllen. Maar ik moet gewoon mijn kinderen beschermen.'

'Als de rechter het juist acht jou je ongeboren kinderen toe te wijzen, wat is dan je bedoeling?'

'Ze verdienen de beste ouders die een kind kan hebben. Maar ik zie heus wel in dat ík niet zo'n geweldige vader zou zijn. Daarom wil ik ze aan mijn broer geven, aan Reid. Hij en Liddy, ziet u... zij hebben voor me gezorgd. Ze hebben me liefde gegeven en zijn in me blijven geloven. Dankzij hen ben ik zó enorm ten goede veranderd. Op deze manier weet ik zeker dat ik straks nog steeds deel uitmaak van de familie van de kinderen, en dat zij worden opgevoed in een christelijk tweeoudergezin. Ze zullen naar de zondagsschool gaan en naar de kerk, en opgroeien met liefde voor God in hun hart.' Ik kijk op, precies zoals Wade me heeft opgedragen, en ga verder met zeggen wat we ingestudeerd hebben. 'Dominee Clive heeft mij ervan overtuigd dat God zich nooit vergist, en dat alles wat er gebeurt een reden heeft. Ik heb lange tijd gedacht dat mijn leven één grote vergissing was. Dat ik-zélf een vergissing was. Maar nu weet ik wel beter. Dit was al die tijd al Gods plan: om mij te herenigen met Reid en Liddy, precies op het moment dat mijn ongeboren kinderen een thuis en een gezin nodig hebben.' Ik knik nadrukkelijk, in een poging mezelf te overtuigen. 'Nu weet ik waarvoor ik op deze wereld ben gezet.'

'Ik heb geen vragen meer,' zegt Wade. Hij geeft me een bemoedigend knikje en gaat zitten.

Wanneer ik Angela Moretti op me af zie komen, realiseer ik me opeens waaraan ze me doet denken – een soort moeraskat. Een panter misschien, met al dat zwarte haar. 'Meneer Baxter, de vier eerste jaar van uw huwelijk, toen u en uw vrouw een natuurlijke zwangerschap nastreefden, en de daaropvolgende vijf jaar van vruchtbaarheidsbehandelingen... Dacht u toen dat Zoë een goede moeder zou zijn?'

'Natuurlijk.'

'Wat is er veranderd, waardoor u haar minder geschikt vindt om een kind opvoeden?'

'Ze houdt er een levensstijl op na die volgens mij verkeerd is,' zeg ik.

'In ieder geval duidelijk anders dan de uwe,' corrigeert de advocaat. 'Is het feit dat zij lesbisch is het énige nadeel dat u ziet aan Zoë als moeder?'

'U doet alsof het niks is! God zegt in de Bijbel dat...'

'Dit is een ja-neevraag, meneer Baxter. Dus nogmaals: is dat het enige negatieve wat u te zeggen hebt over Zoë's vermogen een goede moeder te zijn?'

'Ja,' zeg ik zacht.

'Klopt het, meneer Baxter, dat u nog steeds sperma heeft om eventueel nieuwe embryo's te genereren?'

'Ik weet het niet. Ik heb een erfelijke vorm van verminderde vruchtbaarheid door afwijkingen aan de zaadcellen. Dus als ik dat zou proberen, zou het niet gemakkelijk zijn.'

'En toch wilt u deze embryo's niet hebben. U wilt ze weggeven.'

'Ik wil dat de kinderen het beste leven krijgen dat denkbaar is,' zeg
ik. 'En dat betekent dat ze een moeder én een vader moeten hebben,
dat weet ik zeker.'

'Tja, u bent tenslotte zelf ook opgevoed door een moeder en een
vader, nietwaar, meneer Baxter?'

'Ja.'

'Desondanks bent u tot op heden geëindigd als alcoholverslaafde,
gescheiden mislukkeling, die bij zijn broer in de logeerkamer bivak-
keert.'

Ik kan er niets aan doen, ik kom half overeind van de getuigenbank.

'Bezwaar!' zegt Wade. 'Dat is een vooroordeel!'

'Ik trek mijn vraag in. Meneer Baxter, als de rechter de embryo's
toewijst aan uw broer en schoonzus, hoe past u dan precies in dat
plaatje?' vraagt Angela Moretti.

'Ik... dan word ik de oom.'

'Aha. En hoe kunt u de oom worden, terwijl u in werkelijkheid de
biologische vader bent?'

'Het is net zoiets als adoptie,' zeg ik, van de wijs gebracht. 'Nee, ik
bedoel, het ís een adoptie. Zo wordt Reid de vader, en dan word ik
automatisch de oom.'

'Dus u doet afstand van uw ouderlijke rechten zodra deze kinderen
geboren worden?'

Wat had Ben Benjamin ook alweer gezegd? Dat, ongeacht wat je
ondertekent, je kinderen op latere leeftijd altijd nog een beroep op je
kunnen doen. Benjamin zit aan de eiserstafel. Verward draai ik me
naar hem om en zeg: 'Maar jij zei toch dat ik nooit echt afstand van
hen kon doen?'

'U wilt dat deze embryo's opgroeien in een traditioneel christelijk
gezin?' zegt de advocate vragend.

'Ja.'

'Maar u stelt de rechter voor hen aan een biologische vader toe te
wijzen die zij straks "oom" moeten noemen. En die oom woont in het

souterrain onder het huis van de ouders die het kind opvoeden. Klinkt dat als een traditioneel christelijk gezin, meneer Baxter?'

'Nee! Ik bedoel, jawel...'

'Wat wilt u zeggen? Ja of nee?'

Haar woorden vliegen als kogels op me af. Praatte ze maar wat langzamer. Gaf ze me maar de tijd om na te denken. 'Het is... het blijft toch familie...'

'Destijds, toen u deze embryo's samen met Zoë hebt verwekt, was u van plan om de kinderen samen met haar op de voeden. Heb ik dat goed?'

'Ja.'

'Nu is Zoë nog steeds van harte bereid én in staat de embryo's te gebruiken, en de kinderen die eruit voortkomen op te voeden. Het zijn tenslotte haar eigen kinderen, hè? Alleen, ú bent ervandoor gegaan.'

'Ik ben er niet vandoor gegaan...'

'Wie heeft de echtscheiding aangevraagd, u of zij?'

'Dat heb ik gedaan. Maar ik ben bij háár weggegaan, niet bij mijn kinderen.'

'Nee, die gééft u gewoon weg,' zegt Angela. 'U hebt ook verklaard dat tussen het moment dat u wegging en het moment dat Zoë met u kwam praten over de embryo's, u helemaal niet meer aan ze had gedacht, toch?'

'Dat meende ik niet zo...'

'Maar dat zéí u wel. Wat hebt u nog meer gezegd dat u niet meende, meneer Baxter?' Ze zet een stap in mijn richting. 'Dat u het prima vindt om deze embryo's aan uw broer te geven en op de achtergrond toe te kijken hoe een ander uw kinderen opvoedt? Dat u een compleet ander mens bent, nu? Dat u deze hele rechtszaak absoluut niet in werking heeft gezet als wraakneming op uw ex-vrouw die een nieuwe relatie heeft, wat u ziet als een aanslag op uw mannelijkheid?'

'Bezwaar!' loeit Wade. Maar dan sta ik al rechtop in de getuigenbank, met een knalrood hoofd en bevend van woede. Er liggen wel honderd furieuze antwoorden op het puntje van mijn tong, en ik kan ze nog maar net binnenhouden.

'Ik weet genoeg, meneer Baxter,' zegt Angela Moretti glimlachend. 'Meer dan genoeg.'

Wade vraagt om een pauze, zodat ik even bij kan komen. Terwijl ik de rechtszaal uitloop, juicht de baptistenclub van Westboro me geestdriftig toe. Het geeft me een onfris gevoel. Natuurlijk, je kunt Jezus met hart en ziel liefhebben. Maar daarom hoef je nog geen synagogen te bekladden, omdat je gelooft dat de joden na tweeduizend jaar nog steeds verantwoordelijk zijn voor de dood van onze Verlosser. 'Kun je die lui niet wegsturen?' fluister ik Wade toe.

'Ik peins er niet over,' mompelt hij vanuit zijn mondhoek. 'Zij trekken tenminste de aandacht van de pers. Je hebt het moeilijkste stuk achter de rug, Max. Ik meen het. Weet je waarom die advocaat jou zo stond op te jutten? Omdat ze niets anders in handen heeft. Ze heeft de wetten van dit land tegen zich, om nog maar niet spreken van Gods geboden.'

Hij neemt me mee naar een kamertje met een tafel, twee stoelen, een koffiezetapparaat en een magnetron. Wade loopt naar de magnetron en buigt zich voorover, tot hij zijn gezicht kan zien in de zwarte, glanzende deur. Hij glimlacht naar zijn spiegelbeeld, ratst met zijn duimnagel iets tussen zijn tanden uit en grijnst vervolgens nog breder. 'Als jij dít kruisverhoor al wreed vond, wacht dan maar af hoe ik Zoë straks in de tang ga nemen. Daar zul je van genieten.'

Ik weet niet waarom, maar door die opmerking voel ik me nog lamlendiger.

'Wilt u iets voor me doen?' vraag ik. 'Kunt u dominee Clive vragen of hij even hierheen komt?'

Wade aarzelt. 'Alleen als je hem wilt raadplegen als jouw spirituele begeleider, en niet als een afgezonderde getuige...'

Ik knik instemmend. Het laatste waar ik op dit moment behoefte aan heb, is de recente gebeurtenissen in de rechtszaal doornemen met de dominee.

Wade vertrekt, en neemt alle zuurstof uit het kamertje met zich mee. Duizelig zak ik neer op een plastic stoel, met mijn hoofd tussen mijn knieën. Straks ga ik nog van mijn stokje. Even later wordt de deur weer geopend, en ik zie dominee Clives witte linnen pak. Hij trekt een stoel vlak naast de mijne. 'Laten we bidden,' zegt hij, en buigt zijn hoofd.

Zijn woorden vloeien over me heen en sijpelen in de rauwe, geschaafde plekken van mijn ziel. Geleidelijk zakt de pijn af. Een gebed is als water. Je kunt je niet voorstellen dat het iets substantieels doet, maar als je het wat tijd geeft kan het een heel landschap veranderen. 'Max, je ziet eruit alsof je het moeilijk hebt,' zegt de dominee.

'Ja, ik...' Ik kijk van hem weg en schud mijn hoofd. 'Ik weet het gewoon niet meer. Misschien kan ik de embryo's toch maar beter aan Zoë geven.'

'Waarom twijfel je opeens zo aan jezelf?' vraagt dominee Clive.

'Door wat haar advocaat tegen me zei. Dat ik de echte vader ben, maar me moet gedragen als oom. Als ík daar al van in de war raak, hoe kan een kind zoiets dan begrijpen?'

Hij vouwt zijn handen en knikt. 'Weet je, er schiet me ineens een situatie te binnen die heel veel lijkt op die van jou. Vreemd dat ik daar niet eerder aan heb gedacht.'

'Echt waar?'

'Ja. Een biologische vader van wie de zoon werd opgevoed door een ander echtpaar. Deze man had hen uitgekozen – precies zoals jij nu – omdat hij wilde doen wat het beste was voor zijn kind. Toch had hij zonder meer een vinger in de pap wat de opvoeding betrof.'

'Kent u hen persoonlijk?'

'O ja, heel goed zelfs,' zegt dominee Clive met een glimlach. 'En jij ook, trouwens. God heeft Jezus aan Maria gegeven om Hem ter wereld te brengen en aan Jozef om Hem op te voeden. Onze Hemelse Vader wist dat het moest gebeuren. En Jezus, nou ja, het lijkt me duidelijk dat Hij in staat was om dit alles te begrijpen.'

Maar ik ben God niet. Ik ben eerder een brokkenpiloot die de ene blunder na de andere begaat. Ik moet mijn stinkende best doen om niet weer de fout in te gaan.

'Het komt allemaal wel goed, Max,' belooft dominee Clive.

En ik doe hetzelfde als altijd wanneer ik met hem praat. Ik geloof wat hij zegt.

Zodra Reid de rechtszaal binnenkomt, begint mijn twijfel te vervagen. Hij ziet er piekfijn uit in een van zijn superchique, Engelse maatpakken en zijn handgemaakte Italiaanse loafers. Zijn zwarte haar is onberispelijk geknipt, en ik weet zeker dat hij zich vanmorgen vroeg heeft laten scheren door een echte kapper. Hij is zo'n man op wie direct alle aandacht gericht is zodra hij ergens binnenkomt. Niet alleen omdat hij er goed uitziet, maar ook omdat hij zo zelfverzekerd is. Wanneer hij langs onze tafel loopt richting getuigenbank, ruik ik aftershave en nog iets anders. Het is geen eau de toilette voor mannen, dat gebruikt Reid niet. Het is de geur van geld.

'Voor de goede orde en documentatie, meneer, wat is uw naam?' vraagt Wade.

'Reid Baxter.'

'En waar woont u, meneer Baxter?'

'In Newport. Ocean Drive 41.'

'Wat is uw relatie met de eiser, Max Baxter?'

Reid lacht. 'Ik ben zijn grote broer.'

'Bent u getrouwd, meneer Baxter?'

'Ik ben inmiddels elf jaar getrouwd met mijn lieftallige bruid, Liddy.'

'Hebt u kinderen?' vraagt Wade.

'God heeft ons niet met kinderen gezegend,' zegt hij. 'Hoewel ik moet bekennen dat het niet komt door ons gebrek aan inzet.'

'Kunt u ons een en ander over uw huis vertellen?' vraagt Wade.

'We hebben een woning van veertienhonderd vierkante meter, met uitzicht op zee. Ons huis heeft vier slaapkamers, drie grote badkamers met toilet, en één apart ruim toilet met wasbak. We hebben een reusachtige achtertuin en een groot gazon mét basketbalring. Het enige wat eraan ontbreekt zijn kinderen.'

'Wat is uw beroep?'

'Ik ben portfoliomanager bij Monroe, Flatt & Cohen,' antwoordt Reid. 'Ik werk daar al zeventien jaar en ben senior partner in de firma. Ik houd me bezig met vermogensbeheer. Dus ik beleg, investeer en herinvesteer het geld van mensen om hun kapitaal zeker te stellen en te vergroten.'

'Wat is uw netto jaarinkomen, meneer Baxter?'

Reid blikt bescheiden neer op zijn schoot. 'Ruim vier miljoen dollar.'

Godallemachtig.

Ik wist dat mijn broer aardig verdiende, maar vier miljoen dollar?

Op zijn best zou ik een kind een vennootschap in een prutserig hoveniersbedrijfje te bieden hebben, plus al mijn kennis over rozen kweken in een lastig klimaat. Niet bepaald een riant toekomstperspectief.

'Werkt uw vrouw, Liddy, ook buitenshuis?' vraagt Wade.

'Ze doet vrijwilligerswerk bij verschillende organisaties. Ze coördineert de zondagsschool van onze kerk, ze deelt maaltijden uit in een opvanghuis voor daklozen en ze is lid van de vrouwenbond die bezoekjes aflegt in het ziekenhuis van Newport. Ze zit ook in het bestuur van de Vereniging voor Natuurbehoud. Maar wij hebben altijd voor ogen gehad dat zij thuisblijfmoeder zou worden, zodat ze veel tijd zou hebben voor onze kinderen.'

'Beschouwt u zichzelf als een religieus mens?' vraagt Wade.

'Jazeker,' zegt Reid.

'Naar welke kerk gaat u, meneer Baxter?'

'De Eeuwige Gloriekerk. Daar ben ik al vijftien jaar lid.'

'Vervult u binnen deze kerk bepaalde functies, of bent u bijzondere verplichtingen aangegaan?'

'Ik ben de penningmeester,' antwoordt Reid.

'Gaan u en uw vrouw regelmatig naar de kerk?'

Hij knikt. 'Elke zondag.'

'Beschouwt u zichzelf als wedergeboren christen?'

'Als u daarmee bedoelt dat ik Jezus heb aanvaard als mijn persoonlijke verlosser, dan is het antwoord ja,' zegt Reid.

'Ik zou graag uw aandacht willen vestigen op de eiser in deze zaak, Max Baxter.' Wade gebaart naar mij. 'Hoe zou u uw relatie met hem willen karakteriseren?'

Reid denkt even na. 'Als gezegend,' zegt hij. 'Het is zo ongelooflijk fijn om mijn broertje weer terug te hebben in mijn leven, te zien dat hij het rechte pad bewandelt en hoeveel goed hem dat doet.'

In mijn eerste, bewuste herinnering ben ik ongeveer drie jaar, en jaloers op Reids geheime club. De club kwam bijeen in Reids boomhut, een speciale verstopplek waar hij zich met zijn vriendjes van school kon verschansen. Ik was te jong om zo hoog te kunnen klimmen, tenminste dat beweerden mijn ouders. En Reid zei het ook, want hij had geen zin in een irritant klein broertje dat hem overal achternascharrelde. Iedere avond in bed lag ik te fantaseren hoe de boomhut er vanbinnen uit moest zien. Ik zag de wanden voor me, beschilderd met psychedelische patronen, plus grote voorraden snoep en stapels toffe stripboeken. Op een dag, toen Reid nog niet thuis was van school, klom ik in de boomhut. Ik wist dat ik ervan langs zou krijgen, maar de verleiding was té groot. Tot mijn verbazing was de binnenkant gewoon kaal, ruw hout, met op een paar plaatsen een tekeningetje dat

Reid en zijn vriendjes met kleurkrijt hadden gemaakt. Op de vloer-planken lagen een krant en een paar kapotte rode schijfjes van een klappertjespistool.

Ik vond het de spannendste, betoverendste plek die ik ooit had ge-zien. Maar ja, dat denkt zo'n beetje iedereen over dingen die verbo-den terrein zijn. Dus ik verstopte mezelf daar, hoewel ik mijn moeder herhaaldelijk mijn naam hoorde roepen. Toen kwam Reid thuis van school. Zoals altijd klom hij eerst de ladder op naar de boomhut, nog voor hij het huis binnenging.

'Wat doe jij hier?' vroeg hij, precies op het moment dat mijn moe-ders stem opnieuw door de tuin schalde. Even later verscheen haar hoofd door het vloerluik van de hut.

'Hoe is Max hier helemaal boven gekomen?' riep ze geschrokken. 'Hij is nog niet groot genoeg om in die boom te klimmen...'

'Het was niet gevaarlijk, mam,' had Reid gezegd. 'Ik heb hem ge-holpen.'

Ik wist niet waarom hij een smoes voor me verzon. Of waarom hij niet boos op me was, terwijl ik zomaar ongevraagd in zijn boomhut zat.

Mijn moeder geloofde hem. Maar ze zei dat ze zou terugkomen zodra ik uit de hut wilde, omdat ze niet zat te wachten op een trip naar de Spoedeisende Hulp. Toen ze vertrokken was, keek Reid me aan. 'Als je bij de club wilt horen, moet je je aan de regels houden. Ik bepaal alle regels,' zei hij.

Ik denk dat ik mijn hele leven alleen maar bij de club van mijn broer wilde horen, welke club dat ook was.

Als ik mijn aandacht weer richt op het hier en nu, is Wade mijn broer nog steeds aan het ondervragen. 'Hoe lang kent u Zoë Baxter?'

'Toen ik met Liddy trouwde, zong zij in de band op het bruilofts-feest. Dat was de eerste keer dat ik haar heb ontmoet, en daarna ging ze regelmatig uit met mijn broer.'

'Konden u en Zoë met elkaar overweg?' vraagt Wade.

Reid glimlacht schaapachtig. 'Laat ik het zo zeggen dat wij er heel verschillende levensfilosofieën op nahouden.'

'Had u veel contact met Zoë in de periode dat ze met uw broer ge-trouwd was?' gaat Wade verder.

'Nee, hooguit een of twee keer per jaar.'

'Wist u af van hun vruchtbaarheidsproblemen?'

'Ja,' zegt Reid. 'Het was zelfs zo dat mijn broer op een keer bij me aanklopte voor hulp.'

Mijn hart begint te bonken. Ik weet dat Wade uitgebreid met Reid heeft gesproken, maar ik was daar niet bij. Dus heb ik geen idee welke instructies mijn broer heeft gekregen over hoe hij Wades vragen moet beantwoorden, anders was ik voorbereid geweest op wat er nu gaat komen.

'We hebben samen geluncht,' vertelt Reid. 'Ik wist dat hij en Zoë een paar keer ivf hadden geprobeerd. Max vertrouwde me toe dat het niet alleen een enorme emotionele druk op hun relatie legde, maar dat ze er financieel ook niet best voor stonden.' Hij kijkt me nu rechtstreeks aan. 'Max had Zoë beloofd dat hij een manier zou bedenken om hun vijfde ivf-behandeling te betalen, maar hij wist niet waar hij het geld vandaan moest halen. Hij kon geen tweede hypotheek op zijn huis nemen, want ze hadden een huurappartement. Hij had al een en ander van zijn bedrijfsapparatuur verkocht. Hij had tienduizend dollar nodig voor de fertiliteitskliniek en wist zich eigenlijk geen raad meer.'

Ik vermijd het om naar Zoë te kijken, maar ik voel haar felle, boze blik op mijn wangen branden. Ik heb haar nooit iets verteld over die lunch met Reid. Ik heb haar zoveel niet verteld. Behalve dat ene: dat ik hoe dan ook het geld bij elkaar zou krijgen voor haar behandeling, voor onze baby.

'Wat hebt u gedaan, meneer Baxter?'

'Wat iedere broer gedaan zou hebben,' zegt Reid. 'Ik heb een cheque voor hem uitgeschreven.'

Angela Moretti vraagt om een kort reces. Ik denk vooral omdat ze bang is dat Zoë op het punt staat me aan te vliegen.

Ik had helemaal niet tegen haar willen liegen, of verzwijgen dat het geld voor onze laatste ivf-behandeling afkomstig was van Reid. Maar we zaten tot onze nek in de schulden. De limiet van mijn creditcard was bereikt en ik kon geen nieuwe lening meer afsluiten. En haar zeggen dat we financieel aan de grond zaten, kon ik niet opbrengen. Dan was ik in haar ogen natuurlijk een complete loser.

Ik wilde haar alleen maar gelukkig maken. Ik wilde niet dat zij zich het hoofd zou breken over wat we mijn broer schuldig waren, gesteld dát we ooit die baby zouden krijgen.

Trouwens, Reid heeft me dat geld nooit teruggevraagd. Ik denk dat we allebei wisten dat het niet zozeer een lening was als wel een donatie. Terwijl hij zijn handtekening onder aan de cheque krabbelde, zei hij tegen me: 'Ik weet dat als de rollen omgedraaid waren, Max, jij ook alles zou doen om mij te helpen.'

Wanneer Zoë de rechtszaal weer binnenkomt, maakt ze geen oogcontact met mij. Ze blijft recht voor zich uit staren, naar een plek op de muur opzij van de rechter. Intussen komt Angela Moretti overeind voor het kruisverhoor van Reid. 'Dus u bent bezig een baby te kopen,' begint ze.

'Nee, dat geld was een gift.'

'Maar u hebt uw broer tienduizend dollar gegeven waardoor het ontstaan van een aantal embryo's mogelijk werd. Dezelfde embryo's die u nu onder uw hoede wilt nemen. Kunt u dat beamen?'

'Ja.'

'En u hebt recht op deze embryo's, omdat u ervoor hebt betaald, nietwaar?' beklemtoont Angela.

'Ik heb een morele verantwoordelijkheid om te zorgen dat ze fatsoenlijk opgevoed worden,' zegt hij.

'Dat was mijn vraag niet. U denkt dat u recht hebt op deze embryo's omdat u ze heeft gekócht, klopt dat, meneer Baxter?'

Al die tijd dat Reid, Liddy en ik het erover hebben gehad dat zij die baby's zouden moeten krijgen, heeft Reid met geen woord gerept van de cheque die hij me destijds heeft gegeven. Hij heeft nooit eerder iets gezegd waardoor ik me verplicht voelde jegens hem, om wat hij toen voor mij heeft gedaan.

Reid slaat zijn ogen neer en overweegt zorgvuldig zijn woorden. Dan zegt hij: 'Als ik er niet was geweest, zouden deze kinderen niet eens bestáán.'

Zodra de rechter besluit dat het genoeg geweest is voor vandaag, spring ik overeind. Voordat Wade me kan tegenhouden ren ik de rechtszaal uit. Ik moet me met mijn ellebogen langs een groep Westboro-baptisten heen werken, die tegen me schreeuwen dat ze aan mijn kant staan.

Het lijkt wel een oorlog. Hoe heeft dat kunnen gebeuren?

Ik storm het gerechtsgebouw uit, en een horde journalisten dringt naar voren. Ik hoor Wades stem achter me en ik ga zowat door mijn knieën van opluchting. 'Mijn cliënt onthoudt zich van commentaar,' zegt hij, legt zijn hand op mijn schouder en duwt me over de loopbrug richting parkeerterrein. 'Dat flik je me niet nog een keer,' sist hij in mijn oor. 'Jij gaat nergens heen tot ík zeg dat je kunt gaan. Ik sta niet toe dat jij dit verknalt, Max.'

Abrupt sta ik stil. Ik strek mijn rug en schouders, zodat ik mijn complete een meter vijfentachtig in de strijd kan gooien. Ik por mijn vinger in de voorkant van zijn poenerige maatoverhemd. 'Jíj werkt voor míj,' zeg ik.

Maar ook dat is niet helemaal waar, want Wade krijgt zijn geld niet van mij. Reid betaalt, alwéér.

Bij die gedachte krijg ik de neiging om iets tot moes te slaan, maakt niet uit wat. Wades gezicht is verleidelijk dichtbij. Maar ik houd me in en geef hem met mijn platte hand alleen een harde zet tegen zijn borst, zodat hij bijna zijn evenwicht verliest. Dan banjer ik met lange passen naar mijn truck, zonder om te kijken.

Ik heb geen concreet plan in mijn hoofd, maar toch rijd ik op een doel af. Er is een plek in Newport vlak bij Ruggles Avenue waar wat rotsen oprijzen vlak voor de kust. Het zijn de beste golfbrekers die ik ken, althans op dagen dat er een stevige deining is.

Het is ook een plek waar je een absolute doodsmak kunt maken.

Mijn shortboard ligt achter in mijn truck. Ik kleed me uit tot op mijn ondergoed en trek een wetsuit aan dat ik altijd op de achterbank heb liggen, voor het geval dat. Dan zoek ik voorzichtig mijn weg omlaag, tussen de grillige, uitspringende rotsen door naar het water onder me. Ik moet voorkomen dat ik al aan de landzijde van de rotspartij een opdoffer krijg.

Groentjes zul je hier niet snel tegenkomen met hun surfplanken. Ik ben alleen, met de mooiste schuimkoppen die ik ooit gezien heb.

Het is altijd een rare gewaarwording dat de problemen waar ik op het vasteland tot mijn nek toe in zit, er vanaf de zee zo totaal anders uitzien. Misschien komt het doordat ik hier zoveel kleiner ben dan de machtige golven om me heen. Of omdat ik weet dat, ook al word ik ongenadig hard op het strand geslingerd, ik altijd weer terug de zee op kan peddelen. Dan wacht ik simpelweg een nieuwe kans af.

Als je nooit gesurft hebt, weet je echt niet wat je mist. Wat dominee Clive ook doet of zegt, ik heb me nooit dichter bij God gevoeld dan tijdens het surfen. Het is een geheimzinnige combinatie van diepe sereniteit en volledig uit je dak gaan van vreugde. Daar sta je, in de luwte, wachtend tot je een golf ziet aankomen. Je peddelt als een gek met je armen totdat het schuim onder je zich magisch transformeert tot een vleugel die jou optilt. En dan vlieg je. Je vliegt, en juist als je denkt dat je hart uit lijf zal springen is het voorbij.

Ik voel deining onder mijn plank. Ik draai me om en zie een holle golf die zich achter me vormt. Ik hijs mezelf rechtop, laat me omhoogvoeren door het stuwende water en scheer zo lang mogelijk langs de binnenkant van de golf. Dan krult de watermassa zich om me heen en tuimel ik de diepte in. Even heb ik geen idee wat boven of onder is.

Ik kom weer aan de oppervlakte, snakkend naar adem. Mijn longen staan in brand, mijn haar is samengeklit en mijn oren gonzen van de kou. Dit is nou iets wat ik begrijp. Hier ben ik goed in.

Ik blijf heel bewust daar op die plek, tot na zonsondergang. Ik wikkel me in een deken, ga op een rotspunt zitten en kijk naar de maan, die nu op zijn beurt de golven berijdt. Mijn hoofd bonst en mijn schouder doet pijn door een onzachte landing op een scherp stuk steen. Ik heb minstens drie liter zout water ingeslikt. Ik heb onwijs veel zin in een biertje. Ik weet dat ik zodra ik in mijn truck stap, rechtstreeks naar een kroeg zal rijden om dat biertje achterover te slaan. Dus wacht ik tot de laatste ronde in de meeste cafés geweest is, en pas dan mag ik van mezelf naar huis rijden.

In de woning van Reid en Liddy zijn alle lichten uit. Nogal logisch, want het is bijna drie uur 's nachts wanneer ik eindelijk hun oprijlaan inrijd. Ik doe mijn schoenen uit op de veranda. Dan draai ik voorzichtig de sleutel om en glip op blote voeten naar binnen, om niemand te storen.

Ik sluip naar de keuken om een glas water te halen, en daar zit Liddy als een geestverschijning aan de keukentafel. Ze staat op en haar witte katoenen nachtjapon golft rond haar enkels als zeeschuim.

'Goddank,' zegt ze terwijl ze me aankijkt. 'Waar heb jij al die tijd gezeten?'

'Ik ben gaan surfen. Ik was zo duf, ik had behoefte aan frisse lucht.'

'Ik heb geprobeerd je te bellen. Ik was ongerust.'

Ik heb haar nummer herhaaldelijk op het scherm van mijn mobiel zien verschijnen. Ik heb alles gewist, zonder mijn voicemail af te luisteren. Ik moest wel, al kan ik niet uitleggen waarom.

'Ik heb niet gedronken, als je daarover inzit,' zeg ik.

'Nee, daar gaat het niet om. Ik was gewoon... Ik wilde het ziekenhuis bellen om uit te vinden of er iets met je gebeurd was. Maar Reid vond het onzin. Hij zei dat jij heus wel voor jezelf kon zorgen.'

Ik zie het telefoonboek open op tafel liggen en voel een steek van wroeging.

'Het spijt me dat je zo lang voor me bent opgebleven, dat was niet mijn bedoeling. Voor jou is morgen de grote dag.'

'Ik kan toch niet slapen. Reid heeft een Mogadon geslikt en ligt nu te snurken als een gevloerde os.' Liddy gaat op de grond zitten, met haar rug tegen de muur. Ze klopt uitnodigend op de plek naast haar, en ik ga ook zitten. We zwijgen een tijdje, terwijl de stilte van het huis als een deken over ons neerdaalt. 'Kun jij je *De Tijdmachine* nog herinneren?'

'Natuurlijk.' Het was een knullige lowbudgetfilm die we een paar jaar geleden samen hadden gezien. Hij ging over een tijdreiziger die verdwaalt in de ruimte en 800.000 jaar verder in de toekomst belandt.

'Zou jij in de toekomst willen kijken, ook al wist je dat je er niets aan kon veranderen?' vraagt ze.

Even zit ik te dubben. 'Ik weet niet. Het is misschien te pijnlijk om alles van tevoren te weten.'

Dan legt ze haar hoofd op mijn schouder. Ik zweer je dat mijn adem stokt in mijn keel. 'Vroeger las ik van die fantasyboeken voor kinderen met aan ieder hoofdstuk een open einde,' zegt ze. 'Je mocht zelf een vervolghoofdstuk kiezen, maar afhankelijk van wat je koos, veranderde de afloop van het boek.'

Ik ruik de badolie die ze altijd gebruikt – mango en mint. En haar shampoo, die ik af en toe uit haar badkamer steel om mijn eigen haar mee te wassen.

'Wat ik deed, was snel doorbladeren naar het laatste hoofdstuk om alle alternatieve verhaaleindes te lezen. Dan pikte ik het mooiste einde eruit... en ik probeerde uit te vlooien welke mogelijkheid ik aanvankelijk had moeten kiezen.' Ze lacht zachtjes. 'Het werkte nooit. Het lukte me van geen kanten om de dingen te laten gebeuren zoals ik wilde.'

De eerste keer dat Liddy sneeuw zag, die keer dat ik bij haar was, ving ze een sneeuwvlok op in haar hand. 'Kijk eens naar dat patroon,' zei ze, en stak haar hand naar me uit. Maar toen ik in haar handpalm keek, was de sneeuw al weggesmolten.

'Reid vertelde me wat hij vandaag in de rechtszaal heeft gezegd.'

Ik kijk naar de vloer. Ik weet niet wat ik hierop moet zeggen.

'Ik weet dat Reid soms... nou ja, dat hij dominant kan zijn. Tiranniek zelfs. Dat hij soms doet alsof de hele wereld van hem is. Dat weet ik als geen ander, behalve jij misschien. Ik weet ook dat jij je afvraagt waarom je dit eigenlijk doet, Max.' Liddy gaat op haar knieën zitten en buigt zich naar me toe, zodat haar haar naar voren valt en mijn gezicht raakt. Ze legt haar hand op mijn wang. En dan, heel langzaam, kust ze me. 'Je doet dit voor mij,' fluistert ze.

Ik zit te wachten tot ik wakker word uit deze duivelse, wonderbaarlijke droom. Binnen de kortste keren zal zich nu een arts over me heen buigen. Hij zal me uitleggen dat die laatste schuiver tijdens het surfen me een zware hersenschudding heeft bezorgd. Snel grijp ik Liddy's pols, voordat ze haar hand kan terugtrekken van mijn gezicht. Haar huid is warm, en boterachtig zacht.

En dan kus ik háár. God, ja, en of ik haar kus. Ik wieg haar gezicht tussen mijn handen en ik probeer haar alles in te zoenen wat ik nooit tegen haar heb mogen zeggen. Nu zal ze zich ongetwijfeld losrukken en me een lel voor mijn kop geven. Maar nee. In dit alternatieve universum is plaats voor ons beiden, zó dicht bij elkaar als ik nooit voor mogelijk had gehouden. Ik grabbel naar de onderrand van haar nachtpon en trek de stof omhoog, zodat ze haar benen om de mijne kan slaan. Ik ruk mijn T-shirt over mijn hoofd, zodat ze het zout van mijn schouderbladen kan kussen. Ik leg haar zachtjes op de vloer. Ik vrij met haar.

Daarna duurt het even tot de realiteit tot me doordringt. Dan voel ik de harde plavuizen onder mijn heup en Liddy, die met haar volle gewicht op me ligt. Plotseling ben ik in totale, uitzinnige paniek.

Mijn hele leven heb ik ervan gedroomd om hetzelfde als mijn broer te zijn, en nu bén ik dat.

Net als Reid, wil ik iets wat niet van mij is.

Wanneer ik wakker word op de keukenvloer, lig ik daar alleen en heb ik mijn boxershort aan. Reid staat over me heen gebogen. 'Kijk nou eens wie we daar hebben,' zegt hij. 'Je ziet eruit als een verfomfaaide wilde kat, broertje. Ik zei al tegen Liddy dat jij negen levens hebt.' Hij draagt een smetteloos kostuum en heeft een mok koffie in zijn hand. 'Spring maar snel onder de douche, of je komt nog te laat in de rechtszaal.'

'Waar is ze?'

'Nog boven. Ze is kotsmisselijk en heeft blijkbaar koorts. Ze wilde thuisblijven, maar ik heb haar meteen gezegd dat dát niet kan. Zij is de volgende getuige.'

Ik graai mijn kleren bij elkaar en spring met drie treden tegelijk de trap op. Het is hoog tijd dat ik me gereedmaak, zoals Reid al zei. Maar eerst klop ik op de gesloten slaapkamerdeur van Liddy en Reid. 'Liddy?' fluister ik. 'Liddy, hoe is het met je?'

De deur gaat op een kiertje open. Liddy heeft een badjas aan. Ze trekt hem bij de hals extra strak dicht, alsof ik niet al alles gezien heb wat eronder zit. Ze heeft vuurrode blossen op haar wangen. 'Ik kan nu niet met je praten.'

Ik duw mijn voet tussen de deur, zodat ze hem niet voor mijn neus kan sluiten. 'Dit is echt niet nodig. Afgelopen nacht was je...'

'Een zondares,' onderbreekt Liddy me, met tranen in haar ogen. 'Afgelopen nacht was ik getrouwd. Dat ben ik nog stééds, Max. En ik wil een baby.'

'We komen er wel uit. Dan zeggen we tegen de rechter...'

'Ja, wat zeggen we tegen de rechter? Dat de baby het best af is bij een vrouw die haar man bedriegt? De vrouw die houdt van haar zwager? Dat lijkt me voor niemand een gangbare omschrijving van een traditioneel gezinsleven, Max.'

Maar het laatste wat ze zegt, ontgaat me grotendeels. 'Hou jij van mij?'

Ze laat haar hoofd hangen. 'De man op wie ik verliefd werd, was bereid om mij het allerbelangrijkste toe te vertrouwen – zijn kínd. De man op wie ik verliefd werd, heeft God lief, net als ik. De man op wie ik verliefd werd, zou nooit ofte nimmer zijn broer kwetsen. Vannacht is niet gebeurd, Max. Want anders… ben jij niet meer die man over wie ik het heb.'

Ze sluit de deur. Maar ik blijf staan waar ik sta, aan de grond genageld. Reids voetstappen echoën door de hal. Hij komt de trap op en ziet me voor zijn slaapkamerdeur staan. Fronsend kijkt hij op zijn horloge. 'Ben je nog niet klaar?'

Ik slik. 'Nee,' zeg ik. 'Nog niet.'

In de getuigenbank zit Liddy te trillen als een riet. Ze kan er niet mee stoppen, ook al houdt ze haar handen onder haar benen geklemd. Ik zie gewoon de rillingen door haar heen gaan. 'Ik had het er al van jongs af aan over dat ik moeder wilde worden,' zegt ze. 'Toen ik op de middelbare school zat, verzonnen mijn vriendinnen en ik hele rijen namen voor de baby's die we zouden krijgen. Ik had alles helemaal gepland, nog voor ik getrouwd was.'

Bij het woord 'getrouwd' breekt haar stem.

'Ik heb een ontzettend goed leven. Reid en ik hebben een prachtig huis, en hij verdient als portfoliomanager een prima inkomen. En volgens de Bijbel is het huwelijk bedoeld om kinderen te krijgen.'

'Hebben u en uw man geprobeerd een kind te verwekken?' vraagt Wade.

'Ja. Jarenlang.' Ze kijkt neer op haar schoot. 'We waren juist bezig andere mogelijkheden te onderzoeken via Adoptiebureau Sneeuwvlokjes. Maar toen kwam Max… Toen kwam Max naar ons toe met een ander idee.'

'Hebt u een sterke band met uw zwager?'

Alle kleur trekt weg uit Liddy's gezicht. 'Ja.'

'Hoe reageerde u toen hij u vertelde dat hij zijn ongeboren kinderen aan u en uw man wilde afstaan?'

'Ik dacht dat God mijn gebeden had verhoord.'

'Hebt u Max gevraagd waarom hij deze kinderen niet zelf wilde opvoeden, bijvoorbeeld over wat langere tijd?'

'Dat heeft Reid hem gevraagd,' zegt Liddy. 'Maar Max zei tegen ons dat hij niet dacht dat hij dat zou aankunnen. Hij had al zoveel fouten gemaakt. Hij wilde zijn kinderen zien opgroeien bij een moeder en vader die... die van elkaar houden.'

'Hebt u veel ervaring opgedaan met kinderen?'

Voor het eerst sinds ze in de getuigenbank zit, fleurt ze een beetje op. 'Ik heb de leiding over het zondagsschoolprogramma in onze kerk. En 's zomers organiseer ik een Bijbelkamp voor jongeren. Ik ben dol op kinderen.'

'Als het de rechter goeddunkt om deze ongeboren kinderen aan u toe te wijzen,' zegt Wade, 'hoe zou u hen dan opvoeden?'

'Ik zou hen opvoeden tot gelovige christenen,' zegt Liddy. 'Hun leren het goede te doen...' Zodra ze dit zegt, vertrekt haar gezicht in rimpels. 'Het spijt me zo,' snikt ze.

Tegenover me, aan de overkant van de rechtszaal, schuifelt Zoë op haar stoel. Vandaag is ze helemaal in het zwart, ze lijkt wel in de rouw. Ze staart naar Liddy alsof die de duivel in eigen persoon is.

Wade trekt een karmijnrode, zijden zakdoek uit zijn jaszak en geeft die aan Liddy, om haar tranen af te vegen. 'Uw getuige,' zegt hij, en wendt zich tot Zoë's advocaat.

Angela Moretti staat op en strijkt haar jasje glad. 'Wat hebt u deze kinderen méér te bieden dan hun eigen biologische moeder hun kan geven?'

'Kansen,' zegt Liddy. 'Een welvarend, stabiel christelijk gezin.'

'Dus u denkt dat je alleen een dikke bankrekening nodig hebt om kinderen te kunnen opvoeden?'

'Natuurlijk niet. Bij ons zouden ze een warm, liefdevol thuis vinden.'

'Wanneer hebt u voor het laatst enkele uren achter elkaar doorgebracht met Zoë en Vanessa?'

'Ik... dat heb ik niet...'

'Dus u hebt eigenlijk geen idee hoe warm en liefdevol het er bij hén thuis aan toegaat, begrijp ik?'

'Ik weet dat hun samenzijn immoreel is,' zegt Liddy.

'Zo. Dus het is uitsluitend Zoës seksuele geaardheid die haar tot een ongeschikte moeder maakt? Dat verklaart u onder ede?'

Liddy aarzelt. 'Dat heb ik niet gezegd. Ik denk alleen dat Reid en ik... dat wij de beste optie zijn voor deze kinderen.'

'Wat voor soort anticonceptiemiddel gebruikt u?' vraagt Angela.

Liddy bloost. 'Geen enkel.'

In een flits zie ik haar voor me, zoals ze de aflopen nacht bij me lag: haar hoofd opzijgedraaid zodat ik haar hals overal kon zoenen. Haar rug gekromd onder me.

'Hoe vaak hebt u seks met uw man?'

'Bezwaar, edelachtbare!'

'Ik sta het toe,' zegt de rechter. *Vieze oude man.*

'Beantwoordt u de vraag, mevrouw Baxter.'

'Iedere donderdag,' zegt Liddy.

Iedere donderdag? Eén keer per week? Staat dat in hun agenda, of zo? Als Liddy mijn vrouw was, stond ik iedere ochtend met haar onder de douche. Als we aan tafel zaten, zou ik haar vastgrijpen zodra ze langs me liep. Ik zou haar op schoot trekken...

'Vrijt u op de kalender, oftewel, kient u de dagen dat u geslachtsgemeenschap hebt zo uit dat de kans op bevruchting het grootst is?'

'Ja.'

'Bent u ooit zwanger geweest?'

'Ja... verscheidene keren. Maar iedere keer kreeg ik een miskraam.'

'Weet u eigenlijk of u in staat bent om een zwangerschap te voldragen?'

'Wie weet dat wél, van tevoren?' vraagt Liddy.

Die zit, meisje.

'Stel dat u deze embryo's mag gebruiken en ze in uw baarmoeder geplaatst worden. U beseft dus dat dit nog niet betekent dat u een kind levend ter wereld brengt?'

'Ja,' zegt Liddy. 'Óf ik krijg een kerngezonde drieling.'

'U zei dat het volgens de Bijbel het belangrijkste doel van het huwelijk is kinderen te krijgen?'

'Ja.'

'Maar als God zou willen dat u kinderen kreeg, dan had u die toch allang gehad?'

'Ik... ik denk dat Hij iets anders met ons voorheeft,' zegt Liddy.

De advocaat knikt. 'Ach, natuurlijk. God wil dat u plaatsvervangend moeder wordt, en wel door de biologische moeder van haar recht op moederschap te beroven.'

'Bezwaar!' zegt Wade.

'Laat ik het anders formuleren,' zegt Angela. 'Klopt het dat het uw allergrootste wens is een kind te krijgen en op te voeden?'

Liddy heeft haar ogen al die tijd zorgvuldig op Angela Moretti gericht gehouden. Nu glijdt haar blik mijn kant op. Mijn mond voelt alsof ik een hap glasscherven heb genomen. 'Ja,' zegt ze.

'Kunt u beamen dat niet in staat zijn om een biologisch kind te krijgen verschrikkelijk is? Hartverscheurend?'

'Ja.'

'En toch is dat uitgerekend het lot waartoe u Zoë Baxter veroordeelt als u haar haar embryo's afneemt, nietwaar?'

Liddy's ogen staan vol tranen. Ze draait zich om naar de plaats waar Zoë zit. 'Ik zou die baby's grootbrengen alsof het mijn eigen kinderen waren,' fluistert ze.

Bij die laatste woorden veert Zoë op van haar stoel. 'Het zíjn jouw kinderen niet,' zegt ze, eerst nog gedempt. Met krachtige stem vervolgt ze: 'Ze zijn van míj!'

De rechter dreunt met zijn hamer op de balie. 'Mevrouw Moretti, houd uw cliënte in toom!'

'Laat haar met rust!' schreeuw ik, terwijl ik overeind kom. 'Je ziet toch dat ze overstuur is?'

Even staat de hele wereld stil. Zoë draait zich naar me om met een zweem van een glimlach op haar lippen, dankbaar omdat ze denkt dat ik het over haar heb.

En vervolgens beseft ze dat dat niet zo is.

Als je bijna tien jaar met iemand getrouwd bent geweest, vergeet je niet zomaar de geheimtaal van je relatie. Blikken die elkaar ontmoeten tijdens een etentje buitenshuis en die seinen dat het tijd wordt een excuus te verzinnen om te kunnen vertrekken. Een stilzwijgende verontschuldiging als je onder het dekbed naar haar hand tast. Een glimlachje dat *ik hou van je* betekent.

Ze weet het. Ik zie aan de manier waarop ze naar me kijkt, dat ze begrijpt wat ik gedaan heb. Dat ze mij kwijtgeraakt is, en misschien ook haar embryo's, aan een vrouw aan wie ze een bloedhekel heeft.

Dan komt er beweging in het stilstaande beeld, en Zoë stormt op de getuigenbank af. Een parketwachter grijpt haar en dwingt haar op haar knieën. Iemand gilt.

'Orde! Ik roep dit hof tot de orde, nú,' buldert rechter O'Neill.

Inmiddels is Liddy één snotterend hoopje ellende. Wade grijpt mijn arm. 'Kóp dicht, voor je alles verziekt.'

'Zoë,' zegt Angela Moretti terwijl ze de parketwachter van haar cliënte af probeert te duwen, 'bedaar nu toch, alsjeblieft...'

'Dit hof is met reces,' snauwt de rechter, en hij stiert de zaal uit.

Wade wacht tot Angela, die Zoë met zich mee sjort, de rechtszaal uit is. En vervolgens tot het merendeel van de publieke tribune verdwenen is naar de gang, om te roddelen over dit voorval. 'Waar sloeg dat verdomme op?' zegt hij verwijtend.

Ik weet niet wat ik tegen hem moet zeggen. Ik begrijp zelf amper wat ik gedaan heb. 'Het gebeurde gewoon,' breng ik uit.

'Nou, je zorgt maar dat het niet weer gebeurt. Tenminste, als je nog steeds dit proces wilt winnen. Als jouw ex zich in de rechtszaal te kijk wil zetten als een complete malloot, dan is dat alleen maar gunstig voor ons. Denk je dat de rechter uit haar gedrag zal concluderen dat zij een uitstekende moeder zou zijn? Nee dus. En als ze weer zoiets doet, wat ik van harte hoop, dan blijf jij netjes op je stoel zitten en gedraagt je als een toonbeeld van rust. Je springt niet overeind om haar te verdedigen, godbetert!'

Ik buig mijn hoofd, om de opluchting die ik voel te verbergen. Wade heeft me verkeerd begrepen.

De hemel zij dank.

Ik heb geen idee waar Wade Geneviève Newkirk heeft opgeduikeld. Maar ze blijkt geregistreerd klinisch psycholoog en is gepromoveerd aan de Universiteit van Californië. Ze heeft allerlei artikelen gepubliceerd over huwelijk, seksualiteit en ouderschap. Ze is op radio en televisie geweest – zowel regionaal als landelijk – en heeft interviews gegeven voor internet- en gedrukte media. Ze is geraadpleegd over meer dan vijfenzeventig rechtszaken en heeft getuigd in ruim veertig daarvan. Het kost Wade weinig moeite om haar als getuige-deskundige te introduceren. 'Doctor Newkirk,' begint hij, 'hebt u in uw werk de gelegenheid gehad om na te gaan of homoseksualiteit genetisch bepaald is?'

'Ja. Eerlijk gezegd zijn hier nog weinig studies over, dus het is gemakkelijk een overzicht te krijgen van alle onderzoeksresultaten.'

'Bent u bekend met het onderzoek van Bailey en Pillard?' vraagt Wade.

'Jazeker.' Doctor Newkirk keert zich naar de publieke tribune. 'In

1991 en 1993 hebben J.M. Bailey en R.C. Pillard onderzoek gedaan naar homoseksualiteit bij tweelingen. Zij concludeerden dat bij twee-ënvijftig procent van de eeneiige mannelijke tweelingen van wie de een homoseksueel is, de andere helft dat ook is. Bij twee-eiige twee-lingen was dit tweeëntwintig procent, en elf procent van de geadop-teerde broers van homoseksuele mannen was eveneens homoseksueel. Bij lesbische vrouwen was de uitkomst dat in achtenveertig procent van de gevallen de eeneiige tweelingzus ook lesbisch was. Bij twee-eiige tweelingen was dat zestien procent, en zes procent van de adoptief-zussen van lesbische vrouwen bleek zelf ook lesbisch te zijn.'

'Waar duidt die uitkomst op?'

'Het is ingewikkeld. Sommigen zouden uit deze gegevens afleiden dat homoseksualiteit inderdaad een biologische component heeft. Echter, tweelingen die samen worden opgevoed staan bloot aan de-zelfde invloeden. Om geldige onderzoeksresultaten te krijgen, zou je juist tweelingen moeten onderzoeken die gescheiden van elkaar zijn opgegroeid. En wat blijkt? Bij eeneiige tweelingen die inderdáád ge-scheiden opgegroeid zijn, is de correlatie nul procent. Met andere woorden, alleen het feit dat één tweelingbroer of -zus homoseksueel is, betekent niet dat de andere helft van de eeneiige tweeling ook homo of lesbienne is. Bovendien, als seksuele oriëntatie genetisch zou zijn, hoe verklaar je dan die overige achtenveertig procent van de mannelijke eeneiige tweelingen die geen homo zijn? En de tweeën-vijftig procent van de eeneiige vrouwelijke tweelingen die uiteindelijk niet homoseksueel blijken?'

'Wacht even,' zegt Wade. 'U zegt dus dat er eeneiige tweelingen zijn – geboren met exact hetzelfde genetische materiaal – van wie de een homo wordt en de ander niet?'

'Ja. In bijna de helft van de gevallen,' stemt Newkirk in. 'Dit wijst er juist sterk op dat homoseksualiteit níét erfelijk bepaald is. Het kan heel goed een genetische aanleg zijn, maar dat is bij lange na niet het-zelfde. Veel mensen worden geboren met een genetische aanleg voor depressie of verslaving, zonder dat dit zich uit in hun gedrag. Kort-om, de omgeving waarin een kind opgroeit is van cruciaal belang bij de vraag of hij of zij al dan niet homoseksueel wordt.'

'Dank u, doctor. En het onderzoek van Simon LeVay, hoe zat dat in elkaar?'

'Doctor Levay werkte als neurowetenschapper bij het Salkinstituut. Hij heeft getracht door hersenonderzoek een biologische basis te vinden voor homoseksualiteit. Hij onderzocht eenenveertig mensen: negentien homoseksuele mannen, zestien heteroseksuele mannen, en zes heteroseksuele vrouwen. Hij ontdekte dat een groepje zenuwcellen in de hypothalamus, waarvan aangenomen wordt dat het seksueel gedrag regelt, bij homo's kleiner is dan bij heteromannen. Daarnaast stelde hij vast dat de hypothalamus ongeveer even groot was als die van een heteroseksuele vrouw. Dat wil zeggen, half zo groot als die van een heteroseksuele man.'

'Toont dit een biologische basis aan voor homoseksualiteit?' vraagt Wade.

'Nee. Allereerst bestond er een aanzienlijke spreiding in de grootte van de hypothalamus. Bij sommige homoseksuele mannen was dit gebied even groot als bij een heteroseksuele man. Bij een aantal heteromannen was dit hersengebied net zo klein als bij een homoseksueel. Bovendien was de controlegroep vrij klein, en het onderzoek is nooit herhaald. Tot slot moeten we ons afvragen of een afwijkende hersenstructuur de oorzaak is van seksuele geaardheid, of dat het er een gevolg van is. Zo heeft het Landelijk Instituut voor Volksgezondheid onderzoek gedaan naar blinde mensen die braille leerden lezen. Het is aangetoond dat het hersengebied dat lezen met de vinger regelt, daadwerkelijk groter wordt.'

'En het onderzoek van Dean Hamer, uit 1993?' vraagt Wade. 'Hij heeft het homogen ontdekt, toch?'

'Niet echt,' antwoordt doctor Newkirk. 'Hij ontdekte dat homoseksuele broers vaker één stukje op het x-chromosoom – Xq28 – met elkaar gemeen hadden dan heterobroers. Maar ook deze studie was eenmalig.'

'Dus geen van deze gerespecteerde wetenschappers was in staat overtuigend te bewijzen dat iemand als homo wordt geboren?'

'Nee,' zegt de psycholoog. 'Het is niet zoiets als huidskleur, bijvoorbeeld. Je kunt niets doen om je huidskleur te veranderen – even afgezien van Michael Jackson, misschien. Maar seksuele geaardheid is beslist niet alleen biologisch bepaald, de opvoeding en culturele omgeving spelen een enorm belangrijke rol.'

'Dat brengt mij op uw recentste artikel "De liefde voorbij: waarom het homohuwelijk kinderen beschadigt". Vertelt u eens, waarom hebt u dat artikel geschreven?'

'Er is een overvloed aan bewijs dat het belang van het kind het meest gediend is bij een opvoeding door twee heteroseksuele ouders,' zegt doctor Newkirk. 'Lesbische partners kunnen misschien heel goede moeders zijn. Maar vader, dat kunnen ze niet worden.'

'Kunt u dat toelichten?'

Doctor Newkirk knikt. 'Er zijn vier hoofdredenen waarom een kind een band moet aangaan met zowel een vader als een moeder. Ten eerste is de band die ouders van verschillend geslacht met hun kind hebben, hoewel beiden even belangrijk, wezenlijk uniek. De onvoorwaardelijke liefde van een moeder wordt aangevuld door de voorwaardelijke liefde van de vader. Hij is degene die de regels handhaaft. Deze combinatie beïnvloedt de manier waarop een kind opgroeit. Een binding met beide geslachten in de jaren dat een kind gevormd wordt, leert hem of haar als volwassene evenwichtiger in het leven te staan. Ten tweede is het een bewezen feit in de ontwikkelingspsychologie dat een kind verschillende psychische fases doormaakt. Bijvoorbeeld, baby's van beide geslachten hebben aanvankelijk meer baat bij de zorg van een moeder. Maar op een gegeven moment zal een jongetje zich moeten losmaken van zijn moeder, wil zijn mannelijke identiteit geen schade lijden. Dan moet hij zich dus kunnen identificeren met zijn vader, om te leren zijn agressie te kanaliseren en zijn gevoelens te beheersen. De relatie met de vader is óók belangrijk voor een opgroeiend meisje, omdat het een veilige ruimte betekent waarin haar vrouwelijkheid naar waarde wordt geschat. Zonder die vaderfiguur in haar leven is het waarschijnlijk dat ze haar verlangen naar mannelijke aandacht zal invullen op manieren die ongepast zijn.'

'En de derde reden?' vraagt Wade.

'Over homorelaties is vastgelegd dat ze seksuele verwarring veroorzaken bij kinderen, en dat het hen in een later stadium aanzet tot vrije, seksuele omgang met meerdere partners. De boodschap die een homorelatie uitzendt, is dat alle keuzes even wenselijk zijn. Dat het niet uitmaakt met wie je trouwt. Vandaar dat jongeren die opgegroeid zijn bij homoseksuele ouders vaak al vroeg seksueel actief zijn. Plus dat ze totaal niet kieskeurig zijn met wie ze seks hebben.'

'Bedoelt u dat er een grotere kans is dat zij zelf ook homoseksuele relaties aangaan?'

'Precies. Denk bijvoorbeeld aan Griekenland in de Oudheid. Homoseksualiteit greep ongebreideld om zich heen – niet vanwege een homogen, maar omdat de maatschappij het gedoogde. Dit soort gedrag door de vingers zien leidt alleen maar tot toename ervan.'

'En de laatste reden waarom het homohuwelijk een kwalijke invloed op kinderen heeft?'

'Dat het de weg baant voor andere relaties die nóg veel minder maatschappelijk aanvaardbaar zijn. Polygamie bijvoorbeeld. Kunt u zich de emotionele gevolgen voorstellen voor een kind dat één vader heeft, maar een heleboel verschillende moeders? Aan welke vrouw zou dat kind zich moeten hechten? En denkt u zich eens in wat er gebeurt als zulke huwelijken uiteenvallen, en her en der hertrouwd wordt... Nou ja, het is heel goed denkbaar dat er dan kinderen zullen zijn met twee vaders en zes moeders.' Hoofdschuddend voegt ze eraan toe: 'Dat is geen gezin meer, meneer Preston. Dat is een commune.'

'Mag ik u vragen, doctor Newkirk, vloeien uw bezwaren voort uit het eventuele onvermogen van een homoseksueel stel om een kind liefde te geven?'

'Absoluut niet. Bepaalde homoseksuele koppels kunnen een even liefdevolle omgeving creëren als heteroseksuele echtparen. Maar kinderen hebben meer nodig dan alleen liefde. Zij hebben die complementaire ervaringen nodig, dus van een mannelijke én een vrouwelijke ouder. Zowel in de zin van verschillende rolmodellen als voor aanmoediging en straf, kortom voor hun hele psychische ontwikkeling.'

'Tegenstanders zullen u vragen wat uw bewijs daarvoor is,' zegt Wade.

Doctor Newkirk lacht. 'Zo'n vijfduizend jaar traditioneel ouderschap, meneer Preston. Kinderen gebruiken voor een modieus sociaal experiment kan een absolute ramp betekenen voor de volgende generatie.' Ze kijkt naar Zoë. 'Ik heb veel compassie voor homoseksuelen die een gezin willen stichten. Maar hoeveel mededogen we ook voor deze mensen koesteren, het mag niet ten koste gaan van de basisbehoeften van weerloze kinderen.'

'Doctor Newkirk, heeft al uw literatuuronderzoek geresulteerd in een deskundige mening over welk gezin het meest gepast zou zijn voor deze ongeboren kinderen?'

'Ja. Ik ben er vast van overtuigd dat zij veel beter zouden gedijen in het gezin van Reid en Liddy Baxter.'

'Dank u, doctor,' zegt Wade. Hij wendt zich tot Angela Moretti. 'Uw getuige, raadsvrouw.'

'U zegt dat homoseksualiteit niet genetisch bepaald is, doctor?' begint Angela.

'Daar is inderdaad geen enkel valide bewijs voor.'

'Volgens u is het onderzoek van Bailey en Pillard niet doorslaggevend. Want in het geval van eeneiige tweelingen kan de ene broer vaststellen dat hij homo is, maar soms geldt dat voor de andere broer niet. Klopt dat?'

'Ja.'

'Maar al hebben eeneiige tweelingen veel biologische eigenschappen gemeen, toch zijn er aspecten waarin ze onderling verschillen, zoals hun vingerafdrukken. Wist u dat?'

'Ehm...'

'En, doctor, volgens u had het onderzoek van LeVay nauwelijks waarde, omdat de resultaten nog niet bevestigd waren met een soortgelijk onderzoek, nietwaar?'

'Ja,' zegt de psycholoog.

'Bent u bekend met de recente studie naar rammen op boerenbedrijven? Het uitgangspunt was de vaststelling dat acht procent van die dieren uitsluitend wil paren met andere rammen. Hebt u daar iets over vernomen?'

'Nee.'

'Nou,' zegt Angela Moretti, 'die onderzoekers hebben iets heel interessants ontdekt. Namelijk, deze acht procent mannelijke schapen had een groepje zenuwcellen in de hypothalamus dat kleiner was dan gemiddeld bij heteroseksuele rammen. In feite deden de bevindingen sterk denken aan de onderzoeksresultaten van Simon LeVay. En doctor, u had ook kritiek op het onderzoek van Dean Hammer, omdat het nog niet herhaald is, begrijp ik?'

'Zo is het.'

'Maar zou die studie op een gegeven moment herhaald kúnnen worden?'

'Ik kan natuurlijk niet in de toekomst kijken.'

'In Zweden is hersenonderzoek gedaan naar de verschillende reacties op seksuele lokstoffen bij homo- en heteromannen. Ze reageerden verschillend op mannelijke en vrouwelijke feromonen. Dat suggereert een sterke biologische component van homoseksualiteit. Kent u dat onderzoek?'

'Ja, maar...'

'En Weense wetenschappers hebben een genetische schakelaar ontdekt voor de seksuele geaardheid van fruitvliegjes. Zodra zij die schakelaar manipuleerden, begonnen de vrouwtjes de mannetjes te negeren. In plaats daarvan probeerden ze te paren met andere vrouwtjes, door de paringsrituelen van de mannelijke fruitvlieg na te bootsen. Wist u dat?'

'Daar was ik niet van op de hoogte,' erkent de psycholoog.

'En wist u, doctor Newkirk, dat er momenteel een erfelijkheidsonderzoek loopt bij duizend tweetallen homoseksuele broers? Het kost tweeënhalf miljoen dollar en wordt gesubsidieerd door de overheid. Het doel is beter inzicht te krijgen in de genetische component van homoseksualiteit. Doctor, u en ik weten allebei dat de overheid zelden haar handen vuilmaakt aan lukrake research naar seksualiteit. Dus je zou kunnen stellen dat zelfs een prominente instelling als het Landelijk Instituut voor Volksgezondheid de biologische basis van homoseksualiteit onderkent, nietwaar?'

'Iedereen kan een hypothese opstellen, mevrouw Moretti. Maar die wordt niet altijd door onderzoek gestaafd.'

'En wat te denken van het onderzoek van doctor William Reiner aan de Universiteit van Oklahoma?' vraagt Angela. 'Hij heeft honderden gevallen beschreven van kinderen met aangeboren seksuele differentiatiestoornissen, zoals jongetjes met een onderontwikkelde penis of helemaal geen penis. Volgens het gangbare protocol destijds, werden die jongetjes als baby operatief gecastreerd en vervolgens als meisje opgevoed. Wist u, doctor, dat geen van die kinderen zich later aangetrokken voelde tot mannen? Dat de meesten van hen die als baby deze geslachtsverandering hadden ondergaan, zich later lieten terug opereren tot man, omdat zij zich seksueel aangetrokken voelden tot vrouwen? Lijkt mij een overduidelijk voorbeeld van het feit dat opvoeding de natuur niet kan overtroeven, toch?'

'Raadsvrouw,' zegt de psycholoog, 'ik neem aan dat u bekend bent met de theorie van Darwin over natuurlijke selectie?

'Jazeker.'

'Dan kent u dus de gevestigde wetenschappelijke overtuiging dat het primaire doel van alle soorten is om de sterkste genen door te geven aan toekomstige generaties. Homoseksuelen brengen slechts twintig procent nakomelingen voort van het totale aantal kinderen van heteroseksuelen. Welnu, dan zou dat veronderstelde homogen waar u mee aankomt toch allang via de natuurlijke selectie tenietgedaan zijn?' Ze glimlacht. 'U kunt niet de biologische troefkaart uitspelen als u dát argument ongegrond vindt.'

Angela poeiert haar direct af door te zeggen: 'Ik ben maar een eenvoudige advocaat, doctor Newkirk. 'Ik zou me niet willen aanmatigen op eigen houtje te gaan hobbyen met resultaten van wetenschappelijk onderzoek, of me inlaten met pseudowetenschap. Maar goed. Terug naar een van de zwaarwegende redenen die u noemt om kinderen uitsluitend op te voeden binnen een heteroseksuele verbintenis. Dat zou zijn dat het problematisch wordt als je of geen vader, of geen moeder hebt, klopt dat?'

'Ja.'

'Dus als een van de partners van een heteroseksueel paar kwam te overlijden, zou u ervoor pleiten om het kind uit huis te plaatsen, bij heteroseksuele pleegouders?'

'Dat is natuurlijk onzin. De optimale leefsituatie voor alle kinderen houdt in dat ze een vader en een moeder hebben, maar uiteraard is dat niet altijd het geval.' Ze zucht. 'Er doen zich nu eenmaal grote tragedies voor in het leven.'

'Zoals dat iemand probeert te verhinderen dat een embryo wordt toegewezen aan de biologische moeder?'

'Bezwaar...'

De rechter fronst zijn wenkbrauwen. 'Toegestaan.'

'Ik trek deze vraag in,' zegt Angela Moretti.

'Eigenlijk wil ik hier graag antwoord op geven,' zegt doctor Newkirk. 'Er zijn tal van studies, mevrouw Moretti, die uitwijzen dat een jongen die opgroeit zonder vader eerder geneigd zal zijn tot misdaad, en een grotere kans heeft in de gevangenis te eindigen.'

'En waarop is uw bewering gegrond dat het homohuwelijk de deur

opent voor polygamie? Heeft íemand in de jaren dat het homohuwelijk legaal is in Massachusetts een verzoekschrift ingediend om een
polygame verbintenis wettelijk te bekrachtigen?'

'Ik volg de wetgeving van Massachusetts niet op de voet...'

'Dan zal ik u een handje helpen. Het antwoord luidt nee,' zegt Angela. 'En er heeft ook niemand gevraagd te mogen trouwen met een
geit, of met een zwerfkei. Enfin, laat me even samenvatten wat ik van
u gehoord heb, doctor Newkirk.' Ze begint punt voor punt op haar
vingers af te tellen: 'Homoseksueel ouderschap leidt voor de betrokken
kinderen tot allerlei afgrijselijke ontwikkelingsstoornissen. Homoseksualiteit is niet aangeboren, het is aangeleerd gedrag. Als je homoseksuele ouders hebt, zul je waarschijnlijk zelf gaan experimenteren
met homoseksuele relaties. Maar als je opgroeit in een gezin met heteroseksuele ouders, dan word je zelf ook heteroseksueel.'

De psycholoog knikt. 'Daar komt het ongeveer op neer.'

'Dan kunt u mij misschien nog één ding uitleggen,' zegt Angela
Moretti. 'Hoe komt het dat de meeste homo's en lesbiennes heteroseksuele ouders hebben?' Ze draait zich om en loopt terug naar haar
stoel, terwijl de psycholoog haar hersens zichtbaar pijnigt om Angela
van repliek te kunnen dienen.

'Dat was het,' zegt Angela.

Angela Moretti ziet het écht niet zitten om dominee Clive te laten getuigen. 'Edelachtbare,' zegt ze, 'wat heeft het voor zin dat meneer
Lincoln getuigenis aflegt van de goede reputatie die Max Baxter zou
genieten? Ik zie niet in waarom hij gekwalificeerd deskundige zou zijn
op dat terrein. Max Baxter is wat mij betreft geen tak van wetenschap.'

'Dominee Clive is religieus leider en geleerde,' argumenteert Wade.
'Hij heeft het hele land afgereisd om Gods woord te prediken.'

'Juist. En weet u wat de enige plek is waar hij níét mag prediken?
De rechtszaal,' antwoordt Angela.

'Het lijkt mij goed om te horen wat hij te zeggen heeft,' beslist rechter O'Neill.

'Vanzelfsprekend,' mompelt Angela.

De rechter werpt haar een norse blik toe. 'Pardon, raadsvrouw.
Wilde u nog iets kwijt?'

Ze kijkt op. 'Ehm, ik zei dat ik zelf soms ook predik.'

'Zo zo. Dat had ik niet achter u gezocht, mevrouw Moretti. Waarschijnlijk preekt u dan voor eigen parochie, hè? Maar dank u voor de mededeling,' voegt hij eraan toe. 'Dat plaatst sommige keren dat u bezwaar aantekende in een heel bijzonder licht.' Meneer Preston, u mag nu uw getuige oproepen.'

Eindelijk wordt dominee Clive verlost uit zijn afzondering, waar dat ook geweest mag zijn. Wanneer hij samen met een parketwachter in de rechtszaal arriveert, komt de publieke tribune tot leven. De leden van de Eeuwige Gloriekerk roepen 'halleluja!' en 'amen' en de Westboro-kliek begint te applaudisseren. Dominee Clive loopt met nederig gebogen hoofd door het middenpad naar voren. Hij vraagt de eed af te mogen leggen op zijn eigen bijbel.

'Voor de goede orde en de documentatie,' zegt Wade, 'wat is uw naam?'

'Clive Lincoln'

'Wat is uw beroep?'

'Ik ben predikant van de Eeuwige Evangelische Gloriekerk Gods.'

'Hebt u een gezin, dominee?'

'Ja,' zegt dominee Clive. 'Ik heb een heel lieve, zorgzame vrouw en het heeft God behaagd ons te zegenen met vier prachtige dochters.'

Drie van hen ken ik. Zij zijn de fris ogende acht- tot twaalfjarigen die altijd bij elkaar passende jurken dragen wanneer ik hen zie. Iedere zondag zingen ze tussen de Bijbellezing en de preek van dominee Clive door bij de piano, die hun moeder bespeelt. De vierde zit tijdens de kerkdiensten onveranderlijk in elkaar gedoken ergens op de achterste rij stoelen en zegt nooit een woord. Het gerucht gaat dat zij Jezus niet aanvaard heeft als haar Heer en Verlosser. Wat moet dat een ondraaglijke geestelijke last zijn voor iemand als dominee Clive.

Ieder huis heeft zijn kruis, kennelijk.

'Kent u de eiser in deze zaak?'

'Jazeker. Max is ongeveer zes maanden geleden lid van onze gemeente geworden.'

'En Reid en Liddy Baxter, kent u die ook?' vraagt Wade.

'Ik ken Reid nu vijftien jaar. Hij is een onovertroffen kei in financiën en beheert de fondsen van onze kerk inmiddels ruim tien jaar. Wij zijn vermoedelijk de enige non-profitorganisatie die winst heeft gemaakt tijdens de recessie.' Dominee Clive richt zijn blik omhoog. 'Maar wie weet was er gewoon nóg Iemand die een oogje hield op onze belangen in de aandelenmarkt.'

'Hoe lang bent u al predikant van deze kerk?'

'Eenentwintig gezegende jaren.'

'Dominee, wat leert uw kerk haar leden over homoseksualiteit?'

'Bezwaar,' zegt Angela Moretti. 'Ik zou niet weten hoe deze verklaring ons inzicht in het karakter van de eiser vergroot.'

'Afgewezen.'

'Wij geloven in het woord van God,' zegt dominee Clive. 'We interpreteren de Bijbel letterlijk. Er zijn meerdere Bijbelpassages die stellen dat het huwelijk uitsluitend bedoeld is als verbintenis tussen man en vrouw, met het oog op de voortplanting. Plus dat de Bijbel nog vele andere teksten bevat die homoseksualiteit openlijk veroordelen.'

'Kunt u hier wat verder over uitweiden?'

'Bezwaar!' Angela Moretti gaat staan. 'De Bijbel is niet relevant in een gerechtshof.'

'O nee?' zegt Wade. Hij gebaart naar de lijvige bijbel die op het bureau van de griffier ligt, om de getuigen te beëdigen.

Angela Moretti keurt hem geen blik waardig. 'Edelachtbare, meneer Lincolns interpretatie van Bijbelverzen leidt tot een onmiskenbare verstrengeling van Kerk en Staat. Dat is in strijd met de beginselen van ons rechtssysteem.'

'Integendeel, edelachtbare. Dit is volledig relevant om uit te maken waarmee de belangen van deze ongeboren kinderen het best gediend zijn. Het gaat om het soort samenlevingsvorm waarin zij terecht zullen komen.'

'Ik sta de verklaring toe,' zegt rechter O'Neill.

Een man die wat hoger op de publieke tribune zit en een T-shirt draagt met de tekst KOM UIT DIE KAST MAN, staat op. 'Krijg de klere, rechter!'

O'Neill kijkt vluchtig op. 'Verzoek afwezen,' zegt hij droog. 'Parketwachters, verwijdert u deze man uit mijn rechtszaal, dank u.' Hij wendt zich tot dominee Clive. 'Zoals ik al zei, mag u antwoord geven. Maar beperkt u zich alstublieft tot één korte passage, alleen als voorbeeld. Mevrouw Moretti heeft in één ding gelijk: dit is een rechtszaak, geen zondagsschoolbijeenkomst.'

Bedaard slaat dominee Clive zijn bijbel open en leest hardop: '*Gij zult niet bij een man liggen zoals bij een vrouw; dat is verfoeilijk. En als een man bij een man ligt zoals bij een vrouw, dan hebben beiden een gruwel gedaan. Zij zullen ter dood worden gebracht. Hun bloed is op hen!* Ik weet dat dit twee verzen zijn,' voegt de dominee eraan toe, 'maar ze staan praktisch op dezelfde bladzijde.'

'Hoe zouden u en uw gemeente deze passages interpreteren?' vraagt Wade.

'Ik denk niet dat dit alleen voor mij en mijn gemeente opgaat,' zegt dominee Clive. 'Het lijkt me overduidelijk voor iederéén die dit leest. Namelijk, dat homoseksualiteit verfoeilijk is. Een doodzonde.'

'O, in godsvredesnaam,' mompelt Angela Moretti. En dan met stemverheffing: 'Ik maak bezwaar! Voor de honderdste keer.'

'Ik zal deze uitspraken het gewicht toekennen dat ze verdienen, raadsvrouw,' zegt rechter O'Neill.

Wade wendt zich tot dominee Clive. 'Ik wil het graag met u hebben over de ongeboren kinderen om wie dit proces draait,' zegt hij. 'Wanneer hebt u voor het eerst over hen gehoord?'

'Max kwam bij mij zijn verhaal doen. Hij was erg van streek na een gesprek met zijn ex-vrouw, die nu klaarblijkelijk in zonde leeft...'

'Bezwaar!'

'Griffier, wilt u dit laatste commentaar van de getuige schrappen,' zegt de rechter.

'Max' ex-vrouw wilde beschikken over hun ongeboren kinderen, om ze aan haar lesbische minnares te kunnen geven.'

'Wat hebt u Max geadviseerd?' vraagt Wade.

'Ik zei dat dit een vingerwijzing Gods kon zijn, om Max iets duidelijk te maken. We bespraken wat voor soort gezin hij geschikt zou vinden voor zijn kinderen. Hij zei dat het een traditioneel, goed christelijk gezin moest zijn. Toen ik hem vroeg of hij dergelijke mensen kende, noemde hij onmiddellijk zijn eigen broer en schoonzus.'

Liddy, denk ik, en voel een steek in mijn borst.

Als ik haar nu zou voorstellen om de baby's samen op te voeden? Dat zouden we vervolgens aan Wade kunnen vertellen, en hij zou het de rechter vertellen. En zomaar ineens zou de biologische vader – ik dus – er weer helemaal bij betrokken zijn. Dan zou ik de baby's niet weggeven, maar voor mezelf houden.

Maar Wade heeft zijn betoog er grotendeels op gestoeld dat ík niet klaar ben voor het vaderschap.

En Liddy...

Zelfs als zij ermee instemt, hoe zou ik haar kunnen weghalen van alles wat ze nu heeft? Het geld, het huis, al die zekerheden. Hoe zou ik me ooit kunnen meten met Reid?

Reid, die nooit anders heeft gedaan dan mij helpen. En hij krijgt stank voor dank, want ik kan niet eens met mijn handen van zijn vrouw afblijven.

Ja hoor, ik ben de perfecte vader. Een zeldzaam oprecht, integer rolmodel.

'Reid en Liddy bidden al jarenlang om kinderen,' zegt dominee Clive. 'Ze overwogen uiteindelijk om Adoptiebureau Sneeuwvlokjes in de arm te nemen. Toen Max naar me toe kwam, dacht ik dat God ons misschien een andere oplossing bood, die voor alle betrokkenen gunstig zou zijn. Ik dacht dat Liddy en Reid wel eens de beste ouders voor juist déze ongeboren kinderen zouden kunnen zijn.'

'Hoe reageerde Max?'

'Hij was voorzichtig optimistisch.' Dominee Clive kijkt Wade aan. 'Net als wij allemaal.'

'Dank u, dominee,' zegt Wade, en hij gaat weer zitten.

Angela Moretti begint al te praten voordat ze zelfs maar van haar stoel is opgestaan. 'Een oplossing die voor alle betrokkenen gunstig zou zijn,' herhaalt ze. 'Dacht u dat echt?'

'Ja.'

'Maar het lijkt mij dat er weinig gunstigs aan is voor Zoë, de biologische moeder van deze embryo's.'

'Ik voel mee met mevrouw Baxter, zij heeft duidelijk behoefte aan hulp. Maar ik vind wat een kind nodig heeft veel belangrijker,' zegt dominee Clive.

'Dus u denkt dat niet-biologische ouders voor deze embryo's beter zijn dan een moeder die de helft van het genetische materiaal van de kinderen heeft bijgedragen.'

'Wat ik denk doet er een stuk minder toe dan wat God denkt.'

'O ja?' zegt Angela. 'Wanneer hebt u met hém voor het laatst een onderonsje gehad?'

'Bezwaar,' zegt Wade. 'Ik laat niet toe dat zij mijn getuige belachelijk maakt.'

'Mee eens... pas op uw woorden, raadsvrouw.'

'U zei dat u Max een halfjaar kent, dominee?'

'Ja.'

'En Zoë Baxter hebt u nog nooit ontmoet. U hebt haar hier in de rechtszaal pas voor het eerst gezien, meen ik?'

'Dat klopt.'

'U weet niets over hen uit de periode dat ze getrouwd waren, toch, dominee?'

'Nee. In die tijd waren ze geen van beiden lid van onze kerk.'

'Juist, ja,' zegt Angela. 'Maar u kent Reid en Liddy Baxter wél heel goed, nietwaar?'

'Ja.'

'Naar uw mening genieten zij als echtpaar de voorkeur wat de toewijzing van deze embryo's betreft. U hebt er geen enkele moeite mee om dat onder ede te verklaren.'

'Ja,' zegt dominee.'

'U hebt ook een professionele relatie met Reid Baxter, is dat juist?'

'Hij beheert de financiën van de kerk.'

'Hij is bovendien een zeer gulle donateur. De grootste vrijwillige bijdragen zijn afkomstig van hem, nietwaar?'

'Ja. Reid is altijd erg vrijgevig.'

'Het is zelfs zo dat uw kerk haar leden aanbeveelt een tiende van hun inkomen aan de kerk te geven, heb ik dat goed?'

'Veel kerken doen dat...'

'Klopt het dat u jaarlijks in totaal ongeveer vierhonderdduizend dollar ontvangt van uw goede vriend, Reid Baxter?'

'Ja, dat klopt wel, zo ongeveer.'

'En puur toevallig zit u nu hier in de rechtszaal, en beveelt hem aan als de ideale vader voor deze embryo's?'

'Reids gulheid ten aanzien van de kerk heeft niets te maken met mijn aanbeveling...'

'O nee, stel je voor,' zegt Angela Moretti. 'We gaan nog even terug naar het moment dat u met Max het verzoek van zijn ex-vrouw besprak om haar de embryo's te laten gebruiken. Ú deed hem in feite de

suggestie aan de hand om Reid en Liddy als potentiële ouders te beschouwen, nietwaar?'

'Ik hielp hem zich open te stellen voor deze mogelijkheid.'

'En u ging zelfs een stap verder, nietwaar, door een advocaat voor
hem te zoeken?

Dominee Clive knikt. 'Maar ik zou voor al mijn gemeenteleden hetzelfde hebben gedaan.'

'Bovendien, dominee, hebt u Max niet de eerste de beste advocaat
aanbevolen. U hebt hem in contact gebracht met een juridisch feno-
meen; de beroemdste advocaat in de Verenigde Staten inzake de rechten van het ongeboren kind, zo is het toch?'

'Ik kan er niets aan doen dat Max' vreselijke dilemma de aandacht
trok van zo'n gerenommeerde professional.'

'Meneer Lincoln, u hebt verklaard dat voortplanting het centrale
doel van het huwelijk is, klopt dat?'

'Ja.'

'Zegt de Bijbel iets over heteroseksuele echtparen die geen kinderen
kunnen krijgen?'

'Nee.'

'En over heteroseksuele stellen die te oud zijn om nog kinderen te
krijgen?'

'Nee...'

'Hoe is het gesteld met mensen die single blijven? Veroordeelt de
Bijbel hen als tegennatuurlijk?'

'Nee.'

'Hoewel ze zich, althans volgens uw redenering, niet voortplanten?'

'In veel andere Bijbelpassages wordt homoseksualiteit veroordeeld,' zegt dominee Clive.

'Ach, ja. Die schitterende tekst uit Leviticus, die u daarnet hebt
voorgelezen. Bent u zich ervan bewust, meneer Lincoln, dat juist het
Bijbelboek Leviticus een heiligheidscode wordt genoemd, die toege-
schreven wordt aan een aparte bron? En dat die code meer dan drieduizend jaar geleden geschreven is?'

'Ja, natuurlijk.'

'Weet u dat heiligheidscodes een heel specifiek doel hadden? Dat
waren namelijk geen algemeen geldige geboden. Het betrof een aanbeveling om zich te onthouden van een bepaalde gedragingen waar ge-

lovigen wellicht aanstoot aan zouden nemen, in één bepaalde periode, en op één bepaalde plaats. Bent u zich ervan bewust, dominee, dat in het geval van Leviticus deze code uitsluitend gold voor Hebreeuwse priesters? Dat deze gedragsregels bedoeld waren om hun meer verantwoordelijkheid toe te kennen dan priesters in andere landen, zoals Griekenland?'

'Als je die passage leest, is het nogal duidelijk wat goed en wat fout gedrag is. U kunt proberen het weg te redeneren en af te doen als historisch achterhaald. Maar moreel gezien is het tot op de dag van vandaag uiterst actueel.'

'U meent het. Wist u dat Leviticus nog een heleboel andere verboden en aanbevelingen vermeldt? Zoals een verbod op lang of halflang haar. Ik wil niet persoonlijk worden natuurlijk, maar wist u dat?'

'Nou...'

'En een verbod op tatoeages.' Ze glimlacht. 'Zelf heb ik er toevallig wel een, maar ik ga u niet vertellen waar...' Angela loopt op dominee Clive af. 'Lieve help, is dat een zijden stropdas op een katoenen overhemd? Wist u dat er ook een verbod gold op het dragen van een kledingcombinatie bestaande uit verschillende weefsels?'

'Ik zie niet in hoe...'

'O ja, en dan die Bijbeltekst die zegt dat je geen varkensvlees of schelpdieren mag eten. Houdt u van garnalen, dominee?'

'Dit is niet...'

'Plus dat er een verbod is op waarzeggerij en toekomstvoorspellingen. En voetbal? Houdt u van voetbal? Natuurlijk, we zijn tenslotte allemaal gek op voetbal. En u raadt het nooit, maar er bestaat een verbod op spelen met iets wat van varkenshuid is gemaakt. Kort en goed, dominee, u ziet vast wel in dat veel van deze verboden en aanbevelingen écht niet meer van toepassing zijn.'

'Bezwaar,' zegt Wade. 'De raadsvrouw komt nu zelf aan met allerlei verklaringen.'

Met een schuin hoofd kijkt de rechter hem aan. 'Meneer Preston... gelijke monniken, gelijke kappen, dat is mijn devies. Bezwaar afgewezen.'

'De Bijbel betekent veel verschillende dingen voor veel verschillende mensen. Maar het is geen handleiding voor seks, toch, dominee?'

'Natuurlijk niet!'

'Maar wáárom in 's hemelsnaam, zou u dan de Bijbel raadplegen voor tips over gepaste seksuele activiteiten?'

Dominee Clive kijkt de advocaat strak aan. 'Ik raadpleeg de Bijbel over álles, mevrouw Moretti. Zelfs om voorbeelden te zoeken van seksueel afwijkend gedrag.'

'Wat vermeldt de Bijbel zoal over kontpluggen?'

Wade schiet overeind. 'Bezwáár!'

'Mevrouw Moretti, toch,' zegt de rechter met een afkeurende blik.

'Mogen we dan aannemen dat er dingen zijn waarvan de Bijbel geen gewag maakt, maar die toch seksueel afwijkend zijn?'

'Dat is absoluut mogelijk,' zegt dominee Clive. 'De Bijbel geeft ons alleen een aantal algemene richtlijnen.'

'Maar het gedrag dat wél in de Bijbel wordt vermeld als seksueel afwijkend of ontaard, dat is naar uw mening onherroepelijk het woord van God? Daar valt niet aan te tornen?

'Inderdaad.'

Angela Moretti loopt naar de gedaagdentafel en pakt een bijbel waaruit een massa post-its steken. 'Bent u bekend met Deuteronomium 22 vers 20 en 21?' vraagt ze. 'Zou u die passage hardop aan het hof willen voorlezen?'

De stem van dominee Clive weerklinkt door de rechtszaal: '*Maar indien de beschuldiging waarachtig is en er geen bewijs van de maagdelijkheid van het meisje wordt gevonden, zal zij naar de deur van haar vaders huis worden gebracht. Daar zullen de mannen van de stad haar stenigen, tot zij sterft.*'

'Dank u, dominee. Kunt u deze tekst uitleggen?'

Hij tuit zijn lippen. 'Deze verzen bepleiten dat een vrouw die geen maagd meer is voor zij in het huwelijk treedt, gestenigd wordt.'

'Zou u dat als zielenherder uw gemeenteleden adviseren te doen?' Voor hij antwoord kan geven, stelt ze hem een volgende vraag. 'En wat vindt u van Marcus 10 vers 1 tot 12? Die tekst verbiedt echtscheiding. Hebt u gelovigen in uw gemeente die gescheiden zijn?' Hola, wacht even. Natuurlijk heeft u die. Max Baxter.'

'God schenkt zondaars vergeving,' zegt dominee Clive. 'Hij ontvangt ze met open armen terug in zijn kudde.'

Angela bladert opnieuw in sneltreinvaart door de bijbel. 'Hoe denkt u over Marcus 12 vers 18 tot 23?' Hier staat dat als een man kinderloos sterft, zijn weduwe door de religieuze wetten verplicht wordt om seks te hebben met al zijn broers. En dat net zo lang tot ze alsnog een mannelijke erfgenaam baart voor haar overleden echtgenoot. Zou u dat rouwende weduwen in uw gemeente daadwerkelijk aanraden?'

Het is ongelooflijk fout van me, maar juist op dit moment moet ik weer aan Liddy denken.

'Bezwaar!'

'Of Deuteronomium 25 vers 11 en 12? Als twee mannen in gevecht raken en de echtgenote van een van hen probeert haar man te redden door zijn belager bij diens genitaliën te grijpen, dan moet haar hand zonder pardon worden afgehakt...'

Heftig, zeg. Op aanraden van Reid ben ik bij een Bijbelstudiekring voor volwassenen gegaan, maar daar lezen we nooit zulke sappige passages als wat ik nu allemaal hoor.

'Bezwaar!' Wade slaat hard met zijn vlakke hand op tafel.

Met stemverheffing zegt de rechter: 'Mevrouw Moretti, ik verklaar u schuldig aan minachting van het hof als u...'

'Geen probleem. Ik trek de laatste vraag in. Maar dominee, u zult toch moeten toegeven dat niet elke Bijbeltekst nog even steekhoudend is in de tijd waarin wij nu leven.'

'Alleen omdat u de Bijbelverzen uit hun historisch verband rukt...'

'Meneer Lincoln,' zegt Angela Moretti doodkalm, 'daar bent u zelf mee begonnen.'

9

Waar jij bent

ZOË

De eerste vijf seconden nadat ik wakker ben geworden, is de dag nog zo kreukloos en gaaf als een nieuw bankbiljet. Smetteloos en vol mogelijkheden.

En dan weet ik het weer.

Dat er een rechtszaak loopt.

Dat er drie embryo's zijn.

Dat ik vandaag moet getuigen.

Dat Vanessa en ik blijkbaar twee keer zo hoog moeten springen en twee keer zo hard moeten rennen om hetzelfde te mogen doen als een heterostel. Natuurlijk, liefde is nooit gemakkelijk, maar voor homoparen lijkt het een ware hindernisbaan die nooit ophoudt.

Ik voel Vanessa's arm om me heen glijden. 'Stop met piekeren,' zegt ze.

'Hoe weet jij nou dat ik lig te piekeren?'

Vanessa glimlacht met haar lippen tegen mijn schouderblad. 'Omdat je ogen open zijn.'

Ik rol me om, zodat ik haar aan kan kijken. 'Hoe heb jij dat klaargespeeld? Hoe speelt wie dan ook het klaar, een coming-out als je nog jong bent? Ik bedoel, ik kan nauwelijks omgaan met alles wat in die rechtszaal over me wordt gezegd, en ik ben eenenveertig! Als ik veertien was, zou ik niet alleen muisstil in de kast blijven zitten – ik zou mezelf vastplakken aan de binnenwand. Met superlijm.'

Vanessa gaat op haar rug liggen en staart naar het plafond. 'Nou, zo'n twintig jaar geleden was ik liever gecrepeerd dan dat ik er op de middelbare school voor was uitgekomen dat ik lesbisch ben. Hoewel ik het diep vanbinnen wel wist. Er zijn zoveel redenen om je koest te houden als puber. In die periode draait alles erom bij de grote meerderheid te horen en vooral niet op te vallen. Plus dat je niet weet hoe je ouders zullen reageren, en je doodsbenauwd bent dat je beste vriendin zal denken dat je haar wilt versieren. Ik meen het, ik heb het van nabij meegemaakt.'

Ze kijkt me aan. 'Op school, ik bedoel waar ik nu werk, zijn er vijf jonge pubers die openlijk homo of lesbisch zijn. En dan zijn er zo'n vijftien anderen die er nog niet aan willen dat ze homo of lesbisch zijn. Ik kan ze honderd miljoen keer vertellen dat wat ze voelen compleet normaal is, maar dan gaan ze naar huis, kijken naar het journaal en zien dat homo's in het leger niet welkom zijn. Ze zien dat alwéér een referendum voor het homohuwelijk is getorpedeerd. Kinderen zijn niet dom, weet je. Ze trekken hun conclusies.'

'Hoeveel mensen moeten je vertellen dat je abnormaal bent voordat je het zelf gaat geloven?' mijmer ik hardop.

'Jij mag het zeggen,' glimlacht Vanessa. 'Je bent dan wel een laatbloeier, Zoë, maar je bent net zo moedig als de rest van ons. Homo's en lesbiennes zijn volgens mij net kakkerlakken. Gewoon niet kapot te krijgen.'

Ik lach. 'Wat zou dat een bloedstollende nachtmerrie zijn voor dominee Clive. Kakkerlakken bestaan al sinds de dinosaurussen op aarde rondliepen.'

'Maar ja, dan zou dominee Clive eerst moeten geloven in de evolutie,' zegt Vanessa.

Nu we het over dominee Clive hebben, bedenk ik me weer hoe we gisteren spitsroeden moesten lopen om alleen maar het gerechtsgebouw in te komen. En gisteravond was Wade Preston te gast in de meest rechts-populistische radiotalkshow van Amerika, de *Hannity Show*. Vandaag zal er dus minstens twee keer zoveel pers aanwezig zijn.

Twee keer zoveel aandacht gericht op míj.

Ik ben wel wat gewend, ik ben tenslotte zangeres. Maar er is een kolossaal verschil tussen publiek dat aan je lippen hangt omdat ze graag je volgende liedje willen horen en publiek dat jou in het stof wil zien bijten.

Plotseling lijkt niets aan dominee Clive nog grappig te zijn.

Ik ga op mijn zij liggen, starend naar het zachte, goudgele licht op de houten vloer. Stel dat ik Angela zou opbellen en zeggen dat ik zware buikgriep had? Of netelroos? Of de builenpest?

Vanessa komt tegen me aanliggen, slaat haar armen en benen om me heen en klemt mijn enkels tussen haar voeten. 'Stop met piekeren,' zegt ze weer. 'Het zal je heus wel goed afgaan, vandaag.'

Een groot bijkomend nadeel aan een rechtszaak is de hoeveelheid tijd die het kost. Het maakt een enorme inbreuk op je leven van alledag, én het is iets wat je liever geheimhoudt. Misschien omdat je het gênant vindt, of omdat je gewoon denkt dat het anderen niets aangaat. Niettemin moet je vrije dagen opnemen van je werk en staat de rest van je leven in de wacht, want de rechtszaak heeft hoe dan ook voorrang. En Vanessa moet al net zoveel werkdagen opofferen als ik.

In al die dingen is een rechtszaak is niet veel anders dan een ivf-behandeling.

Vandaar dat we besluiten om vandaag samen een uur op het Wilmington College te spenderen voor we naar de rechtbank moeten. Zo heeft Vanessa de kans om spoedklussen af te handelen die sinds gisteren misschien op haar bureau zijn beland, en ik kan een sessie doen met Lucy.

Althans, dat denken we. Tot we de hoek omslaan van het parkeerterrein van de school en voor de ingang een hele bende demonstranten aantreffen. Ze zwaaien met op stokken bevestigde kartonnen borden, en scanderen leuzen:

VREES GOD, GEEN HOMO'S
HET UUR DER WRAKE IS NABIJ
FLIKKERS, FLIKKER OP
DRIE HOMORECHTEN: 1 SOA'S, 2 AIDS, 3 DE HEL!

Er staan twee politieagenten op wacht die de actie met argusogen aanzien. In het centrum van deze roerige heksenketel staat Clive Lincoln, alweer in een wit pak; dit keer met een dubbele rij knopen op zijn jasje. Zijn stem davert ons tegemoet: 'We zijn hier om onze kinderen te beschermen. Zij zijn de toekomst van ons prachtige land, en zij lopen het grootste risico om in de klauwen van homo's terecht te komen. Homo's die hier op deze school werken, zowaar als ik hier sta!'

'Vanessa,' breng ik uit, hijgend van schrik. 'Stel dat hij je verraadt op je werk?'

'Na alle media-aandacht zal het niemand meer ontgaan zijn dat ik lesbisch ben,' zegt Vanessa. 'Trouwens, de mensen die ik belangrijk vind, weten het allang. En de rest, nou, die zal het gewoon moeten slikken. Ze kunnen me niet ontslaan omdat ik lesbisch ben.' Ze recht haar rug. 'Angela zou staan kwijlen om díé rechtszaak op zich te mogen nemen.'

Een schoolbus komt vlak voor het gebouw tot stilstand. De leerlingen stromen de bus uit, terwijl de leden van de Eeuwige Gloriekerk luid schreeuwend hun slogans over de kinderen uitstorten. Ze duwen hun de beschilderde kartonnen borden zowat in het gezicht. Mijn oog valt op een kleine, tengere jongen, gekleed in een sweater met capuchon, die hij strak rond zijn blozende gezicht trekt zodra hij de demonstratieborden ziet.

Vanessa buigt zich naar me toe. 'Weet je nog waar wij het vanmorgen over hadden? Hij is een van die overige vijftien.'

De jongen krimpt ineen en probeert zich onzichtbaar te maken.

'Ik zal moeten ingrijpen,' zegt Vanessa. 'Red jij het hier even in je eentje?' Ze wacht mijn antwoord niet af, maar stort zich in de menigte. Met de kracht van een lijnverdediger dringt ze zich naar voren tot ze de jongen bereikt heeft. Omzichtig leidt ze hem door het bulderende krachtveld van haat. 'Heb je niets beters te doen, sukkel!' schreeuwt Vanessa tegen dominee Clive.

'Heb jij geen mán kunnen vinden, arme stakker?' antwoordt hij.

Plotseling is Vanessa's gezicht net zo rood als dat van de ineengedoken jongen. Ik zie hoe ze door de schooldeur verdwijnt, terwijl ze nog steeds de aandacht van haar beschermeling probeert af te leiden.

'Homoseksuelen staan hier gewoon voor de klas. Ze proberen onze kinderen te bekeren tot hun levensstijl,' zegt dominee Clive. 'Het is een duivelse ironie dat beïnvloedbare jongeren hier begeléíding krijgen van mensen die in zonde leven!'

Ik grijp een politieman bij zijn mouw. 'Dit is een school. Die lieden mogen hier toch niet zomaar actievoeren? Kunt u ze niet wegsturen?'

'Alleen als ze gewelddadig worden. Dat hebt u óók aan de liberalen te danken, mevrouw. De keerzijde van de democratie is dat deze types hier mogen rondblèren wat ze maar willen en terroristen zich ongehinderd in onze woonwijken kunnen verschansen. God zegene de Verenigde Staten,' zegt hij sarcastisch, en zijn mond scheurt open in een brede grijns.

'Ik heb niets tegen homo's,' hoor ik dominee Clive zeggen. 'Wat ze dóén, daar ben ik op tegen. Homo's hebben nu al gelijke rechten, maar ze willen meer. Ze willen speciale rechten. Rechten die langzaam maar zeker ónze vrijheden zullen ondermijnen. Als ik zoals nu voor mijn mening uitkom in staten waar zij de overhand hebben gekregen, zouden ze me in de gevangenis gooien. Ze zouden me beschuldigen van haat zaaien. In Canada, Engeland en Zweden zijn predikanten, priesters, kardinalen en bisschoppen aangeklaagd of veroordeeld tot gevangenisstraf. Allemaal vanwege het prediken tegen homoseksualiteit. In Pennsylvania werd onlangs nog een groep evangelische gelovigen, met spandoeken en borden zoals de onze, gearresteerd wegens discriminatie.'

Een volgende bus komt aanrijden, stopt, en een hele troep leerlingen loopt langs de actievoerders. Een van de kinderen gooit dominee Clive een kledderig, verfrommeld papieren zakdoekje vol speeksel in zijn gezicht. 'Randdebiel,' zegt het joch.

Kalm veegt de dominee een spuugklodder van zijn wang. 'Ze zijn al gehersenspoeld,' zegt hij. 'Zelfs kleuters in groep één wordt al ingehamerd dat het normaal is om twee mama's te hebben. Als jullie kind het waagt om daartegenin te gaan, wordt hij ten overstaan van zijn groepsgenootjes afgekraakt. En de scholen zijn nog maar het begin. Jullie zou hetzelfde lot kunnen treffen als Chris Kempling, een Canadese leraar die werd geschorst vanwege een ingezonden brief aan de krant. Hij schreef dat homoseks grote gezondheidsrisico's met zich meebrengt en dat veel religies homoseksualiteit als immoreel beschouwen. Kortom, hij stelde de feiten vast, vrienden, niets dan de feiten. Toch werd hij een maand lang geschorst, zonder doorbetaling van zijn salaris. Of Annie Coffey-Montes, die ontslagen werd bij een telecombedrijf omdat ze alle homo's en lesbiennes in haar bedrijf had gewist van de elektronische verzendlijst voor uitnodigingen voor bedrijfsuitjes en borrels. Of Richard Peterson, die Bijbelverzen over homoseksualiteit boven zijn bureau in een kantoorruimte van Hewlett-Packard had geplakt, en in één klap zonder baan zat.'

Hij is een troost voor de troostelozen, besef ik. Voor de angsthazen en zwartkijkers die zich altijd en eeuwig bedreigd voelen. Clive is niet zozeer op zoek naar gelijkgestemden, maar jaagt de mensen liever op door zijn paranoïde praatjes. Gewoon om hen voor zijn karretje te spannen.

Er ontstaat gedrang in de groep. Een vrouw met een groot gouden kruis bengelend tussen haar borsten duwt me bijna omver.

'Jullie recht als christenen om aan je eigen geloof vast te houden wordt bedreigd door de homoseksuele agenda,' vervolgt dominee Clive. 'We moeten nú terugvechten. Voordat onze godsdienstvrijheid en onze burgerrechten te gronde gaan, vertrapt door deze...'

Ineens wordt de dominee besprongen door een schimmige, donkere gedaante. Drie van Clive Lincolns onguur uitziende handlangers in hun zwarte kleding schieten toe en trekken hem overeind. Op hetzelfde moment hebben de twee agenten de aanvaller te pakken. Het lijkt erop dat Clive net zo geschokt is als ik, zodra we haar herkennen. Lucy!' roept hij. 'Wat doe je nóú!'

Aanvankelijk begrijp ik niet hoe hij haar naam kent. Dan herinner ik me dat ze naar zijn kerk gaat.

Maar niet vrijwillig, zo te zien.

Met mijn ellebogen en schouders werk ik me door de opeengepakte horde en stap tussen Clive en de politiemannen. Die maken er een hele show van dat ze Lucy hebben overmeesterd. Ze hebben haar armen op haar rug gedraaid en houden haar ieder aan een kant tegen de grond gedrukt met hun knie op haar schouders. Terwijl Lucy een tenger meisje is, dat hooguit vijfenveertig kilo weegt. 'Ik neem haar van u over,' zeg ik met zoveel gezag in mijn stem dat ze haar warempel loslaten.

'Jij en ik hebben nog een appeltje te schillen,' zegt Clive. Ik werp hem over mijn schouders een nijdige blik toe en trek Lucy in allerijl mee naar het schoolgebouw. 'Dat handelen we dan wel af in de rechtszaal,' roep ik terug.

Wedden dat Lucy nog nooit zó blij is geweest dat ze de schooldeuren vanaf de binnenkant achter zich hoorde dichtklappen? Haar gezicht is vlekkerig rood. 'Diep ademhalen,' zeg ik. 'Het komt wel goed.'

Vanessa komt het hoofdkantoor uit en kijkt naar ons. 'Wat is er gebeurd?'

'Lucy en ik hebben een rustige plek nodig om uit te blazen,' zeg ik, en probeer mijn stem te beheersen. Wat ik eigenlijk wil is de ombudsman bellen, of Angela. Of een rioolwerker voor mijn part; iémand die ervaring heeft met zo'n ontiegelijk stuk stront zoals die Clive Lincoln.

Vanessa aarzelt geen moment. 'Mijn kantoor. Neem de tijd, zo lang als je nodig hebt.'

Ik dirigeer Lucy door het hoofdkantoor van de school, een plek waar ze heel wat keren heeft gezeten voor straf in opdracht van de conrector. Dan stappen we het gezellige kantoortje van Vanessa binnen. Ik sluit de deur achter ons. 'Gaat het weer een beetje, Lucy?'

Ze veegt haar mond af met de mouw van haar shirt. 'Ik wilde gewoon dat hij zijn kop hield,' mompelt ze achter haar hand.

Lucy moet ondertussen toch weten dat ík het middelpunt ben van deze krankzinnige rel. Diverse kranten hebben aandacht besteed aan de rechtszaak. Gisteravond toen ik mijn tanden stond te poetsen, zag ik opeens mijn eigen gezicht op het late nieuws van de regionale tv-zender. En nu is er een demonstratie voor de hoofdingang van het Wilmington College. Ik heb aanvankelijk geprobeerd mijn privéleven voor Lucy af te schermen, omwille van onze therapeutische relatie. Maar nu lijkt dat op een poging een olifant te vellen met een klappertjespistool.

Het is logisch dat Lucy over deze kwestie heeft gehoord. Dat de mensen in haar eigen kerk kwaadspreken over mij, en dat ze zich daardoor verscheurd voelt.

Zo verscheurd dat ze Clive Lincoln heeft aangevallen.

Ik trek een stoel achteruit, zodat ze kan gaan zitten.

'Neem jij hem serieus?' vraagt ze.

'Eerlijk gezegd niet,' beken ik. 'Hij zegt zulke knotsgekke dingen dat hij op mij eerder overkomt als een menselijke kermisattractie.'

'Nee...' Lucy schudt haar hoofd. 'Ik bedoel, gelóóf je wat hij zegt?'

In eerste instantie ben ik geschokt. Ik vind het moeilijk voor te stellen dat iemand – een intelligent mens – dominee Clive kan aanhoren zonder direct te doorzien dat hij onzin uitkraamt. Maar wat wil ik? Lucy is nog maar een puber. Ze zit iedere zondag in de Eeuwige Gloriekerk. Deze kromme redeneringen zijn haar met de paplepel ingegoten.

'Nee, ik geloof hem niet,' zeg ik zacht. 'En jij?'

Lucy plukt aan de rafelige zwarte draden van haar kapotte legging. 'Vorig jaar was er hier op school een jongen... Jeremy. Hij zat bij mij in de instructiegroep. We wisten allemaal dat hij homo was, hoewel hij dat zelf nooit had gezegd. Dat was niet nodig. Ik bedoel, iedereen schold hem continu uit voor flikker of nicht.' Ze kijkt me aan. 'Hij heeft zichzelf opgehangen. Bij hem thuis in het souterrain, vlak voor Kerstmis. Zijn stomme kutouders zeiden dat hij het had gedaan omdat hij een onvoldoende had gekregen voor geschiedenis.' Lucy's ogen glinsteren, ze lijken zo hard als diamant. 'Ik was stinkend jaloers op hem. Omdat het hem gelukt was eruit te stappen, snap je. Híj had het voor elkaar, en hoe vaak ik het ook probeer, mij lukt het niet.'

Ik krijg een kopersmaak in mijn mond en het duurt even voor ik besef dat het angst is. 'Lucy, ben je van plan om jezelf iets aan te doen?' Ze geeft geen antwoord. Heeft ze weer geprobeerd zichzelf te snijden? Ik kijk naar haar onderarmen om dat te controleren, maar zelfs met deze zomerse temperaturen draagt ze een thermoshirt met lange mouwen.

'Ik zou wel eens willen weten waar Jezus verdomme uithangt,' zegt Lucy. 'Waar is Hij wanneer je Hem nodig hebt? Wanneer je zoveel haat om je heen voelt dat het lijkt alsof je in een blok drogend beton zit? Nou, *fuck you*, God. *Fuck you,* want zodra het moeilijk wordt knijp je ertussenuit.'

'Lucy, vertel op. Wat ben je van plan?' Dit is een basaal suïcide-interventiegesprek. Zorg dat je iemand aan de praat krijgt over haar bedoelingen, en je hebt de kans haar gedachten op een ander spoor te zetten. Plus dat ik moet weten of ze pillen in haar tas heeft, een touw in haar garderobekast, of misschien zelfs een pistool onder haar matras.

'Kan iemand stoppen met van je te houden als je anders bent dan diegene wil?'

Daar word ik stil van. Door Lucy's vraag zie ik ineens Max voor me. 'Ik denk het wel,' zeg ik zacht. Heeft Lucy liefdesverdriet? Dat zou deze terugval beslist kunnen verklaren. Als ik íéts weet over dit meisje, is het wel dat ze verwacht dat mensen haar in de kou laten staan. En als dat een keer echt gebeurt, verwijt ze het zichzelf. 'Is er iets gebeurd met een jongen?'

Lucy draait zich naar me toe, haar gezicht zo open als een wond. 'Zing alsjeblieft,' smeekt ze. 'Zorg dat dat rotgevoel weggaat.'

Ik heb mijn gitaar niet bij me. Ik heb al mijn spullen voor muziek-therapie in de auto laten liggen, want zodra ik de demonstranten zag was ik helemaal ontdaan. Het enige instrument dat ik nu tot mijn be-

schikking heb, is mijn stem. Dus zing ik langzaam a capella het 'Halleluja' van Leonard Cohen, dat hij ruim een kwarteeuw vóór Lucy's geboorte schreef.

Ik zing met mijn ogen dicht. Iedere noot is een penseelstreek, een
woord van gebed. De smeekbede van mensen die zich afvragen of
God bestaat. Ikzelf kan alleen maar hopen. Voor Lucy. Voor mij en
Vanessa. Voor alle buitenbeentjes op deze wereld die niet per se naadloos in een of ander geheel willen passen. Alleen, we willen ook niet
constant de zwartepiet toegeschoven krijgen.

Wanneer ik uitgezongen ben, heb ik tranen in mijn ogen. Maar Lucy
niet. Haar gezicht lijkt uit steen gehouwen.

'Nog een keer,' is het enige wat ze zegt.

Ik zing het lied twee keer. Drie keer.

*Misschien bestaat er wel een god/ maar wie liefde zoekt, die gaat
kapot/ halleluja, halleluja/ halleluja, halleluja.*

De zesde keer dat ik dit zing, bij het refrein, begint Lucy te snikken.
Ze begraaft haar gezicht in haar handen. 'Het gaat niet om een jongen,' bekent ze.

Toen ik klein was, kreeg ik een heel vreemd kerstcadeautje van een
verre tante. Het was een twintigdollarbiljet in een doorzichtig plastic
puzzelblok. Je moest op knopjes drukken en aan hendeltjes draaien in
allerlei verschillende combinaties, net zo lang tot je de juiste volgorde
had uitgeknobbeld waardoor de laatste grendel los zou springen. Dan
pas kon je het bankbiljet pakken. Het liefst had ik het plastic ding verbrijzeld met een hamer, maar mijn moeder wist me te overtuigen dat
de stukken op hun plaats zouden vallen zonder dat ik geweld gebruikte. En ja hoor, toen ik eenmaal begon met trekken, draaien en
duwen, leek het alsof ik geen fout kon maken. Bam bam bam, het ene
na het andere deurtje of grendeltje sprong open. Alsof ze eigenlijk
nooit op slot hadden gezeten.

Hetzelfde overkomt me nu. Een gordijn dat openschuift, of een zin
die omgekeerd wordt zodat er een heel andere betekenis ontstaat.
De zelfmoordpogingen. De toespraak van dominee Clive vanmorgen.
Lucy's uitval naar haar eigen predikant. Jeremy. *Kan iemand stoppen met van je te houden?*

Het gaat niet om een jongen, had Lucy gezegd.

Dus wie weet gaat het wel om een meisje.

Er zijn een paar gulden regels bij muziektherapie. Het proces begint op dát stukje levensterrein van de cliënt waar ze je nodig heeft. De bedoeling is haar over die hobbel op haar weg heen te helpen, en hopelijk eindig je op een heel ander punt dan waar je bent gestart. Maar je bent als therapeut niet meer dan een katalysator. Een constante. Jij bent niet degene die vanwege de therapie een verandering ondergaat. En je praat niet over jezelf. Je bent er uitsluitend voor de cliënt.

Vandaar dat ik geen antwoord wilde geven op Lucy's vraag of ik getrouwd was.

Vandaar dat zij niets wist over mij, en ik alles over haar.

Dit is geen vriendschap, had ik al tegen Lucy gezegd. Dit is een professionele relatie.

Maar dat was vóór mijn privéleven een sappige kluif werd waarop iedereen die trek had naar hartenlust kon knagen. Dat was voor ik in een rechtszaal zat, met de blikken van vreemden priemend als naalden in mijn rug. Vóór ik een dominee die ik niet kende en die ik ook niet aardig vond, me hoorde vertellen dat ik een verwerpelijk schepsel ben. Voor ik in de damestoiletten in een wc-hokje zat waar onder de rand door een bidprentje werd geschoven met op de achterkant gekrabbeld: *Ik bid voor je, lieve kind.*

Ik ben in de vuurlinie terechtgekomen omdat ik toevallig van een vrouw houd. Maar misschien kan ik al die agressie tegen mij een béétje ten goede keren door nu iets te doen voor iemand anders die het moeilijk heeft.

'Lucy,' zeg ik voorzichtig, 'je weet dat ik lesbisch ben, toch?'

Met een ruk gaat haar kin omhoog. 'Waarom... waarom vertel je dat aan mij?'

'Ik weet niet wat jij denkt of voelt, maar je moet één ding goed begrijpen. Het is volledig normaal.'

Zwijgend staart ze me aan.

'Heb jij dat ook wel eens gehad, dat je om de een of andere reden in een lokaal van groep één van de basisschool moest zijn? Dat je dan op zo'n klein stoeltje aan een tafeltje ging zitten en jezelf een beetje voelde als Alice in Wonderland? Je kunt je gewoon niet voorstellen dat je ooit zó klein bent geweest dat je daar paste. Nou, zo voelt het om uit te komen voor je geaardheid. Als je terugkijkt, zou je niet weten hoe je je ooit weer terug zou moeten wringen in die nauwe ruimte. Zelfs als dominee Clive en zijn hele gemeente je duwen, zo hard als ze maar kunnen.'

Lucy heeft haar ogen zo wijd opengesperd dat ik de witte randen rond de irissen kan zien. Ze buigt zich ademloos naar voren, en dan wordt er op de deur geklopt.

Vanessa steekt haar hoofd naar binnen. 'Het is kwart voor negen,' zegt ze. Ik spring op van mijn stoel. We zullen moeten racen om nog op tijd bij de rechtbank te zijn.

'Lucy, ik moet gaan,' zeg ik, maar ze kijkt niet naar mij. Ze kijkt naar Vanessa en denkt ongetwijfeld aan wat dominee Clive tegen haar heeft gezegd, daarstraks tijdens de grote heisa voor de schoolingang: *heb jij geen mán kunnen vinden?* In een flits begrijpt Lucy hoe mijn leven in elkaar zit, precies zoals ik het hare daarnet opeens glashelder voor me zag.

Ze pakt haar rugzakje. Dan rent ze zonder een woord te zeggen Vanessa's kantoor uit.

Ik had me niet gerealiseerd dat getuigen in de rechtszaal zoveel lijkt op acteren. Maar ik heb me even grondig voorbereid als een acteur die een première heeft. Van het instuderen van mijn tekst tot mijn intonatie en mijn kleding, die Angela persoonlijk voor me heeft uitgezocht. (Een marineblauwe, nauwsluitende jurk met een wit gebreid vestje erover. Zo ongelooflijk truttig en conservatief dat Vanessa in lachen uitbarstte toen ze me zag en me 'übermama Baxter' noemde.)

Ja, ik heb geoefend. Ja, technisch gezien ben ik er klaar voor. En ja, ik ben gewend aan optreden voor publiek.

Hoewel... er is een reden waarom ik heb gekozen voor zingen en gitaarspelen in plaats van acteren. Op de een of andere manier kan ik me uitleven in de muziek, opgaan in de melodie, en totaal vergeten waar ik ben tijdens zo'n optreden. Wanneer ik speel en zing voor publiek ben ik ervan overtuigd dat ik het helemaal voor mijn eigen plezier doe, en niet zozeer voor mijn toehoorders. Maar ik heb ook een andere ervaring. De laatste keer dat ik optrad in een toneelstuk, was ik tien jaar en had ik de rol van maïsstengel in *De tovenaar van Oz*. Dertig seconden voor ik moest opkomen, kotste ik mijn maag leeg op de schoenen van de regisseur.

'Mijn naam is Zoë Baxter,' zeg ik. 'Ik woon op Garvinlaan nummer zessentachtig in Wilmington.'

Angela werpt me een brede, goedkeurende glimlach toe, alsof ik zojuist een moeilijke differentiaalvergelijking heb opgelost in plaats van mijn naam en adres te noemen.

'Hoe oud ben je, Zoë?'

'Eenenveertig.'

'Wat is je beroep?'

'Ik ben muziektherapeut,' zeg ik. 'Ik maak gebruik van muziek in een klinische setting om cliënten te helpen hun pijn te verlichten, hun stemming positief te beïnvloeden of interactie met hun omgeving te stimuleren. Ik werk onder andere in verzorgings- en verpleeginstellingen met demente bejaarden. Een dag per week werk ik vast in het ziekenhuis op de brandwondenunit, voornamelijk met kinderen. En dan werk ik nog op scholen, bijvoorbeeld met autistische kinderen. Er zijn tientallen verschillende manieren waarop muziektherapie zinvol kan worden toegepast.'

Onmiddellijk denk ik aan Lucy.

'Hoe lang ben je al muziektherapeut?'

'Tien jaar.'

'En wat is je jaarinkomen, Zoë?'

Ik glimlach. 'Ongeveer achtentwintigduizend dollar. Je wordt geen muziektherapeut voor het grote geld of omdat je droomt van een luxeleven. Je doet het omdat je mensen wilt helpen.'

'Is dat het enige inkomen dat je hebt?'

'Ik treed ook op als zangeres in restaurants, cafés en koffiehuizen. Ik schrijf doorgaans mijn eigen muziek. Het is niet genoeg om van te leven, maar het is een leuk extraatje.'

'Ben je ooit getrouwd geweest?' vraagt Angela.

Ik wist dat deze vraag zou komen. 'Ja. Ik ben negen jaar getrouwd geweest met Max Baxter, de eiser in deze rechtszaak, en inmiddels ben ik getrouwd met Vanessa Shaw.'

Er klinkt een zwak geroezemoes, als het gezoem rond een bijenkolonie. Het duurt even voordat de publieke tribune dit antwoord heeft verwerkt.

'Hebben u en meneer Baxter samen kinderen?'

'We hadden allebei vruchtbaarheidsproblemen. Ik heb twee miskramen gehad en ten slotte een doodgeboren zoontje.'

Ik zie hem nog steeds voor me, blauwwit, roerloos en koud als marmer. Zijn nageltjes, wenkbrauwen en wimpers nog niet gevormd. Een onvoltooid kunstwerk.

'Kun je voor het hof de aard van je vruchtbaarheidsproblemen beschrijven? En welke stappen jullie tweeën hebben ondernomen om toch tot een zwangerschap te komen?'

'Ik had het polycysteus ovariumsyndroom, een aandoening waarbij er veel holtes in de eierstokken zitten,' leg ik uit. 'Ik heb nooit regelmatig gemenstrueerd, en had waarschijnlijk niet elke maand een eisprong. Ik had ook vleesbomen onder mijn baarmoederslijmvlies. Max had een erfelijk bepaalde vorm van verminderde vruchtbaarheid. Op mijn eenendertigste wilden we graag aan kinderen beginnen, maar ik raakte niet zwanger. Na vier jaar proberen begonnen we op mijn vijfendertigste met ivf.'

'Hoe ging dat in zijn werk?'

'Ik volgde een medisch behandelingsschema met verschillende hormooninjecties. Daardoor lukte het om bij mij in één keer vijftien eitjes af te nemen door follikelpunctie. Die eitjes werden geïnjecteerd met zaadcellen van Max. Drie eicellen waren niet levensvatbaar. Acht werden bevrucht, en van die acht zijn er twee bij me teruggeplaatst en drie ingevroren.'

'Werd je zwanger?'

'Toen niet, nee. Maar een jaar later hebben ze die drie ingevroren embryo's ontdooid in de kliniek. Twee werden bij mij teruggeplaatst en een werd afgedankt.'

'Afgedankt? Wat betekent dat?' vraagt Angela.

'Zoals de arts het mij uitlegde, ziet zo'n embryo er niet goed genoeg uit om zich te ontwikkelen tot een levensvatbaar kind. Dus dan besluit de kliniek het niet langer te bewaren.'

'Ik begrijp het. En deze keer werd je wél zwanger?'

'Ja,' zeg ik. 'Maar een paar weken later kreeg ik een miskraam.'

'Wat gebeurde er daarna?'

'Toen ik zevenendertig was, begonnen we met een nieuwe behandeling. Die keer leverde dat twaalf gerijpte eitjes op. Door de zaadcelinjectie raakten zes eitjes daadwerkelijk bevrucht. Twee daarvan werden teruggeplaatst en twee ingevroren.'

'Raakte je zwanger?'

'Ja, maar na achttien weken kreeg ik weer een miskraam.'

'Ben je toen nog doorgegaan met ivf?'

Ik knik van ja. 'We hebben de twee ingevroren embryo's gebruikt voor een nieuwe poging. Een werd teruggeplaatst, en een overleefde het ontdooien niet. Ik werd niet zwanger.'

'Hoe oud was je op dat moment?'

'Ik was negenendertig. Ik wist dat ik niet veel tijd meer had. Dus we hebben geld bij elkaar geschraapt om nog snel een laatste, nieuwe behandelingscyclus te kunnen doen. Ik was inmiddels veertig toen er tien rijpe eitjes bij me werden geplukt. Zeven daarvan werden bevrucht. Van die zeven zijn er drie teruggeplaatst, drie ingevroren en één afgedankt.' Ik kijk op. 'Ik werd zwanger.'

'En?'

'Ik was zielsgelukkig,' zeg ik zacht.

'Wist je al of de baby een jongetje of een meisje was?'

'Nee, we wilden dat het een verrassing zou zijn.'

'Voelde je de baby bewegen in je buik?'

Zelfs nu nog roept haar vraag het gevoel op van die langzame rolbeweging, die trage onderwatersalto. 'Ja.'

'Kun je beschrijven hoe zwanger zijn voor jou voelde?'

'Ik heb ervan genoten,' zeg ik. 'Het was iets waar ik mijn hele leven op had gewacht.'

'Hoe reageerde Max op de zwangerschap?'

Ze heeft me opgedragen niet naar hem te kijken, maar mijn blik wordt als een magneet naar Max toe getrokken. Hij zit met zijn handen gevouwen achter de eiserstafel. Naast hem maakt Wade Preston af en toe een aantekening met een Montblanc-vulpen.

Waarom is het zover met ons gekomen? vraag ik me af, met mijn ogen op Max gericht.

Waarom zag ik dit niet aankomen, toen ik je in de ogen keek en je het jawoord gaf?

Waarom had ik toen geen enkel idee dat ik op een dag van iemand anders zou houden?

Waarom had jíj geen enkel idee dat je me ooit zou verafschuwen om wie ik zou worden?

'Hij was ook dolblij,' zeg ik. 'Hij stopte vaak een oordopje van de koptelefoon van mijn iPod in mijn navel, om de baby zijn lievelingsmuziek te laten horen.'

'Zoë, heb je deze zwangerschap kunnen uitdragen?' vraagt Angela.

'Nee, met achtentwintig weken ging het fout.' Ik kijk haar aan. 'Het was tijdens mijn eigen babyshower. Ik kreeg verschrikkelijke krampen en een bloeding. Echt een grote bloeding. Ik werd met spoed naar het ziekenhuis gebracht en aan een monitor gelegd. De artsen konden geen foetale hartslag registreren. Ze haalden er een echoapparaat bij en hebben zo'n vijf minuten gezocht naar de hartslag, maar voor mij voelde het als vijf uur. Uiteindelijk zeiden ze dat de placenta had losgelaten van de baarmoederwand. De baby...' Ik probeer de brok in mijn keel weg te slikken. 'De baby was dood.'

'En toen?'

'Ik moest het kind baren. Ze gaven me medicijnen om de weeën op te wekken.'

'Was Max daarbij?'

'Ja.'

'Wat ging er op dat moment door je hoofd?'

'Dat het een vergissing was,' zeg ik, terwijl ik Max rechtstreeks aankijk. 'Dat als de baby geboren werd, hij zou huilen en spartelen, en de artsen zouden inzien dat ze het helemaal mis hadden gehad.'

'Wat gebeurde er toen de baby geboren werd?'

'Hij huilde niet. Hij spartelde niet.' Max kijkt omlaag naar de tafel. 'Hij was zo klein en dun. Hij had nog geen onderhuidse vetlaag, zoals je ziet bij andere pasgeborenen. Hij had nog geen vingernageltjes of wimpers, maar hij was perfect. Hij was zo ongelooflijk perfect, en zo... zo roerloos.' Ik merk opeens dat ik helemaal op het puntje van mijn stoel zit in de getuigenbank, met mijn handen krampachtig voor me uitgestrekt, alsof ik op iets wacht. Ik dwing mezelf achterover te leunen. 'We hebben hem Daniël genoemd, en zijn as in zee uitgestrooid.'

Angela doet een stap naar me toe. 'Wat gebeurde er nadat je zoontje was overleden?'

'In het ziekenhuis kreeg ik complicaties. Toen ik opstond om naar de wc te gaan, werd ik duizelig en kortademig. Ik voelde steken in mijn borst. Het bleek dat zich na de bevalling een bloedstolsel had ontwikkeld dat in mijn longen was terechtgekomen. Ik kreeg heparine-injecties en uit bloedonderzoek bleek dat ik antitrombine III-deficiëntie had, een erfelijke afwijking. Kort gezegd betekent het dat

ik aanleg heb voor trombose, en mijn zwangerschap had de stollings-
neiging nog extra versterkt. Maar het eerste wat ik vroeg, was of ik
desondanks nog steeds een kind kon krijgen.'

'Wat zei de arts daarop?'

'Dat dit weer zou kunnen gebeuren. Er zouden zelfs nog ernstiger
complicaties kunnen optreden. Maar dat uiteindelijk, als ik het toch
wilde proberen, een zwangerschap mogelijk was.'

'Was Max ook bereid om het nog een keer te proberen?' vraagt
Angela.

'Ik dacht van wel,' zeg ik. 'We waren er altijd samen voor gegaan.
Maar toen we uit de spreekkamer van de dokter kwamen, zei Max
dat hij niet langer bij mij kon blijven, omdat ik liever dan wat ook ter
wereld een baby wilde. En dat... dat wilde hij niet.'

'Wat wilde hij dan wél?'

Ik kijk Angela aan. 'Scheiden,' antwoord ik.

'Dus je was nog bezig het overlijden van je zoontje te verwerken en
te herstellen van de bevalling. Je moest leren omgaan met nieuwe medische complicaties, en toen zei je man dat hij wilde scheiden. Wat
was je reactie?'

'Ik kan het me echt niet meer herinneren. Volgens mij heb ik ongeveer een maand in bed gelegen. Alles was een waas. Ik kon me totaal niet concentreren. Ik kwam eigenlijk helemaal nergens toe, ín die
periode.'

'Wat deed Max?'

'Hij is vertrokken en bij zijn broer gaan wonen.'

'Wie vertegenwoordigde jou tijdens jullie echtscheidingsprocedure?'

Ik haal mijn schouders op. 'Niemand. We vertegenwoordigden onszelf. We hadden geen geld en geen eigen huis, dus het leek niet zo ingewikkeld. Ik was destijds nog zo verdoofd van ellende, ik herinner me
zelfs nauwelijks dat ik echt naar die rechtszaal ben gegaan. Ik onder-
tekende alle papieren die ik per post toegestuurd kreeg.'

'Is het tijdens de echtscheidingsprocedure bij je opgekomen dat
jullie nog drie ingevroren embryo's hadden samen?' zegt Angela.

'Nee.'

'Zelfs al wilde je nog graag een kind?'

'Ik wilde een kind met een echtgenoot die van me hield,' leg ik uit.
'Dat was Max, dacht ik. Maar ik had het mis.'

'En inmiddels ben je hertrouwd, toch?'

'Ja,' zeg ik. 'Met Vanessa Shaw.' Alleen al door haar naam uit te spreken, kan ik beter doorademen. 'Ze is schooldecaan op het Wilmington College, de plaatselijke middelbare school. Ik kende haar al. Ze had me zo'n anderhalf jaar geleden gevraagd muziektherapie te geven aan een autistisch kind. Later kwam ik haar toevallig weer tegen, en vroeg ze of ik interesse had om een zestienjarig meisje te behandelen dat suïcidaal was. Van lieverlee zochten we elkaar vaker op en werden we vriendinnen.'

'Is er iets speciaals gebeurd waardoor jullie elkaar nader kwamen?'

'Ja. Vanessa heeft mijn leven gered,' zeg ik zonder omhalen. 'Ik had een bloeding, raakte bewusteloos en zij heeft me gevonden en de ambulance gebeld. Ik moest gecuretteerd worden. Vervolgens bleek uit weefselonderzoek van het slijmvlies dat ik kanker had en dat mijn baarmoeder verwijderd moest worden. Het was een loodzware tijd voor mij.'

Deze keer kijk ik niet naar Max. Ik heb geen idee of hij al op de hoogte was van die laatste ingreep.

'Toen ik eenmaal die baarmoederoperatie achter de rug had, wist ik zéker dat ik geen kind meer zou krijgen,' zeg ik.

'Is je vriendschap met Vanessa veranderd?'

'Ja. Na de operatie heeft zij voor me gezorgd tot ik weer op de been was. En we waren veel samen. We gingen met z'n tweeën naar de film, of boodschappen doen. We vonden het leuk om samen te koken, dat soort dingen. Ik begon te beseffen dat ik als ik niet bij haar was, haar eigenlijk miste. Dat ik veel meer voor haar voelde dan voor een gewone vriendin.'

'Zoë, heb je ooit eerder een relatie met iemand van hetzelfde geslacht gehad?'

'Nee,' zeg ik, zorgvuldig mijn woorden kiezend. 'Daarom lijkt het misschien vreemd. Maar voor mij schuilt de aantrekkingskracht van mensen in kleine, speciale dingen. Dat ze attent zijn bijvoorbeeld. Of dat ze mooie ogen hebben, of een vriendelijke glimlach. Dat ze je precies op het goede moment aan het lachen weten te maken. Dat had Vanessa allemaal, en daardoor werd ik verliefd op haar. Het overviel me een beetje omdat ze een vrouw is, maar uiteindelijk was dat nog het minst belangrijke van alles.'

'Toch lijkt het moeilijk te begrijpen, aangezien je daarvoor getrouwd was met een man.'

Ik knik haar toe. 'Ik denk dat het daarom een tijdje duurde voor ik me realiseerde dat ik verliefd was op Vanessa. Ik had het gewoon niet door. Ik heb vroeger hechte vriendschappen gehad met meisjes, op school en in mijn studietijd. Alleen, ik had nooit het gevoel dat ik met hen zou willen vrijen. Maar met Vanessa wél. En zodra dat daadwerkelijk gebeurde, voelde het als de gewoonste zaak van de wereld. Alsof níét met haar samen zijn zoiets zou betekenen als water inademen in plaats van zuurstof.'

'Noem jij jezelf nu lesbisch?'

'Ik noem mezelf Vanessa's echtgenote. Ik wil voor altijd bij haar blijven. En als iemand anders mij daarom een etiket op wil plakken...Tja. Dan vind ik dat best.'

'Wat gebeurde er nadat was gebleken dat jullie verliefd op elkaar waren?' vraagt Angela.

'Ik ben bij Vanessa ingetrokken. En in april van dit jaar zijn we getrouwd, in Fall River.'

'Wanneer begonnen jullie na te denken over een gezin?'

'Het kwam ter sprake tijdens onze huwelijksreis,' antwoord ik. 'Na mijn baarmoederoperatie was ik ervan uitgegaan dat ik nooit meer kinderen zou krijgen. Maar toen bedacht ik dat er nog steeds drie ingevroren embryo's zijn, die voor de helft uit mijn eigen genetisch materiaal bestaan. En dat ik een nieuwe partner heb die de baby's zou kunnen voldragen.'

'Wilde Vanessa dat ook?'

'Ja, zij heeft het als eerste voorgesteld,' zeg ik.

'Wat gebeurde er vervolgens?'

'Ik heb de fertiliteitskliniek opgebeld en gezegd dat we een embryotransfer wilden bespreken. Ik kreeg te horen dat mijn partner daar een handtekening voor moest zetten. Het bleek dat ze niet Vanessa bedoelden, maar Max. Dus ging ik naar hem toe en vroeg zijn toestemming om de embryo's te mogen gebruiken. Ik wist dat hij zelf geen kind meer wilde, daarom was hij immers van mij gescheiden. Ik geloofde oprecht dat hij er begrip voor zou hebben.'

'En had hij dat?'

'Hij zei dat hij erover na zou denken.'

Angela slaat haar armen over elkaar. 'Hoe kwam Max op je over bij die gelegenheid? Was hij nog helemaal de oude, of leek hij veranderd?'

Ik kijk naar hem. 'Max was vroeger gek op surfen, en hij paste in dat wereldje. Hij was zorgeloos, en gemakkelijk in de omgang. Hij had nooit een horloge om of een agenda op zak. Max was zo iemand die overal steevast een halfuur te laat komt. Hij ging pas naar de kapper nadat ik het hem minstens drie keer had gevraagd en vergat meestal zijn riem om te doen. Toen ik met Max ging praten over de embryo's, was hij aan het werk. Maar hoewel hij gewoon in de tuin bladeren stond te harken, zag hij er spic en span uit. Hij droeg zelfs een stropdas. En dat in het weekend.'

'Heeft Max nog iets van zich laten horen, met betrekking tot de embryo's?'

'Ja,' zeg ik bitter. 'Via een dagvaarding. Hij deed me een proces aan om mijn recht te betwisten ze te gebruiken.'

'Hoe voelde dat voor jou?' vraagt Angela.

'Ik was kwaad. En stomverbaasd. Hij wilde geen vader meer worden, dat had hij me verteld. Hij had ook geen nieuwe relatie, voor zover ik wist. Hij wilde de embryo's niet zelf hebben. Hij wilde er gewoon voor zorgen dat ík ze niet zou krijgen.'

'Had Max moeite met homoseksualiteit in de periode dat je met hem getrouwd was?'

'Daar hebben we het indertijd niet met zoveel woorden over gehad. Maar ik heb nooit gemerkt dat hij intolerant was, tegenover wie dan ook.'

'Hadden Max en jij tijdens jullie huwelijk veel contact met zijn broer?' vraagt Angela.

'Nee, zelden.'

'Hoe zou jij je relatie met Reid willen omschrijven?'

'Het boterde niet tussen ons.'

'En met Liddy?' vraagt Angela.

Ik schud mijn hoofd. 'Die vrouw is mij een compleet raadsel.'

'Wist je dat Reid had betaald voor jullie vijfde ivf-behandeling?'

'Ik had er geen idee van, tot ik hem hoorde getuigen. We stonden destijds onder hoogspanning, omdat we gewoon niet wisten waar we het geld vandaan moesten halen. Tot Max op een dag thuiskwam en zei dat hij het voor elkaar had. Hij vertelde me dat hij een creditcard had ontdekt waarmee je renteloos geld kon lenen, en ik geloofde hem.' Na een lichte aarzeling corrigeer ik mezelf: 'Ik was zo dóm hem te geloven.'

'Heeft Max jou ooit verteld dat hij de embryo's aan zijn broer en schoonzus wilde geven?'

'Nee, dat hoorde ik pas toen het verzoekschrift daarover was ingediend.'

'En wat was je reactie?'

'Ik vond het ongelooflijk dat hij mij dat wilde aandoen,' zeg ik. 'Ik ben eenenveertig. Ook als ik nog voldoende goede eitjes had, zou de verzekering geen vruchtbaarheidsbehandeling meer voor mij vergoeden, al zou het in mijn geval alleen follikelpunctie zijn. Dit is letterlijk mijn enige kans om nog samen met degene van wie ik houd een kind te krijgen. Een baby die biologisch aan mij verwant is.'

'Zoë,' zegt Angela, 'hebben jij en Vanessa besproken welke rol eventueel voor Max is weggelegd, gesteld dat het hof jou de embryo's toewijst en jullie inderdaad kinderen zouden krijgen?'

'Dat hangt er helemaal van af wat Max wil. Waar hij zich het prettigst bij voelt. Als hij deel wil uitmaken van het leven van de kinderen, dan regelen we dat. Maar zo niet, dan respecteren we dat ook.'

'Dus... jij bent bereid de kinderen te vertellen dat Max hun biologische vader is?'

'Natuurlijk.'

'En om hem bij hun leven te betrekken, voor zover Max zich daar prettig bij voelt?'

'Ja. Absoluut.'

'Denk je dat jou hetzelfde zou worden gegund als de rechter beslist de embryo's aan Max te geven?'

Ik kijk naar Max en ik kijk naar Wade Preston. 'Ik heb nu twee dagen moeten aanhoren hoe ontaard en afwijkend mijn levensstijl is en dat ík een verachtelijk mens ben omdat ik voor dit leven heb gekozen,' antwoord ik. 'Ze zullen die kinderen koste wat kost uit mijn buurt houden.'

Angela kijkt naar de rechter. 'Ik heb geen vragen meer,' zegt ze.

Tijdens het reces gaan Angela en ik samen koffie halen. Ze wil niet dat ik alleen in het gerechtsgebouw rondloop, uit angst dat ik zal worden belaagd door een of andere belangengroep die Wade heeft opgetrommeld. 'Zoë,' zegt ze, terwijl ze de knoppen van de automaat indrukt, 'dat heb je echt heel goed gedaan, hoor.'

'Ja, maar jouw ondervraging was het makkelijke stuk,' zeg ik tegen haar.

'Dat is waar,' zegt ze. 'Wade zal je ongetwijfeld op je huid zitten zoals Bill Clinton een stagiaire. Maar toch. Je klonk kalm, intelligent en ontwikkeld, en echt heel sympathiek.' Ze geeft mij het eerste volle bekertje aan. Precies als ze op het punt staat muntjes in de automaat te gooien voor haar eigen koffie, komt Wade Preston ertussen. Hij stopt vijftig cent in de automaat.

'Ik heb gehoord dat u deze zaak gratis doet, raadsvrouw,' zegt hij. 'Beschouw dit maar als mijn bijdrage.'

Angela kijkt straal langs hem heen. 'Hé, Zoë? Weet jij het verschil tussen Wade Preston en God?' En meteen daarop: 'God denkt niet dat hij Wade Preston is.'

Ik begin te grinniken, zoals altijd wanneer Angela een grap maakt. Maar deze keer blijft de lach in mijn keel steken. Want een halve meter achter Wade staan Reid en Liddy Baxter me aan te staren. Ze zijn onder begeleiding van Max' advocaat naar de koffieautomaat hierbeneden gekomen, vermoedelijk om dezelfde reden als ik onder de voortdurende hoede van Angela sta.

'Zoë,' zegt Liddy, en zet een stap in mijn richting.

Angela doet het woord voor me: 'Mijn cliënte heeft u niets te zeggen.' Dan stapt ze tussen ons in.

'Maar ík heb háár iets te zeggen,' antwoordt Liddy. Ik sta paf. Zo assertief heb ik haar nog nooit meegemaakt.

Eigenlijk ken ik Liddy maar heel oppervlakkig. Max zei altijd tegen me ik een blinde vlek had wat zijn schoonzus betrof. Dat ze grappig was en slim, en dat ze de complete dialoog van *Attack of the Killer Tomatoes!* uit haar hoofd kende. Lekker boeiend, had ik in stilte gedacht. Maar ook al wás die kitschfilmdialoog misschien best vermakelijk, dat een vrouw vandaag de dag een leven leidde als Liddy, ging mijn verstand te boven. Iemand die thuis zat te wachten met een warme prak tot haar man van zijn werk kwam, zodat hij tegen haar aan kon kletsen over zijn wapenfeiten op kantoor. 'Ga toch eens samen lunchen of winkelen,' had Max me regelmatig aangespoord.

'Je moet haar echt leren kennen.' Maar ik had zo'n vermoeden dat Liddy en ik uitgepraat zouden zijn voor we de oprit af waren.

Toch schijnt ze nu zowaar een greintje ruggengraat te hebben ontwikkeld. Verbazingwekkend, wat het aftroggelen van iemand anders' embryo's voor je eigenwaarde kan betekenen, denk ik bij mezelf.

'Bedankt, maar ik zit al aan mijn gebedenlimiet voor vandaag,' zeg ik tegen haar.

'Geen gebeden. Alleen... nou...' Ze kijkt me aan. 'Max is er niet op uit om jou te kwetsen.'

'Ach ja, ik ben alleen een bijkomend schadegevalletje. Fijn. Ik snap het.'

'Ik weet hoe jij je moet voelen.'

Wat een lef, denk ik, overdonderd. 'Jij hebt géén idee hoe ik me voel,' blaas ik haar ten slotte woedend toe. 'Jij en ik hebben totaal niets met elkaar gemeen.'

Ik dring me langs Liddy heen en Angela haalt me in, terwijl ik er stevig de pas in zet.

'Hebben u en uw cliënte de lessen in beleefdheid overgeslagen, raadsvrouw?' roept Wade ons achterna.

Dan klinkt Liddy's heldere stem door de gang. 'We hebben wél iets gemeen, Zoë,' roept ze. 'Wij houden allebei al van deze kinderen.'

Dat doet de deur dicht. Ik sta stil en draai me naar haar om.

'Voor wat het waard is,' gaat Liddy rustig verder, 'ík heb altijd gedacht dat jij een heel goede moeder zou zijn.'

Angela haakt haar arm door de mijne en sleurt me naar het trappenhuis. 'Niet op letten,' zegt ze. 'Ken jij het verschil tussen een hitsige fokstier en Wade Preston die in zijn auto rijdt? Dat bij de eerste de gigantische lul aan de buitenkant zit.' Maar deze keer kan er bij mij geen lachje af.

Ik kan me niet herinneren dat mijn moeder veel afspraakjes had in de tijd dat ik nog thuis woonde, maar één date is in mijn geheugen blijven hangen. Een man was haar komen ophalen bij ons thuis. Er hing een doordringende parfumgeur om hem heen, waar het luchtje van mijn moeder bescheiden bij afstak. Hij nam haar mee uit eten en ik viel na *Love Boat* in slaap op de bank. Ik werd wakker tijdens het late journaal en zag haar in de deuropening staan, op kousenvoeten.

Haar mascara was uitgelopen en haar opgestoken haar hing aan één kant helemaal los. 'Was hij aardig?' vroeg ik, en mijn moeder snoof laatdunkend.

'Vertrouw nooit een man met een pinkring,' was het enige wat ze zei. Destijds begreep ik daar niets van. Maar nu ben ik het roerend met haar eens: de enige ring die een man niet misstaat, is een trouwring. Óf eventueel een Super Bowl-ring ten teken dat hij in het landelijke, winnende elftal heeft gespeeld. Ieder ander soort ring zendt een bepaald ongunstig signaal uit wat de afloop van je date betreft. Een ring van zijn voormalige studentenvereniging betekent dat hij nog steeds niet volwassen is. Een vintage cocktailring maakt duidelijk dat hij homo is maar het zelf nog niet weet. En een man met een pinkring is tien tegen één een opschepperige gladjanus die zich meer zorgen maakt om zijn uiterlijk dan om jouw welzijn.

Wade Preston draagt een pinkring.

'U hebt uw portie wel gehad wat betreft gezondheidsproblemen, mevrouw Baxter,' begint hij. 'Je mag wel zeggen dat u er zo'n beetje een dagtaak aan hebt om ziek te zijn.'

'Bezwaar,' zegt Angela. 'Dat mag je niet zeggen.'

'Mee eens. Raadsman, onthoudt u zich van persoonlijke opmerkingen,' zegt rechter O'Neill.

'Enkele van uw aandoeningen waren levensbedreigend, heb ik dat goed begrepen?'

'Ja,' zeg ik.

'Dus als dit hof u de ongeboren kinderen toewijst, bestaat er een gerede kans dat u niet eens zult beleven dat ze volwassen worden?'

'Op dit moment ben ik volledig kankervrij. De kans dat het terugkomt is minder dan twee procent.' Ik glimlach naar hem. 'Ik ben zo gezond als een vis, meneer Preston.'

'Indien het hof om welke reden dan ook beslist u en uw lesbische geliefde deze ongeboren kinderen toe te wijzen, is dat nog geen garantie voor een zwangerschap. Beseft u dat?'

'Dat besef ik beter dan wie ook,' zeg ik. 'Maar ik besef bovenal dat dit mijn laatste kans is om een biologisch kind te krijgen.'

'U woont op dit moment bij Vanessa Shaw in huis, klopt dat?'

'Ja. We zijn getrouwd.'

'Niet in Rhode Island, dat weet ik zeker,' zegt Wade Preston.

Ik kijk hem strak aan. 'Wat ík zeker weet, is dat de staat Massachusetts mij een trouwakte heeft gegeven.'

'Hoe lang bent u inmiddels samen?'

'Ruim vijf maanden.'

Hij trekt zijn wenkbrauwen op. 'Dat is nog niet zo lang.'

'Tussen mij en Vanessa zat het meteen goed,' zeg ik schouderophalend. 'Wij blijven samen, daar ben ik van overtuigd.'

'Die overtuiging had u ook toen u met Max Baxter trouwde, neem
ik aan?'

Pats. Nu wordt het menens. 'Ik was niet degene die wilde scheiden.
Max heeft míj aan de kant gezet.'

'Precies zoals Vanessa u aan de kant kan zetten?'

'Ik denk niet dat dát zal gebeuren,' zeg ik.

'Maar je weet het nooit, toch?'

'Alles kan. Zelfs Reid en Liddy zouden kunnen scheiden.' Terwijl ik
die laatste woorden uitspreek, kijk ik en passant naar Liddy, die op
de publieke tribune zit. Ik zie haar verbleken. Ik weet niet wat het is,
maar er speelt iets tussen haar en Max. Tijdens haar getuigenverklaring voelde ik de draadjes tussen hen trillen. Onzichtbaar, als een
spinnenweb in een deuropening. En wat zei ze ook weer, beneden bij
de koffieautomaat? *Max is er niet op uit om jou te kwetsen.* Alsof ze
het met hem had besproken.

Onmogelijk dat Max een oogje op haar heeft.

Tussen haar en mij is een hemelsbreed verschil.

Bij die gedachte glimlach ik even. Max zou zonder meer hetzelfde
kunnen zeggen over Vanessa.

Maar zelfs al zou Max helemaal verkikkerd zijn op zijn schoonzus,
ik kan me niet voorstellen dat het echt iets wordt tussen die twee.
Liddy is zó in beslag genomen door haar rol als de perfecte echtgenote, de ideale zondagsschooljuffrouw. En er lijkt mij in dat rollen-
spel weinig ruimte voor improvisatie, zeker niet binnen de Eeuwige
Gloriekerk. Ze zou in één klap uit de gratie raken.

'Mevrouw Baxter?' zegt Wade Preston ongeduldig, en ik realiseer
me dat ik zijn vraag niet eens heb gehoord.

'Sorry. Kunt u dat herhalen?'

'Ik stelde zojuist dat u Reid en Liddy niet mag vanwege het leven
dat ze leiden, klopt dat?'

'Ik heb geen hekel aan hen. Maar de zaken waaraan we belang hechten, die staan heel ver van elkaar af.'

'Dus u bent niet jaloers op hun rijkdom?'

'Nee, hoor. Geld is niet alles.'

'Maar wellicht stoort u zich eraan dat ze zulke goede rolmodellen zouden zijn, als ouders bijvoorbeeld?'

Ik moet mijn lachen inhouden. 'Weet u, ik denk helemaal niet dat zij dat zijn. Ik denk dat ze kopen wat ze willen hebben, met inbegrip van onze embryo's. Ik denk dat ze de Bijbel gebruiken om mensen zoals ik te veroordelen. Dat vind ik absoluut geen goed voorbeeldgedrag voor een kind.'

'U gaat zelf niet regelmatig naar de kerk, hè mevrouw Baxter?'

'Bezwaar,' zegt Angela. 'Misschien hebben we een visueel hulpmiddel nodig.' Ze pakt twee dikke wetboeken en legt het ene met een klap voor zich op tafel. 'Kerk,' zegt ze. Het andere boek schuift ze helemaal naar de uiterste rand van de tafel. 'Staat.' Ze werpt de rechter een blik toe. 'Kijk eens wat een prachtige grote ruimte er tussen die twee zit?'

'Leuk geprobeerd, raadsvrouw,' zegt de rechter. 'Beantwoordt u de vraag, mevrouw Baxter.'

'Nee,' zeg ik.

'U hebt geen hoge pet op van mensen die trouw naar de kerk gaan, of wel?'

'Ik denk dat iedereen vrij moet zijn om te geloven, of níét te geloven, wat hij wil,' zeg ik.

Vanessa gelooft niet in God. Haar moeder heeft in haar pogingen haar lesbische dochter te bekeren meer kwaad gedaan dan goed. Wat Vanessa eraan overgehouden lijkt te hebben, is een permanente afkeer van georganiseerde religie. We hebben erover gepraat, in de donkere plooien van de nacht. Ze zegt dat ze zich niet druk maakt over een eventueel hiernamaals, en dat ze het hier en nu veel belangrijker vindt. Dat er een evolutionair voordeel zit aan andere mensen helpen, dat niets te maken heeft met de Gouden Regel van het christendom: *Wat gij niet wilt dat u geschiedt, doe dat ook een ander niet.*

Wat mij betreft, ik kan geen enkele godsdienst helemaal in mijn hart sluiten. Maar toch bestaat er misschien wel zoiets als een hogere macht. Of klamp ik me vast aan dat vage idee omdat ik niet hardop durf toe te geven dat ik niet gelovig ben?

Volgens mij is atheïsme een nieuw taboe, terwijl het twintig of dertig jaar geleden veel meer geaccepteerd was. Nu is het zoiets waarvan je hoopt dat bepaalde mensen het niet over jou te weten zullen komen, want iedereen gelooft toch wel in iets? Niet geloven is verdacht.

'Dus u bent niet van plan deze ongeboren kinderen een religieuze opvoeding te geven?'

'Ik weet het niet,' zeg ik eerlijk. 'Ik wil een kind zó opvoeden dat het liefde kan ervaren en ook kan geven. Dat hij of zij zichzelf respecteert en onbevooroordeeld en tolerant staat tegenover iedereen. Als ik een religieuze groepering vind die deze ideeën ondersteunt, dan zou ik daar misschien bij willen horen.'

'Mevrouw Baxter, bent u bekend met de zaak Burrows contra Brady?'

'Bezwaar!' zegt Angela. 'De raadsman verwijst naar een voogdijzaak, en in ons geval gaat het om eigendomsrecht.'

'Afgewezen,' zegt rechter O'Neill. 'Meneer Preston, waar stuurt u precies op aan met deze vraag?'

'In Burrows contra Brady heeft de arrondissementsrechtbank van Rhode Island een beslissing genomen die voor deze zaak interessant is. Het gaat over de opvoedingssituatie nadat ouders gescheiden zijn. De ouder die aangewezen is als voogd, mag zijn of haar kind opvoeden volgens de religieuze overtuiging waarmee de belangen van het kind het meest gediend zijn. Bovendien wees de zaak Pettinato contra Pettinato uit dat het morele gehalte van beide potentiële ouders-verzorgers in aanmerking moet worden...'

'Probeert de raadsman de rechter te vertellen hoe hij zijn werk moet doen?' vraagt Angela. 'Of heeft hij ook nog een vraag voor mijn cliënte?'

'Ja,' antwoordt Wade. 'En óf ik een vraag heb. U hebt voor de rechter verklaard, mevrouw Baxter, dat u diverse ivf-behandelingen hebt ondergaan, die allemaal rampzalig geëindigd zijn, nietwaar?'

'Bezwaar...'

'Laat ik het anders formuleren. U hebt nooit een baby voldragen, toch?'

'Nee,' zeg ik.

'En u hebt twee keer een miskraam gehad?'

'Ja.'

'En vervolgens een doodgeboren kind?'

Ik sla mijn ogen neer. 'Ja.'

'U hebt vandaag onder ede verklaard dat u altijd al een kinderwens hebt gehad, klopt dat?'

'Inderdaad.'

'Edelachtbare,' verzucht Angela. 'Al deze vragen zijn al afdoende beantwoord.'

'Maar mevrouw Baxter, wáárom hebt u dan in 1989 uw eigen kind vermoord?'

'Wat?' zeg ik verbijsterd. 'Ik weet niet wat u bedoelt...'

Maar ik weet het wel. En zijn volgende vraag bevestigt mijn bange vermoeden: 'Hebt u op uw negentiende vrijwillig een abortus ondergaan, ja of nee?'

'Bezwaar!' Angela springt op van haar stoel. 'Dit is niet relevant. Het heeft lang voor de huwelijksperiode van mijn cliënte plaatsgevonden. Ik verzoek dat de griffier dit onmiddellijk schrapt uit zijn notities voor de officiële procesakte...'

'Het is wel degelijk relevant. Het verklaart immers haar hartstochtelijke kinderwens. Ze probeert haar zonden uit het verleden ongedaan te maken.'

'Bezwaar!'

Mijn handen zijn compleet gevoelloos.

Een vrouw op de publieke tribune gaat staan. 'Kindermoordenares!' gilt ze, en dan breekt een groot tumult los. Er wordt geschreeuwd en gescholden, zowel door de Westboro-delegatie als de leden van de Eeuwige Gloriekerk. De rechter slaat met zijn hamer op tafel en roept om orde in de zaal. Ongeveer twintig toeschouwers van de publieke tribune worden afgevoerd door de dubbele deuren van de rechtszaal. Ik stel me Vanessa voor, die aan de andere kant van deze deuren zit. Wat zal ze denken?

'Meneer Preston, u kunt uw ondervraging voortzetten. Maar dan zonder uw eigen mening er zo luid en duidelijk doorheen te laten klinken,' zegt rechter O'Neill. 'En wat de publieke tribune betreft, zodra iemand nogmaals de orde verstoort, maak ik er voor vandaag een gesloten zitting van.'

'Ja,' zeg ik ten slotte. 'Ik heb een abortus gehad. Ik was negentien, en eerstejaars op de universiteit. Het was niet het juiste moment om een kind te krijgen. Ik dacht – stommeling die ik was – dat ik nog veel meer kansen zou krijgen.'

Wanneer ik uitverteld ben, voel ik me geradbraakt. Ik heb sinds mijn negentiende maar één keer van de abortus gerept, en dat was tijdens het allereerste intakegesprek op de fertiliteitskliniek. Toen moest ik mijn volledige gynaecologische geschiedenis vertellen, zonder iets weg te laten. Anders zou ik misschien mijn kans op een zwangerschap in gevaar brengen. De abortus is tweeëntwintig jaar geleden, maar opeens voel ik me hetzelfde als toen: beverig en beschaamd.

En kwaad.

De kliniek zou die informatie nooit vrijgeven aan Wade Preston, want zij hebben een medische geheimhoudingsplicht. Dus moet deze tip afkomstig zijn van die ene persoon met wie ik samen dat intakegesprek heb gehad.

Max.

'Is er een reden waarom u deze informatie voor het hof hebt verzwegen?'

'Ik heb het niet verzwegen...'

'Kan het zijn dat u terecht bang was dat u behoorlijk huichelachtig zou overkomen? Om hier te gaan zitten snikken dat u zo graag een kind wilt, en vervolgens... dit verhaal?'

'Bezwaar!'

'Is het ooit bij u opgekomen,' dramt Wade Preston door, 'dat uw kinderloosheid een straf van God is, omdat u uw eerste kind van het leven hebt beroofd?'

Angela is laaiend. Ze gaat tegen Wade tekeer alsof ze hém wil vermoorden.

Maar zelfs wanneer hij zijn vraag heeft ingetrokken blijven zijn woorden in de lucht hangen, als de opgloeiende letters van een neonreclame nadat je je ogen hebt toegeknepen.

En al hoef ik niet hardop antwoord te geven, mijn stilzwijgen spreekt eigenlijk voor zich.

Ik wil niet geloven in een God die mij zo genadeloos straft vanwege een abortus.

Desondanks heb ik me wél afgevraagd of het waar zou kunnen zijn.

'Leg uit,' zegt Angela tegen me zodra de rechter de zitting voor vandaag heeft geschorst. 'Waar ging dat verdorie over? Hoe heeft Preston jouw medische dossiers te pakken gekregen?'

'Dat was niet nodig,' zeg ik mat. 'Max moet het hem hebben verteld.'

'En waarom weet ík daar niets van? Dit had niet onverhoeds mogen opduiken tijdens het kruisverhoor! Als we dit bij jouw getuigenverklaring ter sprake hadden gebracht, was het veel minder bezwarend voor je geweest.'

Net als Max' drankmisbruik. Preston is ons daarmee voor geweest, wetende dat mensen verzot zijn op een zondaar die publiekelijk zijn misstap toegeeft. Als wíj over zijn alcoholverslaving waren begonnen, had het geleken alsof hij expres iets had achtergehouden.

En precies zo heeft Wade Preston mij vandaag afgeschilderd.

De advocaat sluit zijn attachékoffertje en loopt met een beleefd glimlachje langs ons heen. 'Wat jammer nou dat u niet op de hoogte was van dat lijk in de kast van uw cliënt. Letterlijk een lijkje, nietwaar?'

Angela negeert hem. 'Zijn er nog andere dingen die ik moet weten? Want ik heb echt de schurft aan dit soort verrassingen, Zoë.'

Ik schud mijn hoofd. Nog steeds half verdoofd sjok ik achter haar aan de rechtszaal uit. Daar staan Vanessa en mijn moeder op ons te wachten. Ze worden nog geen van beiden toegelaten in de rechtszaal. 'Wat is er gebeurd, daarbinnen?' vraagt Vanessa. 'Waarom heeft de rechter de halve publieke tribune de zaal uit gebonjourd?'

'Zullen we het daar in de auto over hebben? Ik wil echt graag naar huis, nu.'

Maar zodra we de voordeur van het gerechtsgebouw openduwen en ik naar buiten stap, word ik omringd door journalisten. Ik krijg een stortvloed van vragen over me heen.

Dat had ik verwacht. Maar wát ze vragen, dat overrompelt me.

Hoe lang was u al zwanger, op het moment van de abortus?
Wie was de vader van uw baby?
Hebt u nog contact met hem?

Een vrouw komt op me afstevenen. Aan haar knalgele T-shirt zie ik dat ze bij de Westboro-baptisten hoort. Ze houdt een plastic fles gevuld met een soort fruitsap in haar hand. Van hieraf gezien lijkt het wel bloed. 'Sommige keuzes zijn verkeerd!' schreeuwt ze me toe.

Ik weet dat ze het rode spul in mijn gezicht wil gooien, en stap instinctief achteruit. De smurrie belandt grotendeels op mijn rechterbeen. Ik ben Vanessa helemaal vergeten, tot ik haar stem naast me hoor: 'Dát had je mij niet verteld.'

'Ik heb het aan niemand verteld.'

Vanessa's ogen staan koel. Ze kijkt naar Max, die tussen zijn twee advocaten naar het parkeerterrein loopt. 'Dat geloof ik niet helemaal,' zegt ze.

Mijn moeder is bijna niet te houden. Ze wil achter Wade Preston aan en hem de huid vol schelden omdat hij mijn verleden heeft opgerakeld. Angela moet eraan te pas komen plus het toverwoord (kleinkind), voor ze instemt om meteen naar huis te gaan, zonder eerst Wade onder handen te nemen. Ze zegt dat ze me over een uurtje zal bellen, om zeker te weten dat ik in orde ben. Ze ziet wel aan me dat ik op dit moment niet wil praten. Behalve dan met Vanessa. De hele rit naar huis probeer ik haar uit te leggen wat er tijdens het kruisverhoor is gebeurd. Ze zwijgt in alle talen. Als ik mijn abortus ter sprake breng, krimpt ze in elkaar.

Zodra de auto op de oprit geparkeerd staat, houd ik het niet meer uit. 'Wat ben je van plan, mij voor eeuwig doodzwijgen?' schreeuw ik, terwijl ik het portier dichtsla en Vanessa achternaloop het huis in. Ik trek mijn panty uit, die plakkerig is vanwege de rode drab op mijn onderbeen. 'Is dit een soort van katholieke reactie?'

'Je weet best dat ik niet dat ik katholiek ben,' antwoordt Vanessa.

'Maar vroeger wel...'

'Ik zit niet met die vervloekte abortus in mijn maag, Zoë, maar met jóú.' Ze staat nu recht tegenover me, met de autosleutels nog steeds in haar hand geklemd. 'Waarom heb je er niets over gezegd? Zoiets vertél je toch aan degene met wie je getrouwd bent. Het is net zoiets als tegen je partner vergeten te zeggen dat je aids hebt.'

'Kom nou, Vanessa. Je kunt niet besmet worden door een abortus, alsof het een soa is...'

'Besmettingsgevaar! Is dat volgens jou de enige reden om je eigen vrouw zoiets ongelooflijk persoonlijks toe te vertrouwen?'

'Het was een akelige beslissing destijds. Ook al was het goed dat ik het recht had óm te beslissen. Ik vind het verschrikkelijk om er weer aan te moeten denken, laat staan erover vertellen.'

'Oké, dan heb ik een vraagje,' zegt ze. 'Waarom wist Max hiervanaf en ík niet?'

'Ben je nu jaloers? Omdat ik Max verteld heb over een rotperiode die ik ruim twintig jaar geleden heb doorgemaakt?'

'Inderdaad,' geeft Vanessa toe. 'Nu tevreden? Ik ben een egoïstische trut. Ik wil graag dat mijn vrouw net zo open en eerlijk is tegen mij als tegen de kerel met wie ze getrouwd is geweest.'

'En misschien wil ík graag dat míjn vrouw een beetje medeleven toont,' kaats ik terug. 'In aanmerking genomen dat Wade Preston mij zojuist bruut door de mangel heeft gehaald. Plus dat ik nu Volksvijand Nummer Een ben in de ogen van al mijn rechts-christelijke landgenoten.'

'Jij denkt alleen maar aan jezelf,' zegt Vanessa. 'We zijn getróúwd, hoor.'

'Mij best!' schreeuw ik, terwijl de tranen me in de ogen springen. 'Wil je het naadje van de kous weten over mijn abortus? Nou, het was de vreselijkste dag van mijn leven tot dan toe. Ik heb mijn ogen uitgehuild. De hele weg naar de kliniek toe, én de hele weg terug. Ik heb twee maanden uitsluitend op brood met pindakaas geleefd omdat ik mijn moeder niet om geld wilde vragen. Ik heb het haar pas verteld toen ik in de zomervakantie naar huis ging. Ik had pijnstillers tegen de krampen meegekregen uit de abortuskliniek. Die heb ik expres niet geslikt, omdat ik vond dat ik al die pijn verdiend had. En mijn toenmalige vriendje – degene met wie ik samen besloten had dat dit echt het beste was – maakte het een maand later uit. Iedere arts die ik ooit heb gesproken heeft me verzekerd dat die abortus geen verband houdt met mijn vruchtbaarheidsproblemen. Maar niettemin twijfel ik nog steeds. Dus zo zit het. Is dat voldoende voor je?'

Tegen het einde van mijn verhaal zit ik zo hard te snotteren dat ik mezelf amper meer kan verstaan. Het water stroomt uit mijn neus, mijn haar zit tegen mijn wangen geplakt en ik wil dat ze naar me toe komt, me in haar armen neemt en zegt dat alles weer goed is. Maar dat gebeurt niet. Vanessa zet één voet op de trap en zegt over haar schouder: 'Dat is me nogal wat. Zijn er nog meer van die dingetjes die ik niet over je weet?' En dan laat ze me staan, alleen in de gang van een huis dat niet meer voelt als thuis.

De feitelijke procedure nam maar zes minuten in beslag.

Ik weet het, ik heb ze geteld.

Ze hadden me verschillende mogelijkheden voorgelegd. Ze deden bloedonderzoek en een algemeen lichamelijk onderzoek. Ik moest een formulier ondertekenen en ze gaven me een zware pijnstiller. Al met al duurde dit een paar uur.

Ik herinner me dat de verpleegster mijn voeten in de beensteunen zette en zei dat ik mijn billen zo ver mogelijk naar voren moest schuiven. Ik herinner me het glimmende speculum dat de arts uit de steriele doek pakte. Ik herinner me het slurpende geluid van het afzuigapparaat.

De arts heeft het nooit over een baby gehad. Ze noemde het zelfs geen foetus. Ze sprak alleen maar over 'weefsel'. Ik herinner me dat ik mijn ogen sloot en me een snippertje overtollige stof voorstelde, dat verfrommeld in de prullenbak lag.

Onderweg terug naar mijn studentenhuis legde ik mijn hand op de versnellingspook van de oude Dodge Dart waar mijn vriend in reed. Ik wilde alleen dat hij zijn hand op de mijne zou leggen. Maar hij duwde me weg en zei: 'Zoë, ik zit achter het stuur, hoor.'

Het was pas twee uur 's middags toen ik op mijn kamer arriveerde, maar ik trok meteen mijn pyjama aan. Ik keek naar *General Hospital*. Ik concentreerde me zo verwoed op Frisco en Felicia, hét romantische duo van de serie, alsof ik tentamen over hen moest doen. Ik at een hele pot goedkope pindakaas leeg.

Ik voelde me nog steeds hol vanbinnen.

Wekenlang had ik nachtmerries dat ik de foetus hoorde huilen. Dat ik wilde weten waar het geluid vandaan kwam en het raam van mijn kamer uitklom. Dat ik op mijn knieën, in een gescheurde pyjamabroek, rondkroop in het achtertuintje van het studentenhuis. Daar groef ik met mijn blote handen in de aarde, trok graszoden los en scheurde mijn vingernagels aan scherpe stenen tot ik haar eindelijk had gevonden:

Sweet Cindy, de babypop die ik begraven had de dag dat mijn vader stierf.

Die avond kan ik niet tot rust komen. Ik hoor Vanessa rondscharrelen op de bovenverdieping, in de slaapkamer. Dan wordt het stil en ik neem aan dat ze in slaap gevallen is. Maar slapen kan ik wel vergeten, dus ga ik achter mijn digitale keyboard zitten en begin te spelen. De muziek wikkelt zich als een verband om me heen. Noot voor noot hecht ik mijn wonden, tot ik weer heel ben.

Ik speel zo lang dat ik kramp in mijn polsen krijg. Ik zing tot mijn stem schor is en ik het gevoel heb dat ik ademhaal door een drinkrietje. Wanneer ik gestopt ben, leg ik mijn voorhoofd op de toetsen. De stilte in de kamer voelt zo dik en zacht als een wattenvulling.

Dan hoor ik iemand klappen.

Ik draai me om en zie Vanessa in de deuropening staan. 'Hoe lang sta je daar al?'

'Een tijdje.' Ze komt naast me op de pianobank zitten. 'Dit is precies waar hij op uit is, weet je.'

'Wie?'

'Wade Preston. Hij wil ons uit elkaar drijven.'

'Dat mag niet gebeuren,' zeg ik.

'Nee, vind ik ook.' Ze aarzelt. 'Ik heb eens zitten rekenen vanavond.'

'Geen wonder dat je zo lang wegbleef,' brom ik zacht. 'Je bent hopeloos in rekenen.'

'Wat ik heb uitgepuzzeld is, oké, je bent dus negen jaar samen geweest met Max. Maar ik ben van plan om de komende negenenvéértig jaar bij jou te blijven.'

'Negenenveertig jaar, is dat alles?'

'Wacht nou even. Ik heb dat alleen gekozen omdat ik zo op een mooi rond getal uitkom.' Vanessa kijkt me aan. 'Zie je, als jij dan negentig bent, heb je ruim de helft van je leven met mij doorgebracht en maar tien procent met Max. Begrijp me goed, ik ben nog steeds stikjaloers op die negen jaar, omdat ík die hoe dan ook met jou ben misgelopen. Anderzijds, als jij niet negen jaar samen met Max was geweest, zou je misschien nu niet met mij getrouwd zijn.'

'Ik heb het echt niet bewust voor jou geheim gehouden,' verzeker ik haar.

'Maar eigenlijk zou het niets uit moeten maken. Ik hou zoveel van je Zoë. Echt waar, je kunt me onmogelijk iets vertellen waardoor dat zou veranderen.'

'Ik ben vroeger een man geweest,' zeg ik met een uitgestreken gezicht. 'Ik heb me laten ombouwen.'

'Dát is de laatste druppel,' lacht Vanessa. Ze buigt zich naar me toe en kust me. Dan neemt ze mijn gezicht tussen haar handen. 'Ik weet dat jij sterk genoeg bent om dit alleen aan te kunnen, Zoë, maar je hóéft het niet in je uppie te doen. Het spijt me. Ik zal me niet meer als een jaloerse gek gedragen, dat beloof ik.'

Ik vlij me tegen haar aan en leg mijn hoofd op haar schouder. 'Het spijt mij ook,' zeg ik. Een verontschuldiging zo weids als de nachthemel, en even grenzeloos.

VANESSA

Mijn moeder zei altijd dat een vrouw zonder lippenstift zoiets was als een taart zonder slagroom. Ik heb haar nooit de deur uit zien gaan zonder haar favoriete kleurtje op, dat Forever After heette. Als we naar de drogist gingen om paracetamol, tampons of hoestdrank te kopen, grabbelde ze steevast een paar van die lipsticks uit het rek. Thuis stopte ze die direct in een van de laden van haar commode, bij de rest van de voorraad. De lade zat al bijna helemaal vol met ongebruikte lipsticks, allemaal dezelfde kleur. 'Ma, Forever After blijft heus wel op de markt,' zei ik dan tegen haar. Maar zij wist (natúúrlijk) wel beter. In 1982 stopte de make-upfabrikant met de productie van Forever After. Gelukkig had mijn moeder genoeg gehamsterd voor minstens tien jaar. Op het laatst, in het ziekenhuis, zat ze zo zwaar onder de morfine dat ze zich haar eigen mantra over een vrouw zonder lipstick niet meer kon herinneren. Maar ik zorgde ervoor dat ze altijd keurig opgemaakt was. Toen ze haar laatste adem uitblies, had ze Forever After op haar lippen – Voor Altijd en Eeuwig.

Dat ík nou juist in haar laatste dagen haar cosmetische beschermengel was... Ach, daar had ze vast wel om kunnen lachen. Want sinds ik kon lopen, ging ik altijd direct aan de haal zodra zij haar mascarakwastje tevoorschijn haalde. Andere kleine meisjes vonden het reuze spannend om toe te kijken hoe hun moeder haar eigen gezicht omtoverde tot een waar kunstwerk. Maar ik moest er niet aan denken om iets anders op mijn gezicht te voelen dan water en zeep. Eén keer mocht mijn moeder met een oogpotlood bij me in de buurt komen. Dat was om een charliechaplinsnor op mijn bovenlip te tekenen, toen ik meespeelde in een toneelstuk op school.

Waarom vertel ik dit allemaal? Gewoon, om te onderstrepen hoe bijzonder het is dat ik op dit moment, om zeven uur 's ochtends, in mijn oog sta te prikken met Zoë's eyelinerapplicator. Ik trek de gekste bekken voor de spiegel om Maybelline Hot Tamale fatsoenlijk op mijn lippen aan te brengen. Willen Wade Preston en rechter O'Neill een traditionele vrouw zien die thuisblijft, haar nagels doet en dagelijks vlees braadt voor het avondeten? Oké, dan zál ik de komende acht uur zo iemand zijn.

(Tenzij ik een rok aan moet. Dat gaat gewoon níét gebeuren.)

Ik ga rechtop staan. Zwarte vlekken dansen voor mijn ogen. Je moet zó oppassen om niet voortdurend scheel te kijken bij het opbrengen van vloeibare eyeliner. Kritisch bekijk ik mijn handwerk in de spiegel. Op dat moment komt Zoë de badkamer binnenstommelen, nog half in slaap. Ze klapt de deksel op de toiletbril, ploft neer en kijkt met knipperende ogen naar me op.

Ontzet hapt ze naar adem. 'Je ziet eruit als een horrorclown! Waar ben je mee bezig?'

'O jee,' zeg ik, en wrijf met mijn handen over mijn wangen. 'Te veel rouge?' Fronsend kijk ik opnieuw in de spiegel. 'Ik ging eigenlijk voor de jarenvijftigpin-uplook. Brigitte Bardot, maar dan kortgeknipt.'

'Nou, je lijkt eerder dokter Frank-N-Furter uit de *Rocky Horror Show*,' zegt Zoë. Ze staat op en duwt me op de dichtgeklapte toiletzitting. Dan pakt ze een tube make-upremover, knijpt wat uit op een wattenschijfje en veegt mijn gezicht schoon.

'Waarom heb je plotseling besloten je op te maken?'

'Gewoon, om te proberen er... vrouwelijker uit te zien,' antwoord ik.

'Je bedoelt dat je er niet wilt uitzien als een typische pot, hoe dat ook mag zijn,' verbetert Zoë. Ze zet haar handen op haar heupen. 'Maar Nessie, jij ziet er prima uit zonder een spoortje make-up op je gezicht. Dat weet je toch?'

'Kijk, daarom ben ik nu met jou getrouwd in plaats van met Wade Preston.'

Ze buigt zich naar me toe en veegt met een kwast rouge over mijn jukbeen. 'En ik maar denken dat je op me viel omdat ik...'

'... een wimperkrultang had,' onderbreek ik haar grinnikend. 'En ik ben met jou getrouwd vanwege je Shu Uemura-oogschaduw.'

'Hou op, hou op,' zegt Zoë. 'Nu voel ik me zó goedkoop.' Met haar duim duwt ze mijn kin omhoog. 'Ogen dicht, meisje.'

Vaardig gaat ze aan de slag met kwastjes, watjes en penselen. Ik laat haar zelfs mijn wimpers krullen met de hete tang, hoewel me dat bijna een oog kost. Ten slotte zegt ze: 'Laat je mond eens openhangen,' en soepel haalt zij er de lipstick overheen.

'Ta-dáá,' zegt Zoë, terwijl ze me voor de spiegel trekt.

Ik verwacht een mannelijke travestiet, maar ik krijg iets heel anders te zien. 'O, mijn god. Nu lijk ik sprekend op mijn moeder.'

Zoë gluurt over mijn schouder, zodat we allebei naar ons spiegel-beeld kijken. 'Tja,' zegt ze berustend, 'dat schijnt zelfs de besten te overkomen.'

Angela stopt een conciërge twintig dollar toe om ons het gerechtsge-bouw binnen te laten via de leveranciersingang aan de achterkant. Geruisloos als in een spionageroman lopen we langs het centralever-warmingshok en een voorraadkast boordevol papieren handdoekjes en toiletrollen. Dan neemt hij ons mee een gammele, smoezelige dienst-lift in. We moeten één verdieping omhoog, naar de begane grond. De conciërge draait een sleutel om, drukt op een knop en kijkt me ver-volgens aan. 'Ik heb een neef die homo is,' zegt hij. De man heeft nog geen vier woorden tegen ons gezegd in de tijd dat we met hem de halve kelder hebben doorkruist.

Ik weet niet hoe hij over die neef van hem denkt, dus zeg ik niets.

'Hoe wist u wie wij zijn?' vraagt Zoë.

Hij haalt zijn schouders op. 'Ik ben de beheerder van het gebouw. Ik weet alles.'

De lift komt met een schok tot stilstand en we stappen de gang op. We zijn vlak bij de griffiekamer. Angela voert ons mee door het laby-rint van gangen en trappen tot we bij de ingang van onze rechtszaal uitkomen. Er staat een muur van mediamensen opgesteld, die alle-maal de andere kant op kijken. Ze verwachten dat wij onze entree maken via de hoofdtrap aan de voorkant van de rechtbank.

Terwijl wij juist ácher dat stomme stel sensatiezoekers staan.

Op dit moment heb ik meer respect voor Angela dan ooit tevoren.

'Ga nog maar even een mueslireep of zoiets halen in de koffiekamer,' adviseert ze. 'Dan ben je uit het zicht wanneer Preston het gebouw binnenkomt en zal geen verslaggever je lastigvallen.' Ik mag nog steeds de rechtszaal niet in, althans niet de eerste vijf minuten van de zitting van vandaag. Dus ik doe wat Angela me aanraadt. Ik zie hoe ze Zoë veilig de rechtszaal binnenloodst en loop onopgemerkt de gang uit terwijl de andere raadslieden arriveren.

Ik knabbel op een pindareep, maar ik krijg er alleen maar een wee gevoel van in mijn buik. Eerlijk gezegd ben ik absoluut geen held in spreken in het openbaar. Daarom ben ik decaan geworden in plaats van leraar. Dat Zoë zonder blikken of blozen op een barkruk gaat zitten en al zingend helemaal losgaat voor de ogen van haar publiek, vervult me met groot ontzag.

Maar goed, als ik Zoë de vaatwasser zie inladen ben ik soms ook zomaar ineens ademloos van bewondering.

'Je kúnt het,' prevel ik binnensmonds. Wanneer ik bij de dubbele deuren van de rechtszaal aankom, staat een parketwachter klaar om me naar binnen te brengen.

De hele rompslomp aan het begin, dus de eed op de bijbel, mijn naam, leeftijd en adres opgeven, gaat me goed af. Angela loopt naar me toe. Ze ziet er veel zelfverzekerder en imposanter uit dan buiten de rechtszaal. Tot mijn verbazing laat ze haar notitieblok voor mijn voeten vallen. Ze bukt zich en fluistert snel: 'Weet jij wat Wade Prestons favoriete standje is in bed? Op z'n Duits. Hij *liegt* in plaats van dat hij *ligt*.' Als ze ziet dat ik bijna in de lach schiet, geeft ze me een knipoog. Opeens begrijp ik dat ze haar schrijfblok helemaal niet per ongeluk liet vallen.

'Mevrouw Shaw, waar woont u?'

'In Wilmington.'

'Hebt u werk, op dit moment?' vraagt Angela.

'Ik werk als schooldecaan op het Wilmington College.'

'Wat houdt dat in?'

'Ik geef advies aan middelbareschoolleerlingen, voornamelijk in de bovenbouw. Ik controleer hun studievoortgang en fungeer als aanspreekpunt ingeval ze thuis problemen hebben. Ik probeer eventuele verslavingsproblemen te signaleren, of depressies, of andere moeilijkheden. En ik begeleid hen bij de toelatingsprocedures voor verschillende vervolgopleidingen.'

'Bent u getrouwd?'

'Ja,' zeg ik glimlachend. 'Met Zoë Baxter.'

'Hebt u kinderen?'

'Nog niet, maar ik hoop dat dát de uitkomst van deze rechtszaak wordt. Het is onze bedoeling dat ik de embryo's voldraag die biologisch gezien van Zoë zijn.'

'Hebt u ervaring met jonge kinderen?'

'Tot op zekere hoogte,' zeg ik. 'Ik heb nu en dan een weekend op de kinderen van mijn buren gepast. Maar wat ik er van vrienden over hoor, is ouderschap hoe dan ook een vuurproef, al heb je nog zoveel boeken gelezen van dokter Spock en zijn opvolgers.'

'Hoe zijn u en Zoë van plan dit kind financieel onderhouden?'

'We werken allebei, en dat willen we blijven doen. Gelukkig hebben we flexibele werktijden. We willen allebei evenveel tijd aan de opvoeding besteden, en Zoës moeder staat te popelen om ons te helpen, mocht dat nodig zijn. Ze woont tien minuten rijden bij ons vandaan.'

'Hoe staat u tegenover Max Baxter?'

Ik denk aan de ruzie die Zoë en ik gisteravond hadden. Ik sta voor altijd in betrekking tot deze man, via haar. Sommige kanten van Zoë's karakter kent hij waarschijnlijk even goed als ik.

'Hij is de ex-man van mijn echtgenote,' zeg ik neutraal. 'Hij is biologisch verwant met de embryo's. Maar ik ken hem niet echt, ik weet alleen wat Zoë over hem heeft verteld.'

'Bent u bereid contact tussen hem en uw eventuele kinderen toe te staan?'

'Als hij dat wil.'

Angela kijkt me nu recht aan. 'Vanessa,' zegt ze, 'is er enige reden waarom je géén stabiele of gepaste ouder of verzorger van een kind zou kunnen zijn?'

'Nee, geen enkele,' zeg ik.

'Uw getuige, raadsman,' zegt Angela tegen Wade Preston.

Goeie genade, wat heeft hij nu weer aan? Het is afschuwelijk – en geloof me, als ík iets aan te merken heb op iemands kleding, dan moet het wel echt een wanstaltige outfit zijn. Wade draagt een geruit overhemd, paars met wit. Daarop een gestreepte stropdas, lila en zwart. Het jasje van zijn zwarte kostuum is doorweven met grijs, zilver en paars. Het gekste is nog dat híj ermee wegkomt. Hij zou eruit moeten zien als een oerlelijk jarentachtiganachronisme, maar in combinatie met zijn nepbruine teint en blingblinguitstraling lijkt het alsof hij zo van een paginagrote glossy mannenbladfoto is gestapt. 'Mevrouw

Shaw,' begint hij, terwijl hij op me afkomt. Onwillekeurig kijk ik of hij misschien een oliespoor achterlaat op de vloerbedekking. Dat zie je wel eens in horrorfilms, ten teken dat iemand (vaak een schijnbaar onkreukbare burger) door de duivel bezeten is. 'Weet uw werkgever dat u lesbisch bent?'

Ik zet me schrap. Als hij het hard wil spelen, ben ik er klaar voor. Ik heb tenslotte lipstick op.

'Ik breng het niet spontaan ter sprake. Docenten en schoolbegeleiders bespreken doorgaans niet hun seksleven in de lerarenkamer. Maar ik doe er ook niet geheimzinnig over.'

'Denkt u niet dat ouders het recht hebben te weten wat voor soort begeleiding hun kinderen krijgen?' Er klinkt onverholen minachting door in zijn uitspraak van het woord 'begeleiding'.

'Ik heb geen klachten ontvangen.'

'Spreekt u wel eens met deze jongeren over seks?'

'Als een leerling er zelf over begint, ja. Sommigen komen naar me toe omdat ze een relatieprobleem hebben. Een paar pubers hebben me zelfs toevertrouwd dat ze misschien homo zijn.'

'Dus u werft onschuldige jongeren als nieuwe aanhangers van uw levensstijl?' zegt Preston.

'Helemaal niet. Ik bied hun een veilige plek waar ze zich kunnen uitspreken, aangezien andere mensen...' ik pauzeer even voor het effect, '... niet altijd even tolerant zijn.'

'Mevrouw Shaw, u zei tijdens het getuigenverhoor dat u denkt een stabiele, gepaste ouder te kunnen zijn voor een kind. Klopt dat?'

'Ja,' zeg ik.

'Dus niets wijst erop dat u moeite hebt om tegenslagen te incasseren?'

'Ik denk het niet...'

'Mag ik u eraan herinneren dat u onder ede staat,' zegt de advocaat.

Waar is hij verdorie op uit met zijn vage insinuaties?

'Klopt het dat u in 2003 een week lang opgenomen bent geweest in de psychiatrische kliniek van het Blackstone-ziekenhuis?'

Even val ik stil. Dan zeg ik: 'Mijn relatie was beëindigd. Ik heb me vrijwillig een week laten opnemen om de stress onder controle te kunnen houden. Ik heb een tijdje medicatie gehad en daarna is er nooit meer iets dergelijks voorgevallen.'

'Dus u hebt een zenuwinstorting gehad.'

Ik ga met mijn tong langs mijn lippen en proef de cosmetica. 'Dat is heel erg overdreven. Ik was oververmoeid, zo luidde de diagnose.'

'Echt waar? Was dat alles?'

Met opgeheven hoofd zeg ik: 'Ja.'

'Dus u verklaart onder ede dat u geen zelfmoordpoging hebt gedaan?'

Zoë houdt haar hand tegen haar mond gedrukt. *Hypocriet*, zal ze wel denken, na gisteravond.

Ik wend me tot Wade Preston en kijk hem strak aan. 'Beslist niet.'

Hij steekt zijn hand uit, en Ben Benjamin springt op van achter hun tafel om hem een dossier aan te reiken. 'Ik zou dit graag aan het hof willen overleggen, ter inzage.' zegt Preston. Hij overhandigt de map aan de griffier zodat die er zijn stempel op kan zetten. Vervolgens geeft hij een kopie van de papieren aan Angela en een aan mij.

Het zijn mijn medische gegevens van de Blackstone-kliniek.

'Bezwaar,' zegt Angela. 'Ik heb dit bewijsstuk nooit eerder gezien. En hoe heeft meneer Preston het op legale wijze kunnen verkrijgen? Deze documenten zijn geheim, volgens het Wettelijk Recht op Medische Privacy...'

'Mevrouw Moretti is van harte uitgenodigd mijn betoog te volgen, met behulp van haar eigen kopie van dit document,' zegt Preston.

'Edelachtbare, volgens ons statuut van vertrouwelijkheid had ik drie weken van tevoren een memo moeten ontvangen dat deze stukken op tafel zouden komen. Mevrouw Shaw is niet eens gedagvaard in deze zaak. Deze gegevens mogen onder geen beding worden toegestaan hier in de rechtszaal.'

'Ik wil dit dossier niet aanvoeren als bewijsstuk,' zegt Preston, 'maar om een getuige in twijfel te trekken die onder ede een valse verklaring heeft afgelegd. We hebben het hier tenslotte over een potentiële verzorgende ouder. Het is van wezenlijk belang te weten dat deze vrouw niet alleen lesbisch is, maar ook een leugenaar.'

'Bezwaar!' schreeuwt Angela.

'Misschien heeft mevrouw Moretti een korte onderbreking nodig om deze documenten te bestuderen? In dat geval zijn wij van harte bereid om haar een paar minuten speling te geven...'

'Ik heb geen behoefte aan een reces, verwaande kwast die je bent! Ik weet heel zeker dat deze documenten irrelevant zijn en dat meneer

Preston ze bovendien op illegale wijze heeft bemachtigd. Hij zit in deze rechtszaal met vuile handen. Ik weet niet hoe het eraan toegaat in Louisiana, maar hier in Rhode Island hebben we wetten om onze burgers te beschermen. En de rechten van mevrouw Shaw worden hier en nu geschonden, waar we allemaal bij zitten.'

'Edelachtbare, wellicht wil de getuige haar verklaring herroepen en toegeven dat ze wel degelijk een zelfmoordpoging heeft gedaan. Dan ben ik bereid dit dossier verder volledig buiten beschouwing te laten,' zegt Preston.

'Zo is het genoeg.' De rechter slaakt een zucht. 'Ik laat deze stukken toe, maar alleen ter legitimatie van een eerdere verklaring. En voor we verdergaan, zou ik graag van de raadsman horen hoe hij de documenten heeft verkregen.'

'Iemand heeft ze onder de deur van mijn hotelkamer geschoven,' zegt Preston. 'Gods wegen zijn ondoorgrondelijk.'

Ik betwijfel of God eigenhandig het kopieerapparaat van de Blackstone-kliniek heeft bediend.

'Mevrouw Shaw, ik vraag het u nogmaals. Heeft uw zelfmoordpoging geleid tot uw verblijf in de Blackstone-kliniek in 2003?'

Mijn gezicht gloeit, en ik voel mijn hart hameren. 'Nee.'

'Dus u hebt helemaal per ongeluk vijfendertig tabletten paracetamol achtereen geslikt?'

'Ik was depressief, maar ik was niet van plan mezelf iets aan te doen. Het is lang geleden gebeurd. Ik ben inmiddels een stuk ouder en wijzer. Eerlijk gezegd begrijp ik niet eens waarom u deze heksenjacht op touw hebt gezet.'

'Kun je stellen dat u acht jaar geleden volkomen van streek was? Dat u in een crisis zat?'

'Ja.'

'Dat er iets onverwachts gebeurde, waardoor u zozeer aangeslagen was dat u opgenomen moest worden?'

Ik sla mijn ogen neer. 'Zo zou je het kunnen stellen, ja.'

'Zoë Baxter verklaarde gisteren dat ze kanker heeft gehad. Dat weet u toch?'

'Ja, natuurlijk. Maar het gaat nu goed met haar.'

'Kanker heeft de nare gewoonte om weer de kop op te steken, hè? Mevrouw Baxter kan dus opnieuw kanker krijgen, nietwaar?'

'Dat geldt ook voor u.'

Bij voorkeur binnen de komende drie minuten.

'Het is natuurlijk een vreselijke gedachte,' zegt Preston. 'Maar we moeten alle mogelijkheden tot op de bodem uitspitten. Stel dat mevrouw Baxter weer kanker kreeg, dan zou u ontredderd zijn, toch?'

'Ik zou er kapot van zijn.'

'Zo kapot dat u opnieuw ongeveer vier strippen paracetamol zou innemen, mevrouw Shaw?'

Angela staat weer op en maakt bezwaar.

'Tsss…' zegt Wade Preston hoofdschuddend. 'Maar mevrouw Shaw, wie zou er in dat geval voor die arme kinderen moeten zorgen?'

Zodra ik uit de getuigenbank stap, kondigt de rechter een reces aan. Zoë draait zich naar me om. Ik ben vlak achter haar gaan zitten, op de eerste rij van de publieke tribune. We staan allebei op en ze slaat haar armen om me heen. 'Wat erg voor je,' fluistert ze.

Ik weet dat ze aan Lucy denkt. Hoe ik voor haar tot het uiterste ben gegaan, veel verder dan normaal gesproken van een schooldecaan mag worden verwacht. Ik heb alles op alles gezet om haar iets aan te reiken wat haar aan deze wereld zou binden, zodat ze niet meer steeds zou proberen eruit te stappen. Ik weet dat Zoë zich afvraagt of ik mezelf in Lucy herkende.

Vanuit mijn ooghoek zie ik iets paarsigs voorbijkomen. Wade Preston loopt door het middenpad naar de uitgang. Zacht maak ik me los uit Zoë's omhelzing. 'Ik ben zo terug.'

Ik ga Preston achterna de rechtszaal uit en probeer zo min mogelijk op te vallen. Hij schudt links en rechts handen van geloofsgenoten en deelt flarden informatie uit aan journalisten. Hij is zo vol van zichzelf dat hij mij niet opmerkt. Fluitend slaat hij een hoek om en duwt de deur van de herentoiletten open.

Ik glip direct achter hem aan naar binnen.

'Meneer Preston,' zeg ik.

Hij trekt zijn wenkbrauwen op. 'Maar mevrouw Shaw, toch. Ik zou zo denken dat iemand met úw levensstijl wel de laatste is die per ongeluk een ruimte binnengaat met een afbeelding van een man op de deur.'

'Ik zit in het onderwijs, zoals u weet. En u, meneer Preston, moet nodig bijgespijkerd worden.'

'O, is dat zo?'

'Nou en of.' Snel laat ik mijn ogen langs de onderkant van de deuren van de wc-hokjes glijden, maar gelukkig, we zijn de enigen in de toiletruimte. 'Punt één, homoseksualiteit is géén levensstijl. Homo's en lesbiennes kunnen er net zulke verschillende levensstijlen op nahouden als hetero's. Punt twee, ik heb er niet voor gekózen me aangetrokken te voelen tot vrouwen. Maar zo ben ik, en niet anders. Hebt u er ooit voor gekozen om vrouwen aantrekkelijk te vinden? In uw puberteit, misschien? Of toen u van de middelbare school afkwam? Was het een tentamenvraag in het eerste jaar van uw studie? Natuurlijk niet. En homoseksualiteit is net zomin een keuze als heteroseksualiteit. Dat weet ik heel zeker, want waarom zou iemand er in godsnaam voor kíézen homo of lesbisch te zijn? Waarom zou ik mezelf vogelvrij verklaren en vrijwillig alle pesterijen, scheldkanonnades en ander zinloos geweld ondergaan waarmee ik al geconfronteerd ben? Waarom zou ik het leuk vinden dat mensen als u continu op me neerkijken en me in een hokje willen duwen? Waarom zou ik kiezen voor een 'levensstijl' zoals u het noemt die, althans in een groot deel van Amerika, levenslang vechten tegen de bierkaai betekent? Ik vind het ongelooflijk dat iemand als u, meneer Preston, die zoveel van de wereld heeft gezien, zó stekeblind kan zijn.'

'Mevrouw Shaw,' verzucht hij. 'Ik zal u gedenken in mijn gebeden.'

'Heel ontroerend. Maar ik geloof niet in God, dus ík zou eerder hopen dat u zich eindelijk eens verdiept in uw eigen onderwerp. Lees eens een informatieve tekst over homoseksualiteit die iets meer up-to-date is dan wat u tot nu te gebruikt – de Bijbel. Er is een heleboel literatuur over homoseksualiteit verschenen ná het jaar 500 van onze jaartelling.'

'Bent u uitgesproken? Want ik kwam hier iets doen...'

'Nog niet. Ik ben véél dingen niet, meneer Preston. Ik ben geen pedofiel. Ik ben geen softbalcoach die tienermeisjes lastigvalt, of een mannenhaatster, of een ruige, agressieve motormeid. Al die stereotypes kloppen voor geen meter, net zomin als het waanidee dat homomannen altijd kapper, bloemist of binnenhuisarchitect zijn. Ik ben niet immoreel. Maar weet u wat ik wél ben? Intelligent. Ontwikkeld. Tolerant. Geschikt om kinderen op te voeden. Anders dan u, maar niet minder waard,' zeg ik. 'Homo's en lesbiennes hoeven niet in therapie vanwege hun geaardheid. Wat wij nodig hebben is dat mensen zoals u hun horizon verbreden.'

Als ik uitgesproken ben, sta ik te zweten. Wade Preston is weldadig, ongekend stil.

'Wat is er, Wade?' vraag ik. 'Niet gewend om geklopt te worden door een vrouw?'

Hij haalt zijn schouders op. 'U kunt zeggen wat u wilt, mevrouw Shaw. U kunt zelfs staande plassen als u dat leuk vindt. Maar onthoud één ding goed: uw ballen zullen nooit groter worden dan de mijne.'

Ik hoor hem zijn gulp openritsen.

Ik sla mijn armen over elkaar.

Een patstelling.

'Gaat u nu eindelijk weg, mevrouw Shaw?'

Ik haal mijn schouders op. 'U zou echt niet de eerste lul zijn waar ik in mijn leven tegen aanloop, meneer Preston.'

Met hoorbaar ingehouden adem ritst Wade Preston zijn broek weer dicht en stormt de herentoiletten uit. Ik glimlach zo breed dat het pijn doet, en draai vervolgens de kraan open. Terwijl ik mijn make-up afspoel boven de wasbak en mijn gezicht droog dep met papieren handdoekjes, komt een onbekende parketwachter binnen. Verbaasd kijkt hij me aan. 'Nou, en?' zeg ik uitdagend, en kuier op mijn gemak de deur uit. Wie is hij per slot van rekening, om te bepalen wat normaal is?

Voordat Zoë's moeder gaat getuigen, staat ze erop haar glas water toe te spreken.

'Mevrouw Weeks,' maant de rechter haar, 'dit is geen theaterpodium. 'Kunnen we alstublieft doorgaan met de rechtszaak?'

Dara kijkt hem aan met het glas in haar hand. De waterkan die naast de getuigenbank staat, is halfvol. 'Edelachtbare, weet u dan niet dat water positieve en negatieve energie kan voelen?'

'Ik was me niet bewust dat water anders kan voelen dan nat,' bromt hij.

'Doctor Masaru Emoto heeft hier wetenschappelijke experimenten mee gedaan,' zegt Dara ietwat hooghartig. 'Als menselijke gedachten gericht zijn op een hoeveelheid water voordat het bevriest, worden de ijskristallen óf mooi, óf lelijk. Dat hangt ervan af of de gedachten positief of negatief waren. Dus als je water blootstelt aan positieve prikkels zoals mooie muziek, foto's van een verliefd stel of welgemeende woorden van dankbaarheid, het vervolgens bevriest en onder de microscoop bekijkt... wat zie je dan? Prachtige, symmetrische ijskristallen. Maar stel dat je een tape afspeelt met een Hitler-toespraak. Of dat je het water foto's van geweldslachtoffers toont, of zegt "ik haat je", voor je het bevriest. Dan worden de kristallen gekarteld en onregelmatig.' Ze kijkt de rechter doordringend aan. 'Ons lichaam bestaan voor ruim zestig procent uit water. Als positieve gedachten van invloed zijn op een middelgroot glas water, wat zou het effect dan kunnen zijn op ons allemaal hier?'

De rechter strijkt met zijn hand over zijn gezicht. 'Mevrouw Moretti, dit is uw getuige, dus ik veronderstel dat u het niet erg vindt dat zij haar glas water lof toezwaait?'

'Nee, edelachtbare.'

'Meneer Preston?'

Hij schudt zijn hoofd, kennelijk overbluft. 'Tja, ik heb hier eenvoudig geen woorden voor.'

Dara snuift. 'Dát is hoogstwaarschijnlijk een grote zegen, als ik voor het water mag spreken.'

'Gaat u voort, mevrouw Weeks,' zegt de rechter.

Dara heft haar glas. 'Kracht,' zegt ze met volle, welluidende stem. 'Wijsheid. Tolerantie. Rechtvaardigheid.'

Je zou denken dat dit hoogdravend en gekunsteld zou overkomen. New-age-achtig en een beetje kierewiet. Maar dat is niet zo. Het is meeslepend. De principes die ze opsomt zijn zó universeel, wie van ons kan daar iets tegen inbrengen, ongeacht onze persoonlijke overtuigingen?

Dara zet het glas aan haar lippen en drinkt het tot de laatste druppel leeg. Dan kijkt ze naar rechter O'Neill. 'Ziezo. Was dat nu zo vreselijk?'

Angela loopt naar de getuigenbank en vult Dara's glas bij. Niet uit gewoonte, maar met opzet. Omdat ze weet dat iedereen daardoor het water, en de woorden die het zouden kunnen beïnvloeden, in gedachten zal houden. Het is zoiets als een gesprek voeren waar een peuter bij is, waardoor je automatisch oplet dat er geen onvertogen woord valt.

'Wilt u voor de goede orde en documentatie uw naam en adres noemen?'

'Dara Weeks. Ik woon op Renfrew Heights 5901 in Wilmington.'

'Hoe oud bent u?'

Ze verschiet van kleur en kijkt Angela aan. 'Moet ik dat echt zeggen?'

'Ik vrees van wel.'

'Vijfenzestig. Maar ik vóél me geen dag ouder dan vijftig.'

'Hoe ver woont u bij uw dochter en Vanessa Shaw vandaan?'

'Tien minuten rijden,' zegt Dara.

'Hebt u kleinkinderen?'

'Nog niet. Maar...' Ze klopt met gebogen wijsvinger op het hout van de getuigenbank.

'Zo te zien staat het vooruitzicht u wel aan, hè?'

'Dat is nog zacht uitgedrukt. Ik word de allerleukste oma uit de geschiedenis.'

Angela slaat haar armen over elkaar, vlak voor de getuigenbank. 'Mevrouw Weeks, kent u Vanessa Shaw?'

'Jazeker. Ze is getrouwd met mijn dochter.'

'Hoe denkt u over hun relatie?'

'Ik denk dat Vanessa mijn dochter heel gelukkig maakt,' zegt Dara. 'En dat is voor mij altijd het belangrijkste geweest.'

'Heeft uw dochter altijd zoveel geluk gekend in haar relaties?'

'Nee, ze was natuurlijk diep ongelukkig nadat haar kindje dood geboren werd, en vervolgens kwam die scheiding daar nog eens bovenop. Toen leek ze wel een zombie. Ik ging vaak bij haar langs, en dan zag ik dat ze nog steeds dezelfde kleren aanhad als een paar dagen daarvoor. Ze at nauwelijks. Haar huishouden verslofte. Ze kon niet werken en ze speelde geen gitaar meer. Ze sliep alleen maar. Zelfs als ze wakker was, leek ze te slapen.'

'Wanneer begon er iets te veranderen voor haar?'

'Ze kreeg een leerling in therapie van de school waar Vanessa decaan is. Geleidelijk aan ging ze met Vanessa uit lunchen, naar de bioscoop en naar culturele festivals en rommelmarkten. Ze trokken steeds meer samen op. Ik was ontzettend blij dat Zoë weer iemand had om mee te praten.'

'Na een tijdje werd het u duidelijk dat Zoë en Vanessa meer hadden dan en een gewone vriendschap, nietwaar?'

Dara knikt. 'Op een dag kwamen ze bij me langs en Zoë zei dat ze me iets belangrijks wilde vertellen. Ze was verliefd op Vanessa.'

'Wat was uw reactie?'

'Ik wist niet wat ik ermee aan moest. Ik bedoel, ik wist dat Vanessa en zij inmiddels hartsvriendinnen waren. Maar nu vertelde Zoë me ineens dat ze bij Vanessa in huis ging wonen en dat ze lesbisch was.'

'Hoe voelde u zich op dat moment?'

'Alsof ik een dreun met een voorhamer op mijn hoofd kreeg.' Dara aarzelt. 'Niet omdat ik iets tegen homo's en lesbiennes heb. Maar het was nooit bij me opgekomen dat mijn eigen dochter lesbisch zou kunnen zijn. Ik dacht meteen: nu krijg ik dus nooit kleinkinderen. En ik was bang voor wat mijn vriendinnen ervan zouden zeggen, achter mijn rug. Maar dat Zoë juist op Vanéssa verliefd geworden was, dat was voor mij het punt niet. Ik was van slag omdat ik, als haar moeder, nooit deze weg voor haar gekozen zou hebben. Geen enkele ouder wenst zijn of haar kind toe dat ze haar hele leven moet opboksen tegen kortzichtige, bekrompen mensen.'

'En nu, hoe kijkt u nu aan tegen de relatie van uw dochter?'

'Wat me steeds weer opvalt als ik Zoë zie, is hoe gelukkig Vanessa haar maakt. Die twee zijn zo gek op elkaar. Het zijn net Romeo en Julia. Maar dan zonder Romeo,' zegt Dara. 'En met een happy end, wat je van *Romeo en Julia* niet echt kunt beweren,' voegt ze eraan toe.

'Hebt u moeite met het idee dat zij samen kinderen zouden grootbrengen?'

'Ik kan me geen beter thuis voorstellen voor een kind.'

Angela draait zich om. 'Mevrouw Weeks, stel dat u mocht kiezen. Wie zou u dan liever als tweede ouder van Zoës kinderen zien, Max of Vanessa?

'Bezwaar,' zegt Wade Preston. 'Dat zijn speculaties.'

'Kom, kom, meneer Preston,' antwoordt de rechter. 'Niet moeilijk doen in de aanwezigheid van het glas water, alstublieft. Ik sta deze vraag toe.'

Dara kijkt naar Max, die aan de tafel van de eisende partij zit. 'Het is niet aan mij om die vraag te beantwoorden. Maar dit weet ik wel: Max heeft mijn dochter verlaten.' Ze draait zich om naar mij. 'En Vanessa,' zegt ze, 'die zal haar blijven koesteren, haar leven lang.'

Na haar getuigenverklaring komt Dara naast me zitten, op de stoel die ik heb vrijgehouden. Ze grijpt mijn hand. 'Heb ik het goed gedaan?' fluistert ze.

'Alsof het je dagelijks werk is,' zeg ik. 'Absoluut professioneel.' En het is waar. Wade Preston had nauwelijks iets in handen tijdens zijn kruisverhoor. Hij kon Dara nergens op vastpinnen en moest zich behelpen met wat strohalmen.

'Ik heb geoefend. Ik ben de hele nacht opgebleven om mijn chakra's uit te balanceren.'

'Dat was duidelijk te merken,' antwoord ik, hoewel ik geen idee heb waar ze het over heeft. Ik bekijk haar eens goed. Dara met haar magnetische armband, haar halsketting waaraan een medicijnbuideltje hangt, en haar geneeskrachtige kristallen. Soms vraag ik me af hoe Zoë erin geslaagd is te worden wie ze is.

Maar ja, je zou over mij hetzelfde kunnen zeggen.

'Had mijn moeder jóú ooit maar eens kunnen ontmoeten,' fluister ik haar toe. Wat ik eigenlijk bedoel is: *had mijn moeder maar een klein stukje van jouw grote, warme hart gehad.*

Dokter Anne Fourchette, de directeur van de fertiliteitskliniek, arriveert in de rechtszaal met een krat vol papierwerk. Het zijn de medische dossiers van Zoë en Max, die gekopieerd zijn en die de griffier nu uitdeelt aan de diverse advocaten. Terwijl de dokter plaatsneemt, zwieren haar weelderige, zilverwitte krullen langs de kraag van haar zwarte pak. Een leesbril met een gestreept montuur in zebrapatroon bungelt aan een ketting om haar hals. 'Ik ken de Baxters sinds 2005,' begint ze. 'Toen wilden ze beginnen met een vruchtbaarheidsbehandeling, met als doel een baby, uiteraard.'

'Hebben u en uw collega's hen kunnen helpen?' vraagt Angela.

'Ja,' zegt dokter Fourchette, 'ze kwamen in aanmerking voor ivf.'

'Wat is de gang van zaken rond een ivf-behandeling?'

'We beginnen met een uitgebreide reeks medische onderzoeken om de oorzaken van het vruchtbaarheidsprobleem te bepalen. Zodra we die oorzaken kennen, stippelen we een behandeling uit. In het geval van het echtpaar Baxter was zowel Max als Zoë verminderd vruchtbaar. Daarom moesten we geselecteerde zaadcellen van Max in de eitjes van Zoë injecteren. Wat Zoë betreft, zij moest een wekenlange

hormoonbehandeling ondergaan, waardoor er meerdere eitjes tegelijk rijpten gedurende één cyclus. Daarop volgde de follikelpunctie.
Het exacte tijdstip waarop dat moet plaatsvinden luistert heel nauw.
Vervolgens konden we de verkregen eitjes bevruchten met Max' sperma. Zo produceerde Zoë tijdens hun eerste behandeling vijftien eitjes.
Acht daarvan werden met succes bevrucht, en van die acht zagen
twee er goed genoeg uit voor een onmiddellijke embryotransfer. Dan
waren er nog drie die er ook prima uitzagen. Die hebben we dan ook
ingevroren voor een eventuele toekomstige behandeling.'

'Wat bedoel u, "zagen er goed genoeg uit"?'

'Sommige embryo's hebben een iets regelmatiger vorm dan andere.'

'Misschien dat iemand ze mooie muziek heeft laten horen, of welgemeende woorden van dankbaarheid,' hoor ik Preston mompelen.
Ik werp een blik in zijn richting, maar hij zit aandachtig te neuzen in
de medische dossiers.

'Het is ons beleid om twee embryo's per patiënt terug te plaatsen,
hooguit drie als de potentiële moeder wat ouder is. We willen voorkomen dat zich te veel embryo's tegelijk innestelen in de baarmoeder.
Een tweeling is leuk, maar denkt u bijvoorbeeld aan de octomama,
Nadya Suleman, die in 2009 een achtling kreeg. Dat is duidelijk te
veel van het goede. Als er embryo's overblijven die goed genoeg zijn
voor toekomstig gebruik, vriezen we ze in.'

'Wat doet u met de embryo's die niet "goed" zijn?'

'Die worden afgedankt,' zegt de arts.

'Hoe?' vraagt Angela.

'Ze zijn medisch afval, dus worden ze verbrand.'

'Wat is er gebeurd tijdens de laatste ivf-behandeling van Zoë?'

Dokter Fourchette zet haar bril op. 'Zoë werd zwanger op haar
veertigste. Na achtentwintig weken werd de baby dood geboren.'

'Waren er na deze ivf-poging nog embryo's over?'

'Ja, drie. Die hebben we ingevroren.'

'Waar zijn die embryo's nu?'

'In mijn kliniek,' zegt dokter Fourchette.

'Zijn ze levensvatbaar?'

'Dat weten we pas als we ze ontdooid hebben,' antwoordt ze. 'Het
zou kunnen.'

'Wanneer hebt u Zoë voor het laatst gezien?' vraagt Angela.

'Ze kwam naar de kliniek omdat ze de embryo's wilde gebruiken. Maar volgens ons beleid konden wij de embryo's niet aan haar vrijgeven zonder schriftelijke toestemming van haar ex-man. Dat heb ik met haar besproken.'

'Dank u. Ik heb geen vragen meer,' zegt Angela.

Wade Preston tikt met zijn vinger op de eiserstafel. Hij neemt de dokter op alsof hij zeker weet dat hij het winnende punt gaat scoren. 'Dokter Fourchette,' begint hij, 'u zegt dat de embryo's die niet "goed" zijn, worden afgedankt. Ze worden verbrand, toch?'

'Dat is juist.'

'Dat gebeurt in een verbrandingsoven, nietwaar?'

'Ja.'

'Net als een crematie, dus. En cremeren, dat doen we met mensen die gestorven zijn, nietwaar?'

'Inderdaad. Maar embryo's van hooguit vijf dagen oud zijn nog geen mensen.'

'En toch worden ze op dezelfde manier behandeld als een overledene. U spoelt ze niet door de wc – u laat ze tot as vergaan.'

'Het is van belang hierbij aan te tekenen dat vijfenzestig procent van de embryo's feitelijk afwijkend is, en wel zodanig dat ze vanzelf sterven. Dat gebeurt dus voor ze verbrand worden,' zegt de dokter. 'Trouwens, beide partijen in deze rechtszaak hebben vóór de laatste ivf-behandeling een contract ondertekend, waarbij ze onder andere instemmen met de verbranding van embryo's die niet geschikt zijn voor een transfer of invriezing.'

Bij het woord 'contract' draait Wade Preston zich op zijn hakken om. Angela, die vlak voor me zit, veert overeind. En rechter O'Neill buigt zich naar dokter Fourchette. 'Pardon? Hebt u het over een contráct?'

Hij vraagt om het te mogen inzien, en dokter Fourchette overhandigt hem het document. Zwijgend bestudeert de rechter de papieren. 'Volgens deze akte dienen in het geval van echtscheiding van de betrokken partijen alle overgebleven embryo's door de kliniek te worden vernietigd. Dokter Fourchette, waarom is dit contract niet uitgevoerd?'

'De kliniek was er niet van op de hoogte dat de Baxters gescheiden waren,' antwoordt de dokter. 'Op het moment dat wij daar kennis van namen, was het al aannemelijk dat hier een rechtszaak van zou komen.'

De rechter kijkt op. 'Tja. Dit maakt mijn werk plotseling een stuk makkelijker.'

'Nee,' fluistert Zoë, op hetzelfde moment dat zowel Angela als Wade Preston opspringt en ze bijna gelijktijdig 'bezwaar!' schreeuwen.

'Edelachtbare, we hebben een reces nodig...' begint Angela.

'Een bijeenkomst in de raadkamer,' onderbreekt Preston haar.

Rechter O'Neill schudt zijn hoofd. 'U hebt waarachtig wel genoeg van mijn tijd verspild. Raadslieden, komt u even hierheen.'

Buiten zichzelf van schrik draait Zoë zich naar me om. 'Dat kan hij niet maken, toch? Ik mag mijn kind niet verliezen door een of andere onbenullige formaliteit...'

'Ssst, lieverd,' zeg ik, en niet alleen in een poging haar te troosten. De juristen zijn verwikkeld in een verhitte discussie, en ik zit zo dichtbij dat ik kan horen wat ze zeggen. 'Waarom heeft niemand mij ingelicht over dit contract, raadslieden?' foetert de rechter.

'Mijn cliënt heeft hier nooit iets over gezegd, edelachtbare,' antwoordt Angela.

'Die van mij ook niet. Wij wisten niets af van het bestaan van dit document,' voegt Preston toe.

'En toch hebben allebei uw cliënten dit ondertekend,' houdt de rechter hun voor. 'Ik kan niet zomaar voorbijgaan aan een wettelijk contract, mocht u dat soms denken.'

'De omstandigheden zijn inmiddels ingrijpend veranderd,' zegt Preston.

'En denkt u aan het precedentenrecht...' pleit Angela.

De rechter heft zijn hand op. 'U krijgt één dag. Morgenochtend om negen uur komen we opnieuw bijeen voor een hoorzitting over de afdwingbaarheid van dit contract.'

Angela wijkt achteruit. 'Mórgenochtend?'

'Dit eist meer tijd,' zegt Preston nadrukkelijk.

'Weet u wat ík eis, van u beiden?' vaart de rechter uit. 'Ik eis dat u zich gedraagt als gedegen advocaten die eindelijk eens hun huiswerk doen, voordat ze mijn rechtszaal binnenstappen. Ik eis van mijn raadslieden dat ze de basiskennis van het verbintenissenrecht op een rijtje hebben. Deze complicatie zou iedere eerstejaars rechtenstudent in één oogopslag hebben gesignaleerd. En waar ik níét op zit te wachten zijn twee jengelende, kibbelende advocaten die hun tijd duidelijk beter zouden kunnen gebruiken!' De bode haast zich naar voren om zijn aankondiging te doen, maar rechter O'Neill staat al naast zijn stoel. We komen allemaal overeind, alsof zijn woede ons als een magneet omhoogtrekt. Met driftige passen loopt hij de rechtszaal uit.

Angela vindt een kleine vergaderkamer op de bovenste verdieping van het gerechtsgebouw. Zoë, Dara en ik lopen als makke schapen achter haar aan naar binnen. 'Wat is dít nu?' vraagt Angela, terwijl ze tegenover Zoë gaat zitten.

Zoë is in alle staten. 'Hij kan de kliniek toch niet commanderen de embryo's weg te gooien, terwijl wij ze allebei willen hebben?' snikt ze.

'Een contract is een contract,' zegt Angela kortaf.

'Maar dit was een toestemmingsformulier. Zoals wanneer je volledige anesthesie krijgt en je iets moet ondertekenen voor je buiten bewustzijn raakt. We wilden alleen maar een baby. Dus dacht ik dat we simpelweg alle hokjes moesten afvinken als we in aanmerking wilden komen voor de behandeling.'

Angela trekt haar wenkbrauwen op. 'Dus je hebt niet eens de complete tekst van dat contract gelezen?'

'Het waren twintig pagina's!'

Angela sluit haar ogen. Hoofdschuddend zegt ze: 'Nou, dat is dan fraai, potdomme.'

'Kan dit het besluit van de rechter vertragen?' vraag ik. 'Dat zou nadelig kunnen uitpakken voor de embryo's.'

'Hm. Het zou ook buitengewoon snel kunnen gaan,' zegt Angela. 'O'Neill hoeft alleen maar dat vermaledijde contract uit te laten voeren, dan is hij morgenochtend om kwart over negen van deze hele rechtszaak af. Dit biedt hem een gemakkelijke uitweg, plus dat hij een juridisch precedent schept dat anderen kunnen navolgen. En het zou zijn reputatie geen kwaad doen als hij zijn carrière weet af te sluiten met een waar salomonsoordeel.' Ze staat op en pakt haar tas. 'Ik moet er als de wind vandoor, mensen. Ik heb bergen werk te doen vóór morgenochtend.'

Wanneer de deur achter Angela dichtvalt, begraaft Zoë haar gezicht in haar handen. 'We waren zo dichtbij,' fluistert ze.

Dara buigt zich voorover en geeft Zoë een kus op haar kruin. 'Jij moet iets eten,' zegt ze. 'Een rol chocoladekoekjes kan wonderen doen voor je stemming.'

Ze gaat naar beneden om troostvoedsel in te slaan uit de snoepautomaat in de koffiekamer. Ik zit op de armleuning van Zoë's stoel en streel haar over haar rug. Ik voel me machteloos. 'Salomon,' zeg ik uiteindelijk, 'wie is dát nou weer?'

Tussen haar snikken door borrelt bij Zoë een lachje op. 'Weet je dat dan niet?'

'Hoezo? Is het een of andere beroemde advocaat of politicus die ik zou moeten kennen?'

Ze gaat rechtop zitten en veegt over haar ogen. 'Salomon was een koning die voorkomt in de Bijbel. Hij was superintelligent. Er kwamen twee vrouwen bij hem met één baby. Ze beweerden allebei om het hardst dat het hun kind was. Salomon stelde voor de baby in tweeën te hakken met een zwaard, zodat ze elk een stuk konden krijgen. Toen werd een van de vrouwen compleet hysterisch. Ze zei dat ze liever haar kind afstond dan het te laten doden, en zo kwam Salomon erachter wie de echte moeder was.' Zoë zwijgt even. Dan zegt ze: 'Dat zou ik ook doen, weet je. Ik zou de embryo's liever aan Max geven dan ze te laten vernietigen.' Ze snuit haar neus. 'Maar Vanessa, jij zou zo'n fantastische moeder zijn geweest.'

'We weten nog niet hoe dit afloopt,' antwoord ik.

Dat zeg ik om Zoë moed in te spreken.

Maar in mijn hart mis ik nu al iets wat ik nooit heb gehad.

MAX

Als ik de volgende morgen het souterrain uit kom, zit Wade Preston aan de keukentafel. Hij giet schenkstroop op een wafel en ziet er uitgerust en alert uit. Dat kun je van mij niet zeggen. Volgens mij heb ik vannacht amper vijf minuten geslapen. Maar ja, Wade heeft vast een stel mannetjes in dienst die zijn juridische research voor hem doen. Hij heeft waarschijnlijk nog een uurtje voor de tv gehangen en is daarna in bed gedoken.

'Môgge, Max,' zegt Wade. 'Ik zit hier juist de fijne kneepjes van het verbintenissenrecht uit te leggen aan Reid. Je weet wel, vanwege dat contract.'

Ik ruik mango en mint, als een zomerdag, terwijl Liddy zich over me heen buigt en een bord voor me neerzet. Ze is in haar badjas. Alle haartjes in mijn nek staan in één keer rechtovereind.

Even vraag ik me af waarom Wade zijn juridische strategie aan mijn broer uitlegt in plaats van aan mij. 'Als die ouwe bullebak besluit om het contract volgens de letter van de wet uit te laten voeren,' zegt Wade, 'dan trommel ik alle anti-abortusgroeperingen uit heel Amerika op. Dan gaat hij met pensioen te midden van de allergrootste rel die je maar kunt verzinnen. O'Neill weet precies aan welke touwtjes ik allemaal kan trekken als ik dat wil. Dus hij zal zich heus wel twee keer bedenken voor hij zo'n uitspraak doet.'

'Anderzijds,' zegt Reid, 'als de Kerk in deze zaak het slachtoffer wordt, dan zet ons dat in een heel sympathiek licht.'

Ik kijk hem aan. 'Niet de Kerk.'

'Hè, wat zeg je?' vraagt Wade.

'Ik zeg dat het niet de Kerk is die slachtoffer wordt. Dit gaat om míjn embryo's. Míjn ongeboren kinderen.'

'Max toch.' Wade neemt een grote slok koffie terwijl hij me over de rand van zijn mok aankijkt. 'Laat de rechter dat maar niet horen, knul. Jíj bent toch niet bijzonder aan die baby's gehecht? Ze zijn bestemd voor je broer en zijn vrouw.'

Er klinkt gekletter in de gootsteen. Liddy heeft een lepel laten vallen. Ze legt hem in het afdruiprek, draait zich om en ziet dat onze blikken op haar gericht zijn. 'Hoog tijd dat ik me ga aankleden,' zegt ze. Zonder me aan te kijken loopt ze de keuken uit. Wade praat rustig door, terwijl ik naar het zonlicht staar dat de ruimte vult waar zij stond.

Dominee Clive is niet in de rechtszaal. En dat terwijl ik juist vandaag zijn steun zo hard nodig heb. Maar de stoel vlak achter mij, waar hij altijd zit, is opvallend leeg.

Ik kan me voorstellen dat Zoë zich hetzelfde voelt als ik. Het is al vijf over negen en uitgerekend haar advocaat schittert door afwezigheid.

'Ik ben er, ik bén er!' roept Angela Moretti hijgend, terwijl ze door de dubbele deuren de rechtszaal in komt stuiven. Haar blouse hangt uit haar broekband en ze draagt sportschoenen onder haar pak in plaats van de gebruikelijke hoge hakken. Haar ene wang is besmeurd met iets wat op jam lijkt, of bloed. 'Peuterdochter had een plak ontbijtspek in de cd-speler van de auto gestopt,' legt ze uit. 'Sorry voor het oponthoud.'

'U kunt direct van start gaan, raadsvrouw,' zegt rechter O'Neill.

Angela rommelt in haar aktetas. Een SpongeBob-kleurboek, een culinair tijdschrift (*De Gezonde Keuken*) plus een roman belanden op haar tafel. Dan heeft ze haar resumé eindelijk te pakken. 'Edelachtbare, in dit land zijn slechts in één zaak de voorwaarden in een toestemmingsformulier zoals de Baxters hebben ondertekend daadwerkelijk afgedwongen,' begint ze. 'In *Koss contra Koss* hebben beide partijen soortgelijke formulieren ondertekend. Er stond in dat in geval van echtscheiding, en als het koppel het niet eens kon worden over de toewijzing van de embryo's, de kliniek de embryo's zou vernietigen. Een rechtbank heeft die overeenkomst bekrachtigd. Het hof redeneerde dat, als de partijen deze overeenkomst vrijwillig hadden ondertekend, zij daar nu aan gehouden konden worden,' ratelt Angela, en ze gaat in één adem door: 'Echter, in de rest van de rechtszaken met betrekking tot embryodonatie – en die zijn dun gezaaid – werd voornamelijk geoordeeld ten gunste van de partij die geen voortplanting wenste. In Davis contra Davis wilde de moeder de embryo's oorspronkelijk zelf hebben, maar besloot vervolgens ze te doneren. En dat bracht de rechter ertoe in het voordeel van haar ex-man te beslissen, die wilde afzien van het vaderschap. De rechter zei dat indien er een contract was geweest, de voorwaarden aanvaard hadden moeten worden. Maar zo niet, dan dient men de rechten van de partij die het ouderschap wenst af te wegen tegen de rechten van degene die dat niet wenst. In A.Z. contra B.Z. in Massachusetts waren formulieren ingevuld volgens welke in het geval van echtscheiding de vrouw de embryo's mocht gebruiken. Maar de ex-echtgenoot verzocht om een gerechtelijk verbod op het gebruik van de embryo's. Het hof oordeelde dat het bestaande contract overtroefd werd door iemands persoonlijke keuze om zich na zijn scheiding niet te willen voortplanten. Want na ondertekening van het contract waren de omstandigheden zo drastisch veranderd dat handhaving ervan niet legitiem zou zijn. De rechter argumenteerde bovendien dat het een fout signaal zou afgeven aan de gemeenschap om iemand tot onvrijwillig ouderschap te dwingen.'

Angela knoopt haar jasje dicht. 'In de zaak J.B. contra M.B. in New Jersey bestond er een contract waarin bepaald werd dat in geval van echtscheiding de embryo's zouden worden vernietigd. Toen de scheiding daadwerkelijk plaatsvond, wilde de ex-vrouw de embryo's laten vernietigen. Haar voormalige echtgenoot ging hiertegenin omdat het in strijd was met zijn pas verworven religieuze overtuiging én zijn recht op vaderschap. De rechter besloot in eerste instantie het contract ongeldig te verklaren. Niet omdat hij het zag als strijdig met het openbare beleid in Massachusetts, maar omdat iemand het recht had om van gedachten te veranderen, ook als het ging om gebruik of vernietiging van embryo's. Het contract moest een formele, eenduidige registratie zijn van het voornemen van beide partijen. Maar... aangezien dat niet het geval was, zei de rechter dat de partij die geen kinderen wilde de overhand moest hebben. Dus werden de embryo's tóch vernietigd, omdat de vader ook in de toekomst zelf nog kinderen kon krijgen.'

Ze draait zich half om en kijkt naar Zoë. 'Het verschil tussen deze rechtszaken en de onze, edelachtbare, is dat in ons geval geen van beide partijen de embryo's wil vernietigen. Zowel Zoë als Max wil ze juist wél hebben, al is het om verschillende redenen. Maar één ding is op nagenoeg alle opgesomde zaken van toepassing, edelachtbare. Namelijk dat het contract door een verandering in omstandigheden sinds de ondertekening van het toestemmingsformulier niet langer juridisch bindend werd geacht. Of de verandering nu echtscheiding inhield of een nieuw huwelijk of een ommekeer door religieuze overtuiging. En nu, gezien het feit dat beide partijen de betreffende embryo's een kans op leven willen geven, zou het laten uitvoeren van de contractvoorwaarden, die niet meer relevant zijn, een uiterst dubieus precedent scheppen.'

Er ontstaat onrust achter in de rechtszaal. Ik draai me om en zie dominee Clive, die jachtig door het gangpad naar voren komt lopen. Zijn gezicht is bijna net zo wit als zijn kostuum. Hij buigt zich over de rand van de publieke tribune en steekt zijn hoofd tussen dat van Ben Benjamin en mij. Wade komt juist overeind voor zijn pleidooi.

'Ik kan haar volledig de grond in boren,' fluistert dominee Clive.

'Ik ben blij dat u degene bent die zitting houdt, edelachtbare,' begint Wade. 'Want nu kunt u nog voor één keer meemaken dat wij het van a tot z eens zijn met het betoog van mevrouw Moretti.'

Ben draait zich om naar dominee Clive. 'Echt waar?' De dominee knikt. Ben staat op en loopt naar Wade, die nog steeds aan het woord is: '... sterker nog, wij zijn van mening dat het de voorkeur verdient deze embryo's aan een lesbisch koppel toe te wijzen in plaats van ze in de verbrandingsoven te...' Hij breekt zijn zin af wanneer Ben zich naar hem toebuigt en iets in zijn oor prevelt.

'Edelachtbare?' zegt Wade. 'Mag ik u verzoeken om een korte onderbreking?'

'Wat nu weer,' kreunt Angela Moretti.

'Mijn coadvocaat meldt me dat er nieuwe informatie aan het licht is gekomen. Bewijslast die van invloed kan zijn op uw beslissing in deze zaak.'

De rechter kijkt naar hem, en dan naar Angela. 'Vijftien minuten,' zegt hij met een zuinig gezicht.

De rechtszaal stroomt leeg. Wade trekt Angela Moretti opzij en spreekt haar fluisterend toe. Even later wenkt ze Zoë en leidt haar de rechtszaal uit. 'Dit kun je nu met recht een goddelijk ingrijpen noemen,' zegt Wade, terwijl hij naar me toe komt. 'Ik had het zelf niet beter kunnen organiseren.'

'Wat is er aan de hand?'

'Je ex-vrouw staat op het punt beschuldigd te worden van seksuele intimidatie,' zegt hij. 'Het gaat om een leerlinge van het Wilmington College. Met andere woorden, ga jij maar fijn een kinderwagen en een wieg kopen. Geen enkele rechter zal ooit een kind toewijzen aan iemand die een minderjarige heeft aangerand. Wat mij betreft heb jij zojuist deze zaak gewonnen.'

Maar het eerste stuk van zijn verhaal blijft naklinken in mijn hoofd. 'Zoë zou nooit zoiets doen. Dat kan gewoon niet waar zijn.'

'Maakt niet uit of het waar is of niet,' zegt Ben. 'Als de rechter dit hoort, zijn we binnen.'

'Maar dit voelt helemaal verkeerd. Stel dat Zoë haar baan kwijt-raakt...'

Wade wuift mijn bezorgde woorden weg alsof het steekmuggen zijn. 'Max, beste jongen,' zegt hij. 'Het doel heiligt de middelen.'

ZOË

Zoë, ken jij ene Lucy Dubois? Ik mag hopen van niet,' zegt Angela.

Onmiddellijk zie ik Lucy voor me met haar lange rode haar, haar kapot gekauwde vingernagels en de littekens als rijen geborduurde dwarssteken op haar armen. 'Is alles in orde met haar?'

'Dat weet ik niet,' Angela's stem klinkt zo gespannen als een veer. 'Heb jij me iets te vertellen over Lucy?'

Vanessa trekt een stoel bij en gaat naast me zitten. We zijn weer terug in hetzelfde vergaderkamertje als gisteren, maar vandaag motregent het. De wereld achter het raam ziet er rijp en weelderig uit. Het gras is zo groen dat het bijna pijn doet aan mijn ogen. 'Lucy is een leerling die ik onder mijn hoede heb. Ze lijdt aan ernstige depressies,' legt Vanessa uit aan Angela. Dan raakt ze mijn arm aan. 'Je zei toch dat ze twee dagen geleden erg van streek was?'

'Ze had het erover dat ze zelfmoord wilde plegen. O, mijn god, dat heeft ze toch niet gedaan?'

Angela schudt haar hoofd. 'Haar ouders hebben jou beschuldigd van aanranding, Zoë.'

Ik knipper met mijn ogen; ik heb Angela vast verkeerd verstaan. 'Sorry, wat zeg je nou?'

'Zij zeggen dat je bij twee verschillende gelegenheden avances hebt gemaakt.'

'Maar dat is volslagen absurd! Ik ben haar therapeut... Onze relatie is louter professioneel!' Ik wend me tot Vanessa. 'Vertel haar hoe het zit.'

'Lucy heeft een ernstige stemmingsstoornis,' zegt Vanessa. 'Wát ze ook beweert, je moet het met minstens een kilo zout nemen. Dat lijkt me nogal duidelijk.'

'Daarom is het juist zo bezwarend dat een zekere Grace Belliveau volhoudt Zoë en het meisje te hebben aangetroffen in een compromitterende houding. Dat heeft ze schriftelijk verklaard, met handtekening en al.'

Mijn botten voelen alsof ze los door mijn lichaam zweven. 'Grace Belliveau? Die ken ik niet eens!'

'Ik wel. Ze geeft wiskunde bij ons op school,' zegt Vanessa. 'Ik betwijfel of je haar ooit hebt ontmoet.'

Plotseling zie ik in een korte, levendige flits een jonge docente voor me met kortgeknipt zwart haar. Ze stak haar hoofd om de deur aan het einde van een uitzonderlijk emotionele therapiesessie met Lucy. Ik herinner me hoe ik Lucy op dat moment in langzame, kalmerende cirkels over haar rug streelde.

Maar ze zat te huilen, wil ik zeggen.

Het is niet wat je denkt.

Ik had de titelsong van *Barney en zijn knuffelvriendjes* voor haar gespeeld op de ukelele. Barney, het grote, goedlachse troetelbeest. Een paarse speelgoeddinosaurus die een hele rits kleuters – jongens en meisjes – uitgebreid omhelst en knuffelt, in het tv-programma waar dat liedje bij hoort. Ik had Lucy gezegd dat ik wist wat er in haar omging. Dat zij mij buitensloot, zodat ik háár niet kon buitensluiten. Ik had tegen haar gezegd dat ik haar niet in de steek zou laten. Nooit.

'Het meisje beweert,' zegt Angela, 'dat je haar verteld hebt dat je lesbisch bent.'

'Nou ja, zeg.' Vanessa schudt haar hoofd. 'Wie weet nou níét dat Zoë lesbisch is, na al die media-aandacht? Wat dit ook mag voorstellen en hoe ze Zoë ook precies willen zwartmaken, het is allemaal je reinste flauwekul.'

'Het klopt dat ik haar verteld heb dat ik lesbisch ben,' zeg ik zacht. 'De laatste keer dat ik haar zag. Het is niet de gewoonte dat je als therapeut je persoonlijk leven betrekt bij de therapie. Maar ze was zó van streek door wat dominee Clive had gezegd over homoseksualiteit. Ze zat weer te praten over zelfmoord en... ik weet het niet. Ik had zo'n idee dat ze misschien twijfels had over haar eigen seksuele voorkeur en dat ze van haar familie geen begrip hoefde te verwachten. Dat het haar zou helpen om te beseffen dat iemand voor wie ze respect heeft, iemand als ik, een goed mens kan zijn en toch lesbisch. Ik wilde haar een steuntje in de rug geven, iets om zich aan vast te houden. Als tegenwicht voor de preken die ze waarschijnlijk wekelijks in hun kerk te horen krijgt.'

'Gaat ze naar evangelische gemeente van Clive Lincoln?' vraagt Angela.

'Ja,' zegt Vanessa.

'Aha. Dan is het raadsel opgelost hoe dominee Clive deze primeur in handen heeft gekregen.'

'Dus de beschuldiging is nog niet openbaar gemaakt?' vraagt Vanessa.

'Nee,' zegt Angela. 'En nu komt de grote verrassing, maar niet heus. Wade zegt dat hij de ouders misschien zou kunnen overhalen om dit onder de pet te houden. Een van Lucy's ouders moet naar de dominee zijn gestapt om spiritueel advies te vragen. Misschien heeft iemand uit dat gezin Lucy zelf wel naar Clive Lincoln toe gebracht.'

Het gaat niet om een jongen, had Lucy gezegd.

Het ging om een meisje. Of een vrouw.

Zou ze op mij gedoeld hebben? Ging haar gehechtheid aan mij verder dan alleen vriendschapsgevoelens? Had ze misschien iets gezegd, gezongen of opgeschreven wat door haar ouders verkeerd was geïnterpreteerd?

Of had Lucy helemaal niets gedaan, behalve eindelijk de moed bij elkaar rapen om uit te komen voor haar geaardheid... En hadden haar ouders haar durf beloond door haar ontboezeming te verdraaien tot een leugen? Alleen maar omdat dat voor hen gemakkelijker te accepteren was?

'Wat weten jullie over de moeder?' vraagt Angela.

Vanessa kijkt op. 'Meegaand. Doet wat haar man haar opdraagt. Hem heb ik nooit ontmoet.'

'Heeft Lucy broers of zusjes?'

'Drie jongere zusjes op de basisschool,' zegt Vanessa. 'Die komen uit het huidige, tweede huwelijk van de moeder, naar wat ik begrepen heb. Lucy's biologische vader is overleden toen zij nog een baby was.'

Ik richt me tot Angela. 'Jij gelooft me, toch?

'Ja, ík geloof je,' zegt Angela. 'En misschien zal zelfs de rechter je geloven. Maar Zoë, vóór het zover is zul je ten overstaan van een stampvolle rechtszaal door de modder worden gesleurd. Deze aantijging komt in alle kranten te staan. En zelfs als de zaak in ons voordeel wordt beslecht, is deze roddel wellicht het enige wat de goegemeente van Rhode Island bijblijft.'

Ik sta op van mijn stoel. 'Ik moet met Lucy praten. Kon ik haar maar...'

'Jij blijft bij dat kind uit de buurt,' valt Angela uit. 'Snap je het dan niet? Zo bezorg je Wade helemáál de dag van zijn leven.'

Sprakeloos zak ik terug op mijn stoel.

'Je hebt heel wat om over na te denken, Zoë. Want misschien krijg je inderdaad de embryo's toegewezen, maar het kan je zonder meer je carrière kosten.'

Angela vraagt een verdaging aan. Ze krijgt één dag om de nieuwe informatie te verwerken voor het proces wordt hervat. Mijn moeder, Vanessa en ik nemen opnieuw de sluiproute naar beneden, via de dienstlift naar het parkeerterrein. Maar deze keer voelt het niet alsof we onze tegenstanders te slim af zijn, maar eerder alsof we ons verstoppen.

Zodra we buiten zijn, trekt mijn moeder me aan mijn mouw. 'Zullen wij tweetjes even een ommetje maken?'

We staan aan de achterzijde van het gerechtsgebouw, vlak bij het laadperron. Ik zeg tegen Vanessa dat ik binnen tien minuten naar de auto kom en loop achter mijn moeder aan naar een grote groene vuilcontainer. Twee vrouwen staan tegen de container geleund te roken. Ze dragen allebei een veel te krap zomerjurkje, waardoor ze eruitzien als worsten in een strakgespannen vel. 'Dwayne is ronduit een flapdrol,' zegt een van hen. 'Áls hij al terugkomt, hoop ik dat jij hem zegt dat hij naar de pomp kan lopen.'

'Neem me niet kwalijk,' zegt mijn moeder. 'We willen graag wat privacy.'

De vrouwen kijken naar haar alsof ze gek is, maar vervolgens slenteren ze weg. 'Herinner jij je nog dat ik erachter kwam dat ik vierduizend dollar per jaar minder verdiende dan Hudd Sloane, mijn collega op het reisbureau?'

'Vaag,' zeg ik. Ik was toen twaalf of dertien jaar. Ik weet nog dat mijn moeder iets zei van: 'Een staking is een staking, ook al heeft de vakbond maar één lid.'

'En herinner je je nog wat ik deed toen jij in groep twee zat en de juf voorlas uit *Als ik de baas was van het circus*? Dat ik op haar ben afgestapt en geprotesteerd heb tegen de boodschap die dat boek uitzond over dierenmishandeling?'

'Ja.'

'Plus dat ik de eerste ben die met een spandoek de straat opgaat als er een politieke campagne wordt gevoerd voor een vrouwelijke kandidaat,' voegt ze eraan toe.

'Ja, weet ik.'

'Ik zet dit allemaal nog eens voor je op een rijtje, zodat je beseft dat ik een vechtjas ben.'

Ik kijk haar aan. 'Dus je vindt dat ik het moet blijven opnemen tegen Wade Preston?'

Mijn moeder schudt haar hoofd. 'Nee. Wat ik eigenlijk wil zeggen, Zoë, is dat je deze zaak los moet laten. Dat is mijn mening.'

Ik staar haar aan. 'Dus jij bent er voorstander van dat ik de ouders van een zestienjarige leugens laat rondstrooien over mij? En dat ik daar niets tegen inbreng?'

'Nee, schat. Ik denk aan jou, en wat voor jou het beste is. Mensen in een kleine gemeenschap – en dat is Rhode Island in feite – onthouden bepaalde dingen. Maar helaas is hun geheugen niet zo nauwkeurig. Ik herinner me nog de moeder van een leerling bij jou in de eindexamenklas. Zij was er op de een of andere manier van overtuigd dat je vader was gestorven aan een hartaanval terwijl hij in bed lag met zijn maîtresse.'

'Had papa een vriendin?' vraag ik geschokt.

'Nee. Dat bedoel ik nou juist. Desondanks was die vrouw er volledig zeker van, want dat was zoals zij zich het drama herinnerde. Jij hebt er ongetwijfeld niets dan goed aan gedaan om dat arme huilende meisje een knuffel te geven. Je bent misschien wel de enige in haar leven die begrip heeft getoond voor wie zij echt is. Maar dan nog... Zo zullen de inwoners van Rhode Island het zich niet herinneren. Het zal je nog jaren worden nagedragen dat jij de therapeut bent die te intiem omging met een minderjarige cliënte.' Mijn moeder slaat haar armen om me heen. 'Geef die embryo's aan Max, meisje. Ga verder met je leven. Je hebt nog steeds een schat van een partner, die kinderen kan krijgen. En je hebt je muziek.'

Ik voel een eenzame traan over mijn wang glijden, terwijl ik me van haar losmaak en mijn hoofd afwend. 'Ik weet het echt niet meer, mama.'

Ze glimlacht een beetje droevig. 'Je kunt het spel niet verliezen als je wegloopt voor het voorbij is.'

En plotseling besef ik dat Lucy precies hetzelfde zou zeggen.

Vanessa rijdt niet rechtstreeks naar huis. We gaan naar Point Judith, waar de vuurtoren staat. We doen onze schoenen uit en lopen op blote voeten over de strook gras die aan het hoge bouwwerk grenst. We maken op verzoek een foto van een bejaard echtpaar, dat hier vakantie viert. We schermen onze ogen af en turen tegen de zon in om de veerboot te kunnen zien. Gaat hij naar Block Island of is hij juist op de terugweg hierheen? We wandelen naar het aangrenzende park en gaan hand in hand op een bankje zitten. Een vrouw werpt ons een misprijzende blik toe, maar dit keer trekken we ons daar niets van aan. Snel wendt ze haar hoofd af.

'Ik moet je iets vertellen,' zegt Vanessa ten slotte.

'Dat we kunnen adopteren?' gok ik.

Ze kijkt me verbaasd aan. Ze zit duidelijk heel ergens anders met haar gedachten. 'Ik heb gelogen in de getuigenbank.'

'Weet ik. Ik was erbij, Ness.'

'Niet over de zelfmoordpoging. Oké, daar heb ik ook over gelogen, maar... het gaat om de reden waarom ik in die psychiatrische kliniek ben beland.' Ze kijkt me in de ogen. 'Ik zei dat het kwam omdat mijn relatie afgelopen was, maar dat was een soort halve waarheid. Het ging namelijk om een professionele relatie. Niet iets met een vriendin, begrijp je.'

'Maar wat...'

'Ik was decaan op een privéschool in Maine,' zegt Vanessa. 'En ik was daar ook coach van het schoolhockeyteam. We hadden een belangrijke wedstrijd gewonnen, dus ik had de meiden allemaal bij mij thuis uitgenodigd voor een etentje om dat te vieren. Ik woonde toen een halfjaar in het huis van een collega, die op sabbatical was en tijdelijk met zijn gezin in Italië verbleef. Ik zat nog maar sinds kort in dat huis en ik wist nog niet waar alles lag, zoals afwasmiddel, nieuwe keukenrollen enzovoorts. Hoe dan ook, een paar meisjes waren on-

gemerkt naar de kelder gegaan. Daar vonden ze een uitgebreide wijn-
voorraad en blijkbaar had een meisje een fles opengemaakt en ervan
gedronken.

'Een paar dagen later kreeg een teamgenootje last van haar geweten en vertelde de rector wat er gebeurd was. Hij riep mij op het
matje, en ik legde uit dat ik geen idee had gehad waar die meisjes mee
bezig waren, daarbeneden. Dat ik niet eens wíst dat er een wijnkelder
in dat huis was. Maar het baatte allemaal niet. Hij stelde me voor de
keuze: óf ik zou openlijk en op staande voet worden ontslagen, óf ik
kon met stille trom vertrekken.' Ze kijkt me weer aan. 'Dus ik koos
voor het laatste. Maar ik kon het niet verkroppen dat ik gestraft werd
voor iets wat mijn schuld niet was. Het was een ongelukje, en bovendien stelde het weinig voor. Toen ben ik depressief geworden, en ik
had mezelf bijna van kant gemaakt voordat ik eindelijk besefte dat ik
die geschiedenis achter me moest laten. Ik kon er immers niets aan
veranderen. Ik kon niet veranderen wat die meisjes hadden gezegd.
En ik kon al helemaal niet de rest van mijn leven in angst blijven zitten of dit verhaal ooit nog ergens zou opduiken en mijn beroepsreputatie schaden.' Ze strijkt mijn haar achter mijn oren. 'Zorg dat ze
jou je carrière niet afpakken. Jouw werk is je lust en je leven, dat weet
ik. Als je wilt vechten tegen die valse beschuldiging, dan sta ik achter
je. Maar als je de embryo's aan Max geeft op voorwaarde dat Wade
Preston zijn mond houdt, dan heb ik daar alle begrip voor.' Ze glimlacht. 'Jij en ik vormen toch al een gezin, of niet soms? Met of zonder kinderen.'

Ik kijk omhoog naar de vuurtoren. Op een plaquette in het park
staat dat de toren in 1810 werd opgetrokken uit hout en dat hij in
1815 volledig instortte tijdens een orkaan. Nadien herbouwde men
de toren in steen, en was hij uiteindelijk een stuk hoger en sterker.
Maar ondanks de enorme vuurtoren werd voor dit kustgedeelte nog
regelmatig schipbreuk geleden.

Veiligheid is relatief. Je kunt zo dicht bij de kust zijn dat je praktisch vaste grond onder je voeten voelt, om vervolgens alsnog op de
rotsen te pletter te slaan.

Toen ik na achtentwintig weken mijn kindje verloren had, zat ik
thuis. Ik was net uit het ziekenhuis ontslagen en wilde zelfs geen mu-

ziek horen, daarom had ik mijn wekkerradio vernield. Vlak daarop ging de telefoon.

'Spreek ik met mevrouw Baxter?' vroeg een vrouw.

Ik wist op dat moment amper meer wie ik was, maar ik zei ja.

'We hebben Daniël hier voor u. U kunt uw zoontje zó komen ophalen.'

De eerste keer dacht dat ik het een monsterlijk wrede grap was. Ik smeet de telefoon door de kamer. Toen hij meteen daarna weer overging, zette ik het toestel uit. Zodra Max thuiskwam van zijn werk vroeg hij waarom de telefoon niet werkte. Ik haalde mijn schouders op en deed alsof ik van niets wist.

De volgende dag werd er weer gebeld.

'Mevrouw Baxter, alstublieft. Wanneer komt u Daniël ophalen?'

Was het echt zo makkelijk? Kon ik mezelf verplaatsen naar een alternatief universum, gewoon door dat ene te doen wat ik had nagelaten? Mijn zoon naar huis halen, de draad oppikken waar we waren opgehouden? Ik vroeg het adres. Die middag kleedde ik me aan, voor het eerst sinds ik uit het ziekenhuis was. Ik pakte mijn sleutels en mijn tas, stapte in de auto en ging op weg.

Verwonderd keek ik naar het gebouw met de witte zuilen en de prachtige brede stenen trap die naar de ingang leidde. Ik parkeerde de auto op de half cirkelvormige oprijlaan die zich uitstrekte als een lange zwarte tong. Langzaam liep ik de trap op en het gebouw binnen.

'U bent vast mevrouw Baxter,' zei de vrouw achter de receptiebalie.

'Daniël,' zei ik alleen maar. De naam van mijn zoon voelde glad en rond op mijn tong, als een pepermuntje. Zoet en bitter tegelijk. 'Ik kom hier voor Daniël.'

Ze liep de kamer achter de balie in en kwam even later terug met een kartonnen doosje. 'Hier is hij,' zei ze. 'Gecondoleerd met uw verlies.'

Het was niet groter dan een horlogedoosje, en ik durfde het niet aan te raken. Als ik dat deed, dacht ik, dan zou ik misschien flauwvallen.

Maar toen hield ze me het doosje voor en ik zag hoe mijn handen zich eromheen vouwden. Ik hoorde mezelf 'dank u wel' zeggen. Alsof dit precies was wat ik al die tijd had gewild.

Ik ben al een paar jaar niet meer bij Reid en Liddy thuis geweest. Hun voortuin is een weelde van kleur. Er groeien voornamelijk rozen; dat moet wel het werk van Max zijn. Op het gazon achter de rozenperken staat een nieuw, witgeschilderd tuinhuisje. Een wand is begroeid met heliotropen, die als juwelendieven omhoogkruipen naar de dakrand. Max' haveloze truck staat geparkeerd achter een goudkleurige Lexus.

Wanneer ik op de voordeurbel druk, doet Liddy open. Verbluft staart ze me aan.

Ze heeft dunne lijntjes rond haar mond en ogen. Ze ziet er moe uit.

Ben je gelukkig? wil ik haar vragen.

Heb je enig idee waar je aan begint?

Maar ik zeg alleen: 'Is Max thuis?'

Ze knikt, en even later komt hij eraan. Hij draagt hetzelfde overhemd als in de rechtszaal, maar geen stropdas. En hij is in spijkerbroek.

Dat maakt het makkelijker voor me. Nu kan ik doen alsof ik iets te bespreken heb met de oude Max, de man die ik gekend heb.

'Wil je binnenkomen?'

Achter in de grote hal zie ik Reid en Liddy afwachtend heen en weer drentelen. Het laatste wat ik wil, is in hun woonkamer zitten. 'Misschien kunnen we daar even praten? Ik knik in de richting van het tuinhuisje, en hij stapt de veranda op. Blootsvoets loopt hij achter me aan naar het houten bouwwerkje. Ik ga op de lage trap zitten. 'Ik heb dat niet gedaan,' zeg ik.

Max' schouder raakt de mijne. Ik voel de warmte van zijn huid door zijn overhemd heen. 'Ik weet het.'

Ik veeg mijn ogen af. 'Eerst heb ik mijn zoon verloren. Toen jou. Nu sta ik op het punt onze embryo's te verliezen, en hoogstwaarschijnlijk mijn baan.' Ik schud mijn hoofd. 'Dan is er niets meer over.'

'Zoë...'

'Neem jij ze maar,' zeg ik. 'Neem jij de embryo's. Maar beloof me alsjeblieft dat het hiermee afgelopen is. Zorg dat jouw advocaten van Lucy afblijven. Dat ze niet hoeft te getuigen.'

Max buigt zijn hoofd. Ik weet niet of hij bidt of huilt, of allebei. 'Dat beloof ik,' zegt hij.

'Oké.' Ik wrijf met mijn handen over mijn knieën en sta op. 'Oké,' zeg ik nogmaals. Ik draai me om en loop resoluut naar mijn auto, hoewel ik Max achter me mijn naam hoor roepen.

Ik negeer hem, stap in mijn jeep en rij achteruit de oprijlaan af tot de hoofdweg. Dan parkeer ik de auto vlak bij hun brievenbus, die aan de weg staat. Ik kan ze hiervandaan niet zien, maar ik stel me voor hoe Max de hal weer in loopt en Reid en Liddy het nieuws vertelt. In gedachten zie ik hoe ze elkaar omhelzen.

Alle sterren regenen uit de hemel neer op het dak van mijn auto. Het voelt als een zwaard tussen mijn ribben, het verlies van mijn kinderen die ik nooit zal leren kennen.

Vanessa zit op me te wachten, maar ik rijd niet in één ruk naar huis. Doelloos zwerf ik rond. Ik neem nu eens een afslag naar links en dan weer naar rechts, tot ik bij een veldje terechtkom ergens vlak achter het T.F. Green Airport. Hier staan 's nachts de koeriersvliegtuigen te rusten onder de open hemel. Het is nu helemaal donker. Ik ga ruggelings op de motorkap van mijn auto liggen, met mijn achterhoofd en schouders tegen de voorruit geleund. Ik staar omhoog terwijl de straalvliegtuigen zich gierend naar landingsbaan laten zakken. Ze lijken zo dichtbij, het is alsof ik hun buik kan aanraken. Het geraas is oorverdovend. Ik kan mezelf niet horen denken of huilen, en dat komt goed uit.

Dus is het eigenlijk onzinnig dat ik naar de kofferbak loop om mijn gitaar te pakken. Het is dezelfde die ik op het Wilmington College heb gebruikt om Lucy te leren gitaarspelen. Ik was van plan hem een tijdje aan haar uit te lenen.

Ik vraag me af wat ze heeft gezegd. Moest deze beschuldiging de afstand overbruggen tussen wie zij is en wie zij volgens haar ouders hoort te zijn? Heb ik haar uitspraken helemaal fout geïnterpreteerd? Misschien liep ze over iets heel anders te tobben dan over haar seksuele identiteit. Misschien zat dat alleen maar in mijn eigen hoofd vanwege deze allesoverheersende rechtszaak. Heb ik mijn eigen ideeën op het blanco doek geschilderd dat Lucy feitelijk nog steeds voor mij is?

Ik haal mijn gitaar tevoorschijn en klauter weer op de motorkap. Mijn vingers vinden als vanzelf hun plaats op de hals en gaan langzaam over de frets. Lui, alsof ze een oude, vertrouwde geliefde strelen.

Ik begin te tokkelen met mijn andere hand, maar er zit iets tussen de snaren. Een wit, flodderig papiertje. Voorzichtig vis ik het ertussenuit; het mag niet in het klankgat vallen.

Het is het akkoordenschema van 'Naamloos paard', in mijn handschrift. Ik had het aan Lucy gegeven, de dag dat we het liedje instudeerden. Maar op de achterkant van het papiertje zijn met groene viltstift vijf parallelle lijnen getekend. Een notenbalk. De bovenste lijn wordt onderbroken door twee evenwijdige, schuine streepjes. Het lijkt wel een stukje minitreinrails.

Ik weet niet wanneer Lucy deze boodschap voor mij heeft achtergelaten, maar het ís een boodschap. Uit alle muzieksymbolen die ze had kunnen kiezen, heeft ze uitgerekend een cesuur op de notenbalk gekrast.

Een cesuur betekent een onderbreking in een muziekstuk.

Een korte rust, waarbij de musici niet op de maat hoeven letten.

En dan, zodra de dirigent dat beslist, gaat de melodie verder.

MAX

De volgende morgen zitten we weer in de rechtszaal. Angela Moretti's gezicht ziet er zo hoekig en in zichzelf gekeerd uit als een kreeftenklauw. 'Mijn cliënte trekt haar bezwaar in, edelachtbare,' zegt ze. 'We verzoeken u de embryo's niet te laten vernietigen zoals gesteld in het contract, maar toe te wijzen aan Max Baxter.'

Vanaf de publieke tribune klinkt applaus. Ben grijnst me toe. Ik voel me misselijk.

Dat heb ik al sinds gisteravond. Het begon toen Zoë in haar jeep achteruit scheurde over de oprijlaan, weg van ons. Het werd erger toen ik terugliep het huis in, met knipperende ogen omdat het licht binnen ineens zo fel was. En het werd er niet beter op toen ik Liddy en Reid vertelde dat Zoë zich gewonnen gaf.

Reid tilde Liddy van de grond en danste met haar door de hal. 'Besef je wel wat dit betekent?' vroeg hij, met een enorme grijns. 'Nou?'

En plotseling besefte ik dat inderdaad. Het betekende dat ik stilzwijgend zou moeten aanzien hoe Liddy dikker en dikker werd, met míjn baby in haar buik. Dat ik in de wachtkamer van de kraamafdeling zou moeten rondhangen terwijl Reid in de verloskamer was om Liddy bij te staan tijdens de bevalling. Ik zou moeten aanzien hoe Reid en Liddy verliefd werden op hun kindje, met mij erbij als vijfde wiel aan de wagen.

Maar ze zag er zo verrekte gelukkig uit. Ze had nu al die speciale gloed op haar wangen, en haar haar glansde, terwijl ze nog niet eens zwanger wás. 'Dit moeten we vieren,' zei Reid, en hij verdween de keuken in. Daar stonden we dan met z'n tweeën.

Ik deed een stap naar haar toe, en nog een. 'Wil jij dit echt zo?'

fluisterde ik. Zodra we Reid hoorden terugkomen, weken we uit elkaar. 'Gefeliciteerd, zusje,' zei ik, en kuste haar op haar wang.

Reid hield in zijn ene hand een geopende fles schuimende champagne, en in zijn andere hand twee hoge glazen. Uit de zak van zijn jasje puilde een blikje frisdrank, dat duidelijk voor mij bedoeld was. 'Drink maar lekker op, meisje,' zei hij tegen Liddy. 'Vanaf morgen staan voor jou sojamelk en foliumzuur boven aan het menu!' Hij gaf me mijn frisdrank en zei: 'Laten we drinken. Op deze lieve, prachtige, aanstaande moeder!'

Ik hief mijn blikje fris in haar richting. Wat moest ik anders?

'Op Wade!' vervolgde Reid, en hief opnieuw zijn glas. 'En op Lucy!'

Verbouwereerd keek ik hem aan. 'Lucy? Welke Lucy?'

'De stiefdochter van Clive Lincoln,' antwoordde Reid. 'Het was niet bijster slim van Zoë om zich juist aan dat meisje te vergrijpen.' Hij dronk zijn glas leeg, maar ik raakte mijn frisdrank niet aan. Ik zette het blikje neer op de onderste traptrede en liep de voordeur uit, naar buiten.

'Even een luchtje scheppen,' zei ik over mijn schouder.

'Zal ik met je meegaan?' Liddy deed een stap naar me toe, maar ik hief afwerend mijn hand op. Blindelings beende ik naar het tuinhuisje, waar ik een paar minuten geleden nog met Zoë had gezeten.

Ik had dominee Clives vrouw wel honderd keer ontmoet. En zijn drie dochters ook, die altijd op het podium stonden te zingen terwijl zij pianospeelde. Geen van die meisjes was oud genoeg om op de middelbare school te zitten. En ze heetten geen van allen Lucy, dat wist ik zeker.

Maar ze hadden nog een dochter. Het zwarte schaap, dat met tegenzin de preken uitzat en na de kerkdienst nooit bleef koffiedrinken met de gezelschapskring. Als zij de stiefdochter van dominee Clive was, had ze waarschijnlijk een andere achternaam dan hij. De kans was groot dat Zoë het verband nooit had gelegd.

Had dit meisje echt hulp gezocht bij Zoë omdat ze zich zorgen maakte dat ze misschien lesbisch was? Had ze geprobeerd het aan haar moeder en stiefvader te vertellen? Had Clive toen meteen aangenomen dat Zoë de boosdoener was, die probeerde Lucy te werven voor een verdorven levensstijl? En waarom? Waarschijnlijk omdat iedere andere interpretatie hém in een ongunstig licht zou plaatsen.

Het kon ook met de rechtszaak te maken hebben. Dominee Clive wist dat we tot de tanden gewapend moesten zijn om te winnen. En hij wist hoeveel dát zou betekenen voor de opvattingen die hij dagelijks predikte. Misschien had hij zijn stiefdochter onder druk gezet en deze aantijging uit haar geperst. Had hij zijn stiefdochter tot zondebok gemaakt, zodat ik zou winnen? Zodat híj zou winnen?

Ik zat ineengedoken voor het tuinhuisje, terwijl de vragen en mogelijkheden door mijn hoofd tuimelden. Ik kwam er niet uit. Maar uiteindelijk drong één ding tot me door. Wat de ware toedracht van de beschuldiging precies was, deed er niet toe.

Het enige wat ertoe deed, was dat deze gemene lasterpraat hoe dan ook de wereld in was geholpen.

Rechter O'Neill kijkt naar Zoë, die naar een denkbeeldig punt op de houten tafel voor haar staart. 'Mevrouw Baxter,' zegt hij, 'doet u dit helemaal uit vrije wil?'

Ze geeft geen antwoord.

Achter haar zit Vanessa, die even in Zoës schouder knijpt. Het is een heel simpel, klein gebaar, maar het doet me terugdenken aan de dag dat ik hen voor het eerst samen zag op de parkeerplaats bij de supermarkt. Zo'n kneepje is het soort troost dat je gewoontegetrouw geeft aan degene die je dierbaar is.

'Mevrouw Baxter?' dringt de rechter aan. 'Wilt u dit echt?'

Zoë heft langzaam haar hoofd op. 'Ik wil het niet,' zegt ze. 'Maar ik ga het wel doen.'

Na ongeveer een uur bij het tuinhuisje te hebben gezeten, zag ik een spook.

Het gleed tussen de bomen door en zweefde als een herinneringsbeeld over het gras. Het leek er waarachtig op dat het spook mijn naam riep.

'Máx,' zei Liddy opnieuw, en toen werd ik wakker.

'Je kunt niet buiten slapen, nu,' zei ze. 'Straks vries je nog dood.'

Ze ging naast me zitten. De witte, golvende wolk van haar katoenen nachtpon daalde rond haar neer.

'Wat doen jullie daarbinnen? Boeken met babynamen doorspitten?' vroeg ik.

'Nee,' zei Liddy. 'Ik heb zitten denken.'

'Wat valt er nog te denken? Voor jullie is het een en al goed nieuws.'

Liddy glimlachte even. 'Grappig dat je dat zegt. Weet je wat het woord "evangelie" betekent? "Goed nieuws", met betrekking tot Jezus. Dat goede nieuws moeten wij verspreiden.'

'Spaar me,' zei ik, terwijl ik half overeind kwam. 'Ik zit nu even niet te wachten op een Bijbelles.'

Ze praatte door alsof ze me niet gehoord had. 'Je weet wat het belangrijkste gebod in de hele Bijbel is, hè Max? *Hebt uw naasten lief als uzelf.*'

'Fantastisch,' zei ik zuur. 'Fijn om te weten.'

'Jezus maakte nooit uitzonderingen, Max,' vervolgde Liddy. 'Hij heeft niet gezegd dat het goed genoeg is als we achtennegentig procent van onze naasten liefhebben. In dat geval zouden we iemand die een stille middag verknoeit door keiharde house te draaien, gerust mogen haten. Of iemand die op zijn motor dwars door ons voorste bloemperk crosst. Of iemand die extreem rechts stemt, of iemand die met een hakenkruistatoeage loopt te pronken. Maar zo werkt het niet. Natuurlijk, er zijn heus wel dagen dat ik moeite heb met die man van een paar huizen verderop... Je weet wel, die doodgemoedereerd toekijkt hoe zijn hond mijn complete perk daglelies staat leeg te vreten. Maar volgens Jezus heb ik geen keus.'

Ze stak haar hand naar me uit en ik trok haar overeind. 'God is liefde,' zegt ze. 'En als er voorwaarden of uitzonderingen zijn, dan is dat geen liefde. Dat heb ik zitten denken.'

Ik keek neer op onze ineengeklemde handen. 'Liddy, ik zit muurvast,' bekende ik zacht. 'Ik weet niet meer wat ik moet doen.'

'Natuurlijk weet je dat wel,' zei ze. 'Je moet doen wat goed is.'

Ironisch genoeg moeten we een contract ondertekenen. Er staat in dat de informatie die Clive heeft ontvangen niet zal worden vrijgegeven, noch door de eisende partij, noch door de Kerk. Plus dat in de toekomst niets hiervan ooit ter sprake mag komen, in gezelschap van welke persoon of groep dan ook. Dominee Clive ondertekent de voorwaarden die Wade Preston op een vel gelinieerd papier heeft gezet. De rechter laat zijn blik erover gaan. Dan verklaart hij dat ik vanaf nu als enige mag beschikken over de drie ingevroren embryo's.

Inmiddels is er niemand meer op de publieke tribune. Iedereen staat buiten te wachten tot ik boven aan de trap verschijn met een dankbare grijns op mijn gezicht, om God te danken voor de uitkomst van dit proces.

'Nou,' zegt Wade met een grinniklach. 'Mijn werk zit erop, hier. Wat jij?'

'Dus ze zijn nu wettelijk van mij? Voor de volle honderd procent?' vraag ik.

'Dat klopt,' zegt Wade. 'Je kunt met ze doen wat je maar wilt.'

Zoë zit nog steeds achter de tafel van de verdediging. Ze lijkt op het hart van een bloem; ze wordt omringd door haar moeder, haar advocaat en Vanessa. Angela geeft haar een schoon papieren zakdoekje aan. 'Weet je hoeveel advocaten van Max je nodig hebt om een wand te plamuren?' vraagt ze, in een poging om Zoë op te vrolijken. 'Hangt ervan af hoe hard je ze ertegenaan keilt.'

Als dit op een andere manier had gekund, had ik het gedaan. Maar ik wist niet hoe. Wade had altijd nog iets kunnen verzinnen om me tegen te houden. Om je de waarheid te zeggen is het nooit mijn bedoeling geweest dat de rechtszaak zich zó zou ontwikkelen. Ergens in de loop van het proces ging het alleen nog maar om politiek, godsdienst, wetten en regels. Ergens in de loop van het proces ging het niet meer om mensen. Om Zoë en mij, en de kinderen die wij ooit samen wilden.

Ik loop naar mijn ex-vrouw toe. Haar gezelschap wijkt uiteen, zodat ik opeens vlak voor haar sta. 'Zoë, het spijt me...' begin ik.

Ze kijkt me aan. 'Dank je wel dat je dat zegt.'

'Laat me even mijn zin afmaken. Het spijt me dat jij dit allemaal hebt moeten doorstaan.'

Vanessa doet een stap naar Zoë toe.

'Ze krijgen een goed leven,' zegt Zoë, maar het klinkt als een vraag. 'Daar zul jij toch voor zorgen, Max?' Nu stromen de tranen over haar wangen. Ze zit te trillen van inspanning om zichzelf in de hand te houden.

Ik zou haar in mijn armen willen nemen, maar dat is nu het privilege van iemand anders. 'Ze krijgen het beste van het beste,' zeg ik nadrukkelijk. Dan schuif ik haar het juridisch document toe dat Wade Preston me zojuist in mijn handen heeft gedrukt. 'En daarom geef ik ze aan jou.'

10

Sammy's liedje

SAMANTHA

Ook al is Sammy pas zes jaar, toch weet ze al een heleboel dingen zeker:

Dat haar hondje Ollie er soms uitziet alsof hij echte mensenwoorden tegen haar zegt, vooral wanneer hij van de pindakaas heeft gesnoept.

Dat 's nachts al haar knuffels tot leven komen. Hoe kan het anders dat Aap, Beer en Konijn 's morgens op heel andere plaatsen in bed liggen, terwijl Sammy de hele nacht heeft geslapen?

Dat ze zich het allerveiligst voelt met mama Zoë's armen om zich heen.

Dat ze ooit, toen ze op mama Nessie's schouders zat, de zon heeft aangeraakt. En dat weet ze zeker, omdat ze daarna een blaar op haar duim had.

Dat ze een paar dingen níét, níét, NIET fijn vindt. Zoals naar de dokter gaan voor een prik, de geur van benzine en de smaak van vieze, vette worstjes.

Dat de meneer of mevrouw die glitterpoeder heeft uitgevonden, heus wel had kunnen weten dat het op een grote knoeiboel zou uitlopen.

Dat ze haar eigen naam kan schrijven. Zelfs haar lange naam: S-a-m-a-n-t-h-a.

Dat Annie Yu haar beste vriendinnetje is op de hele wereld.

Dat baby's eigenlijk niet door de ooievaar worden gebracht. Annie Yu heeft verteld hoe het in het echt gaat, maar... daar gelooft Sammy ook niets van.

Dat tosti's met kaas en tomaat lekkerder zijn zonder de korstjes.

Dat de tofste dag van het jaar is als het 's winters voor het eerst gesneeuwd heeft.

Dat haar papa de takken van twee verschillende rozenstruiken aan elkaar heeft vastgemaakt. Als het straks zomer wordt en de bloemen gaan bloeien, zal die ene struik er anders uitzien dan alle andere rozen die bestaan. En die nieuwe roos gaat papa naar Sammy vernoemen.

Dat zodra papa met Liddy gaat trouwen, Sammy bruidsmeisje mag zijn. (Dat heeft Liddy haar beloofd toen ze vorig weekend samen een tent van dekens hadden gemaakt onder de keukentafel. Alleen, zei Liddy, had Sammy's papa haar nog steeds niet gevráágd. Waarom deed hij daar toch zo lang over?)

Dat het geen goed idee is om snoepspekkies op te warmen in de magnetron.

Dat Jack Lemar haar plaagde toen haar mama's samen naar de wintervoorstelling op school kwamen kijken. En dat, toen Sammy terugzei dat Jack superdom was omdat iedereen van M&M's hield behalve hij, allebei haar mama's daar héél hard om moesten lachen. Jack snapte er niets van. Maar Sammy had natuurlijk Mama&Mama's bedoeld, en dat was echt een heel goede mop.

Dat mama Ness de tandenfee is. Sammy heeft stiekem gekeken.

Dat ze later astronaut wil worden. Of misschien ijsdanseres. Of allebei.

Dat ze onder water in de badkuip héél lang haar adem in kan houden. Vandaag onder het speelkwartier gaat Sammy aan Annie Yu vragen of een meisje ook een zeemeermin kan worden later.

Dat toen ze uit een boom was gevallen en wakker werd in het ziekenhuis, haar mama's en papa alle drie rond haar bed stonden. Ze waren zo blij dat Sammy oké was dat ze helemaal vergaten boos te worden, ook al had ze helemaal niet in die boom mogen klimmen.

Dat de meeste kinderen maar één mama en een papa hebben. Maar dat Sammy niet 'de meeste kinderen' is, want...

Dat zij écht de grootste bofkont van de hele wereld is.

Soundtrack

1 *Lied in de diepte:* Sing You Home
2 *Huis van hoop:* The House on Hope Street
3 *Vluchteling:* Refugee
4 *Laatste liefde:* The Last
5 *Bruiloft:* Marry Me
6 *Geloof:* Faith
7 *Zeemeermin:* The Mermaid
8 *Wat is normaal?* Ordinary Life
9 *Waar jij bent:* Where You Are
10 *Sammy's liedje:* Sammy's Song

Compositie & uitvoering van de oorspronkelijke muziek:
Ellen Wilber
Songteksten: Jodi Picoult
© 2010 by Jodi Picoult & Ellen Wilber

De liedjes zijn te beluisteren via www.SimonandSchuster.com/Sing
YouHome.